Hera Lind

Der doppelte Lothar

Roman

Ullstein

Personen und Handlung dieses Romans sind wie immer frei erfunden.
Etwaige Ähnlichkeiten mit tatsächlich existierenden Personen wären rein zufällig und sind in keiner Weise beabsichtigt.

Umwelthinweis:
Dieses Buch wurde auf chlor- und säurefreiem Papier gedruckt.

Besuchen Sie uns im Internet: www.ullstein-taschenbuch.de

Ullstein Taschenbuchverlag
Der Ullstein Taschenbuchverlag ist ein Unternehmen der
Econ Ullstein List Verlag GmbH & Co. KG, München
Originalausgabe
1. Auflage November 2002
© 2002 by Econ Ullstein List Verlag GmbH & Co. KG, München
Umschlaggestaltung: Thomas Jarzina, Köln
Titelillustration: Zefa, Düsseldorf
Gesetzt aus der Sabon, Linotype
Satz: KompetenzCenter, Düsseldorf
Druck und Bindearbeiten: Ebner & Spiegel, Ulm
Printed in Germany
ISBN 3-548-25500-0

Für Gabi W. und Eberhard B., denen ich die schönen Momente meiner Schulzeit verdanke.

Und für Ulla K., deren E-Mails mich aus jeder Krise reißen.

Nebenan tönt gerade wieder die Pausenglocke ...

Liebe Alex,
hoffentlich erreicht dich diese Mail. Ich habe ein bisschen recherchiert, um deine E-Mail-Adresse rauszukriegen. Zum Glück ist deine Firma im Handelsregister eingetragen.

Sicher wunderst du dich, dass ich dir nach fast 16 Jahren schreibe.

Leider muss ich dir mitteilen, dass unser guter alter Heinrich Seelig gestorben ist. Als ehemalige Klassensprecherin versuche ich, einige Leute aus unserer Klasse für die Beerdigung zusammenzutrommeln. Die Beisetzung findet am 8. September auf dem Waldfriedhof statt.

Ich würde dich gar nicht damit belästigen, weil ich ja weiß, wie wahnsinnig beschäftigt du bist (man muss ja nur die Klatschblätter aufschlagen), wenn ich nicht folgenden Artikel in einer alten Schülerzeitung gefunden hätte. Ich schicke ihn dir im Anhang.

Vielleicht sehen wir uns bei dieser Gelegenheit mal wieder! Ich würde mich wahnsinnig darüber freuen!
Mit besten Grüßen
Anne Pistrulla (geborene Klein)

Anhang
Auszug aus der Schülerzeitung von 1999 – Interview des Zehntklässlers Malte Quademechels mit Oberstudienrat Heinrich Seelig zum 50. Schuljubiläum

SZ: Herr Seelig, Sie sind mit heute 81 Jahren das älteste ehemalige Mitglied des Schulkollegiums der Gesamtschule Plattstadt. Wann wurden Sie pensioniert?

GS: Vor sechzehn Jahren, mit 66. Ich musste noch meine Lieblingsklasse durch das Abitur führen. Dann habe ich aufgehört.

SZ: Schade, denn man hört nur Gutes über Sie. Sie haben Deutsch, Philosophie und Musik unterrichtet. Vermissen Sie die Schule?

GS: Die Schule an sich eigentlich nicht. Heute ist es kein Zuckerschlecken mehr, Lehrer zu sein. Aber manche Schüler vermisse ich. Die sind mir im Laufe der Jahre ans Herz gewachsen.

SZ: An welches Erlebnis in Ihrer Amtszeit erinnern Sie sich besonders gern?

GS: (lacht) An den Heiratsantrag, den mir Anne Klein und Alexandra Knoppke bei ihrem Abiturfest gemacht haben! (Abiturjahrgang 1986, Anm. d. Red.)

SZ: Wie kam es dazu?

GS: Es ging, glaube ich, um eine Wette. Diejenige der beiden, die den besseren Abiturdurchschnitt haben würde, musste mir auf dem Abiturfest öffentlich einen Heiratsantrag machen. Sie hatten aber auf den Punkt genau den gleichen Notendurchschnitt. Da machten sie ihn mir gemeinsam. Die Aula hat vor Begeisterung getobt.

SZ: Ja, von der Geschichte spricht man heute noch. Aber, unter uns, welche von beiden haben Sie geheiratet?

GS: Leider keine! Erstens hab ich das natürlich nicht ernst genommen, zweitens konnte ich mich für keine entscheiden und drittens wäre der Altersunterschied wohl etwas zu groß gewesen (lacht wieder).

SZ: Haben Sie eine Ahnung, was aus den beiden Damen geworden ist?

GS: Alexandra Knoppke hat den berühmten Dirigenten Leo von

Merz geheiratet und ist, wie man der Presse entnehmen kann, auch seine Managerin. Sie lebt irgendwo bei Salzburg und hat eine international erfolgreiche Künstleragentur.

Anne Klein hat Lothar Pistrulla geheiratet (Schüler der Jahrgangsstufe 81, die Red.), der jetzt Leiter der örtlichen Stadtsparkasse ist. Sie selbst ist Personalleiterin bei »Kaufglück«, also gleich nebenan. Manchmal schaue ich bei ihr vorbei, dann plaudern wir ein wenig. Sie ist Mutter von Zwillingen und anscheinend sehr glücklich.

SZ: Wissen Sie, ob die beiden Schulfreundinnen noch Kontakt haben?
GS: Leider nicht, was ich persönlich sehr bedaure. Ich muss zugeben, dass die beiden meine absoluten Lieblingsschülerinnen waren. Sie haben zusammengehalten wie Pech und Schwefel und waren so unzertrennliche Freundinnen, wie ich es in meiner ganzen Lehrerlaufbahn nie sonst erlebt habe.

SZ: Wenn Sie sich zu Ihrem 50. Schuljubiläum etwas wünschen dürften, was wäre das?
GS: Dass Anne und Alex mir noch mal einen Heiratsantrag machen (lacht). Heute würde ich sie beide nehmen.

SZ: Herr Seelig, wir danken Ihnen für das Gespräch.

Mondsee, Agentur Drehscheibe der Stars,
Salzburg, 6. September

Hallo, Kleinchen!!
Es ist ja völlig ungewohnt, dich mit »Anne« anzusprechen, und
dass du jetzt »Pistrulla« heißt, ist erst recht gewöhnungsbedürf-
tig. Nix für ungut, Süße, aber hast du das nicht verhindern können? Ich hab dich immer Kleinchen genannt, darf ich das noch
weiter tun? Aber, egal wie du auch angesprochen werden willst:
Mir sind die Tränen gekommen, als ich deine Mail gelesen habe!

Erst mal freut es mich riesig, wieder von meiner einzigen
besten Freundin Kleinchen zu hören, und zweitens ist dieses
Interview ja wohl bezaubernd!

Ich konnte mich nur noch ganz schwach erinnern – leider sind
alle meine Fotos von der Zeit irgendwo verloren gegangen. Hast
du noch welche?? Könntest du sie mir mailen?? Weißt du noch,
unsere erste Schulfibel? Wie war der erste Satz? Irgendwas mit
Peter und Flocki.

Ja, warte mal, ich erinnere mich! »Peter ruft Flocki. Flocki
kommt nicht. Da kommt Flocki.«

Ist das nicht genial? Das fällt mir JETZT wieder ein, wo ich an
dich denke, du meine treue Sitznachbarin über dreizehn Jahre
Schulzeit!! Bohnerwachsgeruch auf braunem Linoleumfußboden, zuerst vier Jahre Frau Blusenich, dann der Backenkneifer
Herr Knesemechels in Religion, und wie hieß noch die Alte, bei
der wir »Nadelarbeit« hatten? Brückmeier? Boh, Nadelarbeit!
Dicke Stopfnadeln drängelten sich schmerzend in Pappe, um
hässliche krumme Wollfädenspuren für immer auf ihr zu hinterlassen. Mein erster Bommel! Ich seh mich noch mit schwitzenden
Fingern die feuchte Wolle – Farbe: Altbleu! – um den doppelten

Pappekringel friemeln und die Alte stand über mir und roch so streng nach Eukalyptus und sagte: »So wird das aber kein anständiger Bommel!« Also habe ich einen unanständigen Bommel geschaffen, was blieb mir auch übrig!

Wenn wir alle mit Friemeln beschäftigt waren, hat die Alte – wie HIESS die denn noch? Brüggemann, Brüggemeier, Brügge..., Brück... – uns immerhin Pippi Langstrumpf vorgelesen oder auch »Die kleine Hexe«, was sowieso besser zu ihr passte. Jetzt hab ich mir das alte Poesiealbum rausgesucht, in dem du, Kleinchen, gleich auf der dritten Seite auftauchst mit folgendem originellen Spruch: »Rede viel, aber wahr. Viel Reden bringt Gefahr.«

Wahrscheinlich hast du dich in der Aufregung nur verschrieben, aber Teil eins deines Ratschlages habe ich angenommen. Viel reden!! Teil zwei nicht so sehr. Wär ja langweilig. Allerdings: Meine lose Klappe hat mir schon so manchen Ärger eingebracht!! Aber missen möchte ich den nicht, den Ärger. Hat mein Leben ziemlich kunterbunt gemacht. Jetzt, wo ich so blättere, kommt's mir wieder!

Was macht eigentlich Marion Studier? Oder Jutta Beckstette? Sie schreibt: »Rosen, Tulpen, Nelken, alle Blumen welken, nur die eine nicht, die heißt Vergissmeinnicht.«

War ihr Vater nicht Anstreicher? Und hatte sie nicht eine Schwester, die immer auf dem Dreirad vor ihrem Haus auf dem Rasen hin- und herquietschte, wenn wir aus der Schule kamen? Und liebte sie nicht bis zur Selbstaufgabe »Daniel Gerard« mit dem unvergesslichen Song »Butterfly«?? Was ist mit Uwe Rohner und Uwe Mertens? (Beide haben nicht in mein Poesiealbum geschrieben, obwohl für sie je eine Seite reserviert ist – bis heute!!) »Morgenstund hat Gold im Mund«, hat Detlev Brüseke geschrieben. Ob er dazu heute noch steht? Vielleicht ist er ja Gastwirt oder Rausschmeißer in einer Disco geworden und pennt jeden Tag bis eins. War das nicht so ein Dicker? Der immer seinen völlig uncoolen Lederranzen auf dem Rücken trug? Und aussah, als hätte er einen Kleiderbügel geschluckt?

JETZT habe ich auch die alte Nadelarbeitslehrerin gefunden: Frau Brückmann.

»Man ist reich, wenn man ein freundliches Herz hat!«, schrieb sie vor hundert Jahren in mein Poesiealbum. Hat die eine Ahnung! Also, wenn ich jemals einem Mädel ins Poesiealbum schreiben darf, dann werde ich die ungeschminkte Wahrheit schreiben: »Man ist reich, wenn man von seinen Zinsen leben kann!«

Und daran arbeite ich gerade feste, meine Liebe.

Frau Blusenich! Hurra, weißt du, was die schreibt? »Bete und arbeite!« Thea Blusenich.

Teil eins: Null. Teil zwei: Ja! Klar!! Hätte sie geschrieben »Arbeite und kassiere!«, hätte ich ihren Ratschlag hundertprozentig angenommen.

Und wer war noch mal »Deine Lehrerin G. Solitssek«? War das nicht die, die später mit dem Biologielehrer was angefangen hat und deshalb versetzt wurde? Der Biologielehrer hieß jedenfalls Herr Timmermanns und war sauer auf mich, weil ich die Sache mit der Solitssek in die Welt gesetzt hatte.

Mensch, Kleinchen! Wie geht es dir denn so?? Was hast du all die Jahre gemacht? Es ist eine Schande, dass wir uns so aus den Augen verloren haben, aber ich war einfach wahnsinnig beschäftigt mit Geld verdienen! Bitte entschuldige! Im Laufe der Jahre habe ich mir angewöhnt, nur noch Dinge zu tun, die mir Geld einbringen. Und dazu gehört leider nicht, mit alten Schulfreundinnen E-Mails zu tauschen. Schande über mich. Ich will mich bessern!

Leider kann ich zur Beerdigung von unserem guten alten Heinrich Seelig nicht kommen! Muss nämlich zur Hochzeit von Dick Price. Als seine Managerin darf ich auf diesem Fest nicht fehlen, zumal ich die gesamte Hochzeit an die Bild-Internetseite verkauft habe, für 80 000 Euro! Ich kriege von jedem Deal, den ich für meine Künstler aushandele, zwanzig Prozent. Die ich, unter uns gesagt, nur in den seltensten Fällen versteuere!

Ich sage dir, Kleinchen, das Geld liegt auf der Straße.

Trotzdem schade, dass ich Heinrich nicht auf seinem letzten Weg begleiten kann! Ich wusste nicht, dass wir beide ihm so viel bedeutet haben, dass er uns sogar sein letztes Interview gewidmet hat! Er war ein feiner Kerl. Hart, aber gerecht. Seinetwegen habe ich in Salzburg immerhin Musik studiert, auch wenn ich heute nur passiv mit Musik zu tun habe – als Managerin eines berühmten Dirigenten und einiger international gefragter Sänger. Die Salzburger Festspiele sind mein Zuhause. Und ansonsten habe ich einige erstklassige Schauspieler unter Vertrag. Mir geht es gut, Anne!! Ich kann mich nicht beklagen!

Was ist eigentlich mit deiner Musik? Du wolltest doch immer Sängerin werden. Damals jedenfalls hattest du eine tolle Stimme. Weißt du noch, wie wir mittwochs zusammen bei Heinrich Seelig im Chor gesungen haben? Es würde ihn freuen, dass wir beide wegen ihm wieder Kontakt aufgenommen haben! Vielleicht freut ihn das mehr, als wenn ich auf seiner Beerdigung rumgestanden hätte. Du weißt ja, dass ich solche Veranstaltungen hasse.

Mensch, Anne Pistrulla, geborene Klein! (Konntest du dich gegen diesen Namen gar nicht wehren? Allerdings hätte ein Doppelname das Ganze auch nicht wesentlich aufgepeppt. »Klein-Piss-Trulla… nichts für ungut, aber lästern dürfen wir noch wie damals, oder?) Dem Interview entnehme ich, dass du Personalleiterin bei »Kaufglück« bist. Weißt du noch, wie wir damals unseren ersten Bikini dort gekauft haben? Du brauchtest oben Größe vierzig und unten Größe achtunddreißig, bei mir war es umgekehrt. Ich hatte schon immer den dickeren Hintern und du den größeren Busen.

Da waren wir fünfzehn… So alt ist jetzt mein Sohn Adrian. Er hat mich als Mutter in ein tiefes Sorgenloch gestürzt, aber vielleicht tun das alle Jungs in der Pubertät. Du hast also Zwillinge, kleine Mädchen? Wie süß! Mail mir Fotos!

So, das war die längste private E-Mail, die ich je geschrieben habe. Sonst hacke ich nur zu Businesszwecken in die Tasten. Hat aber Spaß gemacht!

Muss jetzt zum Flughafen, fliege über Zürich nach Basel. Die Bunte will ein Interview über meinen ehemaligen Klienten Joachim Jarnach. Ich weiß nicht, inwieweit du die Yellow Press liest, aber sie ist meine Altersversorgung. Sicher ist dir nicht entgangen, dass Joachim Jarnach, früher begnadeter Opernsänger, heute in einem Altenheim vor sich hin modert. Die Bunte würde 40 000 Euro zahlen, wenn sie aktuelle Fotos von ihm kriegen – sie wollen ihn in der Nervenheilanstalt fotografieren lassen, am liebsten mit einem Brummkreisel, auf dem Teppich spielend. So was fressen die Leute. Da erhöht sich die Auflage eines solchen Blattes sprunghaft. Man muss in diesem Business cool sein. Ich sag dir, das Geld liegt auf der Straße. Mal sehen, was zu machen ist.

Servus, sei herzlich gegrüßt und melde dich wieder!
Deine Alex von Merz, geb. Knoppke

PS: Kleinchen, bist du eigentlich glücklich mit deinem Kerl?
PPS: Alle Männer sind gleich – mir jedenfalls.

Kaufglück, Personalbüro, 15. September

Liebe Alexandra,

es hat mich echt total gefreut, wieder von dir zu hören! Also halte ich mich an meinen Vorsatz von heute Morgen und haue schnell zwischen Personalversammlung und Mittagessen in der Kantine eine E-Mail in die Tasten. Hoffentlich entdeckt mich hier keiner. Ich sollte nämlich eigentlich unten in der Wäscheabteilung sein. Der Mitarbeiter, den ich letzte Woche eingestellt habe, scheint die Höschen und BHs nicht wirklich verkaufen zu wollen. Frau Schnatzke aus der Wurst und Fleisch hat mir gesteckt, dass er die kostbaren Dessous zu ganz anderen Tätigkeiten zweckentfremdet, in der Umkleidekabine für Behinderte! Die kann man nämlich als Einzige abschließen. Was der neue Mitarbeiter wahrscheinlich nicht weiß: dass eine Kamera darin installiert ist. Ich sag dir, Alexandra, mein Job ist das, was ich mir immer erträumt habe! Dafür hab ich Hölderlin gelesen und Zwölftonmusik analysiert und komplizierte Brüche gekürzt – um als Personalchefin von Kaufglück perverse Mitarbeiter aufzuspüren, während sie auf die neu eingetroffenen Spitzenhöschen masturbieren! Nein, mit dem Gesangsstudium ist es nichts geworden. Das war nur ein schöner Traum.

Ich habe kurz nach dem Abitur Lothar kennen gelernt und bin den »bürgerlichen, geregelten Weg« gegangen: Reihenhaus, Bausparvertrag, zwei Einkommen, Zwillinge, zwei Omas fürs Grobe. Doch ich will mich nicht beklagen! Es geht mir gut! Mein Mann hat nichts dagegen, dass ich arbeite, und die beiden Omas unterstützen mich im Haushalt, so gut sie können.

Du würdest sagen, dass es durchschnittlicher gar nicht mehr

geht. Bieder, spießig, langweilig. Aber ich habe einfach keine Zeit für große Träume.

Dass DU die deinen verwirklicht hast, daran habe ich nicht eine Sekunde gezweifelt. Super – Managerin von international gefragten Sängern und Schauspielern! Joachim Jarnach! Dick Price! Wow!! Du kommst rum in der Welt und verdienst 'ne Menge Knete, während ich mich mit kleinen Idioten in einem Spießer-Kaufhaus rumschlage und noch nie über Plattstadts Grenzen hinweggekommen bin. Außer mal nach Reit im Winkl oder nach Grömitz. Früher im VW Käfer von meinem Vater. Da saßen außer meiner Mutter Margot auch noch Tante Emmi und Onkel Kurt mit drin (Freunde aus dem Wandervogel-Verein), wenn wir in Urlaub fuhren. Ich lag hinten auf der Hutablage und schlief. In der Zeit kannten wir uns ja schon. Ja, du hast zu meinem Leben gehört wie eine Zwillingsschwester.

Natürlich habe ich mein Poesiealbum auch rausgesucht.

Du schreibst: »Erfolg hat im Leben und Treiben der Welt, wer Nerven, Humor und Ruhe behält.« Find ich stark. Passt zu dir. Vielleicht würdest du den Spruch heute nur geringfügig ändern: »Erfolg hat im Leben und Treiben der Welt, wer seine Knete für sich behält.« Jedenfalls nach dem, was ich über deinen wichtigsten Lebensinhalt gelesen habe, meine ich.

Nix für ungut, Alex. Der Dicke mit dem Schulranzen hieß Ulrich Zehler und wohnte neben dem Zahnarzt in diesen besseren Bungalows am Nordring. Mir schrieb er: »Vergesse nie die Heimat, wo deine Wiege stand, denn du findest in der Ferne kein zweites Heimatland.« Und der Zahnarzt von nebenan hat gleich noch hinzugefügt: »Zweimal täglich Zähneputzen, zweimal jährlich zum Zahnarzt. Dieses schrieb dir, liebe Anne Klein, dein Dr. Missbach.«

Das habe ich sehr wörtlich genommen und artig befolgt. Bis heute gehe ich zweimal jährlich in den Zahnarztbungalow. Der dicke Ulrich Zehler ist Rechtsanwalt geworden.

Aber ich will mich nicht beklagen, Alex. Jeder ist seines Glückes Schmied. Und ich bin wirklich zufrieden. Meine Mädchen sind hellwach, gesund und mit süßen fünf wirklich meine Wonneproppen, mein Mann ist pünktlich, fleißig und zuverlässig, einen besseren Mann könnte ich gar nicht kriegen! Das Reihenhaus ist in knapp dreißig Jahren abbezahlt. Was will man mehr?!

Ich fand es wunderbar, nach sechzehn Jahren wieder von dir zu hören! Meine Güte, mir erscheint es wie gestern, dass wir zusammen zur Abiturfeier gegangen sind! Ich hatte dieses schreckliche Kostüm an, das meine Mutter von ihrer Schwester geerbt hatte, und schämte mich den ganzen Abend, wie immer. Grobstrick mit beige-roten Karos, wadenlang mit Plissee. Tante Erika. Reine Schurwolle. Nicht runtergesetzt. Und du kamst natürlich im Miniröckchen! Mein Vater hätte mir nie erlaubt, mit so einem Fähnchen das Reifezeugnis entgegenzunehmen, aber du hast dich ja noch nie um so was geschert. Weißt du, was meine Eltern damals über dich gesagt haben? Jetzt kann ich es dir ja sagen. Die Alex ist ein Flittchen, aus der wird nichts werden. Doch nein. Wieder mal daneben. Von wegen Alex Knoppke, das Proletenkind. Alexandra von Merz, Inhaberin einer internationalen Künstleragentur, Villa im Landhausstil, Jahreseinkommen schätzungsweise eine Million Euro, 'ne Menge Schwarzgeld in der Schweiz ... Oder geht jetzt meine Fantasie mit mir durch?

Apropos, was mir aufgefallen ist: Geld scheint in deinem Leben eine ziemliche Rolle zu spielen. Mein Mann Lothar würde begeistert sein. Er redet doch so gern über Geld.

Sein großer Traum ist es, selbständiger Finanzberater zu sein und riesige Firmen zu managen. Stattdessen hockt er seit zwölf Jahren in der Plattstädter Sparkassenfiliale und berät höchstens Omas, die ihre siebenundzwanzig Euro aus dem Strickstrumpf anlegen wollen. Immerhin hat er es zum Filialleiter gebracht. Der Job ist aber wahnsinnig stressig für ihn und er hat fast keine Zeit für seine Familie.

Bist du immer noch so fleißig? Ich weiß noch, wie du geackert hast, um dir ein Motorrad kaufen zu können. Du hast immer gespart wie verrückt, um dir was leisten zu können, was dich von der Masse abhob. Außerdem hattest du, im Gegensatz zu mir, immer die angesagtesten Klamotten an. Ich habe heute noch das alte Holland-Fahrrad, mit dem ich damals durch Plattstadt gefahren bin. Und das steht jetzt bei uns im Keller.

Komisch, bei uns in Plattstadt liegt das Geld überhaupt nicht auf der Straße! Stell dir mich vor, Alex: Anne Pistrulla, geborene Klein, in einem runtergesetzten Zweiteiler von Kaufglück, auf Mitarbeiterrabatt. Gerne trage ich Twinsets in Pink, Bleu und Beige. Monatseinkommen: zwei sechs. Euro. Immerhin. Brutto. Plus Kindergeld. Dafür hab ich alle Leistungen der Firma Kaufglück inklusive der flotten Föhnwelle von Ariane, unserer Friseurin im Haus, der nicht mehr ganz frischen Lebensmittel von gestern und der Bücher und Zeitschriften der Vorwoche.

Aber ich will mich nicht beklagen. Es könnte mir wirklich schlechter gehen. Andere Frauen haben nicht so einen sicheren Arbeitsplatz und zwei so zauberhafte Kinder und einen so fleißigen Ehemann und ein so hübsches Reihenhaus und noch die unentgeltliche Hilfe zweier tüchtiger Omas.

Das sagt meine Mutter immer. Kannst du dich noch an sie erinnern? Oma Margot. Mein Vater ist leider vor sieben Jahren gestorben.

Eines scheint sich zwischen uns nicht geändert zu haben: mein leiser Neid auf dich! Wie schaffst du es nur, mir immer das Gefühl zu geben, ich sei ein Versehen der Natur, während du offensichtlich überall »Hier!« geschrien hast?

Nein, nein, ich bin schon sehr zufrieden.

Muss los, die Schnatzke aus der Wurst- und Fleischabteilung sucht mich und will schon wieder petzen.

Mit leise neidischen Grüßen
deine alte Anne Klein

PS: Meinetwegen nenn mich weiter Kleinchen. Du hast mich sowieso nie Anne genannt.

Anlage: ein Foto von den Zwillingen, Lothar und mir bei uns im Vorgarten

Hallo, Kleinchen,
bin in der Senator-Lounge und tue so, als würde ich arbeiten, habe mich mit meinem Laptop in eine sichtgeschützte Kabine verschanzt. Hinter mir stehen mindestens vier fette Business-Burschen, unrasiert und übellaunig, die warten alle auf meinen Arbeitsplatz. Quarz mir eine, obwohl Nichtraucherzone. Aber wie lautete unser Lieblingsspruch, als wir fünfzehn, sechzehn waren? Gesetze sind dazu da, übertreten zu werden. Ey, hömma. Hast du auch beim Beten bei Backenkneifer Knesemechels immer so einen Unsinn verstanden? »Wie auch wir vergeben unseren Chewing-Gum.« Ich dachte, ein wahrer Christ muss auch mal seinen Kaugummi mit seinem Nebenmann teilen. Oder, ganz früh, noch bei Frau Blusenich, bei »Macht hoch die Tür«: »Mein Schlüpfer reicht am Rad.« Ich dachte, anständige Mädchen checken erst mal, ob man nix sieht, wenn sie radeln. Weißt du noch, der Blockflötenkreis bei Frau Wedekind? Ich seh uns noch in das spuckedurchtränkte Gerät pusten, bei »Es kommt ein Schiff gelahahaden«. Oder: »Kehrt mit einem Segel heim in jedes Land!« Ich dachte, das arme Schiff, hat nur noch ein Segel.

Ach, Erinnerungen!! Weißt du noch: »Frère Schacke, Frère Schacke« – ich hatte erst verstanden: »Schwere Jacke, schwere Jacke!« Der hat uns tatsächlich noch gehauen, der alte Knabe. War aber schon über neunzig, jedenfalls noch einer, der im Ersten Weltkrieg seinen Mann gestanden hatte. Bei dem mussten wir uns doch jeden Morgen der Größe nach aufstellen, an der Heizung, und dann rief er unsere Namen auf und wir mussten

»Hier!« schreien. »Klein?« – »Hier!« – »Knafflar?« – »Hier!« – »Knoppke?« – »Hier!«

Einmal, als Knut Knafflar seine Hausaufgaben nicht gemacht hatte (die hatte er aber nie gemacht!), hat Herr Freudenberg die gesamte Klasse mitgenommen zum Haus von Knut Knafflar und den armen Jungen vor den Augen seiner blinden Mutter verhauen. Makaber, aber wahr!!

Sehe gerade: Meine Maschine nach New York hat Verspätung. Also: Liebste Anne Klein, also du hast ja echt einen Vogel. Jetzt hab ich dir sechzehn Jahre Zeit gegeben und du hast deine blödsinnigen Wahnvorstellungen immer noch nicht abgelegt?

Wie kommst du drauf, dass du
a) hässlicher
b) blöder
c) spießiger
d) glückloser
bist als ich?

Du siehst doch okay aus, also ich meine, du könntest mehr aus deinen Haaren machen. Ich wollte, ich hätte so blonde Naturlocken wie du! Lass sie doch einfach wachsen und hör mit diesen Föhnwellen auf! Aber wahrscheinlich brauchst du so ein Outfit in deinem Job. Jedenfalls hast du rein äußerlich alle Voraussetzungen für eine modische Topfrau: Du bist schlank, hast nach wie vor die längsten Beine der Klasse, dein Gesicht ist so bildhübsch wie damals – warum schminkst du dich immer noch nicht? Will das dein Lothar nicht? Geh doch mal runter in die Kosmetikabteilung und frag die zuständige Yvonne oder Jasmin, was sie dir empfiehlt, selbstverständlich zum Mitarbeiterrabatt. Ich könnte mich totlachen. Zu mir nach Hause kommt zweimal in der Woche Rico, mein persönlicher Stylist. Er stammt aus dem tiefsten Ostberlin und ist schwul. Der kann die beste Fußmassage der Welt, ist top in Maniküre und Pediküre und macht mir auch die Haare. Ich kann dabei arbeiten, das ist ganz praktisch. Meistens häng ich ja am Telefon oder am Computer. Rico kriegt alles mit, ist aber standhaft, duldsam und verschwiegen. Er stylt auch alle Künstlerinnen, die ich vertrete.

Also Iris, Senta, Uschi, Hannelore und die gesamte Riege. Die schwören alle auf ihn.

Den Haushalt besorgt mir übrigens auch eine Schwuchtel. Er heißt Jaime und kommt aus Argentinien. Eigentlich ist er der Au-pair-Junge von Adrian, aber Adrian findet ihn »voll Scheiße« und treibt sich lieber mit den Jugendlichen aus dem Dorf herum.

Macht mir ziemlich viel Sorgen, der Bengel, ist in der Schule schlecht und hat sich laut Auskunft von Jaime letztens mal meinen BMW ausgeliehen für eine nächtliche Spritztour. Mit fünfzehn!!

Solche Probleme hast du mit deinen süßen Zwillingen ja wohl nicht. Ich stell mir deine heile Welt so richtig bildlich vor: Wenn du nach Feierabend heimkommst, haben die Omas das Haus geputzt, die Kinder gehütet und das Essen gekocht. Dann sitzt ihr alle in der netten Essecke und macht: »Widdewiddewitt, guten Appetit.«

Ich hätte dir auch gern Fotos von meinem Sohn gezeigt, aber Adrian ist voll in der Pubertät und will nicht fotografiert werden. Hat auch Pickel, der arme Kerl. Und einen »Bart«, wie er sich auszudrücken beliebt, der allerdings noch nicht für die Öffentlichkeit freigegeben wird, da er nur aus einem Dutzend verschieden langer Stoppeln besteht. Schule findet er voll ungeil und alle seine Lehrer sind blöde Wichser. Hätten wir mal über Herrn Freudenberg sagen sollen! Was der uns gehauen hätte! Hausaufgaben macht Adrian, wenn überhaupt, mit dem Füller direkt ins Schulbuch, aber in Arabisch. Jedenfalls Hieroglyphen, die keiner lesen kann, auch er nicht. Na und? Ist doch nicht mein Problem, bläht er mich an, wenn ich ihn sanft darauf hinweise. Am Wochenende ist er meistens bei Leo. Seit wir geschieden sind, verstehen wir uns wieder richtig gut. Seine jetzige Frau Olga muss einiges aushalten. Letztens hat Adrian ausgerechnet in ihrem hochheiligen Badezimmer mit dem Hockeyschläger den antiken Spiegel zerdeppert. Angeblich ein Original von Kaiserin Maria Theresia. Daraufhin hat Adrian ganz cool gesagt, hoffentlich war Maria Theresia Allianz-versichert. Das musst du dir mal vorstellen!

Also ich beneide dich um deine blond gelockten Prinzessinnen.

Und wie süß du sie anziehst! Ganz in Pink! Lass mich raten! Kaufglück? Kinderabteilung? Mitarbeiterrabatt? War ein Sche-heerz! Liebe eilige Grüße, werde gerade aufgerufen – muss nach New York an die Met, einen Tenor anhören, der sich großartig findet. Er will von mir gemanagt werden. Anscheinend hat sich bis nach Amerika rumgesprochen, dass ich die beste Künstleragentur der Welt betreibe! Oder sagen wir so: Ich hau für meine Klienten am meisten Knete raus. Freue mich auf deine nächste Mail. Deine Welt ist so wunderschön harmlos heil – gib mir mehr davon! Das tröstet mich in meinem ganzen Chaos! Deine Alex

PS: Das Geld liegt wirklich auf der Straße! Aber vielleicht nicht in Plattstadt, das gebe ich zu. Ich hab da jedenfalls nie welches liegen sehen. Außer einmal, die fünfzig Pfennig, erinnerst du dich noch? Wir haben sie in den Eisautomaten an der Bushaltestelle geschmissen und wie blöd daran gerüttelt und dann kamen vierhundert gelbe »Capri«-Eis rausgeflutscht. Weißt du noch, wie die »Zweipfennigoma« blöd guckte, als die alle auf der Straße lagen und der Bus drüberfuhr? Die hatten wir deshalb so genannt, weil sie im Bus mit zwei Pfennig bezahlen wollte. Erinnerst du dich?? MEHR AUS PLATTSTADT!!!

PPS: Wie war eigentlich die Beerdigung? Hat Heinrich ein schönes Plätzchen bekommen? Wie Herr von Ribbeck auf Ribbeck im Havelland, unter einem Birnbaum? Es wäre ihm zu gönnen.

PPPS: Wie die Kerle hinter mir drängeln! Männer sind auch nicht mehr das, was sie nie waren. Jetzt muss ich aber wirklich los.

Liebe Alex,

nein, was hab ich gelacht!! Die Zweipfennigoma! Für ihren wirklich nicht überhöhten Fahrpreis verlangte sie auch noch, vorne direkt hinter dem Fahrer zu sitzen. Die ist schon lange tot (der Fahrer bestimmt auch).

Und erinnerst du dich noch an die Klau-Frau? So eine alte verwirrte Frau, die immer durch das gefährliche (!!) Bullerbachtal eilte und von den Büschen Blätter abriss und in ihre schwarzgrün gemusterte Nylon-Einkaufstasche stopfte? Wir hatten so einen Schiss vor ihr, dass wir um unser Leben rannten, wenn wir sie gesehen haben.

Oder die dicken Brätschhöfe-Zwillinge aus der Sozialsiedlung! Mänsch, waren die dick, Mann!! Und die Mutter von denen! O-ber-fett!!! Ich sehe noch ihre losen Strümpfe von den wabbelnden Waden rutschen, wenn sie in ihren ausgelatschten Puschen hinter den dicken Zwillingen herrannte, um ihnen eine zu hauen.

Sie waren die Einzigen, die nicht zugereist waren, sondern wirklich aus Hessen stammten, und beim Vaterunser bei unserem gerne erwähnten Backenkneifer Herrn Knesemechels standen sie neben mir und sagten: »Vater unser, gell, du bist im Himmel!«

Zu deiner Mail: Ach komm. Wer hat wohl wen zu beneiden? Gestern, Wochenende. Denk bloß nicht, Mama konnte mal ausschlafen. Ich hab die Zeitverschiebung genau berechnet. Während du im Chanel-Fummel mit einem willigen Tenor beim Dinner weiltest und wahrscheinlich gerade den Kaviar mit deinem dritten Glas Champagner runterspültest, hab ich mit Carla und Greta einen Nahkampf geführt. Natürlich, ich geb's ja zu. Als Töchter der Personalchefin eines sehr frequentierten Kaufhauses in einer dicht besiedelten Kleinstadt besitzen meine Mädels etwa fünfhundert Stofftiere. Stichwort Mitarbeiterrabatt. Und Bestechungsversuche von jenen Mitarbeitern, denen ich schon eine Abmahnung geschickt habe. Du weißt ja, die Entlassungen laufen über meinen Tisch. Auf meinen liebevollen mütterlichen Ratschlag hin, doch das ein oder andere Plüschwesen auszurangieren, um es »armen Kindern« zu schenken, gab es wüstes Geschrei und empörte Zornestränen. Na gut. Sie hatten die Müllsäcke entdeckt, in die ich die Viecher bereits gestopft hatte. Heulend haben sie alles wieder ausgekippt, was schon drin war. Auch den Badezimmermüll und die leeren Hundefutterdosen, die die ahnungslose Oma Helga auch noch dazugetan hatte. Oma Helga ist schon ein bisschen tüddelig und sieht nicht mehr so gut. Während ich also in der Küche Frühstück machte, hat Erwin, die Ratte, all die Hundefutter-besprenkelten Viecher im Maul hin und her geschleudert, über den schönen neuen pinkfarbenen Teppich im Kinderzimmer, durch das gesamte Treppenhaus (graue Auslegeware aus der Teppichabteilung), in Lothars Arbeitszimmer (hellblaue, daher runtergesetzter Filzteppich) bis ins Elternschlafzimmer (türkis, daher besonders pflegeleicht). Er braucht immer Lob, der Erwin, deshalb apportiert er gerne interessante Gegenstände zur Schlafstatt der Herrschaft. Er weiß, dass er dann immer Aufmerksamkeit bekommt, der kluge Hund. Jedes Mal wenn Lothar zum Bowling gehen will, apportiert Erwin einen seiner Bowlingschuhe. Allerdings in den Nachbargarten. Schon hat er die Aufmerksamkeit, die er braucht! Und zwar sowohl von Lothar als auch von unserem Nachbarn. Einem grauenhaften Spießer und VW-Passat-im-Carport-Absteller, falls du mich fragst. Also, statt meines verdienten Sonntagsspaziergangs mit Carla und Greta durch die Fußgängerzone von Plattstadt war dann Teppichscheuern angesagt, im ganzen Haus. Lothar, mein soeben erwachter Gatte (er schläft sonntags immer gern aus), kommentierte das Ganze: »Das war ja vorherzusehen.

Das hätte ich dir gleich sagen können, dass man Plüschtiere nicht mit Hundefutterdosen in einen Müllsack stopft. Der Hund riecht das ja, ein Wunder, dass er die Tüten nicht schon vorher aufgerissen hat. Außerdem habe ich dir seit Jahren erklärt, wie man den Müll trennt usw.« Ich wollte Oma Helga nicht verpetzen, denn sie tut nur ihr Bestes.

Dann kam Lothar, der Wanderprediger im Pyjama, mir mit diversen Scheuermitteln aus der Haushaltswarenabteilung und erklärte mir deren Handhabung.

Lothar ist nämlich ein Erklärer. Aber das ist sein Job, dafür kann er nichts.

Sorry, muss weg, wurde schon zweimal ausgerufen: »Vier, bitte die neun!«

Das heißt: Frau PISTRULLA, bitte in die Herrenober! Jürgen Böhser will mich sprechen. (Ich glaub, der mag mich ein bisschen, hat mir jedenfalls schon mal die Hand aufs Knie gelegt, als er mich im Auto mitgenommen hat.) Sonst tut sich in meinem aufregenden Sexualleben nicht viel, meine liebe alte Alex Knoppke!

Liebe eilige Grüße
deine Anne Klein

PS: Die Beerdigung war okay. Es waren mindestens zweihundert Ehemalige da. Der Heinrich war echt beliebt. Liegt nicht unter einem Birnbaum, sondern neben der Friedhofsmauer, direkt an der Darmstädter Straße. Da kriegt er wenigstens noch was vom Leben mit.

New York, Flughafen, Arrival –
was haben wir denn für ein Datum? Ende September

Kriege das mit der Zeitverschiebung wie immer nicht gebacken.

Endlose Schlange vor der Immigration. Habe gerade den Purser angewiesen, mich bei »Crew« durchzuschleusen, kann schließlich nicht ewig warten. Sitze nun im Büro des Chefpursers und tue wieder wahnsinnig busy.

Liebe Anne, ach was, hallo, Kleinchen,

was hast du denn für einen Stinkstiefel zu Hause sitzen? Wie ist denn DER drauf? Erklärt dir die Handhabung von Putzmitteln?? Also, habe ich das richtig verstanden? Du liegst auf Knien und scheuerst die Auslegeware und er steht im Schlafanzug daneben und predigt?

Was kann denn da passiert sein? Ich meine, dass du den geheiratet hast? Gab es in deiner Altersklasse in Plattstadt denn sonst gar nichts im Sonderangebot oder zum Mitarbeiterrabatt? Kenne ich diesen Lothar eigentlich? Wenn er auf unserer Schule war, müsste ich ihn zumindest mal gestreift haben, wenn schon nicht getroffen oder gar versenkt. Bring mich mal drauf! War er gut im Sport oder hat man ihn eher im Blockflötenkreis getroffen? Wie sah er aus? Auf dem Foto macht er einen manierlichen Eindruck, aber das Äußere täuscht ja oft. Außerdem sieht man ja vor lauter Bart den Lothar nicht. Normalerweise finde ich ja Bärte bei Männern wunderschön; man erspart sich einen Teil ihres Anblicks.

Sag ehrlich, Kleinchen. Von wem hast du dich da schwängern lassen? Ist er ein ganzer Kerl oder ein Hirtenspieler?

Oh, bin schon dran. Na bitte, man muss sich bloß rühren. Die anderen Passagiere stehen mit einer Engelsgeduld in der Schlange.

Ich geh jetzt mit der Crew raus. Very important person. Melde mich später.

Alex Knoppke

PS: Zeit ist Geld und das Geld liegt auf der Straße.

PPS: Ich mag männliche Gesellschaft, aber sie muss ja nicht immer gleich in Ehe ausarten.

PPPS: Ein Mann mit einem dicken Bankkonto kann gar nicht hässlich sein.

Kaufglück, Plattstadt, in meinem kleinen Personalbüro,
28. September

Ach Alex!
Wie du mal eben im Rennen die Sprüche in den Computer haust!
Genial!

So wie du dich schon durch die Schule gemogelt hast, scheinst du dich auch durchs Leben zu mogeln. Ich würde mich nie trauen, mich an einer Warteschlange vorbeizudrängeln. Die gucken doch alle so strafend! Lieber stehe ich drei Stunden in der Schlange, als mir böse Bemerkungen anzuhören. Ich habe mir nämlich den Poesiealbumsspruch von Gerlinde Rothermund zu Herzen genommen: »Sei wie das Veilchen im Moose, bescheiden, sittsam und rein, und nicht wie die stolze Rose, die stets bewundert will sein!« Ich weiß, was du zu dem Thema in mein Poesiealbum schreiben würdest: »Bescheidenheit ist eine Zier, doch weiter kommt man ohne ihr.«

Also, Lothar. Er war vier Klassen über uns, hat aber »nur« die mittlere Reife gemacht – er sagt, das lag alles an dem buckligen und für sein Alter viel zu früh verschiedenen Herrn Placke, der ihn in Französisch und Spanisch hat durchfallen lassen! – und dann eine Banklehre bei der Kreissparkasse absolviert. Meine und seine Eltern kannten sich schon lange, so dass ich Lothar immer wieder getroffen habe. Er war übrigens auch mein Tanzstunden-»Herr«, als wir vierzehn waren. Du hast ja bei so einem Scheiß gar nicht erst mitgemacht. Deshalb ist er dir nie begegnet. Aber er ist ein prima Kerl. Ich kann froh sein, dass ich ihn habe. Na ja, es hat sich halt vieles… sagen wir, relativiert im Laufe der Jahre.

Erst machte er mir den Hof, jetzt mache ich ihm das Bett.

Meine Mutter sagt, nach einem so zuverlässigen Mann kann man sich nur alle zehn Finger lecken. Und fleißig ist er. Arbeitet von morgens um halb acht bis tief in die Nacht. Damit wir unser Reihenhaus abbezahlen können. Er hat da einen genialen Finanzierungsplan ausgetüftelt. Auch die ganzen Versicherungen und Steuersparmodelle sind auf seinem Mist gewachsen. In diesem Gebiet ist er echt gut. Ungeschlagen. Er sagt oft, er könnte mit seinem Wissen auf internationaler Ebene arbeiten, aber mit Frau und zwei Kleinkindern geht das ja nicht. Zumal wir noch die beiden Omas im Hause haben. Und Opa Karl-Heinz haben wir auch noch an der Backe. Meinen Schwiegervater, der leider auch nicht sterben will. Er ist schon achtundachtzig und so wahnsinnig rüstig, dass man ihn schon mit dem Auto überfahren müsste, um der Natur ein bisschen nachzuhelfen. Aber keiner macht sich die Mühe. Und ich hab schon gar keine (Über)fahr-Praxis mehr. Lothar lässt mich nicht an seinen Opel.

Wenn ich mir so die Männer betrachte: Es gibt Erklärer und Handler. Lothar und Opa Karl-Heinz sind eindeutig den Erklärern zuzuordnen. Klar, als Leiter der Stadtsparkasse muss Lothar ja auch den ganzen Tag erklären. Opa Karl-Heinz war übrigens Inspektor, wie er nicht müde wird zu betonen.

Ich weiß, das langweilt dich total, aber ich muss es erwähnen, weil Opa Karl-Heinz in meinem Leben (leider) eine so große Rolle spielt. Wenn ich damals gewusst hätte, dass ich ihn mit heiraten muss, hätte ich es mir wirklich noch mal überlegt. Seit Oma Helga so tüddelig ist (ich hab sie nie anders kennen gelernt), findet Opa Karl-Heinz, dass ich mehr seinem Frauenideal entspreche: Er liebt mich total. Ich bin auch die Einzige, die ihm zuhört. Alles, was Opa Karl-Heinz mir erzählt, kann ich schon auswendig.

Aber zurück zu meinem wirklichen Ehemann. Lothar ist echt nicht zu beneiden. Er ist eine Koryphäe in Sachen Geldanlage und Steuersparmodelle und muss sich mit solchen Peanuts herumschlagen, von denen er regelmäßig Pickel kriegt. Deshalb auch der Bart.

Aber er tut es für seine Familie, sagt er. Und das muss ich ihm hoch anrechnen.

Ich bin froh, dass ich einen so kurzweiligen Job habe. Gut, dass ich nicht nur zu Hause sitze, wie so viele meiner Altersgenossinnen! Gerade auf der Beerdigung von Heinrich habe ich so viele Ehemalige getroffen, die jetzt einfach Hausfrau und Mutter sind! Da kann ich mich ja noch glücklich preisen mit meinem interessanten Job. Erstens habe ich eine leitende Position und zweitens kann mich im Hause Kaufglück frei bewegen. Du wirst lachen, aber ich bin ganz froh, wenn ich mal von meiner Mutter weg bin. Oma Margot ist, wie du dich vielleicht erinnern kannst, milde gesagt, dominant. Sie hat mir übrigens »Ohne Fleiß kein Preis!« ins Poesiealbum geschrieben, und zwar mit dem Lineal unterstrichen und mit drei Ausrufezeichen versehen (die sie auch noch unterstrichen hat).

Da fällt mir ein, dass ich selbst nur dann in anderer Leute Poesiealben schreiben durfte, wenn meine Mutter mir vorher mit Bleistift Linien reingezogen hatte, die sie dann später wieder ausradierte! Sie wollte, dass ich in jedes Poesiealbum schreibe: »Nichts wissen ist keine Schande, aber nichts lernen wollen!« Irgendwann weigerte ich mich, so ein Kameradenschwein zu sein. Einmal, es war ausgerechnet das Poesiealbum von der dicken Lea-Lotte Krautschneider, schrieb ich, zitternd vor Stress: »Die Liebe ist ein Omnibus, auf den man lange warten muss, und kommt er endlich angehetzt, dann ruft der Schaffner: Schon besetzt!«

Ich fand den Spruch wahnsinnig toll, aber meine Mutter fand ihn nicht passend für Lea-Lotte Krautschneider, denn deren Vater war Vorbeter und Weihrauchfass-Schwinger bei uns in Sankt Kunigunde, und da riss sie einfach die Seite raus!

Obwohl Lea-Lotte Krautschneider zu Beginn des Büchleins selbst geschrieben hatte: »Reiß mir keine Seiten raus, sonst ist es mit der Freundschaft aus!«

Ich hab geheult ohne Ende und Mutter Margot hat mir ein paar geknallt und mich in den Keller geschickt, zum Nachdenken. Lea-Lotte Krautschneider ist auch nicht mehr meine Freundin. Das hab ich jetzt davon. Meine Mutter allerdings auch nicht mehr. (Das hat sie jetzt davon.)

Ich bin aber froh, dass sie bei uns das Zepter schwingt, so

nimmt sie mir einen Großteil aller Entscheidungen im Hause ab. Oma Helga, meine Schwiegermutter, ist schon ein bisschen tüddelig (habe ich das schon erwähnt?), Opa Karl-Heinz behauptet sogar, sie sei senil. Das klingt richtig gemein aus dem Munde eines 88-jährigen, aber leider rüstigen Schwiegervaters, der alle zehn Minuten wortwörtlich wieder den gleichen Scheiß erzählt. Sie kriegt dann immer feuchte Augen und geht aus dem Zimmer. Aber mit den Kindern spielt sie mit einer Engelsgeduld. Meistens Memory. Ihr Kurzzeitgedächtnis funktioniert tatsächlich nicht mehr, und so haben die Mädchen mit ihr eine Menge Spaß.

Opa Karl-Heinz erledigt alle Einkäufe. Er ist so nervtötend rüstig! Alle unsere Sonderangebote kennt er auswendig. Und gibt damit an. Er sagt sie mir vor wie ein kleiner Junge, der seiner Mama stolz seine Rechenaufgaben vorsagt. Trotzdem, ich kann mich glücklich preisen, eine solche Familie zu haben, sagt Oma Margot. Ihr hat niemand den Haushalt gemacht und die Kinder erzogen. Sie musste auf eine berufliche Karriere verzichten. Ich seh sie noch in ihrem türkisfarbenen Acrylkittel in der Nullachtfuffzehn-Einbauküche stehen, die ich so ziemlich völlig mit Pril-Blumen überklebt hatte, und mit dem schönen Scheuermittel »Der General« die ganze Schweinerei wieder abknibbeln. Damals sah ich ihr auf den Kittelschultern schon vier Streifen wachsen und ich fand, das beliebte Putzmittel passt überhaupt gut zu ihrem Wesen. Sie hatte aber auch noch einige großblumige orangefarbene Kittel und ich musste, sobald ich aus der Schule kam, auch so einen anziehen. Wenn nicht, gab's sofort was hintendrauf. Denn nur was richtig sauber ist, kann richtig gläääänzen! Jawoll! Wo kämen wir denn da hin! Wenn das alle machen wollten! Ohne Kittel in die Küche kommen! Heute muss ich so ein verhasstes Teil nie mehr anziehen.

Ich bin schon sehr zufrieden mit meinem Leben. Es hätte schlimmer kommen können. Und freue mich, dass es dir auch so gut geht. Lass wieder von dir hören, erzähl mir aus der großen weiten Welt!
Deine Anne

PS: Erinnerst du dich noch an die Werbung: »Siehst du, jetzt hast du ein schlechtes Gewissen«? So ein Geist ist meine Mutter. Aber ich sollte mich nicht beklagen.

New York Plaza, Suite 608, Whirlpool, September

Liebes Aschenbrödel,
nein, ich hab niemals ein schlechtes Gewissen. Auch nicht hier in meinem Whirlpool. Komm mal für einen kurzen Moment aus deiner Asche und mach dir die Kittelschürze sauber, bevor du meine Mail liest.

Nein, was hab ich gelacht! Du hast mich richtig wieder aufgebaut. Ich stelle mir euer Familienleben ein bisschen so vor wie eine Vorabendserie. Lindenstraße oder so. Alles hat seine Ordnung, jeder hat seinen Rang und seinen Platz, Mama und Papa tun schaffen, der Bausparvertrag wird langsam abbezahlt, die Omas versorgen die Kinder und der Opa hält die Garage sauber und dafür leider nicht den Mund. Damit kann man ganze Heerscharen von deutschen Fernsehzuschauern begeistern!

Mir persönlich wär's zu langweilig, ehrlich gesagt, und ein bisschen amüsiert es mich, dass du, unsere ehemalige Klassensprecherin, die in Philosophie Referate gehalten und im Schulchor Solo gesungen hat, auf einmal so ein angepasstes Leben führst. Aber wenn es dir Spaß macht – warum nicht! Du schreibst, dass du zufrieden bist. Und das glaube ich dir sogar. Du kennst es ja nicht anders, hähähä! Aber das wird sich ändern!

Ab sofort überhäufe ich dich mit Mails, die dich so neidisch machen, dass du Plattstadt und seine Reize augenblicklich in Frage stellst.

Also los! Ich bin im feinsten Hotel New Yorks und liege im Whirlpool. Rechts neben mir steht ein Glas Champagner, links eine Schale mit Erdbeeren, deren Spitzen mit Zartbitter-Schokolade überzogen sind. Am Fußende steht ein halb nackter Sklave und massiert mir die Füße – nein, Quatsch. Stimmt nicht. Er hat was an. Einen Kittel. Allerdings keinen orangefarbenen aus Acryl. Einen weißen. Ich gebe auch zu, dass es eine Frau ist. Ich wollte dich nur ein bisschen schocken.

Alex! Jetzt werde doch mal ein bisschen sachlich! Die dicke Bademeisterin wundert sich schon, warum ich beim Schreiben kichere. Eben hab ich nämlich noch behauptet, ich müsste arbeiten, damit sie nicht auf die Idee kommt, das Wort an mich zu richten. Die soll mir die Füße massieren und ansonsten »shut up«.

Gestern Abend war ich in der Met – also in der Oper, um mir diesen Tenor anzuhören. Er war leider eine Katastrophe. Ziegenbock im letzten Stadium der Kastration ohne Betäubung. Stell dir vor, dreieinhalb Stunden Puccini, ich hänge da mit meinem Jetlag in meinem superengen Taftfummel in der Loge (kämpfe ständig mit meinen fünf Kilo Übergewicht, indem ich vermeide, einzuatmen) und möchte nur noch schlafen, denke ständig an Adrian und seine Sechs in Französisch und dass Adrian findet, dass das doch nicht sein Problem ist, aber dieser Tenor hört einfach nicht auf zu schreien! Neben mir ein fetter Texaner im Flanellhemd, der laut schmatzend Kaugummi kaut, bringt mich auch nicht wirklich in Stimmung. Ich fühlte mich wieder mal so einsam! Keiner hat mich lieb! In keinem Reihenhaus wartet man mit dem Essen auf mich! Niemandem kann ich von meinen inneren Qualen erzählen! Wenn der Tenor wenigstens hätte spielen können! Er hat in jeder Hinsicht einen miserablen, schlechten Rudolfo gegeben, hölzern gespielt, blechern gesungen. Dazu war er noch klein und fett wie eine Regentonne – genau so sah er auch aus in seinem schmierigen speckigen Ledermantel, unter dem er so schwitzte, dass seine fettigen Haare zu triefen begannen. In solchen Situationen sage ich immer, es gibt Tausende von Agenten und Managern, aber ausgerechnet MIR passiert so was! Meine schöne Zeit, mein schönes Geld! Gilbert Sowieso, klassischer Gernegroß, leidet an Selbstüberschätzung, verstehe nicht, wieso der an der Met singt – hat sein Vater den Intendanten mit dem Gewehr bedroht, falls er den Jungen nicht singen lässt?

Während der schaurig-langen Oper überleg ich die ganze Zeit, wie ich mich davor drücken kann, mit Gilbert, dem Schmierigen, essen zu gehen, und wie ich es schaffe, ihm meine Spesen von seiner Gage abzuziehen. Du kennst ja mein Lebensmotto: Zeit ist Geld und das Geld liegt auf der Straße. Beides lass ich mir nicht von so einem Knödel-Tenor klauen!

Aber dann! Alex hat immer Glück im Unglück! Pass auf! In der Pause schreite ich forsch durch den Bühneneingang, um dem Kerl beim Pförtner eine Nachricht zu hinterlassen.

Ich schleiche so an den Garderoben vorbei, überall trällert's und singt's und summt's, da höre ich einen Bass in seiner Garderobe Tonleitern singen. Und bin auf der Stelle wieder wach. Tolle Stimme! Riesig, samtig, weich und schwarz. Wie lange gereifter Rotwein. Ich lausch und drücke mein Ohr an die Garderobentür und beschließe, mir den dritten Akt auf jeden Fall noch reinzuziehen – da reißt der besagte Bass plötzlich die Tür auf! Peng, ich pralle an sein Philosophen-Wams und gucke erstaunt in ein höchst attraktives männliches Gesicht.

»Can I help you, Ma'am?«, fragt er mit dieser Zuchtbullenstimme, und ich hätte am liebsten gesagt, ja, Sie können mir die Füße massieren und dabei singen. Da fragt dieser Bass, ob ich etwa die berühmte Mrs von Merz aus der Mozartstadt Salzburg sei – na ja, langer Rede kurzer Unsinn, rate mal, mit WEM ich dann im Plumroom gelandet bin! Bei Kaviar und Champagner! Und mit wem ich einen wirklich unterhaltsamen Abend hatte! Mit Mark D. Martini! Klingt wie eine Szene aus einem James-Bond-Film, ich weiß.

Ich hab ihn aber weder geschüttelt noch berührt, diesen Martini. Weil ich mit dem viel Geld verdienen kann. Bin ziemlich glücklich, dieser Bass ist ein Hit, als Stimme und als Mann. Den werde ich managen. Ich schwöre dir, ich bringe ihn ganz groß raus. Er hat alle Voraussetzungen, ein Star zu werden, und das Beste dabei: Er weiß es noch nicht!

Versuche, ihn auf den nächsten Salzburger Festspielen unterzubringen. Sie suchen noch einen König Phillip für den »Don Carlos« und für die »Norma« einen Orovese. Beide Rollen sind dem Kerl wie auf den Leib geschrieben. Wahrscheinlich war er in seinem früheren Leben ein Saufkumpan von Verdi und Bellini und hat mit ihnen in den Kneipen von Verona gesessen und in fröhlicher Runde Sechsämtertropfen in die sangesfrohe Kehle geschüttet!!

Wetten, dass er im Sommer in Salzburg singt? Top! Die Fette quillt (aus ihrem Kleid, ich).

Kenne die Intendantin gut, und mein Exmann Leo von Merz wird die Opern dirigieren. Beste Beziehungen also! Ich sage dir, das Geld liegt auf der Straße und Beziehungen sind alles. Jetzt ist das Badewasser kalt und der Champagner leer und die Masseurin müde. Wo ist meine Reitpeitsche von Hermès?

Aber es war wieder mal nett, mit dir zu plaudern. Daran könnte ich mich gewöhnen.

Servus, und lass mir auch noch ein paar Linsen in der Asche! Muss ab sofort Diät machen!

Deine ziemlich angetörnte Alex (Puccini ist geil!)

PS: Adrian hat mir ein Fax geschickt: Es gibt Ärger mit der Polizei. Muss mich kümmern. Ich glaub, er hat irgendwas angefahren, ein Reh oder eine Oma oder so.

PPS: Jetzt hab ich schon wieder Lust auf Eiscreme, obwohl ich – abgesehen von dem Champagner und den Schokoglasur-Erdbeeren – heute noch nichts gegessen habe! Muss echt abnehmen! Weißt du noch, unsere »Ed von Schleck«-Orgien? Wie wir diesen »Eis-Lümmel« immer in den Mund geschoben haben, na Wahnsinn. Ohne an was Böses zu denken.

Wie komme ich da nur jetzt drauf…

Plattstadt, Kaufglück, in meinem engen Personalbüro
mit Blick auf die Schule, Ende September

Alex Knoppke,
ich hasse dich. Warum hab ich nur wieder Kontakt zu dir aufgenommen? Schon damals hattest du ein Moped und ich nicht, du durftest Miniröcke tragen und ich nicht, du hast dir Snickers oder Mars gekauft und ich hatte Möhren im Ranzen, du durftest in die Disco und ich in den Kirchenchor, du durftest nach Paris und ich mit meinen Eltern in den Taunus, du hattest einen Wellensittich und ich nicht, du hattest einen Verehrer und ich nicht!!!

Jetzt hast du auch noch einen Liebhaber! Mich interessiert brennend, ob dein Philosoph mit dir im Whirlpool saß, während du mir die Mail geschrieben hast! Deine sexuellen Fantasien haben dich verraten.

Komm, gib's zu. Und? Ist sein Puccini sehenswert? O Gott, bin sexuell frustriert! Habe Halluzinationen vor Neid! Da sitzt du in der Met in der Loge und der erste beste Kerl, dem du dich – buchstäblich! – an die Brust schmeißt, ist ein megamännlicher Held mit Zuchtbullenstimme, der auch noch von dir gemanagt werden will!

Warum passiert mir das nie? Als ich letztens an einer Tür lauschte, bekam ich die Klinke ins Auge! (Alles nichts dagegen, dass meine Zwillinge unsere Familie vor einem Jahr fast in den kollektiven Selbstmord getrieben haben, als Greta durchs Schlüsselloch guckte und Carla von der anderen Seite ein Mikadostäbchen durch selbiges rammte! Das, was wir danach hatten, war, milde ausgedrückt, eine Meinungsverschiedenheit über die Anwesenheitspflicht der zuständigen Aufsichtsperson. Was in diesem Fall die leicht tüddelige Oma Helga war. Greta trug monatelang eine schwarze Piratenklappe auf dem Auge, was Lothar allerdings begrüßte, weil er die Zwillinge wenigstens einmal auseinander halten konnte.) Seufz!!

Wann war ich das letzte Mal in der Oper? Irgendwann in Bremerhaven, als Lothar auf einem Sparkassen-Filialleiter-Treffen war. Er musste einen Vortrag halten zum Thema: »Der Euro kommt«. (Wenigstens der!) Wir begleitenden Ehefrauen hatten »Damenprogramm« und als solche die Wahl zwischen Standardtänze-Gucken in der Stadthalle und »Der Bettelstudent« im Stadttheater. Weil ich nicht sicher war, ob ich es schaffen würde, keiner der Tänzerinnen ihren Kerl zu entreißen, bin ich, bescheiden und sittsam und rein, lieber in den wesentlich besser zu mir passenden Bettelstudenten gegangen, in der Hoffnung, dass der mittellose Bursche mich etwas aufheitert. Aber ich hab die Oper sowieso nicht verstanden.

Nach jahrelangem geistigen Nirvana durch ausschließliches Beruhigungs-Sauger-vom-Teppich-Abknibbeln und Weder-Kinder-noch-Brüste-verwechseln-Wollen konnte ich mich in Bremerhaven einfach nicht richtig konzentrieren.

Also, was meine einmalige Opernerfahrung damals in Bremerhaven anbelangt: Ich bin tatsächlich nach dem ersten Akt gegangen, aber kein samtweicher Bass hat mich gegen sein Gewand gepresst und mich mit Zuchtbullenstimme gefragt, ob ich etwa die berühmte Anne Pistrulla aus Plattstadt bin und mich fürderhin seiner Stimmbänder und/oder Samenstränge annehmen will. Schon gar nicht hat er mich in Bremerhaven in den »Bürgerstuben« zum Essen eingeladen! Ich bin frustriert und allein ins Hotel »Zum Anker« gegangen, wo Lothar immer noch mit seinen Sparkassenhengsten beim Bier saß, hab mir dort mit eiskalten Füßen, die keiner massieren wollte, auf dem klammen Bett zwei Asbach Uralt reingezogen, mich auch so gefühlt, und dann auf Lothar gewartet, dessen Eintreffen ich aber dank erwähntem Asbach Uralt verschlief. Wenn einem soo viel Gutes widerfährt...

Da du immer beim Schreiben säufst: Ich gebe zu, ich hab jetzt etwas Wein getrunken. Aus dem Sonderangebot in der Lebensmittelabteilung. Wir haben gerade italienische Herbstwochen und der Chef hat mir eine kleine Kiste mitgegeben. Sechs fuffzig die Flasche.

»Trinken Sie ihn mit Ihrem Gatten«, hat er gesagt und dabei gönnerhaft gelächelt. »Und schön' Ahmt noch.«

Muss ins Bett.

Dein Kleinchen

PS: WARUM hast du immer den Hauptgewinn und ich die Arschkarte?

PPS: Oma Margot sacht immer: Nimm die Männer, wie sie sind. Es gibt keine anderen.

New York, Plaza Hotel, 6. Oktober

Mensch, Kleinchen!
Weißt du noch? Wir hatten diese kilometerlangen Schals, meiner war gelb und deiner bunt. Da konnte man einen Menschen komplett drin einwickeln oder gelegenheitsbedingt sich auch relativ unkompliziert damit erhängen. Und das wolltest du auf dieser Klassenfahrt nach Tübingen!

Du warst damals in diesen Martin aus der Parallelklasse verknallt, der aber mit Gabi Gärtner »ging«. (Wohin eigentlich?) Jedenfalls haben wir uns alle kollektiv an diese langen Schals gekettet und laut grölend die Gegend unsicher gemacht. Matthias Möppel konnte ja immerhin die Klampfe schlagen, obwohl er viel lieber Lieder wie »Dannnke, für diesen guten Morgen, dannnke für jeden neuen Tag« damit begleitet hat. Was wohl aus dem geworden ist... Bestimmt Pastor. Der hatte als Einziger keine »Nietenhosen« an, sondern Bügelfaltenhosen im Kommunionsanzugdesign. Aber sein Parka war so versifft, dass man ihn irgendwann in die Ecke stellen konnte. Wo der wohl gelandet ist? In der Waschmaschine jedenfalls nicht. Die wäre sofort explodiert wegen der Freisetzung von Giftgasen. Was unsere Jungs gestunken haben... Hat uns damals aber nicht sonderlich gestört.

Ach Anne Klein. Seufz. Wie kommst du darauf, dass du die Arschkarte hast??

Du lebst in geordneten Verhältnissen, hast zwei Omas, die dir den Haushalt schmeißen, zwei süße kleine Mädchen und einen Gatten, der fürs monatliche Einkommen sorgt. Bei dir kommt immer am Ersten des Monats das Geld rein. Bei mir ist das reine Glückssache.

MEIN Gatte Leo hat niemals für mich einen Bausparvertrag abgeschlossen. Außerdem hat er sich nicht um Adrian gekümmert. Verletzliche Künstlerseele, egozentrisch bis in die Knochen. Leider noch einer von der Generation, die ihren Neugeborenen »Kinder sind Frauensache« auf die Stirn gestempelt haben. Und das mir!! Er war zwar ein genialer Musiker, der echt viel Geld verdient hat, aber ich hätte ihn, glaube ich, nicht heiraten müssen, um an sein Geld zu kommen. Die Ehe ist eine Bühne, auf der alle Tage das gleiche Stück gespielt wird. Umso mehr sollten sich die Männer ab und zu einmal eine Neuinszenierung einfallen lassen.

Seit wir geschieden sind, verstehen wir uns bestens. Besonders, seit eine Stunde Autofahrt zwischen unseren Wohnsitzen liegt.

Glaub ja nicht, ich hätte für mein Leben nicht hart gearbeitet! Mit was für eisenharten Typen ich mich manchmal rumschlagen muss, um Geld zu verdienen!

Glaub mir, ich fühle mich oftmals sehr einsam. Mit wem kann ich denn über mein Innerstes reden? Mit Rico, meinem schwulen Stylisten, war ich bisher ganz inniglich befreundet, aber seit er sich in Adrians argentinischen Au-pair-Boy Jaime verliebt hat, spiele ich auch nur noch die zweite Geige für ihn. Ich bin so beleidigt, dass ich ihn nicht mal mehr in mein Poesiealbum schreiben lassen würde!

Gut, dass ich jetzt dich (wieder) habe, Anne. Natürlich habe ich viele »Freundinnen« und »Freunde« in der High Society. Aber glaube mir, Anne, denen darfst du nur dein faltenfreies, perfekt geschminktes, lächelndes Gesicht zeigen. Meinst du, sie sind immer noch deine Freunde, wenn du zugibst, dass dein Sohn nach dem Genuss eines Joints ohne Führerschein gefahren ist, eine Oma angefahren und Fahrerflucht begangen hat? Ach, wenn es doch ein Reh gewesen wäre! Oder ein Igel! Aber nein, es musste eine Oma sein. Als wenn ich nicht schon genug Probleme hätte.

Nein, dann lassen sie dich fallen wie eine heiße Kartoffel. Deshalb darf ich nie Schwächen zeigen. Ich bin eine perfekte Schauspielerin geworden. Immer gestylt, immer perfekt. Dir muss ich nichts vorspielen. Du hast damals schon immer durchschaut, wenn ich nur ein bisschen angeben wollte. Und hast mich trotzdem noch gemocht. Das werde ich dir nie vergessen. Um Adrian mache ich mir Sorgen. Er ist total unzugänglich, launisch, schweigsam. Natürlich habe ich ihn mit Hilfe eines sauteuren Anwalts rausgehauen und er hat ein Alibi für die besagte Tatzeit. Er war bei seinem Vater Leo am Hallstädter See. Leo hat natürlich nicht gern mitgespielt. So was stinkt ihm, er will in Ruhe seine Festspiele vorbereiten. Schließt sich tage- und nächtelang in seinem Studio ein. Leo sagt, Adrian gehöre in ein Internat. Aber ich will den Jungen nicht einfach abschieben. Sterbe manchmal vor schlechtem Gewissen. Nach außen tue ich immer so, als ob ich eine supertolle Mutter wäre. Aber ich fühle mich unzulänglich und total auf der Versagerschiene, jedenfalls was die Mutterrolle anbelangt. Adrian hat seine sensible Seele vom Vater geerbt. Ich glaube, im Internat bringt der sich um.

Und was mich anbelangt, du weißt ja, ich bin eine Pferdenatur. Jedenfalls nach außen hin. Immer Strahlefrau, immer Sonnenschein. Wenn mich einer fragt, wie es mir geht, dann kriegt er meine Standardantwort: »Nur super.« Muss mich auch viel zu sehr mit den Problemen anderer Leute herumschlagen, als dass ich Zeit und Raum für eigene hätte. In meinem Job musst du funktionieren, lächeln und strahlen, klasse aussehen und darfst keine Sorgenfalten auf der Stirn haben. Soll ich dir was sagen? Mein einziger guter Freund war eigentlich Rico.

Rico ist mit mir ausgegangen, wenn ich mal einen Kerl zum Repräsentieren brauchte. Der tanzt wie ein Gott, sage ich dir. Er hat mich zu allen Business-Trips begleitet und ich konnte in Ruhe meine Connections machen. Rico ist ein Bild von Mann: Wir waren in allen Klatschblättern auf Seite eins. Aber Jaime, der argentinische Au-pair-Junge, ist mir dazwischengekommen. Das Groteske an der Situation ist, dass ich ihn noch nicht mal für viel Geld wieder loswerde! Letztens hat er mir eine richtige Szene gemacht, mit allem Drum und Dran. Inklusive Heulen und Zittern und Tassen schmeißen. Mein gutes Gmundener Porzellan, handbemalt! Diese Tucken können ganz schön anstrengend sein. Seit

Jaime mit Rico verlobt ist, will er noch nicht mal mehr bügeln. Und Fußmassagen sind auch nicht mehr drin. Weil Jaime so eifersüchtig ist.

Ach Anne, du bist die Einzige, der ich solche Sorgen anvertrauen kann!

Übrigens hatte ich einen traumhaften Abend mit Mark D. Martini! Das ist ja mal ein bemerkenswerter Mann. Völlig seltenes Exemplar einer aussterbenden Spezies! Leider scheint er aus unerfindlichen Gründen nicht auf mich abzufahren. Du siehst, für Geld kann man nicht alles kaufen.

Sei getröstet und umarmt von deiner chaotischen, egozentrischen und launischen
Alex

PS: Gibt es in Plattstadt eigentlich immer noch den Kiosk, an dem wir uns damals verbotenerweise die Bravo gekauft haben?

Plattstadt, Kaufglück, 10. Oktober,
in meinem kleinen Personalbüro in der Ecke,
mit Blick auf unsere alte Gesamtschule und die Bäume, die sich
im Herbststurm davor biegen

Ach Alex! Dass Erinnerungen so süchtig machen!

Einerseits sind sie zum Brüllen komisch und dann hab ich plötzlich Tränen in den Augen. Blöd, was? Weißt du noch, die Katze, die wir »Solei« genannt haben? Die uns zugelaufen ist?

Irgendwann ist sie uns auch wieder weggelaufen. Wie so viele Kerls später auch.

Was ist eigentlich aus deinem gelben Wellensittich geworden? Blöde Frage eigentlich, ich kann mir schon denken, dass er nicht mehr lebt, aber weißt du noch, wie er immer zärtlich seinen Schnabel an unserem Daumen rieb und sich dann so aufblähte, dass die ganze Hand unter seinem Gefieder verschwunden war? Kann es sein, dass er es mit unserem Daumen getrieben hat, ohne dass wir das mitgekriegt haben? Weißt du noch, wie er immer durch eure kleine Wohnung geflattert ist, bis er auf dem Zahnputzglas vor dem Badezimmerspiegel landete, wo er sich selbst mit heißen Küssen überschüttete?

So begnadet naiv müssten wir Menschen auch sein dürfen! Sein Spiegelbild abküssen und dabei in höchste Euphorie geraten! Ich rege mich beim Anblick meines Spiegelbildes höchstens deshalb auf, weil ich schon wieder ein Fältchen um die Augen finde, und du wahrscheinlich, weil du schon wieder ein Gramm Fett an dir entdeckt hast.

Also gut, ich geb's zu: Meine Welt ist NICHT so in Ordnung, wie ich dir anfangs geschrieben habe.

Mein größtes Freizeitvergnügen ist, mit Erwin, dem Köter von

Oma Helga, Gassi gehen. Sie ist schon etwas tüddelig und ver-
läuft sich mit Erwin beziehungsweise er wickelt sie an der endlos
langen Ausziehleine um die Laterne und dann reißt er sich los
und Oma Helga hängt an der Laterne und kommt nicht vor und
nicht zurück. Ehrlich, das mache ich lieber, als zu Hause in dem
engen Reihenhaus zu sitzen, wo Oma Margot und Opa Karl-
Heinz sich täglich ausbreiten. Ich habe keine einzige Ecke im
Haus für mich! Lothar hat immerhin ein Arbeitszimmer, aber das
darf ich mir nur »ausleihen«, so wie damals das Arbeitszimmer
von meinem Vater.

Ach Alex! Du bist so frei und ungebunden! Du kannst über alles, was du tust, selbst entscheiden. Du kannst verreisen, wohin
du willst, du kannst schlafen, mit wem du willst, du kannst tun
und lassen, was du willst. Dir redet keiner rein und du bist niemandem Rechenschaft schuldig.

Auch wenn Adrian ein bisschen pubertiert: Er ist doch wenigstens schon aus dem Gröbsten raus, kann sich alleine an- und
ausziehen und braucht beim Essen kein Lätzchen mehr. Er
streitet nicht beim Baden, wer die Brause halten darf, und heult
nicht, weil er Seife im Auge hat. Beim Spazierengehen will er
nicht getragen werden und er fällt nicht mehr in einen Bach. Er
kotzt dir nicht mehr das Auto voll, du musst ihm abends keine
Gutenachtgeschichte mehr erzählen und sonntags morgens lässt
er dich schlafen – ach, wie ich dich um deinen Sohn beneide!

Muss jetzt in die Porzellanabteilung, Mitarbeiter Schwidetzki
von der Warenannahme ist mit dem Gabelstapler dort rückwärts
eingeparkt. Er hat wohl die Villeroy-und-Boch-Stapel für eine
Parklücke gehalten. Tschau, melde dich, falls dein Eselsmilch-
Vollbad im New-York-Plaza es zeitlich zulässt!

Deine jeden Tag stärker alternde
Anne

PS: Wofür steht das D.?

New York, J.-F-K.-Flughafen, Lufthansa-Lounge,
10. Oktober

Hallo, Kleinchen,
bin ziemlich bematscht, weil schlaflos in Seattle, versuche, zwischen Geschäftsmännern im Zweireiher in Ruhe eine Bloody Mary zu trinken, obwohl es noch früh am Morgen ist. Aber was soll's. Mich fragt keiner, warum ich getrunken hab. Der Talk mit dir taugt mir jetzt.

Habe viel erledigt in den Staaten. Mit einigen Filmproduzenten gesprochen, zwei meiner Schauspieler in Nebenrollen untergebracht, mir ansonsten eine Menge Filme und Werbespots angesehen und mit einigen alten Knaben aus der Branche essen gegangen.

Man besetzt gerade einen neuen James-Bond-Film. Aber das ist alles topsecret.

Jetzt muss ich dringend heim, nach meiner Agentur sehen, nach Rico und Jaime, die auf meine Mails überhaupt nicht mehr reagieren, und natürlich nach meinem missratenen Sohn. Mark D. Martini ist fest liiert. Und zwar mit einem schwedischen Topmodel, das blond ist und lange Beine hat. Darauf einen Dujardin.

Na ja. Männer sind wie Straßenbahnen. Man sollte ihnen nicht hinterherlaufen. Es kommen immer wieder neue. Das hättest du der dicken Lea-Lotte Krautschneider auch ins Poesiealbum schreiben können. Kannst du dich noch an ihren dicken Bruder erinnern? Wie der einmal die Fürbitten vorlas, wirbittendicherhöreuns, und du hast spontan gereimt: »Von diesem Schenkel träumt noch mein Enkel.« Da hattest du echt noch was Frivoles, Freches. Wo ist es gebliehiehieben?

47

D. steht für Daniel. Mark Daniel Martini. Das ist noch nicht mal sein Künstlername, so heißt der wirklich. Seine Eltern stammen übrigens aus der Nähe von Nürnberg, deswegen spricht er auch noch perfekt Deutsch. Mit einem winzigen amerikanischen Akzent.

Übrigens, Aschenbrödel: Unser Landhaus liegt recht einsam am See. Wir haben einen eigenen Badestrand mit Strandhäuschen und am Steg liegt ein Boot vertäut, das jahrelang schon nicht mehr benutzt wurde. Früher hatten wir auch ein Pferd für Adrian, aber leider kommt der Bengel auf seinen Vater. Will nicht reiten, nicht rennen, nicht an die frische Luft. Hockt nur vor seinem Computer und spielt Playstation. Ist schon ganz bleich und isst nur noch Fast Food und Chips – putzt sich nur dann die Zähne, wenn ich ihn unter Androhung von Gewalt dazu zwinge …

Auch ich muss viel öfter raus, setze Fett an. Dabei wohnen wir mitten in der wunderschönsten Natur! Wanderwege, Berge, Seen und im Winter haben wir die Skipisten vor der Tür! Schande über mich – ich weiß. Aber die Arbeit hat aus mir einen anderen Menschen gemacht. Ich hetze nur noch von Geldquelle zu Geldquelle und ein Tag in der Natur ist für mich verlorene Zeit – also rausgeschmissenes Geld.

Kleinchen, du wärest nicht zu bremsen, wenn du so eine Gegend vor der Nase hättest.

Weißt du noch, wie wir zwei verrückten Hühner früher immer gewandert sind? Einmal waren es fünfunddreißig Kilometer, die wir auf unseren abgelatschten Boots gelaufen sind, nur weil wir kein Geld für die Busfahrkarte hatten. Und weil du nicht trampen durftest.

Ich hab noch zwanzig Minuten. Du willst wissen, wie es mit Mark Daniel war. Um dir den Neidfaktor ein für alle Mal zu nehmen: Ich habe seinen Puccini nicht gesehen! Er war auch nicht mit mir im Whirlpool. Leider. Ich KANN keine Klienten mit ins Badewasser nehmen, Mensch, Mädchen! Von dem Kerl will ich nichts, nur sein Geld.

Der hätt mir echt gefallen. Aber abgesehen davon, dass er für mich materiell viel zu wichtig ist, hat er halt auch noch das schwedische Topmodel. Beim Digestif hat er mir ein Foto gezeigt und ich habe sofort ein Taxi gerufen.

Jemand sagte mir mal zum Trost: Mit den schlanken Frauen geben die Männer an, die Dicken nehmen sie mit nach Hause. Und ich sage mir: Diese Weiber machen sich nur deshalb hübsch, weil das Auge des Mannes besser entwickelt ist als sein Verstand. Ist ein Ausspruch von Doris Day. Aber jetzt kommt ein Ausspruch von Alexandra von Merz: Wenn ich ihn groß rausbringe, springen für mich Hunderttausende raus. Mark Daniel Martini! Der neue Mann bei den Salzburger Festspielen! Wenn Mark den König Phillip im »Don Carlos« kriegt, bin ich rentenversichert. Statt an sexuelle Abenteuer zu denken, habe ich mit ihm einen Vertrag gemacht, der beinhaltet, dass er für alles, aber auch ALLES, was für ihn an Angeboten noch kommen wird, zwanzig Prozent an mich zahlen muss! Er hat sofort unterschrieben! Der weiß gar nicht, wie viel Geld er mir überweisen wird!

Kleinchen, ich kann dir nur immer wieder predigen: Das Geld liegt auf der Straße! Übrigens sagt er, in seiner Familie sei keiner musikalisch. Der Vater hat einen Verlag in Los Angeles, die Mutter war früher Lektorin. Gerade weil er nicht auch ein Stubenhocker werden sollte, schickten ihn die Eltern zum Militär. Er war in einer knallharten Einheit, Spionageabwehrdienst – deshalb hat er auch so einen gestählten Body und ist überhaupt so gut drauf. Ganz nebenbei hat er noch Gesangsstunden genommen und bildet sich überhaupt nichts darauf ein. Der Kerl ist ein absolut seltenes Exemplar. So ein fröhlicher Naturbursche, der gar nicht weiß, was er wert ist! Kommst du mich nächsten Sommer zu den Festspielen besuchen? Vielleicht siehst du ihn! Du weißt, ich bin auf jeder Premiere eingeladen. Dann kriegst du mal was anderes zu sehen als »Der Bettelstudent« in Bremerhaven. Jetzt hab ich zwei Bloody Mary intus und genehmige mir die dritte.

Wo ich mich gerade so in Fahrt geschrieben habe: Wie ist eigentlich dein Lothar? Wenn ich so lese: Stadtsparkasse, Filialleiter, Omas und Ausländer anschreien, Putzmittel erklären,

Bowling spielen und in Bremerhaven Vorträge zum Euro halten, dann stelle ich mir einen grässlichen Spießer vor.

Hast du so was verdient?

'tschuldige meine Offenheit – aber du bist ein Phänomen, das mich schon immer fasziniert hat. Du hättest ein Topstar werden können – na ja, sagen wir ein Star. Bei deinem Aussehen, deiner Intelligenz, deiner Stimme und deiner Ausstrahlung. Und natürlich bei meinem Management. Beispielsweise. Aber du hast dich mit einem Drei-minus-Leben abgefunden. (Vier minus? Fünf plus?)

Und ich? Ich musste mich immer durchs Leben mogeln, wie du richtig bemerkt hast. Meine Mutter war Putzfrau, mein Vater ein Säufer. Aber jetzt hab ich ein Eins-plus-Leben. Na gut, Eins minus. Der rechte Kerl wär schon nett. Andererseits, wenn man's recht bedenkt, ist ein Mann lediglich das Ergebnis eines verkrüppelten Chromosoms. Also, was soll's. Geld ist ein viel reellerer Wert.

Muss rennen, sie boarden schon. Will unbedingt noch upgegradet werden – natürlich gratis.

Sei mir nicht bös für meine Offenheit und fühl dich immer umarmt

von deiner bloody Alex

PS: Wie kannst du so ein angepasstes Leben führen? Für WEN? Kriegst du das bezahlt??

Plattstadt, Einwegstraße 4, im Arbeitszimmer von Lothar
(der zum Bowling ist), 16. Oktober.
Wieder mal geht ein langer, herbstlicher Sonntag zu Ende…

Liebste Alex,
danke für deine letzte Mail aus New York.

Ja, ja, rede mir nur ins Gewissen. Das bringt mich wieder nach vorn! Ich will dir was sagen: Bevor wir anfingen, uns zu mailen, war ich ein zwar gelangweilter, aber doch zufriedener Mensch! Und jetzt fängst du an, mich aufzustacheln und Gelüste in mir zu wecken, die ich nie kannte! Du gehörst auf dem Scheiterhaufen verbrannt!

Hier kommt die nächste Folge aus meiner Vorabendserie: In meinem »Drei-minus-Leben« gibt's nichts Neues. Die Mädchen spielen mit Erwin. Sie haben ihm einen Schlafanzug angezogen und ein Stirnband aufgesetzt – außerdem haben sie ihm Haarspangen in die Ohren gesteckt. Er sieht zugegebenermaßen bescheuert aus und das weiß er auch.

Um auf deine Frage bezüglich Lothar einzugehen: Wie kommst du drauf, dass er ein grässlicher Spießer ist? Meinst du wirklich? Hab ich das denn im Laufe der Jahre gar nicht bemerkt? Okay, wir sind natürlich nicht mehr so wahnsinnig verliebt. Aber ist das nicht normal? Jetzt sitze ich an seinem Schreibtisch in seinem Arbeitszimmer, obwohl das streng verboten ist. Wenn er jetzt nach Hause käme, würde ich schwer Ärger kriegen.

Als ich ihn kennen lernte, war er eigentlich sehr nett. Groß, schwarzhaarig, schlank. Knackiger Hintern. Na ja, das viele Sitzen am Bankschalter hat ihm ein Bäuchlein beschert, die vielen Sorgen und Fragen um den Euro haben ihn schon leicht ergrauen lassen und außerdem ist er dauernd erkältet. Wegen der Klimaanlage in seinem Großraumbüro hat er chronisch verschleimte Nebenhöhlen, die er durch ständiges Rotzraufziehen vergeblich zu befreien versucht. Nicht gerade appetitlich, das Geräusch. Ehrlich gesagt, ich kann es nicht mehr hören. Ich muss den Raum verlassen, wenn er das tut. Vielleicht bin ich in letzter Zeit auch überempfindlich geworden. Dummerweise hat er sich auch angewöhnt, an seiner Oberlippe zu kauen. Durch den vielen Stress leidet er an ständigem Hautausschlag und kein Arzt kann ihm helfen. Alle sagen, das sei seine angeknackste Psyche. Er hat einfach zu viel Stress.

Aber wann hat der schleichende Verfall meines Gatten eigentlich eingesetzt? Leider treibt er keinen Sport mehr, außer Bowling. Früher war er sehr athletisch. Seit Jahren trägt er Bart – obwohl das ziemlich out ist. Ich würde gern wissen, wie er ohne aussieht, aber er weigert sich, ihn abzunehmen. Lothar sagt, sein Vater Karl-Heinz will, dass er sich den Bart abnimmt, und deshalb tut er's nicht. Aus Protest. Ja, das ist ziemlich kindisch, wenn man bedenkt, dass er neununddreißig ist. Aber mit seinem Vater Karl-Heinz ficht er heftige innere Kämpfe aus. In Wirklichkeit fürchte ich, dass ihm sein Vaterverhältnis arg zusetzt. Opa Karl-Heinz ist so ein Übervater, immer korrekt, immer pünktlich, stets ein Vorbild. Ich glaube, das macht Lothar zu schaffen. Deswegen versucht er, sich gegen ihn abzusetzen. Sein zweites Markenzeichen beispielsweise ist seine Fliege. Er trägt nur Fliegen. Hat schätzungsweise dreihundert Stück. Alle Mitarbeiter und Kunden schenken ihm Fliegen. Ich finde sie albern und lächerlich, aber ich kann ihn nicht ändern. Button-down-Hemden trägt er auch, altrosa und hellblau-weiß gestreifte. Dazu karierte Jacketts. Und Bügelfaltenhosen aus dem Kaufglück, Sonderangebot – Mitarbeiterrabatt. Habe gute Beziehungen zum Abteilungsleiter Herren-Ober. Netter Mann. Jürgen Böhser. Hat auch einen Hund. Treffen uns manchmal im Park, rein zufällig natürlich. Ich glaube, er findet mich auch nett. Er ist zwar ein alter, dicker Kerl mit Pomade im Haar, aber es tut mir gut, dass er mich mag. Einfach so. Aber ich schweife ab. Gegen deine sexuellen Abenteuer ist das natürlich alles nur peinlich.

Muss die Mädchen ins Bett bringen – und wehe, ich vergesse, ihnen die Fluortablette zu geben! Da schaut Lothar genau nach! Er ist nämlich ein vorbildlicher Vater, der mir immer exakt erklärt, was ich zu tun habe.

Du meinst, ich bin selber schuld, dass ich in ein so kleinbürgerliches, langweiliges Leben hineingeraten bin? – Tja. Mag sein. Es hat sich einfach nicht anders ergeben.

Ich sollte dankbar sein. Es hätte doch schlimmer kommen können.

Melde dich baldmöglichst aus der großen weiten Welt – es hilft mir durch mein Jammertal!

Deine dich wie immer sehr bewundernde Anne

PS: Was mich echt quält: Wie hießen noch mal die Brüder von Hoss Cartwright? Du weißt doch, dass ich nicht fernsehen durfte.

Dafür stell ich dir auch 'ne Quizfrage. Die Erde ist ein ödes Jammertal und angefüllt mit Elend, Angst und Qual. Nur selten lächelt uns ein stilles Glück…

Na, wie geht's weiter?

… und gönnt uns mal 'nen richtig guten Fick. Ich weiß nicht, wie es im Original hieß, aber diese Version ist doch sehr aktuell!

Hoss Cartwright hatte gar keine Brüder. Wenn du von Adam und Little Joe sprichst, das waren der schwule Au-pair-Boy und der Stylist vom alten Ben Cartwright, der die beiden nur als seine Söhne ausgab, weil er sich nicht traute, zuzugeben, dass auch er schwul war.

Also, liebes Kleinchen,
bin wieder zu Hause und hatte eigentlich den ganzen Tag nur Stress, weshalb mich deine Mail auch sehr erheitert hat. Wieder eine nette Folge der Vorabendserie.

Inzwischen habe ich Lothar und Opa Karl-Heinz und Oma Margot schon richtig ins Herz geschlossen. Und nun taucht im Park auch noch ein potenzieller Lover auf? Jürgen Böhser?

Ein alter Dicker, der dir aber wenigstens ab und zu Komplimente macht? Ein Schmieriger, mit Pomade im Haar? Ich könnte mich abrollen vor Begeisterung, wenn ich mir vor Augen führe, wie klasse DU aussiehst! Aber: Wer einer Frau unvergesslich bleiben will, muss ihr nur ein schönes Kompliment machen. Da kann er so alt und dick sein, wie er will.

Na ja, tröste dich. Nur im Tierreich sind die Männchen schöner als die Weibchen. Diesen Fehler hat Gott bei den Menschen korrigiert. Ein Mann muss nicht schön sein, nur intelligent, humorvoll, fürsorglich, liebevoll, witzig, spontan, erotisch, warmherzig, originell und gut im Bett. Wenn Jürgen Böhser diesen Ansprüchen genügt – warum nicht!

Gönn dir auch mal was, Kleinchen.

Habe im hintersten Regal im Keller ein altes Schulheft gefunden, worin wir zwei heftig miteinander korrespondiert haben. Muss wohl in der 11. Klasse gewesen sein.

Eine Eintragung aus dem Chemieunterricht: Ich: »Herr Wilms schneidet Lithium wie meine Mutter Zwiebeln.«

Du: »Wasserstoff brennt selbst, unterhält aber keine Verbrennung. Sauerstoff unterhält jede Verbrennung, brennt aber nicht selbst.«

Ich: »Herr Wilms erstickt jede Unterhaltung, unterhält aber nicht selbst.« Dann: Deutsch. Leistungskursus.

Du: »Hallo, Alex, was denkst du gerade oder passt du etwa auf?«

Ich: »Das Haar macht wohlgebildete Männer schöner, hässliche aber noch fürchterlicher.«

Du: »Von wem redest du?«

Ich: »Heinrich.«

Mensch, was haben wir den Kerl geliebt!

Warum bin ich nur nicht auf seine Beerdigung geflogen? Ich hätte doch auch abends noch zur Hochzeit von Dick Price gehen können! Du wirst es nicht glauben, Kleinchen, aber manchmal liege ich nachts wach und entschuldige mich bei Heinrich. Dabei hätte ich nie wieder an ihn gedacht, wenn du nicht mit dieser Mailerei angefangen hättest.

Kommen wir zur heutigen Realität der Alexandra von Merz: Diese nämlich hatte heute einen heftigen Streit mit dem Chefredakteur von der »Panorama«, weil er wieder mal sehr negativ über Nackedei berichtet hat. Ich weiß nicht, ob ich dir erzählt habe, dass ich sie seit ihrer Trennung von Boddel manage. Alwin Znob, der Chefredakteur dieses 9-Millionen-Auflage-Blattes, blökt mich heute am Telefon an: »Warum soll ich über Nackedei Loblieder singen, Frau von Merz? Was leistet dieses schlichte Geschöpf denn, außer dass sie bei ›Wetten, dass…‹ auf der Couch gesessen hat? Sie hat noch nicht mal die Saalwette kapiert! Singen kann sie nicht, tanzen kann sie nicht, kochen kann sie nicht, moderieren kann sie nicht – richtig Deutsch sprechen kann sie nicht! Außer ihren Silikon-Titten hat sie nichts zu bieten, dumm im Kopf wie Bohnenstroh! Da hat ja Inge Meysel mehr natürliche Jugendfrische! Haben Sie das gesehen, wie Inge sich an die Brüste gegriffen und gesagt hat: Bei mir ist alles echt? Ja, DIE hatte das Publikum auf ihrer Seite. Was soll ich denn da anderes schreiben, Frau von Merz, bitte sehr?«

Ich, die Füße im Schoß meines neuen Fußmasseurs, die Fluppe im Mund, den Schampus im Eiskübel, ganz lässig: »Natürlich ist sie keine Künstlerin, keine Schauspielerin oder gar geistig Schaffende. Aber Nackedei ist Kult! Sie ist sozusagen ein Gesamtkunstwerk! Sie fasziniert Millionen von Menschen! Ohne Nackedei kein Tag in der Panorama! Nackedei ist aus dem Nichts erstanden! Ihr Marktwert, mein Lieber, liegt inzwischen bei 100 000 Euro pro Auftritt! Allein durch ihre Werbeeinnahmen verdient sie acht Millionen Euro im Jahr! Die Einschaltquoten ihres Werbespots für Rotkohl liegen bei dreiundzwanzig Prozent Marktanteil!«

Erst hat Alwin Znob noch ein bisschen rumgeblökt, dass die deutsche Kultur am Arsch sei, wenn jetzt ein Nackedei höhere Einschaltquoten habe als der Ostersegen vom Papst, aber ich hab nur gesagt: »Mensch, Alwin Znob, tu doch nicht so, als würde dir beim Anblick von dem zitternden Greis die Hose aufgehen! Lass uns doch realistisch bleiben und an das glauben, was wir sehen!«

Ja, ich weiß, Kleinchen, jetzt zuckst du zusammen. Du hattest Religion als Wahlpflichtfach und deine Mutter ist sehr fromm. Aber unsere Branche ist so. Knallhart und unfromm.

Da hat er gelacht und gesagt: »Okay, Frau von Merz, Sie haben bei mir einen gut.« Und ich das Eisen geschmiedet, solange es heiß ist: »Wenn Oliver Palmitos jetzt seine Nadine heiratet, dann biete ich Ihnen die Hochzeit exklusiv an.«

Pause in der Leitung. Dann: »Oliver Palmitos. Seit wann managen Sie den denn?«

Ich: »Also, was bieten Sie?«

Er: »Tja, in Anbetracht der Umstände, dass Nadine aus dem

Königshaus eines Zwergstaates stammt, in dem noch gefoltert wird, und schon drei Kinder mit in die Ehe bringt, dürfte das keine uninteressante Geschichte werden.«

Ich: »Also?«

Er: »Andererseits: Wenn Oliver heiratet, kriegen wir sowieso Fotos. Außer er heiratet im Busch von Neuguinea oder in einem Heißluftballon.«

Ich: »Sie kriegen nicht nur die Hochzeit, sondern auch noch Interviews mit den drei Vätern der vorehelichen Kinder von Nadine, außerdem könnt ihr das schäbige Wohnviertel fotografieren, in dem Oliver Palmitos groß geworden ist, in Palermo. Samt fetter Mutter, alkoholabhängigem Vater und tätowiertem Bruder.«

Er: »Hm. Fetter Brocken.«

Und ich: »100 000 Euro. Dafür könnt ihr die Hochzeit live ins Internet übertragen, über eure Homepage.«

Er: »Was ist mit dem Vater der Braut? Der Fußball in seinem Land verboten hat?«

»Den kriegen Sie nicht. Den kriegt keiner. Der wird noch nicht mal auf die Hochzeit eingeladen. Da würden alle Fußballfans streiken.«

Er: »Aber der Kerl wäre natürlich sein Geld wert...«

Ich: »Sie müssen nicht, mein Lieber. Die Bunte ist wahnsinnig heiß auf die Story. Ich hab sie nur deshalb für Sie aufgehoben, weil ich Sie mag.« Was gelogen ist. Ich hasse den Kerl.

Er daraufhin: »Okay. Sie sind eine Hexe. Aber das wissen Sie.«

Tja. War ein guter Bluff. Ich manage Oliver Palmitos überhaupt nicht, aber ich werde seinem Manager zwanzig Prozent anbieten, damit er sich nicht übergangen fühlt. Wir Frauen haben in solchen Fällen das gewisse Etwas. In meinem Fall: weibliche List, gepaart mit Geldgier und Frechheit. Danach fühlte ich mich stark für meinen zweiten Streit, den mit Adrian. Er bleibt sitzen. Fünf Fünfen, eine Sechs. Hoffnungslos.

Ich: »Du bist nicht dumm, mein Sohn. Nur faul.«

Er: »Na und? Ist doch nicht mein Problem!«

Ich: »O doch, mein Schatz. Das ist einzig und allein dein Problem.«

Er: »Na und?«

Ich: »Ja wie, na und? DU musst die Klasse wiederholen und verlierst ein Jahr. Nicht ich!«

Er: »Na und?«

Ich: »Wie konnte es denn nur dazu kommen, Adrian?«

Er: »Das weißt du genau. Die Trennung von Papa. Wie soll man sich da noch konzentrieren.«

Ich: »Die Trennung von Papa ist fünf Jahre her.«

Er: »Und die Scheidung? Meinst du, ich lasse mich verarschen?«

Ich: »Okay, die Scheidung ist erst zwei Jahre her. Wie lange willst du die noch als Grund für deine schlechten Leistungen vorschieben?«

Er (grinst): »Solange es mir Spaß macht.«

Ich: »Okay, ich stelle dir frei, in ein Topinternat zu gehen. Da wird nicht nur die Schule, sondern auch die Freizeit sinnvoll gestaltet. Du kannst wählen zwischen einem Golfinternat auf Gut Ising am Chiemsee, dem Werkschulheim in Grabenau, da kannst du neben dem Abitur noch ein komplettes Handwerk lernen und kommst mit dem Gesellenbrief in der Hand da raus, und einem Spitzensportinternat, in dem die Ski-Asse trainieren. Außerdem stelle ich dir frei, ein Jahr nach Amerika zu gehen. Ich unterstütze dich finanziell und Papa auch.«

Er: »Vergiss es.«

Ich: »Wir danken Ihnen für das Gespräch.«

Du siehst, ich langweile mich genauso wenig wie du. Warst du heute schon im Stadtpark, hast du den dicklichen alten Herrn Böhser schon getroffen? Und was machen Carla und Greta, wenn sie nicht gerade Mikadostäbchen durchs Schlüsselloch stecken? Warum gehen sie eigentlich nicht in den Kindergarten, wie anderer Leute Kinder auch?

Apropos Mikadostäbchen: Weißt du noch, wie wir dem miesen hessischen Hausmeister »Pansäknaggä« das Mikadostäbchen ins Türschloss seines Kadetts gesteckt haben? Weil er den

Fahrradkeller abgeschlossen hatte? Und wie er sich vergebens bemüht hat, seine alte Mühle aufzuknacken?
In heiterer Altweibersommerlaune
deine Alex

PS: Schmeiße mich jetzt in mein feinstes Dirndl und gehe zum Dinner zu Fürstin Sayn-Wittgenstein-Sayn auf ihr Schloss.
PPS: Was mir noch zum Thema Lothar einfällt: Wenn ein Mädchen heiratet, tauscht es die Aufmerksamkeit vieler Männer gegen die Unaufmerksamkeit eines einzigen ein.

Liebste Gräfin Alex von Tut- und Taugt-Nix!
Deine PSe und besonders deine PPSe hauen mir zum Schluss immer noch eine rein!

Wieso musst du mich darauf bringen, dass mein Lothar mir gegenüber unaufmerksam ist? Wieso redest du immer über Geld?? Wieso kannst du so locker auf Kerle verzichten? Wieso gehst du bei der Fürstin dinieren und ich sitze in der Kantine von Kaufglück?

Zum Dinner gehe ich zu keiner Fürstin, sondern nur mit Frau Schnatzke von der Wurst- und Fleischabteilung in die Personalkantine. Dort höre ich mir ihre Probleme mit ihrem Mann an, der keinen mehr hochkriegt.

Heute gab's Sauerkraut, Würstchen und Püree. Und den Anblick von Frau Schnatzkes blutverschmiertem Metzgerkittel. Zum Thema Impotenz hatte sie 'ne Menge zu erzählen.

Muss los, in der Schuhabteilung gibt's Ärger mit diesem vorlauten Abteilungsleiter Koszinski, der nur über die Kollegen hetzt. Kann ihn nicht feuern, hat einen bombensicheren Vertrag. Ein totales Arschloch, wenn du mich fragst. Böswillig und hirnkrank. Neidisch und arm. – Ich lass ihn noch zehn Minuten warten. Das gibt mir ein Gefühl von Erhabenheit.

Ach Alex! Erlauchte Gräfin! Diese Leute sind mein Schicksal!

Eine letzte Meldung aus der Vorabendserie: Lothar will in der nächsten Folge einen Überraschungsausflug mit uns machen!

Freue mich auf deine nächste Mail – große weite Welt in meine muffige Bude!
Deine Anne

PS: Wegen Jürgen Böhser hast du Recht: Eine Frau kann tagelang von nichts anderem leben als von einem schönen Kompliment.

PPS: Große Freude für Lothar: Da Greta Carla diesmal den Vorderzahn ausgeschlagen hat, kann er die beiden wieder unterscheiden!

München, Hotel Bayrischer Hof, Suite 136–140,
2. November, kurz nach Mitternacht

Hallo, Kleinchen,
danke für die netten Zeilen aus Plattstadt. Du holst mich immer
wieder ins wahre Leben zurück. Ziehe mir gerade noch aus der
Minibar einen kleinen Schampus rein, weil ich noch nicht müde
genug bin. Hab die Beine auf den Tisch gelegt und den Fernseher
angestellt – fühle mich hier seit Jahren wie zu Hause. Allerdings
wäre ich lieber auf dem Filmball gewesen als auf dieser Zeitver-
schwendungsveranstaltung.

Komme gerade von einer Preisverleihung in der Residenz auf
Einladung von Edmund Stoiber. Literaturpreis des Jahres. Ich
war sehr gespannt auf die angekündigten Preisträgerinnen, Rosa-
munde Pilcher und Joanne K. Rowling. Zum einen wollte ich sie
einfach mal sehen, und zweitens hätte es ja sein können, dass
die Damen zufällig einen Manager brauchen. Sind ja zwei Gold-
gruben auf Beinen.

Mein Platz war neben dem von Günther Jauch reserviert und
der daneben für Mario Adorf.

Auf meiner Einladung stand: »DdSS – Drehscheibe der Stars,
Salzburg, Frau Alexandra von Merz und Begl.« Der linke Stuhl
neben mir war dann auch für »Begl.« reserviert, aber »Begl.« erschien den ganzen Abend nicht. »Begl.« wäre nämlich, wenn es
nach mir gegangen wäre, Adrian gewesen, schließlich ist er ein
potenzieller Harry-Potter-Leser, und ich dachte, ich mache ihm
eine Freude. Außerdem muss der Junge doch endlich mal mit
dem Lesen anfangen. Das Einzige, was er freiwillig liest, ist die
Rückseite der Cornflakes-Packung morgens beim Löffeln seiner
Cerealien, und natürlich die Bravo. Ich dachte, wenn er Joanne

K. Rowling persönlich begegnet, dann fängt er Feuer und verschlingt alle ihre Werke wie Millionen anderer Kinder auch. Aber er sagte »Vergiss es«, als ich ihn einlud mitzukommen, und stöhnte: »Was, so 'n schwachsinniger Scheiß? Ich hasse Harry Potter!«

Auch Rico wollte diesmal nicht mit. Seit er mit Jaime verlobt ist, interessiert er sich nicht mehr für Literatur. Leider auch nicht mehr für mich. Opportunist.

Also bin ich allein gefahren, was okay für mich ist. Ich mach solche Sachen eigentlich viel lieber allein als mit »Begl.«, weil ich dann Augen und Ohren viel weiter offen halten kann für wichtige Kontakte. Obwohl ich Katja Flint um ihren Sohn Oskar beneide, der anscheinend häufig und gern im Smoking auf Abendveranstaltungen geht und sich mit seiner schönen Mama, ohne das Gesicht zu verziehen, fotografieren lässt – jedes Kind ist anders!

Aber irgendwie war diese Literaturpreisverleihung nicht der Publikumsrenner. Als fünf Minuten vor der Live-Übertragung im Bayerischen Fernsehen die Hälfte der Plätze noch nicht eingenommen worden war, besetzte man die leeren Stühle mit Leuten von der Straße. Neben mir saß so ein Typ, der aus deiner Kaufglück-Kantine entlaufen sein könnte: Statt Günther Jauch saß da nämlich ein pensionierter Oberlehrer neben mir, der Mundgeruch hatte.

Wie zu befürchten war, moderierte Roger Willemsen den intellektuellen Abend. Die ersten Preisträger waren völlig unbekannte Autoren, ein indischer, in Amerika lebender Turbanträger, der einen Essay über ein Mietshaus in Bombay verfasst hat und mit dem Kopf wackelte wie der Kerl in der Werbung für Twix, eine blinde Finnin, die über das Leben eines taubstummen Beduinen geschrieben hat, der sich in einen gelähmten Delphin verliebt und daraufhin wieder seine Zehen bewegen kann, während der Delphin das absolute Gehör verliert oder so ähnlich. Im Publikum wurde man langsam ungehalten, die Laudatios schleppten sich so dahin, alles war kein bisschen witzig, und alle warteten auf die Pilcher und die Rowling. Leider kam weder die eine noch die andere. Voll die Abzocke, hätte Adrian gesagt.

Bei der After-Show-Party hab ich ein bisschen mit meinem Freund Florian Langenscheidt geplaudert, der wieder mal blendend aussah und wie üblich gerade von einer exotischen Reise zurückgekehrt war, auf der er vermutlich wieder ein Milliardengeschäft abgeschlossen hat.

»Du bist im Moment für einige ein rotes Tuch«, hat er mir bei asiatischem Finger-Food und Chablis aus dem mundgeblasenen Kristallglas zugeflüstert.

»Wieso, weil ich zu laut über den einzigen Witz gelacht habe, den Roger heute Abend gerissen hat?«

»Nein, weil du das Management von Nackedei übernommen hast.«

»Aber Florian, das Mädchen ist Kult!«

»Das mag sein, aber sie schadet dem guten Ruf deiner ansonsten seriösen Agentur. Du hast bis jetzt nur Topkünstler gemanagt.«

»Na und?«, hab ich gegrinst, wie Adrian. »Ist doch nicht mein Problem!«

Da hat Florian gelacht und seine prachtvollen Locken geschüttelt und dann gleich Jessica Stockmann-Stich begrüßt, die wegen des indischen Autors im Sari gekommen war.

Ich bin dann noch so rumgegangen zwischen Verlegern und Feuilletonisten und ich hab's wirklich gespürt: Man grüßt mich nicht mehr, und wenn, dann eisig. Ja, okay, ich stand früher für Kultur und heute für Kult. Na und, würde Adrian sagen. Die zwei Buchstaben!

Na gut, ich hab mich unter die Geldgeier gemischt, aber Qualität zahlt sich nicht aus. Das wissen doch alle!

Das ist für mich erst recht ein Ansporn. Ihr Spießer. Tut doch nicht so, als wäret ihr Heilige. Ich werde Nackedei ganz nach oben bringen. Das Geld liegt auf der Straße.

Auf der nächsten Literaturpreisverleihung kriegt sie den Ehrenpreis. Für ihre Blondinenwitze-Sammlung. Von Stoiber persönlich. Und Biolek wird die Laudatio halten.

Liebe Grüße von deiner sich heute wieder mal total einsam fühlenden
Alex

PS: Bin heute Abend etwas geknickt. Bin es nicht gewohnt, auf Empfängen übersehen zu werden.
PPS: Karriere ist etwas Herrliches, aber man kann sich nicht in einer kalten Nacht an ihr wärmen.

Liebste Alex,
lass dich bloß nicht unterkriegen! Die sind alle nur neidisch!
Vielleicht erheitert dich das: Seit heute Morgen ist das ganze
Kaufhaus voller riesiger Plakate, auf denen Nackedei zusammen
mit dieser Nervensäge Volker Dohle abgebildet ist! Das muss ja
ein riesen Reibach für dich sein! Daran verdienst du doch auch
zwanzig Prozent, oder?

Nackedei im rosa Fummel, mit Federn am Hintern (na ja,
hmpf), Volker Dohle in seinem üblichen unappetitlichen, lappi-
gen Oberhemd.

Aber die Sprüche!! Diese Kaufglück-Werbung!

Genial! Wer denkt sich so was aus! Oder besser noch, wer
verdient an solchen Wortschöpfungen Millionen?

»Kauf los geht's los!« Darauf muss man erst mal kommen!

»Kaufgepasst, zugefasst!«

»Kauftrag erhalten!« Geniale Wortspiele!

Am besten find ich persönlich: »Willst du mich kaufreißen?«
von Nackedei als Trinktüte.

Heute Mittag in der Personalversammlung haben sich einige
Mitarbeiter darüber beschwert, dass sie nun einen ganzen Monat
lang auf diese Plakate schauen müssen, das sei eine extreme Ver-
schlechterung der bisherigen Arbeitsbedingungen und psychisch
nicht zumutbar.

Fräulein Vokke aus der Näh und Strick hat geweint. Sie kann
das nicht ertragen, hat sie gesagt, sie sei eine Ästhetin, und das
sei für sie ein Kündigungsgrund. Die Gewerkschaftsmitglieder
haben mit Streik gedroht, wenn diese Plakate nicht wieder abgenommen werden. Der neue Werbeleiter, Herr Mennecken, der

extra für diese geniale Aktion aus der Filiale Rhein-Main-Park gekommen ist, hat aber gesagt, diese Aktion hätte Kaufglück vier Millionen Mark gekostet und er appelliere an die Solidarität der Mitarbeiter ihrem Arbeitgeber gegenüber. Die Plakate würden den Kundenansturm gerade jetzt im Herbst verdreifachen. Man solle doch bitte bedenken, dass jetzt die dunkle Jahreszeit beginne und der Kunde an sich auf was Nettes, Buntes, Riesiges schauen wolle – und wenn es wieder genug Kunden gebe, müsse man auch keine Arbeitsplätze mehr abbauen, also sei die Aktion ganz im Sinne der Mitarbeiter!

Aber er hatte nicht viele Mitstreiter. Der Gewerkschaftsvorsitzende, Dirk Determann aus der Filiale Viernheim bei Mannheim, wurde richtig laut. Wir seien doch kei Awwestall! Des könne mer uns net biede lasse! Man muss uns doch frage! Mer henn doch Auge im Kopp! Des is untragbar!

Die Versammlung dauerte über drei Stunden und ich hätte mich so gern verdrückt. Aber als Personalchefin musste ich bis zum bitteren Ende ausharren. Jürgen Böhser aus der Herren-Ober guckte ein paarmal so nett zu mir rüber. Ich glaube, der mag mich. Jürgen Böhser und ich, wir haben uns aus den erhitzten Diskussionen komplett rausgehalten. Ich hab mir alle meine männlichen Kollegen mal betrachtet, unter modischen Aspekten. Sie sehen alle gleich aus. Außer Jürgen Böhser, der ist dick und alt und humpelt und lispelt.

Aber die anderen: kariertes Sakko, Bügelfaltenhose, entweder rosa oder blauweiß gestreiftes Hemd. Oberlippenbart. Rauchen alle Ernte 23, fahren VW Passat, wenn sie Kinder haben, und Opel Vectra, wenn sie noch bei ihrer Mutter wohnen. Die Rasantesten leisten sich auf Kredit einen Audi 80 und brettern damit am Wochenende über die Autobahn, ohne ein einziges Mal von der linken Spur zu gehen. Meistens fahren sie nur zu einem Fußballspiel oder am Ende doch zu ihrer Mama, zu Kaffee und Kuchen. Viele fahren auch zu ihren geschiedenen Frauen, um die Scheidungswaise in den Zoo/Kino/McDonald's/Rollschuhbahn oder zu ihrer Mutter zu bringen. Während die Oma dann mit dem Kind spielt und es mit Keksen voll stopft, ziehen sich die

Scheidungsväter bei Mutters deftigem Eintopf und Bier die Sportschau rein. Dann bringen sie das Scheidungskind wieder mit 180 Sachen über die Autobahn zu ihren geschiedenen Frauen, die ihnen noch nicht mal die Tür aufmachen. Das Scheidungskind rennt ohne zu grüßen durch den Vorgarten des ehemaligen gemeinsamen Reihenhauses davon. Der Scheidungsvater rast mit 180 Sachen in seinem Audi zurück nach Plattstadt, geht noch ein Bierchen trinken, reißt noch ein Fräulein auf und steht montags morgens um neun wieder bei Kaufglück, in seinem karierten Sakko. Alle unsere Mitarbeiter riechen nach demselben aufdringlichen Rasierwasser. Nämlich immer nach dem, das gerade im Angebot ist. Es ist schrecklich, aber ich kann keinen Einzigen mehr leiden, nach zwölfjähriger täglicher Zusammenarbeit! Weder die Männer noch die Frauen! Nur Jürgen Böhser scheint ganz nett zu sein, aber er ist dafür auch extrem hässlich. Wahrscheinlich hat er auch Haarbüschel im Ohr, eingewachsene Zehennägel und trägt graue Pyjamas aus Flanell. Ich glaube nicht, dass ich ihn näher kennen lernen möchte. Schade, dass man sich hier in Plattstadt nicht mal unauffällig einen Neger bestellen kann, für eine Nacht. Der neue Werbeleiter, Siegwulf Mennecken, sieht zwar ganz nett aus, aber er hält sich für Gott.

Am Schluss gab es mehrere geheime Abstimmungen. Traudi Mann und Anke Wiebeke, unsere übereifrigen sozialen Fürsorgerinnen, die seit der Grundschule nur für Fleißkärtchen arbeiten, falteten in drei Abstimmungsgängen immer neu kleine gelbe Zettel und sammelten sie mit wichtigtuerischer Miene wieder ein.

In solchen Momenten habe ich solche Sehnsucht nach meinen Mädchen, dass ich heulen könnte. Warum sitz ich hier? Warum mache ich das? Warum tue ich mir das an?

Meine Kinder werden zu Hause von Oma Margot und Oma Helga verzogen und ich verplempere mein Leben mit solchen spießigen Kleingeistern, die zum Lachen in den Keller gehen! Nur um innerhalb von dreißig Jahren ein Reihenhaus abzubezahlen, das ich nicht will.

Das Ergebnis der Abstimmung war, dass wir einstimmig bereit

sind, Nackedei und Volker Dohle zu ertragen, dafür aber ab sofort die Kassette ausgewechselt wird, die seit drei Monaten täglich alle halbe Stunde dasselbe Musikprogramm spielt. Fräulein Vokke hatte einen nicht enden wollenden Weinkrampf. Schätze, ich muss ihr kündigen. Zu labil für den Job.

Am Mittwochnachmittag hat Lothar frei und will mit uns einen Ausflug machen. Das erste Mal in diesem Jahr! Wo wir doch gerade erst November haben! Ich kann es kaum erwarten vor Glück.

In Erwartung baldiger spannender Nachrichten aus der großen weiten Welt
deine Panne-Anne

PS: Habe selber keine Ahnung, was Lothar vorhat. Er sagt, es ist eine Überraschung. Wie kaufregend! Vielleicht ist er heute mal gut kaufgelegt!
PPS: Hättest du auf Anhieb gewusst, dass Bleioxyd und Kohlenstoff Blei und Kohlendioxyd ergeben? Also ich hatte das vollkommen verdrängt.

Hamburg, Hotel Élysée, Suite 343–345, 10. November

Hallo, Kleinchen,
wenn du Panne-Anne bist, bin ich Alex im Pech.

Nachdem nun Nadine, die Fürstentochter aus dem Zwerg-staat, Oliver Palmitos zwei Tage vor der Hochzeit verlassen hat, platzt natürlich mein sensationeller Deal mit der exklusiv ver-kauften Hochzeit an »Panorama«. 100 000 Euro! Das Geld liegt nicht auf der Straße, sondern im Gully! Wegen dieser launischen Schlampe! Ich darf gar nicht drüber nachdenken! Abgesehen da-von, dass ich fürchte, ihr Vater lässt sie steinigen und wir kriegen noch nicht mal einen Live-Mitschnitt davon, hab ich natürlich den Ärger mit dem Chefredakteur, Alwin Znob. Aus lauter Ra-che über den geplatzten Vertrag mit der exklusiven Hochzeit schreibt er seit drei Tagen in Folge dummes Zeug über Nackedei: »Ja, ich schäme mich, ein Flittchen zu sein« und »Ich bereue zu-tiefst, Boddel verlassen zu haben« und »Nein, mein Abitur habe ich nicht geschafft«.

Nackedei voll auf der Verliererschiene! Das wollte ich doch um jeden Preis vermeiden! Fehlt nur noch, dass sie zugibt, Sili-kon gefressen zu haben! Die Schweine von »Panorama« bohren ja so penetrant, dass man gar nicht genug aufpassen kann. Nackedei ist jetzt in einer labilen Phase und schafft es nicht, den Reportern den Stinkefinger zu zeigen. Ich sag immer: Mädchen, das Telefon kann man auflegen. Leg doch AUF! Aber die ist so blöd, die legt dann BEI MIR auf. Hach. Warum hab ich diese dummi Tussi nur übernommen.

Ich mich also heute Morgen in den ersten Flieger gesetzt, nach-dem Adrian das Wochenende endlich mal wieder bei Leo und Ol-ga verbringt, und bin nach Hamburg geflogen. Zum Glück hatte Alwin Znob sofort einen Termin für mich. Ich bin schließlich in der Oberliga der Künstleragenturen und außerdem die einzige Frau im Geschäft.

»Frau von Merz, ich würde sagen, gut sehen Sie aus, wenn Sie wirklich gut aussehen würden«, schleudert mir das Arschgesicht als Erstes entgegen. Er trägt nur Gucci und Armani, ist eng mit Joop befreundet und lässt sich von Bogner die Skianzüge maßschneidern.

»Wie darf ich das verstehen, Herr Znob?«

»Sie scheinen mir um zwanzig Jahre gealtert! Wie kommt's? So viele Probleme?«

Mir blieb die Antwort im Halse stecken. Frechheit! Alwin Znob ist selber nicht gerade ein Ausbund an männlicher Frische, hängt ja auch Tag und Nacht rauchend in seiner Redaktion herum und verbreitet peinliche Schweinereien über seine Mitmenschen. So was macht blass.

»Sollten Sie an der Problemlösung interessiert sein, kommen wir ins Gespräch. Also. Wie holen wir jetzt die Kuh vom Eis?«

Ich setzte mich mit einer Pobacke auf die Kante seines Schreibtisches und klaute mir eine Fluppe aus seinem goldenen Etui. Er raucht Benson und Hedges, was mich an einen meiner besten Liebhaber von früher erinnert.

Und siehe da: Meine Körpersprache war stärker als seine pubertäre Pöbelei!

»Nehmen Sie doch bitte Platz«, sagte er mit zynischem Grinsen. »Dann holen wir die Kuh vom Eis.«

»Was machen wir denn nun mit Nackedei?«, kam ich gleich zum Thema, nachdem ich ihm meinen Rauch ins Gesicht geblasen hatte.

»Sie hat einfach Sympathien verloren«, bedauerte der Heuchler Alwin Znob. Als wenn nicht ER einzig und allein dafür verantwortlich wäre! »Da kann ich gar nichts machen! Volkes Stimme macht Stars groß und lässt sie auch wieder fallen! Ganz wie das Barometer im Hamburger Pieselwetter!« Er lächelte fies.

Ich betrachtete das riesige Kaufglück-Hauswand-Gemälde, das hinter seinem Fenster zu sehen ist. Nackedei und Volker

Dohle. Er sagt laut Sprechblase zu ihr: »Hast du dir die Brüste kaufspritzen lassen?«, und sie antwortet neckisch: »Willst du sie kauffressen?«

Kein Wunder, dass Alwin Znob Lust an sadistischen Handlungen hat, wenn er sich das den ganzen Tag angucken muss. »Hören Sie auf, Alwin Znob, SIE sind die Stimme des Volkes und das wissen Sie ganz genau!«

»Welche … Aktion … schlagen Sie denn vor, um Nackedeis Image zu verbessern?«

»Sie ist ein Glamourgirl, ein Luder der Extraklasse! Laden Sie sie auf ein Fünfsternekreuzfahrtschiff ein. Und setzen Sie sie auf die Titelseite.«

»Ich will Nackedei nackt«, sagte Alwin Znob kalt. »Sie muss mit ihren Brüsten die Scheiben von einem LKW waschen. Dann kommt sie auf die Titelseite.«

»Das könnte Ihnen so passen!« Ich warf ihm meine Fluppe ins Gesicht und sprang auf.

Er lachte. »Wieso diese Kaufregung? (Folge der Gehirnwäsche auf der Hauswand!) Bisher hat sie doch genau das im Playboy gemacht!«

»Das ging noch nicht auf meine Kappe. Da wurde sie noch von Boddel gemanagt. Nackt kriegen Sie Nackedei nicht.«

»Wieso heißt sie dann Nackedei?«

»Verdammt, Znob! Ich arbeite gerade an ihrer Imageverbesserung! Was SOLIDES!«

»Und wie soll es dann ein Hingucker werden, hm? Was schlagen Sie vor?«

Alwin Znob stand auf und im Vorübergehen pustete er mir frech in den Ausschnitt. »Sie könnten auch mal eine Vorhernachher-Behandlung gebrauchen!«

Blitzschnell hob ich meinen Fuß, an dem ein hochhackiger Pumps baumelte.

»Huch!«

»Keine weiteren Unverschämtheiten mehr, ist das klar?«

»Aber liebe Frau von Merz, wer wird denn gleich so emotional reagieren? Ich wollte Sie gerade auf eine Sonderbehandlung bei Schamir's einladen. Der ist gerade bei älteren Damen sehr gefragt.«

Ich überhörte die ältere Dame und fragte ungehalten: »Wer ist Schamir?«

»Unser Topstylist in Hamburg. Bekannt für seine ungewöhnlichen, extrem teuren, aber wirkungsvollen Behandlungsmethoden. Er verwöhnt Frauen mit lauter dekadentem Zeug, Kaviar und so. Vom Feinsten. Macht auch klasse Frisuren. Testen Sie ihn. Wenn Sie mit seiner Arbeit zufrieden sind, können wir Nackedei zu einem Fototermin dorthin schicken. Dann gibt es eine Super-Glamour-Glanz-und-Glitter-Story über Deutschlands Superluder Nummer eins, das verspreche ich Ihnen.«

Er stand auf und bückte sich, um in die Sprechanlage zu rufen: »Frollein Elke, machen Sie einen Termin bei Schamir, exklusiv für Frau von Merz, soll sich sechs Stunden Zeit nehmen und keine anderen Pappnasen heute drannehmen, den ganzen Nachmittag.«

»Und wenn er schon Termine hat?«

»Soll er sie wieder absagen. Frau von Merz ist Super-VIP.« Er lächelte fies.

»Ich kann mir selber einen Termin machen«, brummte ich ungehalten. Schließlich war ich noch nie bei einem anderen Stylisten als meinem geliebten Rico.

Als ich gerade gehen wollte und »Frollein Elke« mir bereits in den Mantel half, hob Alwin Znob plötzlich mein Kinn an, eine Geste der Vertrautheit einerseits und geradezu unverschämte Machohaftigkeit andererseits: »Und wenn Sie heute Abend ganz schön sind, dann gehen Sie mit mir ins Valentino's. Ich lass uns einen Tisch reservieren. Dann reden wir weiter.«

Oh, dieser Mistkerl, dieser elende widerwärtige Macho, dieser miese, selbstgefällige!!

Frollein Elke schob mich so abrupt in meinen Mantel, dass ich fast umgekippt wäre.

»Und wenn ich schon was anderes vorhabe?«

»Sagen Sie es wieder ab. Oder wie wichtig ist Ihnen Nackedeis Image?«

Jetzt hab ich mir was eingebrockt. Werde gleich abgeholt zu

diesem Schamir und muss heute Abend auch noch mit dem Kotz-brocken essen gehen! Seufz.

Beneide dich um deinen harmlosen Familienausflug mit Lothar im Opel!

Deine Alex

PS: Das Geld liegt zwar auf der Straße, aber manchmal muss man sich richtig tief danach bücken.

PPS: Hättest du auf Anhieb noch gewusst, dass das Ziel einer agitatorischen Rede die Erweckung einer Tatbereitschaft ist?

Erlauchteste Gräfin Alex!

Ach, du Bejammernswerte! Da musst du dich von Hamburgs begehrtestem Topstylisten verwöhnen lassen, während ich zum »Beischneiden« zu Jasmin in den Salon hetze, in meiner Mittagspause! Nein, das tut mir ja alles schrecklich Leid für dich. Du Arme aber auch. Womit du so deine Zeit verplempern musst, nur um ein bisschen Geld zu verdienen!

Lass dir zum Trost berichten, wie unser Familienausflug am Mittwoch war.

Lothar erschien um »Punkt vier«, wie er angesagt hatte. Er kommt nie »nachmittags« oder »so um die Kaffeezeit«, sondern er kündigt sein Nachhausekommen mit exakten Zeitvorgaben an. Als wäre er ein Intercity.

»Punkt vier stehe ich vor dem Haus. Bitte stehe mit den ANGEZOGENEN Kindern im Hauseingang, aber setz ihnen die Mützen auf und zieh ihnen die Windjacken an!«

Lothar ist da exakt wie sein Vater, Opa Karl-Heinz. »Auf die Sekunde«. »Exakt«. »Peinlich genau«. »Wie vereinbart«. »Präzise« und »Punkt«. Das sind ihre Lieblingsfloskeln.

Lothar ist immer schnell beleidigt, wenn etwas nicht »exakt« genug ist, dann zieht er seine chronisch entzündeten Racheninhalte hoch.

»Trotz meiner deutlich formulierten Ansage hast du dich nicht an meine vorgegebenen Arbeitsbedingungen gehalten.« Das passiert eigentlich ständig. Er ist immer irgendwie beleidigt. Jedenfalls, der Ausflug. Um »Punkt« vier fuhr der Opel vor, unser Vati in Ausflugslaune!

Oma Helga spricht von Lothar als »Vati«, was die Kinder leider übernommen haben. »Vadi«, sagt sie ganz sächsisch. An dem Tag, wo sie mich »Muddi« nennen, lasse ich mir eine Dauerwelle machen.

»Vadi« jedenfalls riss sich die Fliege vom Hals und öffnete den Hemdkragen. Das hieß: Freizeit! Jetzt! Sofort! Schaut mich an! Ich bin locker!

»Warum haben die Kinder ihre Mützen nicht auf?« Beleidigter Blick. »Wir hatten doch AUSFÜHRLICH besprochen, was die Kinder heute anziehen!« Oma Helga in der Haustür dackelte pflichtschuldigst nach oben und kramte die Mützen aus den Schubladen.

Währenddessen schnallte ich hinten die Kinder an. Lothar prüfte derweil sehr genau den Reifendruck und schaute mit Hilfe seiner stets mitgeführten Küchenrolle nach dem Öl.

Dann schubste er mich nachdrücklich beiseite und kontrollierte, ob die Kinder auch vorschriftsmäßig angeschnallt waren.

»Der Gurt ist überhaupt nicht IM MINDESTEN fest genug angezogen!« Beleidigtes Nasehochziehen. »Ist dir KLAR, wie viele Unfälle genau DESWEGEN passieren?«

Er kanzelt mich ständig vor den Kindern ab. Ich schlucke es meistens runter, weil ich denke, er kann nicht anders, er ist eben so. Schließlich meint er es nur gut und ich bin eben eine Schlampe, wenn ich die Kinder nicht richtig anschnalle. Er hat ja Recht. Lieber einmal zu gründlich als einmal zu wenig. Sagt Oma Margot immer.

»Erwin kann nicht mit. Aus hygienischen Gründen.« Unser aller Rattentier musste zu seinem Bedauern wieder aussteigen und verkroch sich leise weinend bei Oma Helga unter der Kittelschürze.

»Wo fahren wir denn hin?«, wagte ich zu fragen.

»Überraschung«, antwortete Lothar entschieden. »KEIN Wort vor den Kindern!«

Wir stiegen ein und Lothar wollte rückwärts aus der Einfahrt wieder raus, aber da hatte inzwischen eine Polofahrerin ihr Fahrzeug abgestellt.

Es war dieselbe, die vorgestern zu mir ins Küchenfenster geschrien hat: »Ihr Mann hat mit seinem Wagen unsere Zufahrt dreckig gemacht!« Ich habe daraufhin die Zufahrt der Nachbarin geputzt. Sie schaute mir dabei zu. Das habe ich Lothar leider erzählt und nun hat er panische Angst vor der Polofahrerin.

»Mutti! So hilf doch! Gib doch Zeichen!«, schrie Lothar seitlich aus seinem Fenster.

Mutti Helga rannte auf ihren strammen Beinchen mit Pantoffeln auf die Straße und winkte wüst. Sie ist schon ein bisschen tüddelig, behaupten jedenfalls alle. Natürlich rannte auch Erwin auf die Straße. Er kläffte zwischen den parkenden Autos herum.

»HACH!«, griff Lothar sich völlig genervt mit beiden Händen an den Kopf.

Hastig drehte ich mich zu den Kleinen und machte »Scht! Der Vati muss sich konzentrieren!« Dabei hatten die beiden keinen Mucks von sich gegeben.

Oma Helga ruderte mit den Armen, als wollte sie eine Boeing 707 aus einer Parklücke winken, und Lothar pirschte sich zentimeterweise aus der Einfahrt, wobei er zweimal den Motor abwürgte. Erwin kläffte ununterbrochen um unsere Hinterräder herum.

»Vati! Du überfährst Erwin!!«

»Pssssst! Vati konzentriert sich!«

Mitten im ausladenden Rudern donnerte Oma Helga plötzlich mit beiden Handflächen auf den Kofferraum. »Halt! Stopp! Geht nich' mehr!!«

»Anne, wann steigst du endlich aus und hilfst ihr?« Beleidigtes Nasehochziehen. »Du siehst doch, dass Mutti damit überfordert ist! Und hol endlich das Tier von der Straße!«

Tja, und dann wurde der Ausflug doch noch sehr schön. Lothar hatte nämlich als Überraschung beschlossen, dass wir zum Hallenbad fuhren!

Als er dort einparkte, fragte ich: »Gehen wir etwa schwimmen?«

Schweigen. Nasehochziehen. Dann: »Ich sagte doch MIN-

DESTENS schon dreimal vernehmlich das Wort Überraschung! KANNST du dich denn nicht daran halten?«

Die Kinder hinten: »Wir gehen schwimmen, au ja, wir gehen schwimmen!«

»Hast du denn die Schwimmflügelchen eingepackt?«, fragte ich vorsichtig.

»Wieso denn ICH?«, herrschte er mich an. »Ich habe doch EINDEUTIG ANWEISUNGEN gegeben, den Kindern Badesachen einzupacken!«

»Aber nicht mir«, widersprach ich widerborstig.

»Das ist doch ein GRAVIERENDES Kommunikationsproblem zwischen dir und meiner Mutter!«, schrie er mich an. »Wann schafft ihr es endlich, die WICHTIGEN Dinge zu besprechen und die UNWICHTIGEN nicht?«

Die Kinder zappelten und jubelten auf ihren TÜV-geprüften Rücksitzen. »Wir gehen schwimmen, hurra, wir gehen schwimmen!«

Ich drehte mich um und fauchte: »SCHSCHSCHSCHTTT!«

»Wenn ich nicht ALLES alleine mache«, sagte Lothar, als er mit großer Geste seinen Anschnallgurt löste. »Kommt, Kinder. Ihr könnt ja nichts dafür. Der Vati fährt jetzt noch mal heim und holt die Badesachen. Der hat ja sonst nichts zu tun in seiner Freizeit.« Er zog die Nase hoch und zerrte die Mädchen aus ihren Sitzen. »Ihr könnt ja drinnen warten. Es dauert sicher nicht länger als exakt vierzig Minuten, zumal ich jetzt VOLL in den Berufsverkehr komme. Und zusätzlich ZWEIMAL an der Baustelle Ludgeristraße vorbeimuss. Aber es ist ja MEINE Freizeit.«

Er warf mir einen Blick zu, als hätte ich ihm ein paniertes Telefonbuch zum Essen angeboten. Wütend stieg er in seinen Opel und drehte die Scheibe runter: »Wenn du im Vorraum der Schwimmhalle wartest, musst du die Mädchen ausziehen und der RAUMTEMPERATUR angleichen! Wenn ihr draußen wartet, müssen sie jetzt die KAPUZE aufziehen! Aber achtet auf die ABGASE! Jetzt ist Berufsverkehr, da gehören Kleinkinder überhaupt nicht auf die Straße! Hach! Das ist dir ja mal wieder sensationell gelungen!« Dann fuhr er davon.

Die Mädchen wollten sowieso nicht draußen warten, weil sie sich so sehr aufs Schwimmen freuten.

Ich rief von einem Münzfernsprecher in der Vorhalle aus Frau Hagenböck aus der Sport und Freizeit an und sagte, sie solle mir zwei von den runtergesetzten Kinderbadeanzügen Größe 128, einen Badeanzug Größe 38 von denen im Spaß-und-Sport-Aktions-Angebot, zwei Paar Schwimmflügelchen und drei von den Sonderangebot-Kaufglück-Aktion-Badehandtüchern schicken, und zwar zum Mitarbeiterrabatt. Unser Auslieferer brachte mir den Krempel sofort. Zwanzig Minuten später waren wir im Wasser und hatten über eine Stunde Spaß, bis Lothar endlich HOCH beleidigt in seiner unkleidsamen Badehose, die seinen weißen Speckbauch und seine mit Hautausschlag verunzierten Beine auf erschreckende Weise freigibt, am Beckenrand erschien. Er hätte uns jetzt »exakt geschlagene zwanzig Minuten außerhalb des Barfußbereiches« gesucht, so wie wir das »definitiv vereinbart« hätten. Es sei KEINE Rede davon gewesen, dass wir entgegen unserer Abmachungen bereits den Barfußbereich betreten. Er käme sich vor wie ein Idiot. Im Übrigen könne er sich umbringen vor Wut, weil Oma Helga natürlich alle Badesachen »korrekt wie vereinbart« in den Kofferraum gesteckt hätte, und zwar schon heute Morgen. Er sei also »völlig überflüssigerweise dreifach durch die Abgase« gefahren, nur um festzustellen, dass wir uns »anscheinend völlig hemmungslos« seit einer Stunde ohne ihn amüsierten. Die Kinder müssten jetzt »sofort aus dem Chlorwasser raus«, weil sie doch »deutlich blaue Lippen« hätten und »mit Sicherheit inzwischen völlige Untertemperatur«.

Er zog die Nase hoch und angelte die bis dahin vergnügten Mädchen aus dem Wasser.

»Kommt, Kinder, ihr könnt ja nichts dafür, dass eure Mutti so verantwortungslos ist. Der Vati trocknet euch jetzt ab. So, feste rubbeln, damit ihr nicht völlig auskühlt und morgen eine Lungenentzündung habt…«

Habe ich schon erwähnt, dass Lothar immer alles erklärt, was er macht? Er moderiert quasi jeden Handgriff, damit die Umwelt das auch wahrnimmt. Er würde nie schweigend die Mädchen einfach abtrocknen oder gar MIR ein Handtuch reichen! »Und außerdem hat die kleine zarte Kinderhaut einen viel zu hohen Anteil an Chlor mitbekommen, das wird euch der Vati nachher ganz schön abduschen und dann wird euch Vati mit viel rückfettender Creme eincremen, damit sich eure Hautzellen erholen können…« Du glaubst nicht, wie mitleidig ein Badehauben-Pensionist mich angeguckt hat, der gerade des Weges schwamm. So als wolle er sagen: Früher haben wir Väter uns zwar nicht um unsere Kinder gekümmert, aber wir haben auch nicht so einen Scheiß dahergeredet.

Muss aufhören, Lothar kommt zurück, er will nicht, dass ich an seinem PC arbeite, weil er denkt, ich mache ihn kaputt. Tschüss, Liebste, und denk bei Schamir unter der Eselsmilchmaske, dass es noch schlimmere Schicksale gibt als das Image von Nackedei verbessern zu müssen.

Deine chlorverseuchte Anne

PS: Der runtergesetzte Badeanzug ist wirklich eine Wucht! Hab mir seit Jahren nicht mehr so ein sexy Teil geleistet.

Hamburg, Hotel Élysée, in meiner Suite am Schreibtisch,
Blick auf den Bahnhof Dammtor

Liebe Meerjungfrau im Chlorbecken von Plattstadt,
deine Schilderungen vom städtischen Hallenbad haben mich sehr
erheitert. Weißt du noch, wie wir immer Schwimmunterricht in
dieser Badeanstalt hatten?

Und Wasserballett hatten wir immer montags. Bei Fräulein
Wittmoser. Hast du noch die Nasenklammer, mit der wir immer
aussahen, als hätten wir einen Riesenrotz an der Nase? Übrigens, das Wasserballett hat mich für viele Situationen in meinem
Leben gestärkt. Wenn wir die Füße am Kinn der Kollegin eingehakt hatten und untertauchten, haben wir immer die anderen
mitgezogen. Wenn wir auftauchten ebenso.

Wirklich, Anne. Vorabendserie vom Feinsten. Interessanten
Kerl hast du dir da geangelt! Aber das, was er da macht, ist doch
der reinste Psychoterror! Wieso lässt du dir das gefallen? Ich begreife das nicht!! Kriegst du das bezahlt? Seit wann ist der so?
Schon immer? Das kann ich mir gar nicht vorstellen.

WIESO hast du ihn geheiratet, Anne? Wieso? Aus Mitleid?
Weil deine Mutter es dir befohlen hat? Oder weil du glaubtest,
du kriegst keinen mehr ab? Nein, Anne. Sag, dass das nicht wahr
ist.

Also, ich habe Leo wegen des Geldes, seiner Macht und seinem Einfluss geheiratet. Und als ich genug davon hatte, hab ich
mich scheiden lassen. Mit Hilfe einer genialen Anwältin. Deswegen habe ich nie bereut, Leo geheiratet zu haben.

Hoffe, dich aufzuheitern, wenn ich dir meinen Nachmittag bei
Schamir schildere.

Um »exakt« sechzehn Uhr wurde auch ich abgeholt, allerdings nicht von einem spießigen Opelfahrer, sondern von einem Chauffeur in einem goldfarbenen Cadillac von etwa dreißig Meter Länge. Vorne hockte der Chauffeur, hinten ich. Auf einem von ungefähr achtzehn Sitzplätzen. Vor einer Bar mit verschiedenen Drinks und einem Fernseher.

Der Schönheitstempel von Schamir konnte sich sehen lassen! Alles Gold, Marmor, Stuck. An der Decke sinnliche Malereien. Die Wände zierten riesige goldgerahmte Spiegel.

Im Saal selbst mehrere Springbrunnen, riesige Schalen, aus denen Flammen züngeln, Champagnerkelche neben edelsten Tiegeln und Tuben in den goldverzierten Regalen.

Eine sonnenbankverglühte, dicke Alte mit chilibohnenfarbenen Locken begrüßte mich mit rauchiger Stimme: »Herzlich willkommen in unserem Schönheitstempel, Frau von Merz!«

Sie nahm mir meine Jil-Sander-Jacke und den Burberry-Schal ab und verschwand damit im Hinterzimmer. An der Bar hockte ein Araber mit hüftlangen Haaren, die oben schwarz und unten tiefblau waren. Er hatte sie zu hundert feinen Zöpfchen geflochten. Sein sehniger Körper steckte in einem leuchtend violetten Seidenhemd und eng anliegenden schwarz glänzenden Lederhosen. An den Füßen trug er spitz zulaufende Lackstiefel. Seine Ohrläppchen waren von zwanzig bis dreißig Büroklammern durchstochen. Er hatte sich eine blauschwarz-silbern gestrasste Sonnenbrille auf die Stirn geschoben. Rico und Jaime hätten sofort ihre Verlobung gelöst!

»Hallo«, sagte ich freundlich und reichte ihm die Hand. »Sie sind sicher Schamir.«

»Nein, ich bin Kai Müller.«

Und warum sehen Sie aus wie ein schwuler Aal, der zu lange in der Backröhre gesteckt hat?, wollte ich ihn fragen, aber ich fühlte mich seltsam eingeschüchtert. Der ganze Salon war mit Kaviardosen dekoriert.

»Mit dem Material kann ich aber nicht arbeiten«, mäkelte Kai Müller, indem er meine Haare zwischen den Fingern rieb wie welkes Laub. »Das ist ja total abgebrochen in den Spitzen.«

Ich hatte vorsichtshalber meinen Skalp im Hotel gelassen, weil ich mal testen wollte, was so ein Schönheitspapst mit meinen Haaren so anfängt. Hab ich den überhaupt schon erwähnt?

Rico hat ihn mir kreiert. Ich setze ihn immer auf, wenn's schnell gehen muss.

Einmal hatte ich ihn in der Eile verkehrt herum aufgesetzt, und als mir immer mehr schwarze Locken ins Gesicht fielen bei einem Geschäftsessen, hab ich gesagt: »Verzeihung.« Und das Ding richtig gerückt. Da sind den Kerlen fast die Augen aus dem Kopf gefallen.

Na ja, wenn ich mir vorstelle, dass einer beim Geschäftsessen die Krawatte auf dem Rücken hängen hat und mit dem lapidaren Wort »Verzeihung« seinen Hänger nach vorne rückt, dann würde ich auch blöd gucken.

Ach Anne, ich zieh mir schon wieder einen Sherry rein. Bin so gefrustet! Auch die weibliche Leber hat ein Recht auf einen Rausch! Also, weiter von meiner Schmach im Schönheitssalon. Da erschien auch schon Schamir, der wahre Meister des Tempels. Ein rundgesichtiges Jüngelchen um die eins fünfundsechzig, in Kaschmirpullover und Seidenhalstuch. Ein merklich anderes Outfit also als Kai Müller, sein Vasall. Er reichte mir seine manikürte Rechte, an dessen kleinem Finger ein Lapislazuli-Ring prangte.

»Wir freuen uns aufrichtig, Sie heute mal ein paar Stunden in unserer Oase der Entspannung verwöhnen zu dürfen. Dürfen wir Ihnen zur Einstimmung erst einmal ein Gläschen Champagner anbieten?«

Da ich sicher war, dass ich diese geballte Ladung schwuler Dekadenz nur mit sehr viel Alkohol würde ertragen können, sagte ich dankend zu.

»Wir dachten an das komplette Verwöhnprogramm«, säuselte das makellose Schmusetier.

Och nöö, dachte ich.

»Zuerst eine schöne entspannende Gesichtsmaske, dann ein komplettes Facial mit Massage und dann kümmern wir uns mal um Ihre Füßchen und Händchen und dabei kann Ihnen Kai dann eine wunderschöne Frisur zaubern. Am Schluss mache ich Ihnen ein perfektes Abend-Make-up. Wie ich hörte, sind Sie heute Abend zum Dinner verabredet? Dann richten wir Sie dafür passend her.«

»Da freue ich mich aber mächtig«, sagte ich und kippte das erste Glas Champagner auf ex.

Die dicke Rotlockige führte mich in einen separaten Raum. Auf einem riesigen weißen Ledersessel durfte ich Platz nehmen. Überall riesige Spiegel, goldverzierte Rahmen, Marmor, warmer Glanz. Champagnerflaschen, Kaviardosen, feinste Kristallgläser, flauschige Handtücher.

Die Dicke füllte mein Champagnerglas noch einmal auf.

Man fuhr den Sessel in die Horizontale und bedeckte mich mit weißen Damastlaken, auf denen in goldener Schrift »Schamir's« eingestickt war.

»Bitte jetzt mal die Äuglein schließen«, hauchte Schamir. Er legte mir behutsam Wattepads auf die Augen. Ich begann mich wohl zu fühlen. Der Champagner breitete sich wohlig in meinem verspannten Inneren aus und Schamir begann mich sanft an den Schläfen zu massieren. Als einmal die Tür aufging, hörte ich ihn leise sagen: »Bitte jetzt keine Störung!«

Er stellte die asiatische Entspannungsmusik an. Sofort hüllten mich sanfte Panflötenklänge, gepaart mit Vogelgezwitscher, ein. So entspannte ich mich mehr und mehr und Schamir trug eine kühle Creme auf die bereits von heißem Wasserdampf geöffneten Poren. Sie roch nach Luxus und Champagner, nach Candle-light-Dinner in einem Sternerestaurant, nach Vollmond und Erinnerung. Ich versank in einem angenehmen Halbschlaf, dachte noch etwas an Adrian und seine schulische Zukunft und beschloss gerade, dass dieses im Moment nicht mein Problem sei, als es direkt über meinem Gesicht sehr eindeutig klickte.

»Was war das?«

»Oh, das war nur mein Freund. Ganz privat und nur für mein kleines Familienalbum.«

»He, was soll der Scheiß!« Abrupt setzte ich mich auf. Schamir drückte mich sanft, aber bestimmt in meinen Sessel zurück.

»Pscht, Aufregung schadet jetzt der heilenden und beruhigenden Wirkung dieser Maske! Bleiben Sie ganz entspannt.« Er kicherte selbstgefällig. »Ich hab ihn weggejagt, den schlimmen Voyeur...«

»Machen Sie sofort das Zeug ab«, sagte ich. Es roch jetzt ganz penetrant und eindeutig. »Was ist das überhaupt?«

»Kaviar. Reiner, echter, original russischer Beluga-Kaviar. Da. Lecken Sie mal. Fünfhundert Gramm zweihundertfünfzig Euro.«

»Spinnt ihr?? Macht das Zeug ab! Verarschen kann ich mich allein!«

»Bitte! Sie müssen jetzt ganz ruhig liegen bleiben! Der Kaviar muss seine volle Wirkung erst noch entfalten! Bitte, entspannen Sie sich wieder. Gönnen Sie sich doch mal was Besonderes! Geht doch auf Kosten von Panorama der Woche!«

Na, okay. Alwin Znob soll ruhig blechen, dachte ich, wütend wie ich war.

»Ich lasse Sie jetzt mal ein Weilchen allein.«

Ich schmollte vor mich hin und stellte mir vor, dass ich jetzt echten Kaviar im Gesicht hatte.

Schließlich kam Schamir wieder und kratzte mir die schwarze Pampe ab.

»Wenn ich dieses Foto irgendwo in der Öffentlichkeit sehe, sind Sie ein toter Mann«, sagte ich, als ich endlich wieder sprechen konnte.

»Aber liebe Frau von Merz, was denken Sie denn? Und was sehe ich da: Wenn Sie so streng schauen, dann haben Sie um die Mundwinkel herum ganz hässliche kleine Fältchen.«

Er reichte mir einen goldenen Handspiegel. Leider konnte ich nicht so euphorisch reagieren wie mein gelber Wellensittich damals im Badezimmer. Was ich erblickte, war eine böse blickende Alte mit vereinzelten Fischeiern in den Haaren.

Und er hatte Recht: um den Mund herum mindestens ein Dutzend gravierender Falten! Gott ist leider nicht galant, sonst hätte er uns die Falten an die Fußsohlen gemacht und nicht ins Gesicht.

»Und da Sie noch nicht mal vierzig sind, wie ich mal annehmen darf, würde ich an Ihrer Stelle dringend mit ganz leichten Korrekturen anfangen.«

»Natürlich bin ich noch lange nicht vierzig! Was für Korrekturen?«

»Ein ganz kleines bisschen, kaum merklich natürlich, die Lippenpartie unterspritzen.«

Ich schwieg.

»Also? Weil ich Sie so mag, mache ich es für Sie gratis. Das kostet sonst tausend Euro. Pro Gesichtshälfte.«

Da wurde ich natürlich hellhörig. Du weißt ja, dass ich gerne spare.

»Aber… das tut doch weh!«

»Nur ein bisschen. Ich mache mir das oft morgens selbst vor dem Badezimmerspiegel.«

Ich wusste es. So sah der aus.

»Dauert höchstens zehn Minuten. Dann haben Sie ein glattes, faltenloses Gesicht. Und Ihr Mund lächelt automatisch, weil ich die Lippen ganz leicht nach oben ziehe.«

Es tat höllisch weh und ich hätte den miesen kleinen Sack gerne in die Eier getreten.

Schließlich hielt er mir den Spiegel hin. Abgesehen davon, dass Dutzende dünne Blutrinnsaale von meinen Lippen Richtung Kinn flossen, war meine ganze Mund- und Wangen-Partie geschwollen, als wäre ich mit dem Gesicht gegen eine Glastür gerannt.

»Ich habe Ihnen doch gesagt, dass ich heute Abend einen wichtigen Termin habe!«

»Wir machen Ihnen ein Make-up, dass Sie sich selbst nicht wiedererkennen.«

Und das hat er auch gemacht, Kleinchen. Er hat sich an sein Versprechen gehalten.

Als ich drei Stunden später mit schmerzenden Wangen und Blutgeschmack im Mund seinen Salon verließ, sah ich aus wie eine Mischung aus Iris Berben und Kai Müller. Jetzt sitze ich hier in meiner Luxussuite mit einer Hochsteckfrisur, die noch nicht mal durch einen herabfallenden Dachziegel ins Wanken gebracht werden könnte, und warte auf diesen bescheuerten Cadillac, in dem mich Schamirs Chauffeur gleich ins »Valerio« fahren wird.

Du weißt, Anne, ich liebe große Auftritte, aber nur, wenn ich selbst in meinem Kleid stecke. Habe noch eine halbe Stunde. Da ich weder duschen noch Haare waschen kann, geschweige denn Zähne putzen oder weinen, werde ich jetzt, so wie ich bin, mal in Élysée ein wenig auf und ab gehen und schauen, wie ich auf die Männer wirke. Wie ich normalerweise auf sie wirke, weiß ich ja schon.

Deine Alex Müller-Berben

PS: Schläfst du eigentlich noch mit Lothar?
PPS: Hab ich irgendwo gelesen: Eine Frau braucht drei Liebhaber, um glücklich zu sein: einen älteren für den Scheck, einen mittleren für den Chic und einen jüngeren für den Schock.

Plattstadt, Kaufglück, Personalbüro, 18. November, halb acht
abends – eine Minute vor Feierabend

Liebste Alex,

es hat mich wirklich beeindruckt zu erfahren, dass auch du in Situationen gerätst, wo du nicht mehr Frau deiner selbst bist. Ich weiß nicht, ob ich lachen oder weinen soll, wenn ich das lese, aber das geht dir ja mit meinen E-Mails genauso. Was sind wir doch für unterschiedliche Frauen geworden! Nein, falsch! Was führen wir doch für unterschiedliche Leben!

Gestern Abend habe ich mich noch amüsiert über unseren Briefwechsel in der grünen Kladde von Klasse zwölf. Kleines Zitat, ich krame die Kladde hervor:

Du: »Heute passe ich in Bio mal echt auf.«

Ich: »Streber!«

Du: »Sonst krieg ich nicht genug Punkte für die Zulassung zum Abi zusammen!«

Ich: »Okay, aber langweil bitte nur dich selbst.«

Du: »Polypeptidketten! Hast du 'ne Ahnung davon?«

Ich, altklug: »Ist nichts zum Um-den-Hals-Hängen, sondern hat was mit Erbanlagen zu tun. Zwanzig verschiedene Aminosäuren im Eiweiß – immense Kombinationsmöglichkeiten.«

Du: »Jetzt mal für Doofe: Wie erfolgt die Erbinformation?«

Ich: »Je eine Base liefert die Sequenz für vier Aminosäuren.«

Du: »Wie erfolgt denn diese Scheiß-Protein-Bio-Synthese im Einzelnen?«

Ich: »Ich hab doch gesagt, du sollst mich nicht langweilen!«

Du: »Scheiß-Bio. Hast du eigentlich davon gehört, dass Herr Arste in Prag auf die Straße gepinkelt haben soll? Sagt Tilmann.«

Ich: »Tilmann sagt auch: ›Es sind doch immer die Götter, die befruchtend durch die Lande ziehen und dann ihre Spuren hinterlassen.‹«

Du: »O Gott, hoffentlich bin ich nicht schwanger!«

Ich: »Und wenn doch, dann pass jetzt wenigstens wegen der Erbanlagen auf.«

Ja, Alex. Uns hat damals eine heiße Liebe verbunden. Trotzdem oder gerade deshalb: Toll, dich zu kennen.
Deine Anne

PS: Alternde Frauen sollten bedenken, dass ein Apfel nichts von seinem Wohlgeschmack verliert, wenn ein paar Fältchen die Schale kräuseln. Hab ich auch mal irgendwo gelesen. Ist aber auch Quatsch, denn wenn der olle Appel erst mal fault, will eh kein Kerl mehr reinbeißen, auch wenn er selbst schon lange auf dem Komposthaufen liegt.
PPS: Muss leider weg, Kassensturz beaufsichtigen. Es fehlen jeden Abend vierstellige Beträge.

Hamburg, im Vorzimmer meines Anwalts, 19. November

Liebste Anne,
danke für deine Versuche, mich zu trösten. Ich hab heute die Mehrfach-Arschkarte: Bin alt, dick, hässlich, einsam, meine schmerzhaft weggespritzten Falten sind an anderer Stelle wieder aufgetaucht. Irgendwo mussten sie ja hin. Und KEINER bemitleidet mich! Nur du!

Nett, dass du mir Stellen aus unserer Kladde mailst. Mehr davon. Lenkt ab.

Versuche, eine einstweilige Verfügung gegen die Panorama zu erwirken. Werde nicht lange schreiben können, da die Sekretärin mir schon zugesagt hat, dass ich nicht länger als eine Minute warten muss, habe mit der Faust auf den Tisch gehauen und gesagt, dass es ein absoluter Notfall ist. Diesmal geht's nicht um eine Richtigstellung oder Schadensersatz für einen meiner Klienten, sondern um MICH!! Ich will, dass dieses verdammte Kaviar-Foto gar nicht erst erscheint! Der Fotograf gestern war von der Panorama! Und kam im Auftrag von meinem Lieblingsfeind Alwin Znob! Ich bin voll reingefallen!! Danke, dass ich mich mit den E-Mails an dich und von dir immer ablenken kann!

Du hast meine letzte Frage nicht beantw… – sorry. Bin dran. Drück mir die Daumen. Schäume vor Wut.
Alex

Plattstadt, Kaufglück, 19. November, in der Mittagspause

Liebe brüskierte Gräfin,
ich persönlich jubele natürlich vor Wonne, wenn ich so etwas lese. Was du für Sorgen und Probleme hast! Endlich mal ein Fältchen auf der Herrin Wange!

Um deine Frage von vorletzter Mail zu beantworten: Nein, schon lange nicht mehr. Ehrlich gesagt, seit sieben Jahren nicht mehr. Ich hab einfach keine Lust mehr auf ihn. Um ganz ehrlich zu sein: Ich muss mich schütteln, wenn ich nur dran denke. Geht das wohl vielen Frauen so? Also, ich kenne einige.

Jetzt wirst du fragen: Und wieso habt ihr fünfjährige Zwillinge? Also, ich habe die ersten Jahre lang tapfer meine Ehepflichten erledigt. Allerdings nur, weil ich unbedingt ein Kind wollte. Es hat aber einfach nicht geklappt. Lothar meinte, es läge an mir, aber ich bin überzeugt, dass jemand, der sich vor Stress die Lippe blutig beißt und zwischen den Fingern Ausschlag hat, nur weil er allergisch auf eine Klimaanlage reagiert, auch keine gesunde Samenproduktion hat. Vielleicht haben seine Spermien alle Neurodermitis. Oder sie sind einfach nicht so exakt und präzise und pünktlich und fleißig, wie sie sein sollten. Ich weiß es nicht.

Nachdem die Methoden der künstlichen Befruchtung endlich von der Krankenkasse wenigstens teilweise übernommen wurden, haben wir mit Hormonen ein bisschen nachgeholfen. Lothar hat mir seine Samensfrucht freundlicherweise in einen Plastikbecher tropfen lassen. »Tröpfeln« träfe die Sache schon eher. Ausgerechnet in unserem katholischen Krankenhaus, das von Schwestern geleitet wird. Die Geschichte erzählt er immer wieder gern:

»HERR Pistrulla, Sie können jetzt durchgehen! Brauchen Sie

ein Heft?«, schreit die dicke Nonne mit der Warze auf dem Kinn quer durch das Wartezimmer.

»Wie – Heft?«

»Ein … Sie wissen schon. Ein Stimulantium.«

»Bitte?«

»Sti-mu-la-tions-lek-tü-re!! Mit Pornofilmen können wir leider nicht dienen, Herr Pistrulla!«

»Natürlich nicht.« Lothar beschließt, niemals mit einer Nonne einen Bausparvertrag abzuschließen oder sie sonst wie in Steuerdingen zu beraten.

Lothar durchquerte das Labor mit festem Schritt und ließ die Zellentür hinter sich zuschnappen. Drinnen war es gemütlich wie in einer Besenkammer, scherzt er gern, wenn er die Geschichte erzählt. Nur leider weit und breit kein russisches Callgirl. Nach zwanzig Minuten hämmerte die robuste Nonne an seine Tür: »Herr Pistrulla? Will's nicht klappen?«

Lothar behauptet, das sei der Moment gewesen, wo er beschlossen habe, aus der Kirche auszutreten.

»Wo ist der Becher?«

»Hier.«

»Da ist ja nichts drin!!«

»Wie denn auch. Bei der anregenden Atmosphäre!«

»WAS? Wie lange wollen Sie hier noch unsere Einrichtung blockieren?«

Wortlos streckte er seinen Unterarm durch die Zellentür.

»Geben Sie schon her«, murmelte er verdrossen.

»Was – ICH? SIE müssen hier schon was leisten, wenn Sie von Gott was geschenkt haben wollen!«, schnauzte die grantige Nonne. Aber dann reichte sie ihm doch gütigst mit verächtlicher Geste einen »Playboy« aus dem Jahre 1912.

Fünfundsiebzig Minuten später muss Lothar mit einem Becher in der Hand die Zelle verlassen haben, gesenkten Hauptes, betend, keinen Kunden, keinen Kollegen und erst recht nicht mehr Schwester Robusta zu treffen.

Wortlos stellte er sein Ejakulat auf den Tresen, auf dem bereits das Schild »geschlossen« stand. Er hoffte, diese Einrichtung unbemerkt verlassen zu können, und zog sich den Mantelkragen ins Gesicht.

»MO-ment!« Er zuckte zusammen und blieb wie ertappt stehen. Schwester Robusta tauchte hinter dem Tresen auf wie ein Springteufel aus einem Scherzartikel. Sie begutachtete den Inhalt des Bechers.

»Soll das etwa alles sein? Nach ANDERTHALB STUNDEN??«

Lothar, der wirklich Blut und Wasser geschwitzt hatte bei der Erwägung, dem geringfügigen Resultat seiner Bemühungen noch etwas Sputum beizumischen, den Gedanken jedoch aus Furcht vor einem möglicherweise missgebildeten Kind verworfen hatte, lief rot an. »Reicht das nicht?«

»O doch, Herr Pistrulla!«, schrie die Fromme grausam. »Unser Allmächtiger kann Wasser in Wein verwandeln. Also auch das hier in ein gesundes Menschenkind!«

Jedenfalls hat der Allmächtige wahrscheinlich aus lauter Mitleid mit Lothar gleich zwei Menschenkinder draus werden lassen, denn selig sind die Mühseligen. Und die Menschenkinder sind inzwischen fünf und wirklich prima Mädchen.

Zurück zur Gegenwart: Nein, wir haben seit langem keinen Sex mehr. Aber ist das nicht normal nach dreizehn Jahren Ehe?
Mit lieben Grüßen und dem unverhohlenen Interesse,
über dein Sexualleben Genaueres zu erfahren,
dein Kleinchen

PS: So nennt mich wirklich seit dreizehn Jahren niemand mehr. Ich wünschte, es wäre so, denn mein heutiger Name lässt sich in wesentlich liebloserer Weise verunstalten. Immer wenn ich die Kundentoiletten kontrollieren muss, schreibt jemand »Piss-Trulla« auf den Plan.

Hamburg, Hotel Élysée, im Spa –
kriege gerade eine Fußmassage

Ach Kleinchen, 19. November, siebzehn Uhr,
ich kann dir gar nicht sagen, wie sehr mich deine letzte Mail erheitert hat! Du bringst – wie damals, als wir uns ständig Botschaften in die grüne Kladde schrieben – wieder Frohsinn in mein abgehärtetes Herz!

Soso, da stammen deine Zwillinge aus einer künstlichen Befruchtung. Stelle mir gerade euren Dialog beim Frühstück vor. »Schatz, wie magst du dein Ei am liebsten?« – »Unbefruchtet!«

Das ist wirklich interessant. Der arme Lothar. Der muss ja wirklich in jeder Hinsicht an sich zweifeln. Trotzdem behaupte ich, nichts facht die Leidenschaft einer Frau so sehr an wie ein Liebhaber, der sich in ihren Armen als impotent erweist. Ich hatte mehrere von der Sorte und bei allen habe ich mir eingebildet, sie würden mich einfach so doll lieben, dass sie an so was Profanes wie einen Orgasmus nicht einmal denken würden.

Was hat der arme Kerl nur an sich, dass er so ein trauriger Verlierer ist? Liegt so was an den Genen oder am sozialen Umfeld? Was du so über seine Eltern schreibst, hört sich nicht gut an. Du schreibst, er widmet sein ganzes Interesse nur dem Geld anderer Leute. Das könnte mir nie passieren. Ich widme mein ganzes Interesse nur meinem eigenen Geld.

Und das vermehrt sich stündlich. Mein Anwalt versucht nun, diesen Artikel in »Panorama« zu verhindern, aber er sagt, wesentlich günstiger sei es für mich, wenn der Artikel erscheint und wir dann auf Schadensersatz klagen. Da kommen im Bestfalle 100 000 Euro für mich raus, und zwar steuerfrei! Schmerzensgeld-Einnahmen sind immer steuerfrei.

Jetzt habe ich zwei Stunden Bedenkzeit, ob ich mich nicht besser dafür entscheide. Eigentlich ist die Entscheidung schon längst gefallen. Soll das Foto doch erscheinen.

Von dem Schmerzensgeld kauf ich mir ein Mercedes Coupé. Oder siebzigtausend Fußmassagen. Oder ich renoviere meine Villa. Oder ich kaufe den weißen Flügel, an dem Udo Jürgens im Bademantel sitzt. Dafür nehm ich das Kaviar-Foto in Kauf. Man erkennt mich eh nicht.

Kleinchen, du fragst nach meinem Sexualleben. Süß. Wie damals.

Nur so viel: Seit der Scheidung von Leo, mit dem ich nur anfangs ein ausgesprochen unterhaltsames Sexualleben hatte, leiste ich mir dann und wann einen kurzweiligen Liebhaber. Manchmal auch zwei oder drei. Aber sie müssen gut bei Kasse sein. Sonst denke ich immer, sie wollen nur mein Geld. Ich bin eine geschiedene Frau aus Überzeugung: eine Frau, die geheiratet hat, um nicht mehr arbeiten zu müssen, und jetzt arbeitet, um nicht mehr heiraten zu müssen. Ich bin eine notorische Flirterin: Mein letzter Tag im Business wird der sein, an dem der Liftboy nicht mehr rot wird, wenn er mit mir im Fahrstuhl alleine ist.

Mein Problem ist halt nur, dass ich niemals mit einem Klienten was anfangen kann. Ein Flirt mit einem Klienten ist wie eine Tablette: Niemand kann die Nebenwirkungen voraussagen. Auch wenn süße Burschen dabei sind. Ich hatte mal eine Phase, in der ich auf sehr viel Jüngere stand. Aber die haben niemals Knete und ich muss immer das Abendessen bezahlen. Mein jüngster Liebhaber war siebzehn. Ein goldiger Kerl. So ungestüm – aber leider auch ungewaschen. Meinen Traummann muss ich mir noch backen: zwischen vierzig und fünfzig, sehr gut verdienend und trotzdem körperlich topfit. Natürlich muss man die Männer nehmen, wie sie sind. Aber man darf sie nicht so sein lassen.

Mal schauen, was der große Intendant da oben noch auf dem Spielplan hat.

Die große Liebe gibt's sowieso nicht. Meine einzige große Liebe ist das Geld. Darauf kann man sich wenigstens verlassen.

Oh, mein Handy: der Anwalt.

Liebe eilige Gr…

Liebe Alex,

über deine Ausführungen zum Thema Liebe und Geld habe ich schon den ganzen Tag nachgedacht. Also, mir ist die Liebe allemal wichtiger als das Geld, aber, um ehrlich zu sein, ich habe keins von beidem.

In meinen Kreisen ist das aber absolut üblich. Keiner von meinen Kollegen hat Geld und keiner von ihnen hat eine glückliche Beziehung. Gestern sagte die dicke Frau Vogelsang mit der altmodischen Brille: »Eine Zeitung am Frühstückstisch hat auch was Gutes: Man sieht den Kopf des Ehemannes nicht.«

In meinem Bekanntenkreis gibt es jedenfalls kein einziges Paar, das noch miteinander schläft. Die dicke Frau Vogelsang aus der Buch und Schreibwaren sagt, sie arbeitet mir ihrem Mann jetzt gemeinsam an der Erneuerung ihrer Sexualität. Ich mag die Frau total gern, die ist so offen und unverkrampft.

»Und wie machen Sie das?«, fragte ich sie heute Mittag beim Einsortieren der pastellfarbenen Briefumschläge, gefüttert, DIN A3. Wegen Personalknappheit musste ich da heute aushelfen und wir gerieten so nett ins Plaudern.

»Es gibt ein ganz tolles Buch von einer amerikanischen Autorin: ›Wie man eine Frau befriedigt‹. Zwölf Euro fünfzig.«

»Aha«, sagte ich und kramte das Geschenkpapier mit den Stiefmütterchen aus der Kiste.

»Wohin?«

»Drittes Regal rechts. Geben Sie mir bitte mal die Hellgrünen?«

»Und wie befriedigt man eine Frau?«

»Einfach nicht reinstecken. Jetzt die Rosafarbenen bitte.«

»Kein schlechter Tipp für zwölf Euro fünfzig. Die Gelben hier?«

»Das mit dem Spargel gleich neben die Krokusse. Und dann die Veilchen. Aber mit dem Gesicht nach vorn.«

Jetzt im Herbst müssen wir den Frühling in unsere Abteilung zaubern. Sagt unser neuer Werbeleiter, Siegwulf Mennecken. Der guckt mich immer so merkwürdig an. Das nur nebenbei.

Wir arbeiteten eine Weile schweigend weiter, die dicke Frau Vogelsang und ich. Dann wurde ich doch zu neugierig. Normalerweise spreche ich über solche Sachen nicht, aber die E-Mailerei mit dir löst mir die Zunge, die freche. »Also reines Petting.«

»Nein, nein, nicht dass Sie mich da falsch verstehen. Schon mit Penis, wenn Sie verstehen, was ich meine.«

»Also Petting mit Penis, aber nicht wirklich«, sagte ich, während ich die Kugelschreiber von Lamy hinter Glas platzierte. Du hättest dich wahrscheinlich totgelacht.

»Nein, also jetzt muss ich Ihnen das mal ganz genau erklären«, sagte Frau Vogelsang, kam aus der Hocke hoch und schrie: »Frau Lamprecht? Gibt es noch eine befriedigte Frau in unserer Abteilung? – Die geht nämlich ab wie warme Semmeln«, fügte sie erklärend hinzu.

Frau Lamprecht tauchte hinter einem Drehständer mit Taschenbüchern auf und rief: »Ich hab heute hundert befriedigte Frauen nachbestellt; soll ich mal im Lager gucken, ob sie da schon liegen?«

»Ist schon gut, unter der Kasse liegt noch eine!«, schrie Frau Vogelsang zurück. »Die war reserviert, aber keiner hat se abgeholt!«

Ich stieg von meiner Stehleiter, wischte mir die Hände an meinem Kaufglück-Kittel ab und starrte Frau Vogelsang wissbegierig an.

»Kapitel drei, Vers vier«, sagte sie andächtig. »Sie dürfen mit Ihrem Penis nicht ganz in sie eindringen, weil es dann einen Schlag auf ihre Klitoris gibt.« Sie betonte das »o«, aber ich hab sie nicht verbessert.

Ich nickte wissend. »Klar«, sagte ich und zog die Nase hoch, wie Lothar das immer tut.

»Nur so können Sie ihre Begierde wecken. Die sie halb wahnsinnig macht und letztlich zum Orgasmus kommen lässt.«

»Also ich hab das jetzt ein paarmal mit Rudi versucht, aber ich bin nicht halb wahnsinnig geworden!«, rief Frau Lamprecht von ihrem Drehständer zu uns herüber. »Letztens fragt mich mein Sohn: ›Mama, was ist ein Orgasmus?‹ Da hab ich gesagt: ›Weiß ich nicht, frag Papa!‹«

»Wahrscheinlich kann er sich nur nicht beherrschen«, mischte sich eine ältere Kundin im grauen Flanellmantel ein. Sie hatte hinter einer Säule an den Zeitschriften gestanden und lugte nun besserwisserisch hervor.

»Immer wollen die Kerle gleich mit der Tür ins Haus fallen.«

Ärgerlich schwenkte sie ihre Lektüre – »Echo der Frau«.

»Sie wird Sie anflehen, in sie einzudringen, aber tun Sie das? NEIN!«, zitierte Frau Vogelsang ungerührt weiter aus ihrem Buch. »Sie lassen ihn nur ungefähr einen Zentimeter weit in sie hineingleiten und dann ziehen sie ihn ganz langsam wieder heraus. Jetzt wird sie vermutlich vollkommen wahnsinnig werden ...« Sie stammt aus dem Rheinland. Also: »vermutlich vollkommen wahnsinnisch!«

»Kann ich mir nicht vorstellen«, sagte Frau Lamprecht. »Wir haben echt alles gemacht, was da drinsteht. Aber als der Rudi einfach nicht zu Rande kam, hab ich den Fernseher angeschaltet.«

»Wir hatten damals keinen Fernseher, mit dem wir uns ein bisschen nett ablenken konnten«, mischte sich »Echo der Frau« wieder ein. »Wir ham anne Decke guckt, das sarich Ihnen!«

»Ja, eben, ich auch, was glaubt ihr, wie viele Filme ich bei solchen Gelegenheiten schon ohne Ton gesehen habe!«, rief nun Frau Vogelsang ganz aufgebracht.

»Echo der Frau« grinste. »Macht man ja nich', den Ton mitlaufen lassen. Das stört die Kerls inne Konzentration. Wissen Sie, was bei meinem Ernst das Vorspiel war? Der Satz: ›Schatz, bist du wach?‹«

»Immerhin redet der noch beim Sex mit Ihnen!«, brummte Frau Lamprecht.

»Aber WORAUF haben sie sich konzentriert?«, schrie Frau Vogelsang aufgebracht. »Hier steht's. Bumsbums, bangbang – und das war's.«

»Na, dann war's doch wenigstens vorbei«, sagte »Echo der Frau« mit verächtlichem Blick auf den Kurzwarenverkäufer. »Dann dreht er ab und gibt Ruhe.«

Der Abteilungsleiter von Kurzwaren und Nähutensilien kam herbei und schaute uns verwundert an. »Ist das ein Verkaufsgespräch?«

»Natürlich! Was denken Sie denn!«

»Dann geht's vielleicht auch etwas leiser.«

»So war's ja auch bei Heiner und mir«, nahm Frau Vogelsang ihren Faden wieder auf. »Aber seit wir gemeinsam das Buch erarbeitet haben – Schritt für Schritt –, ist unser Sex fantastisch geworden. Es ist ein Wunder.«

»Wie, und jetzt haben Sie … einen richtigen Orgasmus?«, fragte Frau Lamprecht mit offenem Mund. »So richtig? Vaginal?«

»Meine Damen! Bitte!!«

»Einen nach dem anderen!«, rief Frau Vogelsang erhitzt. »Auf sechsunddreißig steht: Normalerweise sollten Sie innerhalb der nächsten Minute einen weiteren Höhepunkt haben und dann noch einen und dann noch einen, solange Sie es eben durchhalten. Meistens so zwischen drei und fünf…«

»Glaupichnich«, schnaubte »Echo der Frau« verächtlich. »Alles gelogen. Da glaub ich lieber, was hier drinsteht«, sie schwenkte ihre Zeitschrift. »Sogar Uschi Glas wurde von ihrem Kerl betrogen. So sieht's doch inne Realität aus. Wenn du nicht mehr schön und knackig bist, dann nehmen sich die Kerls eine Neue.«

»Aber Uschi Glas IST doch schön und knackig!«, rief ich erstaunt.

»Kannste Ananas-Diät machen, so viel de willz«, maulte die Alte. »Die Männer stehen auf junges Gemüse. Dat war schon inne Steinzeit so. Und dat wird in tausend Jahren noch so sein. Hörn Se mir doch auf mit dem Orgasmus-Gequatsche. Schönen Tach noch.« Sie watschelte davon.

»Frau Vogelsang, die Geschäftsleitung freut sich über Ihren persönlichen Einsatz, aber als Buchverkäuferin sollten Sie Ihr Engagement nicht so übertreiben!«

Der Geschäftsleiter, Joachim Dickmann, war plötzlich aus dem Nichts aufgetaucht. Wahrscheinlich hatte die Kurzware gepetzt.

Jetzt weißt du, warum ich nicht mehr in die Kantine gehe. Ich kann sie alle nicht mehr ertragen. Und ich will natürlich auch schön und knackig bleiben. Das BIN ich nämlich, Alex! Fast würde ich sagen, LEIDER!!

Jedenfalls habe ich mir – rein interessehalber – das letzte Exemplar von »Wie man eine Frau befriedigt – jedes Mal – wie es wirklich klappt – wie sie nach noch mehr verlangt – das erste und einzige Buch, das Ihnen alles sagt« unter den Nagel gerissen und werde es heute Abend im Bett lesen. Natürlich unter der Bettdecke. Nicht dass Lothar glaubt, ich wollte ihn zu längst ausdiskutierten Aktivitäten verleiten. Aber der ist eh beim Kunden heute Abend. Wie immer. Ich schlafe sowieso fest, wenn der nach Hause kommt. Ist mir auch lieber so.

Muss heim, Oma Margot ablösen. Hoffentlich geht sie sofort. Anne

PS: Die Erde ist ein ödes Jammertal…

… und angefüllt mit Elend, Angst und Qual!
Ach Anne! Die Menschen sind schlecht! Sie denken an sich! Nur ich denk an mich! Kaum wage ich den Blick zu heben, alle Geschäftsmänner hier in der Senator-Lounge lesen die verdammte Panorama! Obwohl ich gehofft hatte, Menschen mit einem gewissen Bildungsstand würden von diesem Salatkopf-Einpackpapier Abstand nehmen! Kann nur hoffen, dass man mich nach wie vor mit meiner einbetonierten Hochsteckfrisur und dem Permanent-Make-up Marke Schuhcreme von Schamir nicht erkennt! Alex Müller-Berben hat jetzt leider noch einen guten Schuss Yvonne Wussow abgekriegt, das macht die durchzechte Nacht. Mit festem Blick auf mein Bankkonto kann ich es ertragen. Das gibt Knete! Außerdem denk ich mir tapfer: Morgen wird eine andere Sau geschlachtet!

Auf der letzten Seite – meine kaviarverschmierte Peinlichkeit!! Der kleine schwule Sack hatte die »Panorama« bestellt, um selber Werbung für seinen Schönheitstempel zu haben! Alles war ein abgekartetes Spiel. Alwin Znob, die Ratte, hatte mir nur deshalb diesen Nachmittag im Beauty-Tempel »geschenkt«, damit er mich vor sieben Millionen Lesern bloßstellen kann. Und damit ich von meinem hohen Ross runterkomme. Die Bildunterschrift hat mir den Rest gegeben: »Während Krieg in Afghanistan herrscht, badet die Managerin von Deutschlands namhaftesten Künstlern in Kaviar – na, wir ham's ja, Frau von Merz!«

Also, wenn demnächst das große Verlagshaus an der Alster explodiert: Ich war's!

Entsetzt, gedemütigt und von aller Welt verkannt
Alex

PS: Bitte mail mir wieder was Harmlos-Heiteres aus Plattstadt. Man sollte wirklich eine Vorabendserie aus deinen Kaufhausgeschichten machen. Die hätte Millionen von Einschaltquoten. Das meine ich ganz im Ernst. Das Geld liegt auf der Straße.

PPS: Jetzt hat mein Nebenmann im Flieger auch noch einen fahren lassen. Auch das noch. Ich kann noch nicht mal ein Fenster öffnen. Mir bleibt auch nichts erspart.

Plattstadt, 21. 11., mittags, im Personalbüro von Kaufglück

Liebste Alex,
hau den Schweinen eine Schadensersatzklage um die Ohren, von
denen sie sich nie wieder erholen! Stampf das Blatt ein! Ich boy-
kottiere es ab sofort!

Hab mir das Bild angesehen – du bist ja wirklich nicht zu erkennen. Die Bildunterschrift ist allerdings eine verdammte
Schweinerei. Ob die »Panorama«-Leser so blöd sind, dass sie
die Willkür nicht bemerken?

Meinst du nicht, dass manche seelischen Wunden mit Geld
nicht zu heilen sind? Kann nur versuchen, dich jetzt ein bisschen
aufzuheitern.

Kennst du noch folgenden Poesiealbumspruch?

Wenn über eine dumme Sache
Mal endlich Gras gewachsen ist
Kommt sicher ein Kamel gelaufen
Das alles wieder runterfrisst.
(von meinem Cousin Axel)
Oder, auch passend zu deiner Situation:

Die Flöhe und Wanzen
Gehören auch zum Ganzen.
(immerhin Goethe)
(von dessen Bruder Stefan)
Deine Anne

PS: Ich liebe dich immer, mit und ohne Kaviar im Gesicht.
PPS: Muss Kundentoiletten kontrollieren. Mein Lieblingsjob.

Frankfurt, Senator-Lounge, immer noch 21. November,
immer noch auf dem Rückflug

Ach Kleinchen,
lieben Dank für deine moralische Unterstützung. Ich liebe dich auch immer. Mit oder ohne Kaufhauskittel. Hau einen Knick in dein Sofakissen und stell dir dabei vor, es sei der Kopf von Alwin Znob.

Zum Thema »Hast du eigentlich noch Sex und mit wem« – gibt's jetzt zur Belohnung eine nette Geschichte. Alles wahr. Hat sich vor einer Stunde in Hamburg zugetragen.

Nachdem ich vorhin über eine Stunde mit meinem Anwalt telefoniert habe, habe ich in Hamburg fast den Flug verpasst und musste mit dreißig anderen Gestalten beim Boarding brav warten, bis sie die Warteliste aufriefen. Man hatte meinen Platz bereits vergeben! An einen dicken fetten Kerl mit strähnigem Haar! Der ebenfalls gerade die Rückseite der Panorama gelesen hatte! So viel Demütigung auf einmal!

Stell dir vor, was mir schon wieder passiert ist. Folgende Szene: Dreißig genervte Wartelistler, darunter zwei Ehepaare mit Kleinkindern, drängeln sich am Schalter. Jeder hat einen anderen Grund, warum es bei ihm dringend ist. Die mit den Kleinkindern sind schon seit sechsundzwanzig Stunden unterwegs und wollen nur noch heim. Einer hat ein Bewerbungsgespräch in Wien, und wenn er diesen Platz im Flieger nicht kriegt, bekommt ein anderer seinen Job. Der Dritte muss zur Beerdigung seines Erbonkels nach Darmstadt und es würde einen ganz miesen Eindruck machen, wenn er dort nicht erschiene, der Vierte ist ein Scheidungsvater und muss sein Kind in München von der Schule abholen, sonst verliert er das Sorgerecht. Keiner will sechs Stunden auf die nächste Maschine warten. Alle starren böse.

Dann wird MEIN Name aufgerufen: »Frau von Merz, Sie haben die Senator-Card, Sie kriegen den letzten freien Platz!« Ich fühle dreißig Dolche im Rücken. Natürlich haben ALLE die Panorama gelesen. Ärgerliches Gemurmel: »Na ja, wer sich Kaviar ins Gesicht schmiert, der kommt natürlich auch noch ins Flugzeug« und »Wir haben's ja, Frau von Merz«, »Da soll einer sagen, bei der Lufthansa kennt man keine Korruption«.

Nach mir die Sintflut, denke ich, schnappe mir meinen Koffer und schaue keinen von diesen Leuten mehr in die Augen. Da pfeift so ein Zöllner-Bürschchen hinter mir her: »He, so geht das aber nicht! Lassen Sie den Koffer stehen!«

Ich denke aus alter Gewohnheit, dass mir der Bengel beim Tragen behilflich sein will, und bemerke zuckersüß: »Sehr freundlich von Ihnen, junger Mann.«

»Nun werden Sie mal nicht gleich zynisch«, blökt der Kerl mich an.

Und dann: »Aufmachen.«

»Wie – aufmachen?«

»Den Koffer. Was sonst.«

Ich stehe da, zur Salzsäule erstarrt. Im Flieger warten 149 Passagiere und sieben Mann Besatzung auf mich, und hier stehen dreißig Leute, die mich alle per se schon hassen, und starren mich an.

»Ich? Ich soll den Koffer aufmachen? Wieso denn?«

»Da ist 'ne Nagelschere drin.«

»Ja. Na und?«

»Sie nehmen den Koffer als Handgepäck mit.«

»Nicht freiwillig. SIE haben sich geweigert, den Koffer einzuchecken, nicht ich.«

»SIE sind zu spät zum Gate gekommen. Wenn Sie den Koffer nicht öffnen, bekommt jemand anderes ihren Platz.«

Raunen in der Menge. Die Kleinkinder nörgeln, die jungen Eltern glotzen mich aus übermüdeten Augen an. Die Geschäftsmänner drängeln schon wieder. Der Scheidungsvater hat Schaum vor dem Mund, der Erbschleicher reißt sich die Krawatte vom Hals, der mit dem Job in Wien wird unschön laut.

Die folgende Minute erlebe ich immer und immer wieder in Zeitlupe: Ich gehe in die Hocke, öffne den Koffer, und ALLE starren auf mein Haarteil, das ganz obenauf liegt. Dann muss ich das geklaute Hotelhandtuch beiseite schieben, mit der Aufschrift »Élysée«, auf dem sich deutliche Spuren von Schamirs Schuhcreme-Make-up befinden, da kommen meine benutzten Spitzenstrings zutage, in die ich die geklauten Salz- und Pfefferstreuer eingerollt habe, dann kullert die ganze Kollektion von Schamir raus, Schönheitsartikel im Werte von mehreren tausend Euro, leider auch zwei verdammte Dosen Kaviar!! Neben den verschwitzten Fitnessklamotten liegt mein Kulturbeutel. Und da drin ist die Nagelschere. Aber nicht nur die. Meine Finger zittern leicht, als ich dem jungen Kerl den Kulturbeutel überreiche.

Ich schaue nach oben: dreißig Augenpaare. Man hat einen Kreis um mich gebildet.

»Aufmachen!«

Okay, denke ich. Du willst es so.

Leider steckt die Nagelschere noch in einem Nagelnecessaire, und um dieses zu finden, muss ich meinen Vibrator rausnehmen. Ein ziemlich fetter Bursche, mit Noppen drauf.

»Halten Sie mal.«

Da hat er aber geguckt, der junge Bengel mit seiner Wichtig-wichtig-Uniform.

Keiner interessierte sich mehr für meine Nagelschere. Jedenfalls traten alle einen Schritt zurück, um mich durchzulassen, als ich mit hoch erhobenem Haupt in die Maschine ging.

Muss mich auf die Socken machen, der Salzburg-Flieger ist immer bei B 8 und die Senator-Lounge ist im anderen Winkel des Frankfurter Flughafens. Habe immer noch meinen Haarturm auf, kriege die Nadeln allein nicht raus. Schätze, ich brauche Hammer und Meißel. Muss mal zu Hause in der Garage in den Werkzeugkasten gucken.

Ohne Rico bin ich ein hilfloses Weibchen. Fühle mich heute wieder sehr einsam.

Melde mich, wenn ich zu Hause bin.

Eilige Grüße
Alex

PS: Nicht dass du den Eindruck hast, ich hätte nur noch Sex mit meinem Vibrator. Aber besser einen Vibrator in der Hand als einen Opernsänger auf dem Dach. Hast du übrigens auch einen? Ich meine, Liebhaber mit Noppen...

Plattstadt, Einwegstraße 4, spätabends in Lothars
Arbeitszimmer, an seinem PC (er ist beim Kunden)

Mensch, Alex,
was denkst du denn von mir! Natürlich NICHT! Wahrscheinlich
deshalb nicht, weil Kaufglück solche Artikel nicht führt. Sonst
hätte ich einen. Zum Mitarbeiterrabatt.

Aber ich habe eine Bekanntschaft gemacht! Du weißt schon!
Einen Mann! Und zwar nicht Jürgen Böhser (ich hatte dir ja geschrieben, dass der bei gar nichts »Hier« geschrien hat), sondern
einen richtigen Mann! Er sieht noch nicht mal schlecht aus. Gut
allerdings auch nicht, bei ganz objektiver Betrachtungsweise.
Aber seit wann kommt es bei den Männern aufs Aussehen an?
Frauen sind einfach vernünftiger als Männer.

Oder hast du schon mal eine Frau erlebt, die einem Mann wegen seiner Beine nachrennt?

Ich hab ihn schon mal erwähnt, er ist unser neuer Werbeleiter
bei Kaufglück und ihm verdanken wir die Plakat-Aktion mit
Nackedei. Er hatte bis jetzt nur Ärger mit den Kollegen, aber weil
ich Mitleid mit ihm zeigte, hat er mir heute Blumen geschenkt.

»Ich könnte dich kauf-fressen!« ist der neueste Slogan. Und
das hat er eben auch zu mir gesagt! Ist er nicht witzig? Lothar
würde so etwas nie einfallen. Das größte Kompliment, das er
mir je gemacht hat, lautete: »Mit dir könnte ich Pferde stehlen.«
Aber erstens hat er noch nie eines gestohlen und zweitens mag er
überhaupt keine Pferde.

Also. Der Werbeleiter. Siegwulf Mennecken. Mitte vierzig,
Schnauzbart, Cabriolet.

Besonders pikant ist es, diese Nachricht in Lothars PC zu
schreiben. Ich bete, dass ich nachher die richtige Taste drücke,

um das hier zu löschen. Es gibt ja diese hinterhältige Einrichtung namens »Papierkorb« im PC. Dann fragt mich dieses Männchen, das am oberen rechten Bildrand lauert und aussieht wie eine Heftklammer: »Wollen Sie das wirklich löschen?«; und ich haue auf »enter« und dann macht das Männchen »plopp« und verwandelt sich in ein Fahrrad und haut über ein hügeliges gewelltes Textblatt ab. Dabei lacht es hämisch. Aber kann ich sicher sein, dass das hinterhältige Heftklammermännchen meine intimen Bekenntnisse wirklich gelöscht hat?

Wir – also Siegwulf Mennecken und ich – haben uns interessanterweise beim Paarungsakt unserer Hunde näher kennen gelernt, in den städtischen Parkanlagen von Plattstadt. Er hat einen Mischling namens »Mona«, der von Oma Helgas Erwin im Hundumdrehen entjungfert wurde.

Ich konnte gar nichts mehr machen – der kleine haarige rattenähnliche Erwin brachte dieses staksbeinige Tier zu Fall –, ehrlich gesagt legte sich die kleine Schlampe ohne mit der Wimper zu zucken auf den Rücken, als der Irrwisch von Bettvorleger hysterisch kläffend nahte – und Erwin hatte leichtes Spiel. Während ich noch keuchend zur Stätte der Schande rannte und meine »Erwin – sitz!«-Rufe ungehört verhallten, zuckte der kurzbeinige kleine Macho ein paarmal in Windeseile über der dämlich daliegenden Mona und ging dann angelegentlich seiner Wege. Er hob sein Bein, pinkelte an die nächste Parkbank und tat so, als hätte es diese kleine Schlampe Mona nie gegeben. Als ich mir die Bescherung ansah, kam Siegwulf durchs Gestrüpp: »Sieh da, unsere Personalchefin!«

Ich erkannte ihn erst gar nicht, weil er Cordhosen, Lederjacke und einen grauen Pulli anhatte. Richtig lässig! Sonst steckt er, wie alle meine Kollegen, immer in einem karierten Jackett, Bügelfaltenhosen, Button-down-Hemd und Krawatte in Schrill gemustert. Krokodile, Delphine, aber auch Golfschläger, Pferde, Schlümpfe, Geigen, und so was hat er stets am Halse baumeln. Seine schrillste Krawatte ist die mit den Karotten. Große, kleine, dicke, krumme, lange, gebogene, rötliche, bräunliche, angebissene…, alles Möhren.

Wann wird die erste Krawatte designt, auf der nur Schwänze sind? Große, kleine, dicke, krumme, lange, gebogene, haarige, grünliche, bläuliche, faltige, bräunliche, schlappe, erigierte... ach, du erkennst meinen sexuellen Notstand. Ich fantasiere.

Der Siegwulf hat auch schon viel einstecken müssen. Aber er kämpft. Er ist überzeugt vom Erfolg seiner Plakat-Aktion. Ich finde, er sieht ganz nett aus. Einer der wenigen Kollegen, der seinem Haarwuchs freien Lauf lässt. Na ja, so ganz viel wächst da allerdings nicht mehr. Ein paar kahle Stellen hat er schon. An seinem Kinn sprießen einige blonde Barthaare, ansonsten hat er ein nettes Lächeln. Leider kennt er offensichtlich weit und breit keinen Zahnarzt. Vielleicht empfehle ich ihm mal einen.

Wir hatten noch nie persönlich miteinander zu tun, weil er nicht immer in unserer Filiale arbeitet. Er ist im Außendienst. Aber nun, nach dem Paarungsakt unserer geliebten kleinen Vierbeiner, da konnte ich natürlich nichts anderes tun, als nett mit ihm zu plaudern.

Wir spazierten dann noch ein ganzes Stück gemeinsam durch den Stadtpark und unsere Hunde trippelten mit der Schnauze am Boden vor uns her. Ab und zu machte mal einer Pipi, dann blieben wir stehen und schauten versonnen auf unsere Lieblinge.

»Ich habe immer gedacht, dass Sie meine hübscheste Kollegin sind, aber privat sehen Sie ja noch viel hübscher aus«, hat Siegwulf dann gesagt und mir den Anblick seiner unregelmäßig platzierten Zähne gegönnt. Sie sind auch unregelmäßig in der Farbe, von bräunlich gelb bis teerfarben.

Ich war völlig erstaunt. »Meinen Sie mich?«

»Ja natürlich! Haben Sie sich denn Ihre Kolleginnen noch nie angesehen?«

»Doch, aber nicht nach den von Ihnen erwähnten Kriterien! Ich beurteile sie nach Leistung und Können.« Ich war total verunsichert. Noch nie im Leben hat mir jemand so ein Kompliment gemacht.

Er plauderte sehr beschwingt von seinem Vater im Altersheim, der jetzt nicht mehr mit Mona spazieren gehen kann, so dass Siegwulf diesen Job abends für ihn erledigt.

So ein netter Mann! Für sein Aussehen kann er nichts, aber er hat Sozialverhalten!!

Jedenfalls kam ich ganz beglückt und beschwingt zu Hause an, nachdem mich Siegwulf noch auf ein Eis im Stadtcafé eingeladen und immer wieder beteuert hatte, dass ich hübsch bin – was ich nicht ein einziges Mal erwidern konnte.

Als ich nach Hause kam, schaute ich ziemlich lange in den Flurspiegel. Ich muss sagen, Siegwulf ist ein aufmerksamer Beobachter.

Oma Margot stand in der Küche und machte den Kindern Abendbrot. Sie bekommen die Neurodermitis-Diät von Lothar. Vorbeugend, sozusagen.

»Wo kommst du jetzt her?« Sie vergisst manchmal, dass ich schon sechsunddreißig bin und nicht mehr sechzehn. Leider vergesse ich es auch!

»Stell dir vor, ich habe einen ganz netten Mann kennen gelernt.«

»Du HAST schon einen Mann«, sagte Oma Margot. »Und der IST nett.«

»Er findet mich hübsch«, sagte ich dummerweise. Ich lächelte immer noch, wie ich den ganzen Abend gelächelt hatte.

»Hübsch ist man mit Anfang zwanzig, nicht mit Ende dreißig«, sagte Oma Margot.

Sie knallte die Reformhausmargarine auf die Anrichte und schnitt mit vielen kleinen heftigen Bewegungen penibel den Schnittlauch klein.

»Warum gönnst du mir nicht, dass mir mal einer ein Kompliment gemacht hat?«

»Lass diese Albernheiten und deck endlich den Tisch«, sagte Oma Margot. »So, und jetzt will ich kein Wort mehr hören. Mir hat auch keiner ein Kompliment gemacht.«

Oma Margot ist in der Nachkriegszeit jung gewesen und da gab es keine Männer. Nur tote und verstümmelte, sagt sie immer. Und durchgedrehte. Sie musste nehmen, was übrig blieb.

Ich hörte auf zu lächeln und ging ins Kinderzimmer. Oma Helga spielte auf dem Fußboden mit den Kindern Memory. Obwohl sie schon ziemlich gebrechlich ist, sitzt sie immer auf dem Fußboden.

»Findet ihr mich hübsch?«, fragte ich die Kinder.

Oma Helga schaute nur kurz auf und sagte: »Ich weiß, wo der Hase liegt.«

Carla und Greta sprangen auf, umarmten mich und sagten: »Du bist die hübscheste Mama der Welt!«

Und Oma Helga sagte: »Bin ich dran? Dann deck ich jetzt den Hasen auf!« Sie klaubte mit ihren alten, krummen, rheumatischen Fingern eine Karte auf, hielt sie sich ganz nahe an die dicke Brille und legte sie wieder hin. Versonnen sagte sie: »Der blinde Maulwurf war's. Nicht der flinke Hase.«

Morgen sehe ich Siegwulf!

Muss Schluss machen, die Kinder wollen »Sandmännchen« gucken. Wir haben nur in Lothars Arbeitszimmer einen Fernseher, aus pädagogischen Gründen. Er meint, er muss alles kontrollieren, was seine Familie im Fernsehen konsumiert. Deswegen schauen wir immer dann Fernsehen, wenn Lothar nicht da ist. Dann kann es richtig gemütlich werden.

Alles etwas kompliziert bei uns.

Grüße dich für heute aufs Innigste und schicke jetzt das Heftklammermännchen in die Wüste.

Deine heute etwas aufgekratzte Anne

PS: JA, das will ich wirklich löschen. Verschwinde, Heftklammer.

PPS: Wo du immer so neunmalkluge Sprüche über den Unterschied zwischen Mann und Frau hinterherschickst, ich hab auch einen: Eine Frau braucht einen Spiegel. Ein Mann ist sein eigener Spiegel. Wahrscheinlich geht Siegwulf deshalb nicht zum Zahnarzt und Jürgen Böhser nicht zum Friseur.

Draußen schneit's in dicken Flocken, drinnen knistert der Kamin.
Neben mir steht ein gutes bauchiges Glas Rotwein, die Katze
liegt auf meinem Schoß.

O Gott, Kleinchen!
Sag bloß, du hast keine anderen Erlebnisse als den von dir erwähnten Spaziergang mit Siegwulf Mennecken, dem faulzahni-
gen Werbeleiter vom Außendienst, mit euren Hunden!

Ich hab dir doch gesagt, dass du hübsch bist!! Du bist sogar
sehr hübsch! Du warst immer die Hübscheste in der Klasse und
es ist mir unergründlich, warum du in so eine Tretmühle aus
deprimierenden Alltags-Einheiten und grauhirnigen Menschen
geraten konntest.

Darf ich dir das ehrlich sagen, Kleinchen? Oder bist du mir
dann böse??

Such dir endlich mal einen muskulösen, nett anzusehenden
Kerl und vögel mal so richtig mit ihm!! Vielleicht arbeiten bei
euch im Lager ein paar feurige Italiener oder Griechen!

Man muss ja nicht gleich mit ihnen reden!

Wenn du meine Meinung zu deiner Misere hören willst: Du
hattest noch nie Zeit für dich selbst. Du hast dir noch nie den
Luxus gegönnt, mal über dich nachzudenken. Fahr doch mal
alleine in Urlaub! Was meinst du, was du da für Kerle triffst!
Weit über dem gängigen Werbeleiter-Niveau!

Weißt du was? Besuch mich doch mal! Wir werden dich schon
aufmuntern!! Ich pack dich in meinen BMW und dann fetzen
wir mal übers Wochenende zum Skifahren nach Kitzbühel oder

Bad Gastein. Du brauchst dringend ein paar Streicheleinheiten, Kleinchen!

Die kannst du auf einer Kuschelfarm kaufen oder dich einfach mal mit deinem runtergesetzten Kaufglück-Badeanzug in den nächsten Flieger setzen, falls du nicht Ski fahren kannst. Wie ich dich einschätze, kannst du nicht Ski fahren.

Ja, sag mal, wie ist denn deine Oma Margot drauf???

Meine Mutter hat mir täglich dreimal gesagt, dass ich hübsch bin! Obwohl ich immer ein bisschen stämmig war und einen Hintern hatte wie ein Brauereipferd. Aber sie hat es nie erwähnt. Nie. Sie hat immer gesagt, der Kerl, der mich mal kriegt, kann sich glücklich preisen. Das gehört sich so für eine Mutter. Sogar meinem Adrian sage ich das. Also nicht: Der Kerl, der dich mal kriegt..., sondern: das Frollein, das dich mal kriegt. Obwohl er wochenlang in seinem ausgeleierten Kapuzen-Sweatshirt rumläuft und sich nie die Zähne putzt und daherlatscht wie ein angeschossener Gaul und auch so riecht.

»Du siehst super aus, Adrian«, sage ich jeden Morgen, wenn er als einzige Verschönerungsmaßnahme etwas Haargel in den vordersten Zipfel gegeben hat. »Richtig cool.«

Dann latscht er in seinen offenen Turnschuhen – Duftmarke krankes Pferd – an mir vorbei zum Kühlschrank, nimmt sich seinen Trink-Fruchtzwerg und kippt ihn runter. Und ich spüre ganz genau, dass er rot wird vor Freude unter seinen Bartstoppeln und seinen Pickeln. Das braucht doch so 'n Menschenkind! Gerade, wenn es mit sich selbst überhaupt nicht im Reinen ist!

»Du auch, für dein Alter«, krächzt er dann, und bevor er mit seinem Roller das Haus verlässt, haut er mir noch mit der Pranke auf die Schulter.

Abends, wenn er sich einsam fühlt, wird er noch viel liebevoller. Er hängt sich immer mit seinem vollen Gewicht an mich und sagt: »Schmusen, hm, geil, mit Mamas Busen schmusen!« Dann tätschelt er mir genüsslich die Brust und legt seinen Kopf daran. Ich streiche ihm über das streng riechende Borstenhaar und genieße es wahnsinnig, seine Mama zu sein. Ach Anne. Der Adrian. Der ist ein Kapitel für sich. Mache mir große Sorgen um ihn.

Ich hab viel zu wenig Zeit für den Jungen. Aber ich weiß, dass ich bald was für ihn tun muss. So kann das nicht weitergehen, mit der Schule und seinem Desinteresse an der ganzen Welt.

Für heute einen selbstkritischen Gruß von Mutter zu Mutter!

Alex

PS: Weißt du noch, wie wir in den Ferien zu meinen Großeltern aufs Land fuhren??

An die Sonntage kann ich mich am besten erinnern. Zuerst ging's mit Hut und Mantel (Oma und Opa) und weißen Kniestrümpfen (wir) in die Kirche. (Boh, gähn, langweilig!) Dann durften wir im Garten auf die Schaukel – die hing im Baum –, während die Oma die besten Knödel aller Zeiten machte und der Opa mit seiner Zigarre im Schaukelstuhl Zeitung las. Nach dem Essen hielten die Alten ein Nickerchen und wir schlichen uns in den Hühnerstall und mischten das Federvieh auf. Erinnerst du dich an diesen hysterischen Gockel, den wir schon aus Gründen der Frauensolidarität würgten? Er hatte so offensichtlich sexuelle Belästigung am Arbeitsplatz begangen, dass wir ihn mit Wonne folterten. Aber als der Gockel dann eines Tages sonntags auf dem Tisch stand, mochten wir ihn nicht essen.

PPS: Tu endlich mal was für dich! Geh fremd!

Liebe Alex,
ja, an den Gockel erinnere ich mich oft und gern. Hieß der nicht
Franz?

Was waren wir doch für sadistische Monster! Aber was noch
viel angenehmer war, als den Hahn zu peitschen, war der selbst
gemachte Himbeersaft von deiner Oma. Er war genau so rot wie
ihre runden Wangen, die wiederum aussahen wie ein gut abge-
legenes Äpfelchen.

Dein Opa hatte doch so einen Aschenbecher, wo man auf
einen Knopf drücken konnte und dann kreiselte die ganze stinkende Asche ins Unterirdische – aber wehe, man drückte zu heftig, dann flog einem die Schweinerei um die Ohren. Deinen Opa
sehe ich immer noch an seinem großen dunkelbraunen wurm-
stichigen Schreibtisch sitzen, wo er sorgfältig mit Tinte seinen
Schreibkram erledigte. Und diese Rolle mit Löschpapier, die er
nach jedem Satz über sein Geschreibsel rollte! Die hat mich immer wahnsinnig fasziniert.

Müßig die Frage, ob deine Großeltern noch leben.

Danke für deine guten Ratschläge. Also, die gute Nachricht
zuerst! Ich habe ihn wiedergesehen! Natürlich haben wir uns
heute Morgen bei der Personalversammlung ab und zu mal angeschaut. Jetzt habe ich zwei Verehrer, Jürgen Böhser von der
Herren-Oberbekleidung und Siegwulf Mennecken, unseren Werbeleiter! Heute Abend, als ich mit Erwin im Stadtpark war, hat
Siegwulf doch exakt an der gleichen Stelle auf mich gewartet wie
letztes Mal! Prickelnde Situation, sage ich dir, schließlich geht
Jürgen Böhser um diese Zeit auch immer mit seinem Hund raus!
Uiuiui! Der Plattstädter Stadtpark wird noch zum Brennpunkt

sozialer Konflikte werden! Endlich tut sich mal was! Erwin, das liebe Tier, ist sofort wieder auf Mona zugeschossen und sie haben die Sache zur Sicherheit gleich noch mal wiederholt. Siegwulf und ich haben lächelnd zugeschaut – wie ein Elternpaar, das seinen Kindern beim Spielen zusieht. Es herrschte eine Harmonie und Übereinkunft zwischen uns, die keiner Worte bedurfte. Er hat meine Hand gehalten!

Nachher sind wir durch die Dunkelheit spaziert. Da kann er mich anlächeln, so viel er will. In der Dunkelheit sind alle Zähne grau.

Siegwulf sagt, dass er es jetzt mal so einrichten wird, dass er zwischendurch mittags in die Kantine kommt, dann können wir doch mal zusammen essen! Sein Vater im Altersheim, sagt er, merkt es sowieso nicht, wenn er ihn besucht. Er hat Alzheimer.

Jetzt habe ich natürlich ein schlechtes Gewissen gegenüber Siegwulfs Vater, wenn Siegwulf seine Zeit lieber mit mir verbringt als mit ihm. Als wenn ich nicht schon genug Menschen hätte, denen gegenüber ich ein schlechtes Gewissen habe! Ist das nicht verrückt? Nicht nur meine engsten Familienmitglieder, nicht nur meine Nachbarn und Kollegen, sogar die Verwandten meiner Kollegen beziehe ich inzwischen in den Kreis derer ein, denen gegenüber ich mich schuldig fühle. Ich habe vorgeschlagen, dass wir vielleicht mal gemeinsam seinen Vater besuchen könnten, und da hat Siegwulf den Arm um meine Schultern gelegt und gesagt: »Das ist wahnsinnig lieb von Ihnen, Anne, aber das wird nicht nötig sein.«

Wir siezen uns noch, aber wir nennen uns beim Vornamen. Das hat was total Prickelndes.

Manchmal stelle ich mir vor, wir würden miteinander schlafen und uns dabei immer noch siezen. Nachher müsste er mir in den Mantel helfen und sagen: »Vielen Dank und meine besten Grüße an Ihren Herrn Gemahl.«

Und ich würde sagen: »Keine Ursache, es war mir eine Freude, und richten Sie auch meinerseits die besten Grüße bei Ihren Eltern aus, besonders bei Vater und Mutter.«

Glaubst du, ich spinne schon total, Alex?

Er hat mir dann angeboten, mich nach Hause zu bringen, weil es schon dunkel war. Aber ich hab mich nicht getraut, wegen Oma Margot. Sie hat nämlich vor Jahren einmal mitgekriegt, wie mich Jürgen Böhser nach Hause gebracht hat nach einer Weihnachtsfeier, und dann war aber was los in unserer Einbauküche! Die hat mich angeschrien, dass unsere Nachbarn von rechts mit dem Besen an die Verbindungswand geklopft haben.

Was gibt's sonst Neues aus der Vorabendserie »Plattstadt, deine Spießer«?

Gestern hat Oma Helga wieder mal die Herdplatte angelassen. Opa Karl-Heinz holt sie immer um neunzehn Uhr dreißig (Punkt!) ab, und da Oma Margot die Kinder bereits ins Bett gebracht hatte, als ich nach Hause kam, war ich sofort nach oben an den Schreibtisch geflüchtet, um ihr nicht mehr zu begegnen.

Ich saß gerade am Computer und schrieb eine E-Mail an dich, als Lothar unbemerkt nach Hause kam und plötzlich losschrie:

»Ja Herrgottszeiten, merkt denn niemand von den idiotischen Weibern hier im Haus, dass gleich das ganze Haus abbrennt?«

Ich musste erst noch meine Mail an dich abschicken und dann löschen, deswegen kam ich nicht sofort angerannt.

Als ich in die Küche kam, hatte er einen Eimer kaltes Wasser über den Herd geschüttet. Das war vielleicht etwas übertrieben. Es qualmte und zischte ganz fürchterlich.

»Ja, bist du noch bei Trost?«, schrie er mich an. »Ich wollte gerade die Feuerwehr rufen!«

Ich habe dann die Küche aufgewischt und er rief Oma Margot an und schrie in den Hörer, dass sie mich viel stärker kontrollieren müsse! Er glaubt, ich sei so zerstreut wie Oma Helga. Er traut mir überhaupt ziemlich wenig zu.

Deswegen erklärt er mir auch immer lautstark jeden Handgriff. Sogar, wie man den Staubsauger ein- und ausschaltet. Und wie man die Tür von der Waschmaschine schließt. Alles im Schreiton, weil er zusätzlich glaubt, ich sei schwerhörig. Er traut mir einfach gar nichts zu!

Genauso, wie er mir das Autofahren nicht zutraut. Tja, das habe ich dir noch gar nicht erzählt: Ich bin seit unserer gemeinsamen Führerscheinprüfung vor siebzehn Jahren nie wieder Auto gefahren! Nur ein einziges Mal, aber daran erinnere ich mich nur ungern.

Lothar sagt, wer wiederholt eine Herdplatte brennen lässt, den darf man nicht ans Steuer eines Kraftfahrzeugs lassen. Schon gar nicht, wenn Kinder mit im Auto sind.

Tja, macht nichts, ich habe mich an all das schon lange gewöhnt. Und ich vermisse nichts. Hier in Plattstadt gibt es gute Straßenbahnverbindungen. Autofahren ist bloß teuer und belastet die Umwelt. Und selbst das Fahrradfahren ist zu gefährlich, sagt Lothar. Jedenfalls wenn man so wackelig fährt wie ich.

Was ich ganz vergessen habe zu fragen: Wie ist es eigentlich mit dem Opernsänger weitergegangen? Mark Daniel Martini. Nimm mir diese Heldenfigur nicht wieder weg! Hast du ihn inzwischen wieder getroffen? Was macht eure Zusammenarbeit? Kriegt er die Rolle auf den Salzburger Festspielen? Oder schläfst du doch mit ihm?

Neugierig auf weitere Geschichten aus der großen weiten Welt
deine Anne

PS: In der letzten »Panorama« stand nichts über Nackedei. Was kann denn da passiert sein?

PPS: Weißt du noch, der Hosenrock von Fräulein Piezonka, passend zu ihrer Föhnwelle? Beides fanden wir so schick, dass wir immer wieder Zeichnungen davon machten.

Heute ist mir Fräulein Piezonka im Stadtpark begegnet. Sie hat graue kurze Haare und geht am Stock. Ohne Hosenrock.

Berlin, Hotel Adlon, Suite 218–222, 6. Dezember

Ach Kleinchen!
Klar erinnere ich mich an Fräulein Piezonka. Sie war unsere Kindergärtnerin. Du hast dich ja wirklich kein bisschen weiterentwickelt! Am liebsten würdest du mit einer selbst gebastelten Laterne zu ihr hinrennen, damit sie dich lobt. Anne! Du bist Mitte dreißig!

Sag Siegwulf, er soll mit dir Autofahren üben!!

Bin geladen. Was du schreibst, macht mich fertig. Gibt es wirklich heutzutage und hierzulande noch Frauen, die sich dermaßen von ihren Männern und Müttern bevormunden lassen? Was hast du denn für ein Scheißleben? Ich kann es gar nicht fassen!

Wann hörst du endlich auf, dich gängeln zu lassen?

Wann fängst du an, dein Leben selbst in die Hand zu nehmen, Anne? Willst du, dass deine Mädchen genauso solche Wattebäuschchen werden wie du?

Na gut. Ich sollte mich nicht aufregen. Es ist DEIN Leben. Aber du bist MEINE Freundin. Und du warst mal völlig anders, Kleinchen. Ich habe dich bewundert! Du hattest doch mal einen Willen, eine Persönlichkeit! Wo ist die denn lebendig begraben??

Um deine Frage zu beantworten: Klar, ich habe Mark Daniel wieder getroffen. Auf einer Premierenfeier im Hotel Adlon, in Berlin, wo ich gerade bin. Das Adlon ist der feinste Fünfsterneschuppen Europas. Kenne den Hoteldirektor und seine Frau ganz gut. Sie ist Amerikanerin, er Schweizer. Beides reizende Leute. Kriege im Adlon immer die beste Kammer, weil alle meine Stars bei ihnen absteigen. Diesmal hatte ich sogar die Suite, die für Meg Ryan reserviert war, weil die für die »goldene Kamera« abgesagt hatte. Mochte Meg schon immer, jetzt erst recht. War lustig, »Welcome, Ms Meg Ryan« auf Büttenpapier zu lesen, während ich an ihren schokoladeüberzogenen Erdbeeren knabberte und mir ihren Champagner reinzog.

Dann habe ich in ihrer Badewanne gelegen und mir ihre Orgasmus-Szene durch den Kopf gehen lassen. Wie leicht man zu Weltruhm gelangen kann! Das Geld liegt auf der Straße!

Ziemlich aufgebrezelt bin ich danach auf die Adlon-Party gegangen, leider wieder mal ohne Rico, dafür aber mit Haarteil. In der Hotelhalle hockten die Herrschaften beim Cocktail oder beim Tee. Ich wandelte ein bisschen auf und ab, um zu checken, wer so alles da war und welche Kontakte ich machen könnte für meine Stars. Die fünfhundert Köche und Kellner hatten riesige Landschaften aus dekadenten Fressalien aufgebaut – in allen Sälen war ein anderes kulinarisches Thema. Unter der japanischen Flagge bogen sich Sushi-Berge, unter der österreichischen schmorte der Schweinebraten und in Schweden gab's Smörrebröd.

Ich schlendere also auf meinen hochhackigen Pumps in meinem sensationellen schwarzen Dinnerkleid mit Hochsteckfrisur inklusive eingearbeitetem Skalp und einer Pelzstola von Rico zwischen China und Thailand herum, schaue mir die Promis an, die alle selbst herumschauen, wen sie Wichtiges treffen könnten, winke hier und grüße da, und plötzlich entdecke ich ihn: Mark Daniel Martini!

Er stand bei den Frühlingsröllchen mit Krabbenfleisch und Sushi-Variationen, also genau zwischen China und Japan. »Hello, nice to see you!«

Küsschen rechts, Küsschen links. Er sah noch besser aus als beim letzten Mal und er roch gut. Ach Anne, das ist mal ein Mann zum Verlieben! Aber was soll's. Business geht vor. Jedenfalls stellte Mark mir seine Eltern vor – reizende, gut aussehende Leute, die in Santa Barbara leben und Mark zur Zeit in Berlin besuchen. Er singt hier den König in »Aida«. »What a nice surprise!«, riefen die Eltern und luden mich gleich zum Champagner ein. Anscheinend hatte er ihnen schon von unserem Zusammentreffen erzählt. Ich schüttelte ringsum Hände, schaute in freundliche Gesichter, plauderte über die Salzburger

Festspiele und machte ihnen den Mund wässrig – und mich wichtig.

Dann stellte Mark Daniel Martini mir seine Freundin vor. Leider. Ich hatte sie ja schon auf dem Foto gesehen. Ein dürres blondes Supermodell, das nur aus Haut und Knochen besteht. Ziemlich jung noch, ich schätze sie um die Anfang zwanzig. Sieht aus wie Daryl Hannah nach vierzig Tagen Nulldiät. Kaum Busen unter dem hervorstehenden Schlüsselbein. Weiße Haut, unter der blaue Äderchen zu sehen sind. Ihr graues Seidenkleid war genauso durchsichtig wie sie selbst. Ich hatte das Gefühl, in ihrer Anwesenheit nicht laut sprechen zu dürfen, weil sie sonst in hundert einzelne Knochen zusammenfallen würde.

Sie reichte mir ihre schlaffe, eiskalte Hand und schaute mich aus stark geschminkten Augen mit langen künstlichen Wimpern ausdruckslos an: »Nice to meet you.«

»Wollen Sie morgen mit in die Oper gehen?«, fragte mich Mark. »Kim möchte sowieso nicht mit, sie kann Verdi nichts abgewinnen.«

Die verhungerte Kim warf ihm einen eiskalten Blick zu, während seine Eltern freudestrahlend zustimmten. »Ja! Dann hören Sie Mark mal in einer Hauptrolle, da können Sie sich noch einen viel besseren Eindruck von seiner Stimme machen!«

Na ja, und das habe ich dann auch gemacht. Er singt göttlich. Und sieht auch so aus. Ich könnte mir stundenlang selbst auf die Schulter hauen und mir gratulieren.

Er und Nackedei – ich schwöre dir, ich bringe sie beide ganz groß raus. Die beiden sind meine Altersvorsorge, meine Sozialversicherung. In einem halben Jahr stehen sie in allen Zeitungen und sitzen in jeder Talkshow.

Muss leider weg, will nicht wieder den Flieger fast verpassen und neben einem furzenden Proleten in der Economy sitzen müssen.

Deine Alex

PS: Meinst du, mein oberflächlicher Job färbt auf Adrian ab? Ist er deshalb in dieser Null-Bock-Stimmung?

PPS: Was du vergessen hast zu erwähnen, war Oma Eddas selbst gemachte Himbeermarmelade.

Mensch, Alex!

Und die »blinden Fische«! Das waren in Eigelb gewälzte Zwiebacke, die sie anschließend in heißer Butter briet! Darüber goss sie »rote Sauce«, das war besagter Sirup aus Himbeeren.

Was haben wir damals geschlemmt! Wie du jetzt über das Super-Luxus-Büfett berichtest, das ist im Vergleich zu Oma Eddas Gaumenkitzeln alles recht emotionslos.

Trotzdem. Wie ich das alles mit dir erlebe! Ich finde es wunderbar, dass du mich an deinen ganzen gesellschaftlichen Highlights teilnehmen lässt. Dadurch wird mir überhaupt erst klar, was für ein besch… eidenes Leben ich führe!

Vielleicht hätten wir uns nie E-Mails schicken dürfen. Aber was soll das Jammern. Schließlich hab ich selbst damit angefangen.

Ach Alex, ich beneide dich so. Auch wenn du natürlich zwischendurch Ärger hast.

Ich sauge alle deine Erlebnisse in mich auf – obwohl ich nicht mit dir tauschen möchte. Ich hätte ständig Angst, etwas falsch zu machen, mich zu blamieren oder von jemandem übervorteilt zu werden, das Falsche anzuhaben, das Falsche zu sagen oder zu essen. Dein Leben wäre einfach ein paar Nummern zu groß für mich. Ich möchte gar nicht für die anderen leben, niemandem imponieren.

Meiner Mutter konnte und kann ich es sowieso niemals recht machen. Dein Ratschlag, hier doch einfach mal abzuhauen, hat sich natürlich in meinem Hinterkopf festgesetzt. Ab und zu gestatte ich mir, wenigstens davon zu träumen.

Ich wünsche mir ein stilles bescheidenes Dasein mit meinen

Kindern, an einem sonnigen friedlichen Ort, wo uns niemand bevormundet, wo wir drei unsere Ruhe haben. Wenn ich es mir so recht überlege, dann würde ich gerne so leben: ein Häuschen im Grünen, irgendwo in der freien Natur. Nicht in Plattstadt, wo die Straßen alle schnurgerade sind und alle Häuser gleich aussehen, wo ständig neu gebaut wird und die S-Bahnen über die Schnellstraßen brettern. Man kann die Kinder ja gar nicht vor die Tür lassen! Nein, es müsste ein Ort wie aus unserer Kindheitserinnerung bei Oma Edda sein.

Einen kleinen Teich oder ein Bächlein im Garten, an dem die Mädchen spielen könnten. Eine Schaukel im Baum. Ein kleiner Sandkasten. Eine Hecke, an der im Sommer die prallen Hagebutten hängen. Vogelgezwitscher vor dem Küchenfenster. Ein Meisenring am Zweig. Das sind so Kleinigkeiten, mit denen man mich wunschlos glücklich machen könnte, selbst gebackenes Brot, einen Dorfladen, in dem man mich kennt, stundenlange Spaziergänge mit dem Hund, auf immer anderen Wegen, nicht täglich dieselbe Runde im tausendmal abgelatschten Stadtpark. Wälder und Wiesen, die es zu entdecken gäbe!

Und dann: einen Job, in dem ich mein eigener Herr wäre. Keine Kollegen, die mich mit ihrem Geschwätz langweilen, mich mit ihren grauen, müden Gesichtern runterziehen und mir ständig Schuldgefühle machen. Alex, mein Leben besteht aus Schuldgefühlen. Obwohl ich mich zerreiße. Den Kindern gegenüber, den Omas gegenüber, Lothar gegenüber und in meinem Job sowieso. Ich träume von einer Beschäftigung, die ich selbständig ausüben könnte. Etwas, was ich selbst organisieren könnte. Aber ich traue mich natürlich nicht. Dazu bin ich zu schusselig. Ich kann nicht Auto fahren und lasse immer die Herdplatte an.

Und natürlich – aber das ist weit in die Sterne gegriffen – einen Mann, der Humor hätte. Ich will Lothar gar nicht schlecht machen, er ist im Grunde seines Herzens ein ehrlicher und feiner Mensch. Aber er steht sich selbst so schrecklich im Wege, dass er leider auch mir und den Kindern im Wege steht. Oft denke ich, er ist mein drittes, aber schwierigstes Kind.

Tja, Alex, und jetzt, wo du mich drauf bringst, könnte ich mir auch ein Leben ohne Oma Margot und Opa Karl-Heinz vorstellen. Ich glaube, ich würde mich ohne sie wesentlich wohler fühlen. Nee aber auch! Was bin ich undankbar! Andere Frauen würden sich alle zehn Finger lecken nach einem so zuverlässigen Mann und so arbeitswilligen Großeltern!!

Der Einzige, der mich im Moment aufrecht erhält, ist Siegwulf Mennecken, unser Werbeleiter. Er schickt mir täglich kleine Botschaften in mein Personalleiterbüro, auch schon mal ein Blümchen oder ein Gedicht. Heute fand ich folgendes:

An besonders schönen Tagen
Ist der Himmel sozusagen
Wie aus blauem Porzellan
Und die Federwolken gleichen
Weißen zart getünchten Zeichen
Wie wir sie auf Schalen sahn.

Ich glaube, das ist Kästner. Ist Siegwulf nicht ein seelenvoller Mann? Auch er scheint gar nicht in diese Welt zu gehören...
In wechselhafter Stimmung
deine Anne

PS: Ich würde dich wirklich schrecklich gern mal besuchen – aber ich habe auch ziemliche Angst vor unserem Wiedersehen. Ich glaube, du machst mich sofort platt.

Aber Kleinchen,
ich tu dir doch nichts! Wie könnte ich dich platt machen! Ich
halte dir nur den Spiegel vor die Nase! Aber davor hast du Angst.
Dass du dich selbst kritisch siehst. Dann müsstest du nämlich die
Ärmel hochkrempeln und anfangen aufzuräumen in deinem Leben. Und dass das ein ganz schönes Stück Arbeit wäre, hast du
längst begriffen.

Kleinchen, was du mir da über deine Familienverhältnisse
schreibst, besorgt mich sehr. Einerseits wunderst du dich, dass
man dich wie eine Sechzehnjährige behandelt, andererseits be-
nimmst du dich auch so! Werde doch mal erwachsen!

Sag mir ruhig, Schnauze, Alex, das steht dir nicht zu. Dann
bin ich sofort still. Aber ich glaube, du willst feste geschüttelt
werden. Geschüttelt, nicht gerührt.

Genug gemotzt. Nimm es mir nicht übel, Anne. Ich will dich
nur liebevoll anstupsen. Wie früher. Kritik war bei uns immer erlaubt. Du kannst mir ja auch sagen, wenn dir was stinkt. Wahrscheinlich findest du es blöd, wie oberflächlich ich lebe. Nur für
Geld und schönen Schein, denkst du dir sicher. »Du führst ein
Champagnerleben!«, hat mir mal ein alter Moralapostel vorgeworfen. Ich hab's gar nicht als Vorwurf aufgefasst, sondern als
Kompliment. Klar führe ich ein Champagnerleben. Wer täte das
nicht gern! Wenn einem das Leben Spaß macht, kann man nicht
so viel verkehrt gemacht haben.

Bin gerade beim Fototermin mit Nackedei für die Bunte. Seit
ich mit Alwin Znob von der »Panorama« verkracht bin, arbeite
ich wieder verstärkt mit dem anderen angesagten Blatt. Alwin
Znob bekommt von mir keinen einzigen Promi mehr! Ich ver-

hökere sie alle an die Bunte oder an die Gala. Er wird schon sehen, was er davon hat, der Idiot.

Nackedei kommt jedenfalls in der nächsten Ausgabe auf »Leute von morgen«! Und in der übernächsten Nummer sogar auf den Titel! Also, mit Nackedei geht's steil bergauf. Mein Management, meine Strategie, meine Planung, meine Kopfarbeit.

Ich habe mein Okay gegeben und nehme für die Story ausnahmsweise nur 20 000 Euro, aber nur unter der Bedingung, dass man sie jetzt als Gesamtkunstwerk ernst nimmt.

Meine Forderungen sind hart: kein Satz, in dem ein Dativ vorkommt, kein Wort über Boddel und keine Frage nach Silikon. Außerdem will ich das Ganze gegenlesen.

Übrigens heißt Nackedei in Wirklichkeit Kerstin Schöller und kommt aus Mörsenbroich bei Düsseldorf. Ich denke in letzter Zeit ernsthaft darüber nach, ihr einen neuen Künstlernamen zu verpassen. Ist aber eine Gratwanderung – meine geniale Kultfigur könnte auch zusammenbrechen!

Der Fotograf ruft mich, ich muss rein. Kein einziger Schuss wird ohne mein Beisein getan!
Very busy, deine Alex

PS: Denkst du manchmal an die Frikadellen, die es in der Kneipe an der Wendeschleife vom Bus Nr. 15 gab? Wenn die S-Bahn schon weg war, konnte man dort drinnen warten und sich für siebzig Pfennig so ein wundervoll duftendes, krosses, fetttriefendes Teil mit Senf reinziehen.
PPS: Übrigens, ich hatte eine sehr nette Nacht mit dem Fotografen. Nur, weil du letztens fragtest.

Plattstadt, Kaufglück, Dezember

Liebe Alex,
endlich kann ich auch mal was Kritisches anmerken und dich
zum Nachdenken anregen: »Nackedei« ist ein Scheißname. Besonders für ein Gesamtkunstwerk.

Das sollte deine erste Aktion sein, der armen Kerstin Schöller
zu einem vernünftigen Künstlernamen zu verhelfen. Tina Mörsenbroich. Wie findest du den? Zu sexistisch, hm? Wenn du sie
allerdings seriös möchtest, darf sie nicht mehr auf auf diese albernen Kaufglück-Plakate. Ich bin vielleicht befangen, aber ich
KANN SIE NICHT MEHR SEHEN!! Und ihre albernen
Sprüche nicht mehr HÖREN! »Kauf die Plätze, fertig, los!«,
schreit sie alle fünf Minuten durch den Kaufglück-Lautsprecher.
Und dann lacht sie so schrill wie damals auf deiner Schallplatte
die »Kleine Hexe«. Ich würde gern einen spitzen Gegenstand danach werfen. Meinst du, ich bin einfach nur neidisch?

Überhaupt habe ich in letzter Zeit Probleme mit Neid. Besonders, seit du mir die üblichen Gagen mitgeteilt hast. Und dass ihr
alle dauernd in Champagner badet, erster Klasse reist, in 1000-
Dollar-Suiten in der Badewanne rumlungert und euch Haarteile
einarbeiten lasst, bevor ihr in Fünfsternerestaurants geht.

Seit ich von dir so viele Einzelheiten erfahre, finde ich vieles
nur noch ungerecht.

Wieso fahre ich jeden Abend in der überfüllten S-Bahn und
kriege noch nicht mal einen Sitzplatz? Wieso pöbeln mich ar-
beitslose Punks an, wieso sagt keiner »gnädige Frau« zu mir und
hilft mir aus dem Mantel? Wieso lässt Meg Ryan nie für mich
ihren Schampus stehen? Wieso verdiene ich pro Stunde umge-
rechnet vier Euro zwanzig netto?

Auf einmal kann ich keinen einzigen »Star« mehr sehen, ohne mir insgeheim sofort auszurechnen, was er pro Minute verdient und wo er übernachtet und wer ihm die Haare macht.

Ich habe eine viel bessere Figur als die meisten, habe lange blonde Haare und meterlange Beine! Wieso interessiert das keinen, noch nicht mal Lothar? Wieso muss ich mit dieser Kaufglück-Föhnfrisur und einem rosafarbenen Kaufglück-Kittel rumlaufen, an dem auch noch mein Namensschild »Piss-Trulla« steckt? Wieso habe ich schreckliche Schuldgefühle, weil ich tagsüber nicht bei meinen Töchtern bin, und muss mir von den Omas täglich vorhalten lassen, was ich für eine schlechte Mutter bin? Ich habe einen akuten Anfall von widerlichem grünen Neid, der tiefe Falten in mein Gesicht gräbt und Verstopfung verursacht. Ich bin nicht besser als meine neidischen Kollegen, deren Geschwätz ich nicht mehr hören kann. Wo ist denn auf dieser Welt noch Gerechtigkeit?? Ich schufte mir den Rücken krumm, um das Reihenhaus abbezahlen zu können, das ich in Wirklichkeit hasse, und die Promis dieser Welt liegen in Meg Ryans Badewanne und trinken Champagner!

Muss in die Kleingarten und Hobby. Irgendjemand hat die Rasenmäher falsch etikettiert. Ich hab keine LUST mehr!! Ich will hier raus!! Man hat mich falsch besetzt, ich will eine andere Rolle!

Heiter mich auf! Mit irgendeiner Geschichte!
Deine Anne

PS: Entschuldige meinen Anfall von Missgunst, aber als ich eben die Kundentoiletten kontrollierte, fand ich eine »Gala«. Da war diese mollige Vreni drin mit einem Zweiseiter über ihre jüngste Heldentat: Sie hat sich das Rauchen abgewöhnt!! ICH hab noch nie geraucht! Warum schreibt die Gala nichts darüber?
PPS: Walleweißt dullewu nollewoch diellewie Gellewehaleeweimsprachllewachellewee?

Salzburg, in der Bar des Hotels Sacher, Dezember

Liebe Anne,
Bullewums dollewoch mallewal!! Dallewas hillewilft!!

Aaah, endlich glüht das Feuer!! Mein altes Kleinchen setzt Energie frei! Nur an der falschen Stelle!

»Neid ist verschenkte Energie!«

Guter Spruch, was?? Stell dir vor, die Energie, die du den Promis schenkst, indem du sie so intensiv beneidest, könntest du dir für deinen nächsten Orgasmus aufheben!

Vielleicht heitert es dich auf, von meinem heutigen Tag zu hören. Sei ruhig neidisch, aber lies das Ganze bis zum bitteren Ende!

Während die viel beschäftigte Intendantin der Salzburger Festspiele noch mit Placido Domingo beim Dessert weilt, sitze ich hier mit einem kleinen Martini on the rocks in der edel eingerichteten Bar dieses exklusiven Etablissements. An den Wänden hängen schwere Bilder in Gold gerahmt, Wände, Teppiche und Sessel sind in rotem Samt gehalten, ein Pianospieler perlt leise Chopin-Etüden vor sich hin und der junge Kellner hat mich gerade mit »Grüß Gott, Frau von Merz« angesprochen, während er mir den Nerz abgenommen hat. Die Welt könnte so in Ordnung sein!

Ist sie aber nicht! Heute Morgen, als ich mich gerade mit meinem üblichen Glas Champagner und der Freisprechanlage in meine ovale Riesenbadewanne verzogen hatte, um ein bisschen zu arbeiten, klingelte das Haustelefon.

»Grüß Gott, Frau von Merz, das altsprachliche Bubengymnasium in Nonntal, der Herr Direktor wünscht Sie zu sprechen!«

Mir schwante nichts Gutes, und die große Frau von Merz, die

so weltfrauisch in ihrer Wanne weilte, schrumpfte augenblicklich zu einem ängstlichen Mütterchen zusammen.

Ich guckte nur noch mit der Nase aus meinem Schaum heraus, als ich kleinlaut die Tiraden des Direktors über mich ergehen ließ.

Weißt du, was der Bengel nun wieder angestellt hat?

Er hat die Zierfische im Aquarium des Herrn Direktors zusammengebunden! Gehöre natürlich nicht zu den Tierschützern, trage mit Begeisterung Nerz und esse Fleisch, Fisch und Eier von Hühnern ohne Wahlrecht. Aber darum geht es ja auch nicht. Es geht um die Gedankengänge von Adrian.

Was geht in dem Jungen nur vor? Der Direktor hat fast geweint, weil die Zierfische sein ganzer Stolz waren. Auch meine Beteuerung, die Viecher sofort zu ersetzen, hat nichts geholfen. Der Direktor sagte: »Gnä' Frau, das ist jetzt wirklich die letzte Verwarnung. Wir haben uns noch nicht von dem Vorfall erholt, wo der Junge das ganze Kollegium in die Turnhalle eingeschlossen und den Schülern über Lautsprecher mitgeteilt hat, dass heute wegen einer Lehrerversammlung schulfrei ist.«

Als ich Adrian damals angeschnauzt habe, wie er auf so einen Schwachsinn kommt, hat er die Schultern gezuckt und gegrinst: »Wieso, die Lehrer waren doch versammelt!«

Ach Anne, was habe ich als Mutter nur falsch gemacht?

Nun also die letzte Verwarnung wegen der Goldfische. Ich finde, der Direktor soll sich nicht so anstellen, denn die Zierfische sind höchstens einen Tausender wert, aber er sagt, es geht ihm um den ideellen Wert und vor allen Dingen ums Prinzip.

Mich besorgt, dass Adrian mit fünfzehn noch solche Kinderstreiche macht. Goldfische zusammenbinden, das tut man mit sieben oder acht. Oder wann waren wir in so einer Phase? Ich erinnere mich nur daran, dass wir Regenwürmer aufgespießt haben, auf Zahnstocher. Und Maggi draufgespritzt haben. Aber wer sie letztlich gegessen hat, ist mir entfallen.

Da kommt die Intendantin. Muss Schluss machen. Wenigstens noch kurz Placido begrüßen.

Liebe Grüße
von Alex

PS: Placido hat mir die Hand geküsst und gesagt, er hätte unseren Abend in Turin vor zehn Jahren nicht vergessen. Stark, was?

Liebste Alex,
Placido Domingo! Die Hand geküsst! Mir hat noch nie im Leben
jemand die Hand geküsst! Noch nicht mal ein Hausmeister oder
ein Lagerarbeiter! Und erst recht kein Weltstar!

Ich bin schon wieder neidisch! Und mir drängt sich die indis-
krete Frage auf: Was habt ihr an dem Abend in Turin gemacht??

Ich brenne vor Neid und Neugier! Tut mir Leid, aber die Energie schenke ich lieber dir, als sie für einen sowieso nicht statt-
findenden Orgasmus aufzuheben.

Deine netten kleinen Geschichten über Adrian haben mich
wirklich zum Lachen gebracht.

Das sind ja kleine Sorgen! Dein Adrian ist doch ein ganz normaler Lausbub, das macht ihn sehr sympathisch. Er hat Fantasie
und Ideen! Und du behauptest, er habe null Bock und hängt immer nur vor dem Computer. Stimmt doch gar nicht! Er ist doch ein
kreativer, fantasievoller Junge, erinnert mich an die »Lümmel«-
Filme mit Hansi Kraus und Theo Lingen. Erinnerst du dich noch
an unsere ersten Kinobesuche in Plattstadt? Weißt du noch, dass
wir kein Geld für die Straßenbahn hatten und den ganzen weiten
Weg in die Stadt zu Fuß gemacht haben? Oder anders: Wir haben
das Geld für die Straßenbahn lieber gespart und uns diese unver-
gleichlichen säuerlichen Lutschbonbons von »Sugus« gekauft.
Oder für'n Groschen Esspapier. Das war immer noch drin.

Auf dem Nachhauseweg hatten wir dann das Vergnügen mit
besagter fetttriefender Frikadelle an der Wendeschleife. Ach
Alex, seit wir beide uns e-mailen, denke ich viel nach.

Über unsere Vergangenheit, bei der wir alles gleich gemacht

134

haben, und über unsere Gegenwart, die verschiedener nicht sein könnte.

Irgendwie danke ich Heinrich Seelig, dass er gestorben ist. Sonst hätte ich mich nie getraut, Verbindung mit dir aufzunehmen. Meinst du, dass Heinrich aus lauter Rücksichtnahme und Zuneigung zu uns beiden gerade jetzt entschlafen ist? Das bringt der fertig, der alte Knabe.

Deine Fragen, was meine Wenigkeit angeht, beunruhigen mich zutiefst. Du meinst, ich bin selber schuld, wenn ich mich von Oma Margot und Lothar und Opa Karl-Heinz so behandeln lasse? Und von meinen Kollegen, Kunden und Vorgesetzten? Selbst von fremden Kindergartenleiterinnen lasse ich mich abkanzeln und entschuldige mich noch fürs Anfragen.

Habe ich dir schon berichtet, dass ich seit dem siebten Schwangerschaftsmonat versuche, für die Zwillinge einen Kindergartenplatz zu bekommen? Aber die einschlägige Antwort von Jugendamt, Sozialamt, Pfarramt und in allen Kindergärten ist: »WAS? Gleich zwei? Da hätten Sie sich vor sieben Jahren spätestens anmelden müssen!«

Du weißt, dass ich eher mit dem Kopf unterm Arm durchs Leben laufe, als ihn ganz oben auf den Schultern zu lassen. Ich bin eine einzige lebende Entschuldigung geworden.

Nun ist mir auch noch Jürger Böhser böse, das merke ich deutlich. Er hat mich jetzt mehrmals nicht gegrüßt und in der Kantine nie mehr einen Platz für mich freigehalten. Nur weil ich ein paarmal bei Siegwulf stand. Keiner mag mich mehr. Nur Siegwulf. Und die Kinder natürlich.

Aber die sehe ich viel zu selten. An langen Arbeitstagen kommt es vor, dass ich meine Töchterchen über Wochen nur schlafend sehe. Wie ein überarbeiter Vater. Ist das der Sinn meines Lebens? Und das alles nur, um ein Reihenhaus abzubezahlen, das ich, unter uns gesagt, richtig Scheiße finde?

Ich glaube, Alex, dass mein Leben sich ändern wird. Irgendwie spüre ich, dass es so nicht weitergeht.

Lass mich noch von gestern Abend weiter berichten.

Lothar saß in seinem Arbeitszimmer und hackte Zahlen und

Listen in seinen Computer. Ich steckte noch meinen Kopf zu ihm rein: »Ich bin da!«

Er hat überhaupt nicht reagiert. Er hätte ja wenigstens mal »Na und?« sagen können oder »Ist doch nicht mein Problem«. Aber er hat nur die Nase hochgezogen. Wie immer, wenn er beleidigt ist. Da bin ich ins Bett gegangen. Mit dem Buch »Wie man eine Frau befriedigt«.

Ach Alex, wie soll das nur weitergehen?
Ziemlich ratlos
deine Anne

PS: Diese Schuldgefühle!
PPS: Was ist denn nun mit Mark Daniel?

Anne, mein liebes Luder!
Was treibst du da abends heimlich unter der Bettdecke? Das nur zum Stichwort Energie.

Aber immerhin, es tut sich was in deinem Leben. Du denkst nach.

Meinst du, es ist was Ernstes mit Siegwulf? Aber lass dir doch Zeit, Mädchen! Nimm dir mal ein Maßband und öffne es bis achtzig. Das dürfte deine Lebenserwartung sein. Mach bei 36 einen Strich – dann siehst du, was du alles noch vor dir hast!

Was Mark Daniel anbelangt: Wir sehen uns jetzt regelmäßig. Ich habe mir vor kurzem nach einem Geschäftsessen in Berlin mit zwei Filmbossen im Borchart's noch den vierten Akt der Aida in der Staatsoper reingezogen. Nach der Oper bin ich süchtig!

Kennst du eigentlich »Aida«? Ich schaue sie mir jedes Jahr in der Arena von Verona an, bekomme immer Freikarten für die erste Reihe. Dann leiste ich mir ein Glas Champagner für 25 000 Lire: Man gönnt sich ja sonst nichts. Die Handlung der Oper dürfte dich interessieren: Radames, Tenor, wird lebendig eingemauert, weil er Aida, Sopran, ägyptische Sklavin, liebt. Amneris, die Radames auch liebt, steht in der Ecke und heult, aber sie unternimmt nichts dagegen. Auch wieder so eine tragische Geschichte. Stell dir vor, jemanden so sehr zu lieben, dass du dich freiwillig mit ihm einmauern lässt.

Kleinchen, wenn man es genau betrachtet, und ich weiß, das tut jetzt weh, also in meinen Augen hast du dich längst lebendig mit Lothar einmauern lassen. Und ich, Amneris, stehe in der Ecke und heule.

Wir jammern nur in einem nicht enden wollenden Duett. Ich finde, wenn unsere E-Mails einen Sinn haben sollen, dann muss sich jetzt was ändern. Also: Ändere dich und dein Leben!

Zurück zur »Aida«-Premiere in Berlin: Nachher gab es minutenlang Standing Ovations. Das Publikum war hingerissen und verzaubert. Es war eine wundervolle Premierenfeier. Ich habe mich lange mit Mark Daniels Eltern unterhalten. Der Vater ist Verleger, die Mutter war früher seine Cheflektorin und hat den Verlag mit ihm gemeinsam ganz groß aufgebaut. Inzwischen haben sie mehrere kleinere Verlage aufgekauft und sitzen nun mit einem riesigen internationalen Konzern in Amerika. Die haben natürlich Knete wie Heu.

Endlich kam Mark Daniel dann aus seiner Garderobe, abgeschminkt, frisch geduscht und wahnsinnig gut gelaunt. Ich sage dir, wenn einer richtig singen kann, das ist Sport für die Seele. Warum hast du eigentlich deine Singerei aufgegeben? Für einen Job, bei dem du stündlich öffentliche Toiletten kontrollieren musst? Auweia, ich stänkere ja schon wieder.

Mark Daniel meinte jedenfalls, er fühle sich wunderbar, wie wenn er einen Marathon gelaufen wäre. Er strahlte über das ganze Gesicht und zog sich mit Genuss ein Bier aus der Flasche rein. Er verzückt mich immer mehr. Ein Mann zum Stehlen!

Die Intendantin der Salzburger Festspiele sagt, er soll sofort vorsingen, die Bass-Partie ist noch nicht vergeben. Ich habe ihr versichert, Mark ist perfekt für den König Phillip in »Don Carlos«.

Nächste Woche fliege ich rüber nach Los Angeles. Mark Daniels Eltern haben mich eingeladen. Das sind so unkomplizierte, herzliche Leute. Sie sind natürlich begeistert von dem Gedanken, dass Mark Daniel in Salzburg bei den Festspielen singt! Kannst du dir die giftigen Blicke vorstellen, die mir die dürre Kim zugeworfen hat?

Dabei müssen unsere Beziehungen rein geschäftlich bleiben. Ich will nämlich Geld von ihm. Viel, viel Geld.

Vielleicht nehme ich Adrian mit. Er braucht mal was anderes als seine Computerspiele und sein frustrierendes altsprachliches

Gymnasium hinter dicken Klostermauern. Ich muss mich jedenfalls dringend um den Jungen kümmern.
Sei fest umarmt von
deiner Freundin Alex

PS: Warum setzt du dich nicht einfach in Lothars Opel und
kommst her? Wir könnten uns wunderschöne Weihnachten machen!

Ach Alex, du Glückliche!

Was du für ein abwechslungsreiches Leben hast! Immer passieren bei dir so interessante Dinge! Selbst dein Adrian sorgt stets für Unterhaltung und mein Alltag ist einfach nur grau, langweilig und zäh. Oft denke ich, die Tage gehen einfach nicht rum! Ich gucke auf die Uhr und dann sind wieder erst fünf Minuten vorbei. Besonders jetzt, wo es so früh dunkel wird, schleppen sich die letzten Stunden vor dem Feierabend so zäh dahin, dass ich weinen möchte. In solchen Situationen fühle ich mich schwer wie Blei – ich kann kaum noch ein Bein vor das andere setzen.

Gerade war wieder Personalversammlung – schrecklich. Als wenn wir nicht schon genug Negativenergie im Hause hätten, mit unseren ganzen schlecht gelaunten Kunden, den anspruchsvollen Käufern, die glauben, für jedes Sonderangebot vom Wühltisch auch noch ein Umtauschrecht zu bekommen. Heute war ich bestimmt mit zwanzig Umtausch-Kunden bei der Zentralkasse und habe mit denen Schlange gestanden und mir derweil ihr Genörgel angehört. Alle machen mich persönlich für ihren Fehlkauf verantwortlich.

Wir haben ein unglaubliches Aggressionspotenzial unter den Kollegen. In den letzten Wochen musste ich mehrere Mitarbeiter entlassen, du erinnerst dich an den Neuen mit der Spitzenwäsche in der Behindertenkabine? Das löste eine richtige Welle von Denunziantentum aus: Jeder schwärzte jeden an, weil sich herumgesprochen hatte, dass Kaufglück dreißig Prozent der Mitarbeiter innerhalb dieses Jahres entlassen muss. Es sieht schlecht aus mit unserem Laden. Jeder denkt, wenn mein Nebenmann fliegt, fliege ich nicht. Und alle diese Anschwärzer kommen zu mir, der

Personalleiterin. Frau Pistrulla, werfen Sie mal ein Auge auf Frau Sowieso aus der Kinderbekleidung.

Inzwischen ertappe ich mich dabei, dass ich nach Feierabend lieber mit Siegwulf im dunklen Stadtpark spazieren gehe, als meine S-Bahn nach Hause zu nehmen. Du hast Recht, ich benehme mich wie sechzehn. Und werde auch so behandelt.

»Wo bist du gewesen?«, schreit mich Oma Margot gestern Abend an.

»Ich bin sechsunddreißig«, sage ich und versuche, ins Kinderzimmer zu gelangen.

Oma Margot hält mich am Arm fest: »Wenn du glaubst, dass du in deinem Alter und bei deinem Familienstand anfangen kannst zu turteln, während dein Ehemann sich den Rücken krumm schuftet, damit er dieses Eigenheim abbezahlen kann, dann hast du nicht verdient, wie eine Sechsunddreißigjährige behandelt zu werden! Oma Helga und ich ziehen dir deine Kinder groß, damit du ARBEITEST und GELD VERDIENST, um Lothar beim Abzahlen eures Reihenhauses zu unterstützen, und nicht, damit du mit einem Kollegen auf dem Weihnachtsmarkt Glühwein trinkst!« Tja, unsere Kleinstadt ist ein einziges Sprachrohr.

Ach, wenn ich doch endlich Kindergartenplätze für die Carla und Greta bekommen würde! Dann könnte ich auf die Omas verzichten!

Als ich gestern versuchte, mit Lothar darüber zu sprechen, hatten wir schon wieder Streit. »Erst benutzt du die Omas für die Drecksarbeit und dann willst du sie abschieben! Sie haben konkret und präzise… (er griff zu seinem Taschenrechner und hackte wie gewohnt Zahlen in die Tastatur)… vierzehntausendsechshundert Stunden in deinen Diensten gestanden! Dafür müsstest du ihnen… (er rechnete wieder, begleitet von dem typischen kleinen, aber geräuschvollen Nasehochziehen) hunderttausenddreihundertsiebenunddreißig Euro Gehalt bezahlen, wohlgemerkt, NETTO! Und zwar, konkret gesagt, JEDER von ihnen! Bei einem durchaus üblichen Stundenlohn von sieben Euro sechzig Cent pro Stunde! Dazu kämen dann für dich noch Sozialversicherung und Steuer!«

»Wieso in MEINEN Diensten, wieso muss ICH sie bezahlen?«

»Ja wer denn sonst? DU bist schließlich die Mutter!«

»Und du der Vater!«

»O nein, so lasse ich mich verbal nicht ins Abseits treiben. Ich weiß sehr genau, dass du stets versuchst, mich rhetorisch auszutricksen, weil du Abitur hast und ich nicht, aber darauf falle ich nicht herein.«

Er bezieht sich in solchen Fällen gern auf unseren Deutsch-Leistungskursus beim guten alten Heinrich, während er nach der mittleren Reife bereits in die Banklehre gegangen ist.

»Wer versucht denn hier wen verbal ins Abseits zu treiben? Ich habe nicht damit angefangen, auszurechnen, wie viel Geld sich die Omas hier schon zusammengearbeitet hätten.«

»Was ich ganz simpel zu erklären versuche ist, dass die Omas für dich unentbehrlich sind, und zwar alle beide! DU willst doch nicht waschen und putzen und bügeln und kochen, DU doch nicht!«

»Nein, denn ich habe einen Achtstundenarbeitstag in einem Kaufhaus, und das, was ich da leiste, ist sicher nicht weniger als das, was du in deiner Sparkasse leistest!«

Das ist ein rotes Tuch für Lothar. Seine Filiale der Sparkasse. Er fühlt sich zu Höherem berufen.

»Wenn ich nicht an dich und die Kinder gebunden wäre, hätte ich niemals dieses Reihenhaus erworben und wäre ein freier Mensch!«, schreit er mich an. »Ich könnte freier Finanzberater sein, würde Großkonzerne beraten und wäre ständig auf Reisen! Aber aus Rücksicht auf dich und die Kinder hocke ich jeden Tag an diesem Vorstadtschreibtisch und berate insolvente Rentner!«

»Über den Inhalt unserer Jobs möchte ich mit dir nicht streiten!«, schreie ich zurück. »Tatsache ist, dass ich genauso acht Stunden am Tag arbeite wie du! Zwei Pausen von exakt dreißig Minuten abgezogen! Die Kantinenhockerei kommt noch unentgeltlich dazu!«

Wenn ich mit Lothar streite, werde ich genauso pingelig und förmlich wie er.

»Dann frage ich mich, woher du konkret noch die Zeit findest, mit einem deiner Mitarbeiter im Stadtpark spazieren zu gehen!!« Aha, hat Oma Margot also gepetzt.

»Ich kümmere mich um den Hund, wie DU es nicht tust! Einer MUSS ja mit ihm spazieren gehen!«

Lothar überhörte meinen Spott. »An VIER Abenden von FÜNF gehe ich noch abends zu Kunden, um ihnen Sparverträge aufzuschwatzen. Meine Provisionen sind so jämmerlich, dass ich davon noch nicht mal einen neuen Anzug kaufen kann.«

Wir haben uns vor Jahren mal versprochen, nie vor den Kindern zu streiten. Aber das ist schon lange nicht mehr durchzuhalten. Er wirft mir vor, ich würde mich nicht an diese Abmachung halten, und ich werfe ihm das Gleiche vor. Ach Alex, ich bin einfach ziemlich am Ende mit meinem Leben da in Plattstadt.

Aber was soll ich machen? Ich kann mich nicht einfach von Lothar trennen. Er hat mir schon mal ausgerechnet, wie viel Überstunden er zusätzlich machen müsste, wenn er mir und den Kindern auch noch drei Siebtel Unterhalt zahlen müsste. Das Haus können wir nicht verkaufen. Wir haben nach irgendeinem ausgeklügelten Steuersparmodell Kredite darauf aufgenommen, die uns beide umbringen würden, sagt Lothar.

Wir müssen auf Gedeih und Verderb zusammenbleiben. Du hast Recht. Ich habe mich lebendig mit ihm einmauern lassen.

Heute sehr hoffnungslos, und der Dezember mit seinen nassgrauen Stürmen kann mir auch nicht aus der Krise helfen!

Da hilft auch nicht der Poesiealbumspruch von Klavierlehrer Edgar Ellerhoff, an den ich mich sonst gern klammere:

Wer morgens nüchtern dreimal schmunzelt,

wenn's regnet, nicht die Stirne runzelt,

wer Frohsinn zeigt in ernster Zeit,

der ist ein Held im Werktagskleid.

Deine unheldenhafte Werktags-Anne

PS: Meinst du, ich soll Siegwulf fragen, ob er mich mal mit seinem Auto fahren lässt? Ich trau mich nur nicht! Wenn etwas passiert! Was ich dann für Ärger kriege!

Mensch, Anne,

da läuten bei mir aber alle Alarmglocken! Nach allem, was ich jetzt über deinen Lothar gelesen habe, kann ich dir als deine erste und älteste Freundin nur raten, ihn sofort in den Wind zu schießen. Kein Bausparvertrag der Welt kann dich zwingen, weiter mit ihm unter einem Dach zu leben!

Du bist keine tragische Figur einer Oper! Du bist selbst Regisseurin in deinem Leben. Du darfst jetzt noch nicht resignieren. Wähle nicht den Weg des geringsten Widerstandes. Du wirst dich später dafür hassen. Wenn du es nicht jetzt schon tust.

Du musst jetzt was ändern. Für dich und für deine Kinder. Sie fangen jetzt an, Zusammenhänge zu begreifen. Sei ihnen ein Vorbild, eine starke, selbstbestimmte Mutter.

Habe übrigens inzwischen zu Hause ebenfalls in unseren alten Schulheften geblättert und einen sehr interessanten Briefwechsel zwischen uns gefunden, der während des Musikunterrichts entstand. Ich hatte gerade mit meinem ersten Kerl geschlafen, Heinrich quälte uns mit Zwölftonmusik und wir langweilten uns ganz schrecklich. Ich versuchte das Ganze philosophisch zu verarbeiten. Du warst natürlich die eiserne Jungfrau.

Du: »Habe nun ach, Harmonie,
Notenbild und Linien ziehen
Und leider auch Melodie
Durchaus studiert in heißem Bemühn
Da steh ich nun ich armer Tor
Und hasse Schönberg wie zuvor.«

Ich: »Ist die Liebe vielleicht doch fatalistisch?«

Du: »Fatalistisch oder fantastisch?«

Ich: »Fatalistisch. Schicksalsgebunden. Wie bei Fräulein Julie.«

Du: »Was ist los? War's nicht der Hit?«

Ich: »Ich bereue es zwar nicht, aber ich mache mir Gedanken. Übrigens ist nichts völlig perfekt und irgendwann musst auch du diesen Schritt wagen.«

Du: »Muss ich nicht!«

Ich: »Man kann nicht baden, ohne nass zu werden!«

Du: »Dann bade ich eben nicht. Hier stinken sowieso alle.«

Ich: »Man kann nicht leben, ohne zu leben. Aber wenn man lebt, muss man Schritte tun, die einmalig und nicht rückgängig zu machen sind.«

Da siehst du mal, was wir damals schon für ernsthafte Dialoge hatten! Da waren wir sechzehn!

Ich muss los, das Boarding für Los Angeles hat begonnen. Weg mit den trüben Gedanken.

Ich freue mich auf Kalifornien, auf die Sonne und das Meer. Den grauen nasskalten Winter muss ich nicht länger haben. Adrian wollte erst nicht mit, aber ich habe ihn überredet. Wir schwänzen einfach eine Woche sein altsprachliches Gymnasium. Er hasst Griechisch und Latein, findet es Schwachsinn, dass er seine Zeit mit diesem Krempel verbringen muss. Ich will, dass er sich an seine Jugend mit guten Gefühlen erinnert, nicht mit Grausen.

Servus, tschau, sei umarmt, ich melde mich aus L.A.

Deine Alex, die sich große Sorgen um dich macht.

PS: Weißt du noch, wie wir Horst Janson anhimmelten, in »Dieser Bastian«? Karin Anselm war die blonde Freundin von ihm, die aber älter war und ihn deshalb immer ein bisschen von oben herab behandelte. Die Dritte im Bunde war eine resolute Oma, bei der »Dieser Bastian« immer mit seiner Ente vorfuhr. Dann sprang er langbeinig aus seinem Gefährt und schüttelte dabei seine langen Haare. Gestern bin ich Horst in München beim Italiener begegnet. Er sieht immer noch sehr gut aus.

Plattstadt, Kaufglück, Personalbüro, 4. Dezember,
nach Feierabend

Liebste Alex,

jau, jau, jau!! Und diese andere Familienserie mit Inge Meysel und Monika Peitsch in »Die Unverbesserlichen«! DAS war ja noch heile Welt! Wir haben uns die Serie bei dir zu Hause reingezogen, wenn deine Mutter putzen war und dein Vater in der Kneipe. Wir naschten immer irgendwelches Zeug; erinnerst du dich an diese unvergleichlich klebrigen Karamellstangen namens »Leckerschmecker«, auch »Plombenzieher« genannt? Dein Wellensittich saß auf der Stange und schaute auch zu, wie das pausbackige Töchterchen zu spät nach Hause kam und der Vater – so ein halb strenger, halb sehr menschlicher kleiner Typ – mit seinem Sohn auf dem Fußballplatz war; und dann brach sich der Sohn ein Bein und das pausbackige Töchterchen war entweder unglücklich verliebt oder brachte sogar ein uneheliches Kind nach Hause; und der Sohn von Monika Peitsch war ungefähr sieben und machte in der Küche seine Hausaufgaben, wobei die resolute Inge Meysel an ihm rumzerrte und Gottfried John auch noch seine platte Nase zur Tür reinsteckte. Und eine Oma – so ähnlich wie Oma Helga, leicht verwirrt, aber nicht totzukriegen – gehörte auch noch dazu, und die rief immer mit nervtötender Stimme: »Keete!« durch den Flur. Dann verdrehte Inge Meysel die Augen, wischte sich die Hände an der Kittelschürze ab und kam auf kurzen energischen Beinchen angelaufen: »Ja, Mutter!«

Hahaha! Schon Inge hatte die gleichen Probleme wie ich! Du siehst, ich hab mal wieder zu viel Zeit. Außer dem Nachtwächter ist niemand mehr im Haus. Zu Hause schiebt Oma Margot Wache. Ich mag einfach nicht nach Hause gehen. Die Mädchen schlafen sowieso schon. Ich drücke mich wie ein Teenager hier herum, um nicht in unserem Reihenhaus vor dem Fernseher sitzen zu müssen. Die Schreiberei mit dir bedeutet mir viel und weckt mich geistig wieder auf. Lothar ist heute Abend wieder mal bei einem »Beratungsgespräch«.

Sein Denkansatz ist gar nicht so schlecht: Die komplette Verantwortung für alle Vermögenswerte eines Kunden schwebt ihm vor, also umfasst seine Beratung das gesamte aktive und passive Vermögen, beinhaltet steuerliche und rechtliche Sachverhaltsaufklärung sowie Familiennachfolge- und Lebensmittelpunktfragen. Ich weiß das so genau, weil ich seine Broschüre mit entworfen habe. Er bräuchte internationale Großkunden, die sein Angebot nutzen müssten! Dann würde er richtig Geld verdienen mit seinem Konzept.

Nur dass es hier in Plattstadt und Umgebung kaum jemanden gibt, der seinem Financial-planning-Ansatz folgen kann! Aber er gibt nicht auf. Statt abends nach Feierabend heimzukommen, sucht er immer noch nach Menschen, die seinen finanziellen Rat brauchen.

Du schreibst, ich soll mich von ihm trennen. Als wenn das so einfach wäre! Was soll denn aus den Kindern werden? Oma Margot und Oma Helga lassen durchblicken, dass es heutzutage viel zu viele allein erziehende Mütter gibt, die ihre Kinder vaterlos und ohne Werte aufwachsen lassen. Außerdem wäre ich finanziell völlig am Boden. Wir können uns keine zweite Wohnung leisten! Du magst es als stark und selbstbestimmt empfinden, dich von einem Mann zu trennen. Du hast es einfach getan. Und warst selbständig, hast 'ne Menge Geld verdient und dir dein Leben so gestaltet, wie du es dir vorgestellt hast. Vielleicht bist du auch so stark. Aber ich sehe mich als verwahrloste Sozialhilfeempfängerin in einer Zweizimmerwohnung hausen. Schreckliche Alpträume jede Nacht!

Seit du mir diesen Floh ins Ohr gesetzt hast, kann ich sowieso nicht mehr schlafen. Eine innere Stimme in mir rumort und stichelt: Los, gib dir einen Ruck, ändere dein Leben!

Aber dann höre ich wieder Oma Margot spötteln: »Das Leben

ist kein Zuckerschlecken! Das war es bei mir nicht und bei anderen Frauen nicht, wieso sollte es bei dir so sein!«

Sie alle finden, dass ich mich glücklich preisen darf, einen so perfekten Mann zu haben. Ihn verlassen? Einfach so? Er hat mich und die Kinder nie geschlagen, er trinkt nicht, er raucht nicht, er verspielt nicht sein Geld. Er ist fleißig und redlich und – was Oma Margot und Oma Helga immer wieder betonen – er ist ZUVERLÄSSIG wie die Uhr. Wenn er sagt, er kommt um Punkt acht, dann kann man um eine Minute vor acht die Suppe auf den Teller tun. Wenn er sagt, er mäht am Samstag den Rasen, dann geht um Punkt drei der Rasenmäher an. Wenn der Tagesschausprecher sagt, morgen ist mit überfrierender Nässe zu rechnen, dann streut er um Punkt sieben in der Früh die Einfahrt. Er ist einfach perfekt!

Lothar verliert nichts und verlegt nichts. Er bewahrt die Winterreifen im Plastiksack in der Garage auf. Alles hat seine Ordnung. Sein Werkzeugkasten ist so picobello, dass man daraus essen kann. Pünktlich, fleißig, zuverlässig!

So einen Mann verlässt man doch nicht! Ich krieg doch keinen besseren mehr, in meinem Alter! (Sagt Oma Margot und sie hat bestimmt Recht.)

Wenn ich mir Lothars Vater ansehe, dann kann ich ermessen, wie Lothar mit neunzig sein wird. Nämlich pünktlich, fleißig, zuverlässig. Das sind die Eigenschaften, die Karl-Heinz Pistrulla für die wichtigsten überhaupt hält. Karl-Heinz Pistrulla war Inspektor. Er hat eine große Menschenkenntnis, wie er immer sagt.

Im Moment beschäftigt er sich mit einem Prozess, den er seinem Nachbarn an den Hals gehängt hat. Dieser lässt nämlich seit Jahren die Nadeln seiner Lärche auf das Gras meines Schwiegervaters fallen. Also nicht die ganzen Nadeln, aber etwa ein Drittel. Dieses Drittel der Lärche hängt in meines Schwiegervaters Garten, und wenn es Herbst wird, dann nadelt der Baum, wie jüngst wieder geschehen. Mein Schwiegervater hat mit Hilfe von Fotos und Videos dem Richter beweisen können, dass sein Rasen deshalb an dieser Stelle nicht mehr wächst. Da der Nachbar sich weigert, die Lärche fällen zu lassen, fordert mein Schwiegervater von dem Nachbarn Schadensersatz. Das sind so die Themen, die uns beim Abendbrot beschäftigen, wenn Opa Karl-Heinz Oma Helga von der Arbeit abholt. Dann lässt er mich seine Briefe an das Gericht lesen und will dafür gelobt werden. Oft kommt er zu mir ins Kaufglück und zeigt mir wieder eins seiner neuesten Amtsschreiben, alle mit penibler Handschrift verfasst. Er will sogar von mir für seine Schrift gelobt werden.

Dann kommt immer dieselbe Leier: dass er selber früher Inspektor war und Menschenkenntnis hat und über die Schicksale von vielen Menschen entschieden hat mit seinen korrekten Schreiben an Ämter und Behörden. Ich weiß nicht so genau, was er eigentlich gemacht hat, er macht ein Geheimnis daraus. Aber die Wahrheit ist: Ich habe nicht nur Lothar, sondern auch noch Opa Karl-Heinz geheiratet!

Wie hast du es eigentlich geschafft, dich von Leo zu trennen?

Und wie war eure Ehe überhaupt?

Ich fahre jetzt nach Hause und geh sofort ins Bett. Bin mit der Lektüre von »Wie man eine Frau befriedigt« fast fertig.

Muss sagen, ich bin enttäuscht. Warum steht in dem Buch kein einziges Mal, dass das Befriedigen von Frauen mit Humor, Fröhlichkeit und guter Laune zu tun hat?

Viel Spaß in Los Angeles, ich freue mich wahnsinnig auf deinen nächsten Bericht! Für Adrian wird das doch super sein! Eine Highschool in Los Angeles! WOW! Womöglich mit Meeresblick?

Wir hatten nur die Gesamtschule Plattstadt mit Blick auf riesige Müllcontainer und eine Schnellstraße mit S-Bahn-Baustelle…

Neidisch, müde und mit null Bock auf Zukunft

deine Anne

PS: Weißt du noch »Ferien auf Saltkrokan«? Ich erinnere mich nur noch an dieses dicke Mädchen, das einen großen Hund hatte, mit dem stand sie auf einem Anlegesteg und schrie altkluge Sprüche in die Gegend.

Los Angeles, International Airport, Lost and found – Office

O Gott, Anne,

ausgerechnet Adrians Koffer ist nicht dabei! Du glaubst gar nicht, wie lang sein Gesicht ist! Er kämpft mit den Tränen, ist nicht ansprechbar. Irgendwie habe ich bei ihm immer das Gefühl, ich sei an allem schuld.

Mütter machen Männer!

Der Junge ist das lebende Selbstmitleid! Als wäre der Krieg ausgebrochen! Ich will, dass aus Adrian ein MANN wird! Wie soll ich das nur anstellen, ohne ihn zu hauen!

Ich wünschte, es wären meine drei Koffer mit allen Beauty-cases, Businesskostümen, Abendkleidern, mit meiner Strandgarderobe, meinem Laptop mitsamt all meinen Dateien und Terminen, die verloren gegangen wären! Aber es ist Adrians halb voller, alter, speckiger Koffer. Mit seinen zwei Kapuzen-Shirts, seinen zwei oder drei ausgebeulten Hosen, seinen zwei Paar Socken, seinen Turnschuhen und seinem Haargel! Letzteres jetzt nicht griffbereit zu haben, ist für ihn so ein schreckliches Unheil, als wären wir im sibirischen Busch notgelandet. Auch seine Bravo-Hefte und seine Computerspiele gehen ihm so ab, dass das Leben nicht mehr lebenswert ist. Und ich bin an allem schuld. Findet er.

Nachdem der Flug sechzehn Stunden gedauert hat und Adrian noch nicht mal in der Businessclass fliegen konnte, mein armer Prinz auf der Erbse!, haben wir fast drei Stunden in der Immigrationschlange gestanden. Das übersteigt Adrians Toleranzschwelle bei weitem. Ständig wirft er mir bitterböse Blicke zu, als wenn ich das alles aus reiner Schikane erfunden hätte. Und dann am Gepäckband, zwischen Suchhunden und schwer bewaffneten Polizisten, fanden wir noch nicht mal seinen Koffer!

Nun sitzen wir hier mit mindestens zwanzig anderen Passagieren, denen ebenfalls das Gepäck fehlt, und warten darauf, dass jemand Zeit für uns hat.

Als ich eben versuchte zu scherzen: »Dann kannst du ja gleich dein Englisch ausprobieren«, hat Adrian mich fast erwürgt. Seitdem steht er mit dem Gesicht zur Wand in der Ecke und schmollt. Er schämt sich so schrecklich wegen seiner Frisur. Daran hängt sein ganzes Selbstbild. Ich habe versucht, ihm zu erklären, dass ihn hier sowieso keiner kennt, aber er ist stinksauer. An seinen Stirnfransen hängt sein ganzes Lebensglück.

Wie ist eigentlich deine eigene Meinung von dir? Aus deinen Mails lese ich heraus, dass sie nicht besonders hoch ist. Dort würde ich zuerst mal den Hebel ansetzen.

Ich selber, die ich die Plattstädter Sprachrohre nicht (mehr) kenne, würde sagen, mir ist die Meinung dieser Leute völlig wurscht. Wenn sie mit ihrer Pünktlichkeit, Zuverlässigkeit und… was war das Dritte?… glücklich sind, na bitte! Für mich bedeutet »Lebensqualität« noch was anderes. Kennst du die pawlowsche Pyramide noch? Haben wir in Psychologie gelernt. Siehst du, alles, was wir beim guten alten Heinrich Seelig gelernt haben, ist irgendwie hängen geblieben. Ich seh ihn noch vor mir, wie er an der Tafel steht und die Pyramide malt. Die Bedürfnisse des Menschen. Ganz unten steht »Essen, Trinken, Sex«. (Weißt du noch, wie wir gekichert haben? Und Heinrich ist ganz rot geworden über seinen Flanellhemdkragen.) Dann kommt »soziales Gefüge, Liebe, Zugehörigkeit, Sicherheit«. Weiter oben dann »Erfolg, Anerkennung« und ganz oben »Selbstverwirklichung«.

Dein Gatte Lothar würde das Grundbedürfnis »Sex« vermutlich schon mal gegen »Rasenmähen« und das böse Wort »Selbstverwirklichung« gegen »saubere Garage« und »aufgeräumter Werkzeugkasten« eintauschen. Ich finde, jeder soll nach seiner Fasson glücklich werden. Sagte schon Friedrich der Zweite. Aber um Himmels willen nicht dem anderen seine eigene Bedürfnispyramide überstülpen! Und das womöglich ein Leben lang! Mit welchem Recht denn überhaupt? Das macht nämlich deine Oma Margot. Aber du lässt es zu! Deshalb kannst du auch Oma Margot keinen Vorwurf machen, sondern nur dir selbst.

Meine eigene Pyramide sieht so aus: Grundbedürfnisse, unten: »Selbstverwirklichung, Spaß, Sex, tägliche Fußmassage«.

Weiter oben: »Essen, Trinken, Rauchen, bei Erhaltung der Idealfigur«. An dritter Stelle: »soziales Gefüge mit meinem Sohn, was gleichbedeutend ist mit: drei zusammenhängende Sätze pro Tag« und ganz oben: »perfekte Frisur bei zwölfstündigem nächtlichen Tiefschlaf«.

Aha, die Schlange kommt in Bewegung. Next, please.

Melde mich später.

Alex

PS: Irgendwo in der Pyramide ist noch das Bedürfnis, Alwin Znob dreimal täglich in die Eier zu treten. Ich glaube, ziemlich weit unten.

Ach Alex, geliebtes Ego-Weib,
komme gerade von unserem Adventsbasar – graue Mäntel drängeln sich an den Sonderangeboten mit Lebkuchen, Weihnachtsschmuck, Knusperhäusern, Girlanden. Musste drei Aushilfen einstellen und einen zusätzlichen Warenhausdetektiv.

Im Moment wird bei uns geklaut wie verrückt. Es geht den Leuten einfach nicht so gut. Mir allerdings auch nicht. In dem Gewühl aus hustenden, schniefenden und niesenden Leuten habe ich mir die alljährliche Grippe zugezogen. Aber nach Hause gehen und mich ins Bett legen will ich nicht, solange Oma Margot und Oma Helga dort das Zepter schwingen.

Deine Bedürfnispyramide ist sehr interessant. Versuche, meine eigene aufzustellen.

Ganz unten: »Ich sein dürfen. Zeit für die Kinder.« An zweiter Stelle: »Kollegen-freie, Kunden-freie, Oma-freie und Ehegatten-freie Zone.« An dritter Stelle: »Essen, Trinken, Heizdecke im Bett, da niemand mir die Füße wärmt.« Und ganz oben: »Auto fahren können – wann und wohin ich immer will.« Muss wieder runter, der Bär tobt. Hoffe, du hast inzwischen deinen bzw. Adrians Koffer.

Gib dem Bengel einen dicken Kuss von mir. Ich finde ihn zauberhaft.

Schick mir Energie.

Anne

PS: In der Weihnachtssaison komme ich nie vor acht Uhr abends aus dieser Anstalt. Ich werde wahnsinnig, wenn ich daran denke, dass ich meine Mädchen nur noch am Wochenende sehe und sie diese frauenfeindliche Erziehung »genießen«.

Soll ich zum städtischen Kindergarten gehen, an den Gitterstäben rütteln und schreien: »Ich will hier rein!!«??

Hi, Anne,
schön, dass du so schnell geantwortet hast. Du wirst es nicht glauben: Wir stehen immer noch in der Schlange – inzwischen ist es neun Uhr morgens nach hiesiger Zeit und Spätnachmittag bei euch. Wahrscheinlich ist es schon wieder dunkel und du liebäugelst mit Siegwulf. Hast ihn lange nicht erwähnt. Gibt es den dichtenden Schwärmer noch?

So ein Liebhaber kann einen über so manche Lebenskrise tragen, das sage ich dir!

Wir sind an fünfzehnter Stelle. Kann dir also, da Adrian sowieso nicht mit mir zu sprechen bereit ist, in aller Ruhe schildern, wie die Ehe mit Leo war.

Dass er ein berühmter Dirigent ist, dürfte dir nicht entgangen sein. Denn selbst wenn du nur in Bremerhaven einmal eine Operette besucht hast, ist dir der Name Leo von Merz sicherlich schon begegnet. Leo war einer der besten Schüler von Herbert von Karajan und als seinen Assistenten habe ich ihn während des Studiums in Salzburg kennen gelernt. Allerdings war Leo achtzehn Jahre älter als ich. Er nahm mich mit zu den tollsten Opernaufführungen und Konzerten. Ich betete ihn an. Durch ihn kam ich schlagartig an den Duft der großen weiten Welt. Er kaufte mir mein erstes Abendkleid, ein festliches Dirndl, bei Tostmann, das kostete damals schon 2 000 Mark. Von einer Gage für einen Liederabend mit Elisabeth Schwarzkopf, den er begleiten durfte. Von da an ging's mit Leo bergauf. Keine Abendgage mehr unter 5 000 DM. Ich war schlagartig in den höchsten Kreisen. Bei einigen Aufführungen der nächsten Jahre durfte Leo schon selbst dirigieren. Er arbeitete mit den ganz großen Stars –

155

Dietrich Fischer-Dieskau, René Kollo, Hermann Prey, Montserrat Caballé, Grace Bumbry. Mirella Freni, Katia Riciarelli, Mara Zampieri, Leontine Price, Jessye Norman, Sena Jurinac, Renata Scotto, um nur einige zu nennen. Und da sprangen dann bereits fünfstellige Summen pro Abend für ihn raus. Es gibt keine Oper, die ich noch nicht gehört habe, und keinen Star, den ich noch nicht getroffen habe. Leo von Merz war so versunken in seiner Kunst, dass er Gefahr lief, in diesem Haifischbecken zu ertrinken. Besonders, als sein Ziehvater Karajan nicht mehr war, verzettelte er sich oft, machte Versprechungen, die er nicht halten konnte, kam in Terminschwierigkeiten. Vor allen Dingen konnte er überhaupt nicht mit Geld umgehen. Wenn es nach ihm gegangen wäre, hätte er seine Tausender in den Strumpf und auf diese Weise in die Waschmaschine gesteckt. Ich organisierte mehr und mehr für ihn, um ihm den Rücken freizuhalten. Tja, und so wurde ich Leos Managerin.

Mir machte die Sache viel Spaß und ich verdiente natürlich ein Schweinegeld. Zwanzig Prozent von allem, was Leo verdiente. Eigentlich hätten wir gar nicht mehr heiraten müssen, aber ich hatte damals einen guten Riecher: Erstens garantierte mir die Ehe mit Leo den Zugang zu allerhöchsten Kreisen und zweitens war es meine finanzielle Absicherung. Trotzdem: Ich leistete gute Arbeit, das sprach sich herum, und dann stürmten die Opernsänger und Solomusiker meine Agentur. Ich handelte mit ihnen wie mit Orientteppichen. Wenn du den engagierst, kriegst du den noch dazu, wenn du diesen nicht wieder verpflichtest, kriegst du auch jenen nicht mehr. Inzwischen habe ich mein Management auf Künstler anderer Bereiche ausgeweitet – meine Erfahrung im künstlerisch seriösen Bereich hilft mir da immens. Ich kann mich auf jedem Parkett bewegen, das heißt, ich laufe offene Türen ein, wenn ich populäre Schauspieler vertrete. Irgendwann wurde »Cross over« modern und ich konnte Stars wie Udo Jürgens auf den Salzburger Festspielen anbieten und klassische Sänger wie Placido Domingo für ein Openairfestival in Berlin. So hab ich mich mehr und mehr gemausert.

Dabei war ich längst von Leo von Merz geschieden.

Meine neueste Herausforderung ist Nackedei. In dieses profane Milieu habe ich mich noch nie begeben, aber genau hier liegt das meiste Geld auf der Straße.

Es fasziniert mich ungeheuer, dass es Menschen wie Nackedei schaffen, sich ohne eine nennenswerte Leistung, weder Gesang noch Schauspiel noch darstellende Kunst, selbst zur Kultfigur zu machen.

Aber glaube mir, ohne einen genialen Manager im Hintergrund würde das niemandem gelingen. Erst gestern habe ich für Nackedei wieder einen Werbevertrag ausgehandelt, für Sahne-Kräuter-Streichkäse. Drehort für diesen Spot ist Kanada, Gage: 300 000 Euro. Davon bekomme ich zwanzig Prozent. Jetzt werde nicht gleich wieder neidisch. Neid ist verschenkte Energie, weißt du ja.

Aber ich schweife ab. Du wolltest ja was über Leo und unsere Trennung wissen. Natürlich ist Leo, wie alle hochkonzentriert arbeitenden Künstler, schwierig. Egozentrisch und elitär bis auf die Knochen, oft launisch, unfreundlich, abweisend. Das musste ich mir nicht länger geben.

Leo hatte, da er die Salzburger Festspiele zu seinen Lebensmittelpunkt erklärt hat, ein wunderschönes Landhaus am Mondsee bei Salzburg gekauft, wo ich auch meine Agentur angesiedelt habe. Bei der Scheidung bekam ich das Haus und die Firma zugesprochen. Und Adrian natürlich.

Meine Anwältin wäre übrigens was für dich! Sag mir Bescheid, wenn du dich durchgerungen hast.

Du musst mich einfach mal besuchen! Meine Villa würde dir so gut gefallen! Du träumst doch von Bächlein und Wiesen für deine Mädchen. Alles vor der Haustür.

Von meinem Dachatelier aus habe ich einen traumhaften Blick auf den Schafberg und den Mondsee. Bei blauem Himmel kann ich mich von diesem Anblick gar nicht losreißen. Bis Mitte Mai ist der Berg noch schneebedeckt, und wenn er in der Sonne leuchtet, wünschte ich, fotografieren zu können! Wenn Rico mir dann noch die Füße massiert, während ich meine Kontoauszüge durcharbeite, bin ich auf meiner Bedürfnispyramide ganz, ganz oben.

Aber zurück zu Leo. Unsere Ehe war am Anfang aufregend, dann nervten mich zunehmend Leos Macken. Ich kann nicht mit einem egozentrischen Menschen zusammenleben. Dazu bin ich selber zu egozentrisch. Ich hatte ein paar Affären, zum Teil mit heute sehr berühmten Persönlichkeiten. Ist aber nie etwas ans Licht, sprich, an die Presse gekommen.

Leo hat sich dann zum Glück einer tschechischen Sängerin namens Olga Schellongova zugewendet, die bei »Jenufa« die Titelpartie gesungen hat. Sie war damals schon Ende vierzig. Aber sie spielte noch völlig überzeugend und unglaublich anrührend das junge Mädchen, dessen uneheliches Neugeborenes von der eigenen Mutter unter dem Eis ertränkt wird. Auch so eine Oper, die du dir unbedingt mal reinziehen musst! Die herrische Mutter handelt »nur zum Besten ihrer Tochter«, wie so oft im Leben. Jenufa soll noch einen Mann abkriegen, was ihr mit unehelichem Kind nicht gelingen würde. Ich frage mich, wann der Wert einer Frau nicht mehr daran gemessen wird, ob sie »einen Mann abkriegt«. Jenufa beugt sich dem Willen ihrer Mutter und verzeiht ihr. Stell dir das mal vor! Sie verzeiht der Mutter, ihr Kind ertränkt zu haben! Sie heiratet einen Kerl aus der Nachbarschaft, den die Mutter für sie ausgesucht hat. Natürlich liebt sie ihn nicht, aber das Argument der Mutter zählt: »Redlich und zuverlässig« ist er. Finden sich nicht auch bei »Jenufa« Parallelen zu deinem Leben? Olga Schellongova hatte ein hartes Leben, bevor sie bei Leo von Merz ihren Unterschlupf fand. Sie hat angeblich mal längere Zeit im Knast gesessen, damals, vor dem Mauerfall. Es ging um irgendeine Devisensache.

Ist Adrian schon dran? Nein. Er hockt immer noch in der Ecke und schmollt. Vor uns noch sieben. Kann ich also noch etwas über Olga berichten, sie ist eine erwähnenswerte Person. Mit siebzehn hat sie schon als Pamina in der »Zauberflöte« debütiert, in Ostberlin. Sie wurde gefeiert, hatte private Empfänge bei Ullbricht und Honecker, war der Liebling der DDR, aber sie sagt von sich, sie war der einsamste Mensch der Welt. Ihre Zeit im Knast muss eine grauenhafte Zeit für sie gewesen sein. Sie hat sich immer zurückgezogen, bis sie Leo traf. Olga hat ein

Faible für Pfauen. Ihr Haus, das sie mit den kostbarsten, aber auch kuriosesten Sammelstücken von ihren Weltreisen ausgerüstet hat, ist ein Museum. Abends liegt Olga in ihrer Badewanne aus dem 17. Jahrhundert und streichelt die Pfauenfedern, die in einer riesigen Bodenvase stehen.

Endlich! Er ist dran! Wütende Blicke wirft er mir zu: »Mamaa! Willst du wohl endlich kommen! Der Typ redet ja nur englisch!« Also, ich muss dann wohl. Melde mich aus Beverly Hills wieder, wenn wir angekommen sind.

Kann dich noch nicht mal mehr grü…

Keine Oma weit und breit! Ich bin völlig allein im Reihenhaus!
Welch ein Fest!

Lothar ist mit den Kindern im Zoo. Und das kam so: Heute
Morgen um sechs ging wie üblich die Schlafzimmertür auf und
Carla und Greta polterten schlaftrunken in unser Bett. Lothar
warf wie immer beleidigt und theatralisch die Bettdecke beiseite
und sagte: »Noch nicht mal am Wochenende kann man in diesem Hause ein Mal ausschlafen.«

Er ging dann in den Hobbykeller und haute sich dort auf sein
abgewetztes Studentensofa, von dem er sich nicht trennen mag.
Dabei hat er unentwegt beleidigt die Nase hochgezogen.

Wir kamen dann um elf aus dem Stadtpark zurück (in dem ich
zugegebenermaßen Siegwulf getroffen habe). Lothar war gerade
aufgestanden und sehr übellaunig. Er kratzte sich wieder heftig
und demonstrativ überall.

»Der Vati muss jetzt mal eine Stunde laufen gehen, weil der
Vati sonst ganz krank wird«, erklärte er den Zwillingen. »Der
Vati hat nämlich sehr schlecht geschlafen, und da unten im Keller
sind vermutlich Pestizide an der Wand, die der Vati nun seit vier
Stunden eingeatmet hat.« Böser Blick auf mich. »Wenn der Vati
dann wiederkommt, dann kümmert sich der Vati mal um euch
und hat sich eine Überraschung ausgedacht.«

»Wie darf die Mutti das verstehen?«, fragte ich.

»Der Vati macht heute einen Kindertag. Beim Joggen werde
ich das Wetter einschätzen, und danach entscheide ich, was wir
machen.« Er zog die Nase hoch.

»Okay«, sagte ich. »Nichts dagegen.«

Und so kam es, dass »der Vati« nach langem Duschen und Umziehen und Frühstücken irgendwann gegen Mittag mit den Kindern in den Zoo abgezogen ist.

Die herrliche Stille im Haus und das Gefühl der grenzenlosen Freiheit haben mich fast umgehauen. Das ist seit Jahren nicht mehr passiert, dass niemand mich kontrollierte!

Ich habe erwogen, Siegwulf anzurufen, aber ich traue mich nicht. Es war auch eben ein bisschen peinlich. Soll ich dir das überhaupt anvertrauen? Du lachst mich bestimmt aus.

Wir saßen auf einer kalten nassen Bank und sahen den Kindern und Hunden beim Spielen zu. Er legte den Arm um mich, was ich ziemlich aufregend fand, aber plötzlich krabbelte seine Rechte unter meine Jacke und auf einmal lag seine Hand auf meiner nackten Brust!

Ich war wie erstarrt! Was sollte ich tun? Vor den Kindern?

Er spielte genüsslich an meiner Brustwarze rum, die natürlich stand wie eine Reisszwecke.

O Gott, Alex, so was habe ich noch nie erlebt. Ich hätte auf der Stelle mit ihm schlafen können, mitten im Park, auf der nassen kalten Bank. Wie tief bin ich gesunken.

Zum Glück fiel Greta in eine Pfütze und ich musste aufspringen und sie schnellstens nach Hause bringen. Jetzt sitze ich hier mit meiner Pawlow'schen Pyramide und stelle fest, dass »Sex« zu meinen Grundbedürfnissen gehört! Du liebe Zeit, Alex, das macht dein herrlicher verdammter schlechter Einfluss.

Soll ich mich trauen, ihn anzurufen? Hm. Ich denke darüber nach.

Dir die besten Grüße nach Los Angeles – mach alles wie immer gut!
Deine Anne

PS: Du sagst zwar, Neid ist verschenkte Energie – aber ich schenke sie dir gerne!
PPS: Fragen Sie Dr. Sommer.

Pacific Palisades, sieben Uhr morgens …
das Datum ist mir entfallen; irgendwann kurz vor
Weihnachten – aber hier ist es herrlich warm und sonnig

Gerade im Moment ist deine E-Mail gekommen!

Ja, Anne, ruf ihn an! Dieser Siegwulf ist ein gutes Trainings-objekt. Übe ruhig an ihm und mit ihm.

Das ist der erste Schritt in die Befreiung! Aber schlafe nicht mit ihm im Auto, bei diesem Wetter. Gönnt euch ruhig mal ein nettes, kleines Hotelzimmer. Tante Alex hat's erlaubt.

Muss mit Adrian in die Stadt, Klamotten kaufen.

Nein, sein Koffer ist nicht aufgetaucht. Adrian weigert sich, geliehene Sachen von Mark Daniel anzuziehen. Dabei hat dieser gut aussehende Mann so fesche Klamotten im Schrank! Liz, die sympathische Mutter, hat alles aufgehoben. Feinste Clubblazer, Tuchhosen, Golfklamotten, Tennisdress. Allerdings sind die Sa-chen schon fünfzehn Jahre alt. Nicht mehr ganz der neueste mo-dische Schrei. Adrian sagt, er muss kotzen, wenn er das sieht. Entweder ich fahre jetzt sofort mit ihm in einen Diesel-Store oder er schließt sich in sein Zimmer ein und kommt dieses Jahr nicht mehr raus.

Ich weiß, der konsequente Pädagoge würde jetzt sagen: Dann kommst du eben nicht wieder raus. Wenn du Hunger hast, kommst du schon. Aber BIN ich ein konsequenter Pädagoge?

Nein! Ich bin seine ihn verhätschelnde und über alles liebende Mama! Und wie dankt er es mir? Gar nicht. »Reg dich ab, Ma-ma.« Seine Laune war noch nie schlechter.

»Mamaa! Kommst du jetzt endlich!!« Er bollert sauer an mei-ne Tür.

Also, ich muss los! Hoffentlich kann ich Adrian für diese

Highschool erwärmen. Ich müsste zwar eine Menge Schulgeld bezahlen, aber die Investition wäre es wert!

Ach Anne, diese Eltern von Mark Daniel sind so cool! Sie haben Adrian und mir ihr Ferienhaus am Strand angeboten! Es liegt wunderschön auf einem Felsen, mit Blick über die Bucht von Malibu. Das Leben kann so schön sein.

Carpe diem, meine Liebe!

Ziemlich aufgekratzt, deine Alex

PS: Dr. Sommer sagt, fahr ruhig Auto mit dem netten Kollegen, gönn dir auch mal ein kleines nettes sexuelles Abenteuer, aber stürz dich nicht gleich wieder in eine neue emotionale Abhängigkeit.

Plattstadt, Kaufglück, 12. Dezember

Liebste Alex!
Ich FLIEGE!! Es ist so wunderbar! Ich KANN es noch!! Es war
ganz leicht!

Wusstest du, dass Automatic zu fahren kinderleicht ist? Man
muss ja gar nicht mehr kuppeln und schalten! Davor hatte ich
nämlich jahrelang Angst. Ich weiß noch, wie Lothar mich anfangs
angeschrien hat: »Kuppeln, schalten, aber langsam, mit Gefühl!«
Vor ungefähr fünfzehn Jahren ließ er mich auf der Autobahn fahren, es war dunkel und es schneite.

Ich wollte im vierten Gang einen Lastwagen überholen. Der
fuhr höchstens vierzig und ich hatte Angst, bald völlig stehen zu
bleiben. Also setzte ich den Blinker und wechselte die Spur. Mein
Herz raste dabei, dass ich dachte, es würde zerspringen. Nie wieder war ich so in Panik! Lothar schrie: »Du kannst doch nicht
mit vierzig Sachen auf die linke Spur! Bist du wahnsinnig?« Von
hinten schossen bereits wütend blinkende PKWs heran. Ich
klammerte mich am Lenkrad fest. Lothar schrie: »So gib doch
Gas!« Und ich schrie zurück: »Was meinst du, was ich hier tue?
Fliegen tottreten oder was?« Das Gaspedal war bis zum An-
schlag runtergedrückt. Kein Schwein sagte mir, dass man runterschalten muss, um zu beschleunigen! Hinter mir entstand ein
empörtes Hupkonzert. Der Laster zog rechts an mir vorbei. Er
war endlos lang, mit seinem Anhänger. Schneematsch spritzte
mir auf die Scheibe. Ich fand den Scheibenwischer nicht. Außerdem war alles von innen beschlagen. Es war der totale Horror!
Lothar schrie: »Schalt doch endlich runter, du dämliche Kuh!«
Ich schrie zurück: »Halt dein verdammtes Maul oder ich parke
hier!«

Ja, Alex. So blöd war ich. Ich glaubte, runterschalten bedeutet langsamer fahren.

Auf einmal ruckelte der Opel. Der Motor spuckte noch ein bisschen, dann ging nichts mehr. Das Auto machte einen Hüpfer gegen die Leitplanke, Lothar schrie mich an und hieb auf die Gangschaltung ein. Er versuchte, mit dem Fuß die Kupplung zu erreichen, aber er trat mich nur sehr schmerzhaft gegen das Schienbein. Ich bin damals wie in Trance einfach ausgestiegen, unter dem Hupkonzert und Lichthupengeblinke über die Leitplanke auf die Gegenfahrbahn geklettert und durch das Lichtermeer der entgegenkommenden Autos getaumelt. Die Schneeflocken tanzten vor meinen Augen, ich dachte, dass es ein guter Augenblick wäre zu sterben, aber ich erreichte damals unverletzt ein Stoppelfeld.

Lothar hat den Opel wieder flottgekriegt und ist weitergefahren.

Ich bin an diesem Abend sehr spät nach Hause gekommen, mit Blasen an den Füßen und fast erfrorenen Händen. Lothar hatte schon die beiden Omas und Opa Karl-Heinz verständigt und alle saßen im Wohnzimmer und waren sehr böse auf mich. »Dass du uns nie wieder ein Lenkrad anrührst!«

»Ich hab schließlich auch keinen Führerschein!«, hat Oma Margot gesagt. »Du kannst genauso gut Straßenbahn fahren wie ich!«

Muss runter in die Kurzwarenabteilung. Erstens, um nach dem Rechten zu sehen, und zweitens, weil Siegwulf dort gerade mit den Dekorateuren arbeitet…
Deine Anne

PS: Meinst du, es hat eine Bedeutung, dass Siegwulf heute bei der Personalversammlung eine rote Rose neben meine Kaffeetasse gelegt hat?

Pacific Palisades, auf meiner Terrasse,
mit Blick auf die Bucht von Malibu…

Liebste Anne,
das sind ja aufregende Entwicklungen!! Nun kannst du also
Auto fahren. Mein Gott, wenn ich mir vorstelle, über welche
Kleinigkeiten du dich wie ein Kind freuen kannst!

Hier ist alles paradiesisch. Gestern haben wir Adrian die feins-
ten Klamotten gekauft. Mark Daniel ist höchstpersönlich mit
uns zum angesagtesten Herrenausstatter gefahren, nach West-
Hollywood. Bei Brooks Brothers wurde mein goldiger Sohn von
Kopf bis Fuß eingekleidet. Zuerst wollte er sich weigern, den
Laden überhaupt zu betreten, nachdem er die Schaufensterdeko-
ration gesehen hatte. Er lief knallrot an, verzog sich in einen
Häusereingang und zischte: »Vergiss es, Mama! Solche scheiß-
altmodischen Streberklamotten zieh ich nie und nimmer an!«
Aber Mark Daniel hat mit seiner heiteren, lässigen Art erreicht,
dass mein Adrian immerhin bereit war, das Geschäft zu betreten.

Er stand mit knallrotem Schädel vor dem riesigen Spiegel und
betrachtete sich fassungslos. Ich hab ihn zum ersten Mal im Leben mit einem Oberhemd gesehen! Dann erschien ein scheues
Grinsen auf seinem Gesicht und seinem Munde entrang sich das
Wort »geil!«.

Abends waren wir bei Marks Eltern zum Dinner eingeladen.
Adrian hatte zum ersten Mal im Leben ein Jackett mit Krawatte
an und ich hätte fast vor Stolz geheult. Zur Vorspeise gab es Kaviar und ich fürchtete schon, Adrian würde mir wieder ein ver-
ächtliches »Vergiss es!« zuzischen, aber er hat sehr manierlich
und mit sichtbarem Genuss seinen Toast mit Kaviar, Eigelb und
Sauerrahm bestrichen. Die Daniels sind wunderbare, feine Leu-

te, mit einem so warmherzigen Humor, einer solchen Großzügigkeit und Toleranz, dass sogar mein Adrian ganz hingerissen ist. Er ist richtig aufgetaut, hat angefangen, auf Englisch zu plaudern, und siehe da, er kann es, wenn er will! Ich verstehe nicht, warum er in Englisch eine Sechs auf dem Zeugnis bekommen soll. Er spricht fließend und hat sich auch gleich den amerikanischen Akzent angeeignet! Mr und Mrs Martini sagten später, er sei genau wie Mark Daniel damals mit fünfzehn: wie eine kleine Blume, die noch nicht genau weiß, in welche Richtung sie ihren Kopf drehen soll, um blühen zu können. Und man müsse so einer kleinen Blume die Möglichkeit geben, an einem anderen Ort Wurzeln zu schlagen, wenn sie an ihrem jetzigen Ort nicht blühen könne. Die Wurzeln seien noch so fein und zart, dass man sie nicht beschädige, wenn man sie ganz vorsichtig ausgraben und woanders wieder einpflanzen würde. Sie sagten, er bekommt vielleicht nicht genug Sonne in seinem altsprachlichen Gymnasium mit den dicken, feuchten Mauern.

Ich habe noch nie erlebt, dass ältere Leute so liebevoll über ein pubertäres Kalb mit Pickeln und schiefen Zähnen reden. Sie bringen ihm und mir so viel Respekt entgegen, obwohl ich offensichtlich Fehler in der Erziehung gemacht habe. Sie sind so ganz ohne Überheblichkeit und Belehrenwollen, wie man das sonst von Leuten dieser Generation kennt.

Eigentlich muss ich dir gestehen, dass ich Adrian schon fast aufgegeben hatte! Bei dem Gedanken könnte ich heulen. Man darf nie sein Kind aufgeben. Und wenn die Situation noch so verzwickt erscheint: Man muss dem Jungen nur wieder die Steigbügel reichen. Dann kann er eine neue Richtung einschlagen.

Was ich völlig vergessen habe, dir zu sagen: Mark Daniel singt in den nächsten Tagen im Salzburger Festspielhaus für den König Phillip im »Don Carlos« vor!

Das Fax mit der Zusage der Intendantin hat mich heute erreicht. Es macht mich schon stolz, für Mark diese Chance an Land zu ziehen! Wir fliegen in zwei Tagen zurück nach Salzburg. Nun habe ich Mark Daniel unter Exklusivvertrag! Er wird mir zwar nicht so viel Knete einbringen wie Nackedei, aber dafür wird die Zusammenarbeit mit ihm bestimmt interessanter. Nach dem Vorsingen komme ich mit Mark Daniel zurück und dann werde ich ein paar Filmproduzenten ansprechen. Mister Martini hat vorgeschlagen, mich mit einigen von ihnen auf einer Kreuzfahrt bekannt zu machen. Auf Kreuzfahrten, sagt er, haben die Leute immer viel Zeit und können dir nicht weglaufen. Er selbst hat alle seine Geschäftsbeziehungen auf Kreuzfahrten geknüpft.

Ein wunderbarer alter Knabe! Bei so einem Vater soll wohl der Sohn ein Prachtexemplar werden! Darüber mache ich mir oft Gedanken: ob wohl beispielsweise dein Lothar anders geworden wäre, wenn er nicht bei einem solchen Oberspießer wie Opa Karl-Heinz aufgewachsen wäre.

So gut es mit der Karriere läuft: Mit der Liebe will es nun seit Jahren überhaupt nicht mehr klappen. Das liegt sicher daran, dass ich bei »Geld oder Liebe« immer das Geld wähle.

Der Fotograf der Bunten war ein One-Night-Stand, und davor streifte ein bekannter Filmproduzent mein Leben, dessen Namen ich aber niemals verraten werde.

Du siehst ihn in jeder zweiten Ausgabe der Bunten und der Gala, allerdings an der Seite einer namhaften deutschen Schauspielerin. Als wir uns trennten, habe ich ein Schweigeabkommen unterschrieben. Und richtig Kohle damit gemacht.

Mit den besten Grüßen aus Hollywood, dem Land, in dem Träume wahr werden!
Deine Alex

PS: Eine rote Rose neben der Kaffeetasse! In der Personalversammlung! Ts, ts, tss!!
PPS: Stürz dich BITTE nicht sofort wieder in eine neue Abhängigkeit!!

Warst du denn nun mit im Altersheim?? Hm! Musstest du es so weit kommen lassen?

Plattstadt, Einbahnstraße 4, nachts um drei,
in Lothars Arbeitszimmer, 15. Dezember

O Alex,
die Ereignisse überschlagen sich! Lothar hat einen anonymen Brief gekriegt! Ich weiß gar nicht, wo ich anfangen soll! Wir haben eine schwere Ehekrise. Lothar ist mit seinem Kram in seinen Hobbykeller umgezogen, liegt dort auf seinem Studentenwohnheimsofa und schmollt. Trotz der Pestizide an der Wand. Seine Neurodermitis blüht am ganzen Körper. Und ich bin schuld.

Wir hatten schrecklichen Krach. Unser Ehedrama spitzt sich zu!

Irgendein Idiot hat Lothar einen anonymen Brief geschrieben, den er gestern auf seinem Schreibtisch in der Filiale der Plattstadter Kreissparkasse fand: »Sehr geehrter Herr Pistrulla, auch wenn und gerade weil bald Weihnachten ist: Sie sollten sich nicht so viel um Sparverträge und Rentenversicherungen kümmern.

Ihre Frau fährt mit offenem Dach im Cabriolet eines Kollegen durch die Gegend! Am Sonntag war sie mit ihm sogar am Plattstädter Baggersee, wo sie Glühwein trank.

Wenn Sie Interesse haben, werde ich Sie auch noch über andere Details informieren.
Hochachtungsvoll
ein Freund, der es gut mit Ihnen meint.«

Lothar hat mir diesen Brief vor seinen Eltern und – schlimmer noch! – vor den Kindern auf den Abendbrottisch geknallt.

Ich habe geschrien: »Nicht vor den Kindern!«

Und er hat geschrien: »Das sollen die Kinder ruhig wissen!«

Carla und Greta haben fürchterlich geweint, aber er hat sich nicht beruhigen wollen.

»Die Leute lachen auf der Straße hinter mir her! Die ganze Stadt weiß, dass sich meine Frau tagsüber mit einem anderen Kerl herumtreibt!«

»Aber Lothar, ich habe nur Autofahren geübt! Er gibt mir Fahrstunden! Das ist alles!«

»So, Fahrstunden nennt man das also, ja?«

»Nenn es, wie du willst! Er glaubt wenigstens an mich!«

»Und du meinst, er macht das aus purer Freundlichkeit, ja? Du meinst, er erwartet keinerlei Gegenleistung, ja?«

»Ach, hör doch auf damit!«

»Und was habt ihr am Baggersee zu suchen gehabt? Am Sonntag? Während ich Idiot mit den Blagen im überfüllten, nasskalten Scheißzoo rumgelatscht bin? In meiner EINZIGEN Freizeit, die ich mir seit MONATEN gestattet habe?«

Lothar hat die Abendbrotteller gegen die Einbauküchenschränke gepfeffert.

»Nanana«, hat Oma Margot gesagt. »Jetzt geht aber das Temperament mit dir durch.«

Schließlich kam Opa Karl-Heinz und hat die beiden Omas kopfschüttelnd abgeholt. »In jeder Familie gibt es mal Streit«, hat er gesagt. »Nach Regen kommt Sonnenschein.«

Sogar der Chef hat so eine Nachricht auf seinem Schreibtisch gefunden: »Statt ihrer Verantwortung als Personalchefin nachzukommen, fährt Ihre saubere Frau Pistrulla mit einem Ihrer Angestellten im Cabrio spazieren! Sie sollten sich überlegen, welche Mitarbeiter Sie mit Verantwortung betrauen! Ein Freund, der es gut mit Ihnen meint.«

Der Chef zeigte mir schweigend diesen Brief, als ich ihm die Liste mit den neuesten Entlassungen brachte. Er runzelte die Stirn und sagte dann: »Ihr Privatleben geht mich nichts an. Aber ich möchte so was nicht noch einmal erleben.«

Ich nickte und versicherte ihm mit brüchiger Stimme, nie wieder solche Dummheiten zu machen. Damit konnte ich gehen. Wie eine Schülerin, die einen Verweis beim Direktor erhalten hat.

Warum werde ich immer noch wie ein dummes Kind behandelt?

Während dir die ganze Welt zu Füßen liegt!

Sehr bedrückt und von Selbstzweifeln zerfressen
deine Anne

PS: Eines muss ich trotzdem noch bemerken: Siegwulf ist mein Lebensglück. Er ist der einzige Mensch, der mich versteht. Außer dir natürlich!
PPS: Wir waren übrigens immer noch nicht bei seinem Vater. Siegwulf sagte, der fühlt sich im Moment nicht wohl.

Beverly Hills, Sunset Boulevard, Hotel Bel Air, am Pool

Ach liebste Anne!
Wenn ich dir doch helfen könnte! Anonyme Briefe sind das Letzte. Vergiss es einfach.

Du musst dein Leben grundlegend ändern.

Ich weiß nur nicht, ob du das wirklich willst. Du jammerst zwar, aber du unternimmst nichts. Du hast dir, seit wir nicht mehr zusammen sind, Sachen gefallen lassen, die ich mir nie gefallen lassen würde. Deshalb fasse es bitte nicht als Belehrung auf, sondern als nüchterne Feststellung, was ich dir jetzt sage: Du hast es versäumt, rechtzeitig Grenzen zu setzen. Und jetzt ist es verdammt schwer, plötzlich damit anzufangen. Ich schätze, bei dir hilft nur noch etwas sehr Radikales. Abhauen zum Beispiel.

Mensch, Anne! Deine Selbstzweifel fressen dich auf! Warum nimmst du nicht einfach deine Mädchen und haust ab?

Ach ja, geht ja nicht. Du liebst ja Siegwulf. Und außerdem hast du Angst vor deiner Mutter. Also musst du diese Sache auch noch hinter dich bringen. Ich werde dich nicht drängen, schaue dir nur gespannt zu. Die Vorabendserie wird ja richtig spannend! Du kannst immer auf meine Hilfe rechnen. Mein Haus steht dir jederzeit offen. Mehr kann ich dir nicht dazu sagen.

Themawechsel.

Adrian plantscht im Pool wie ein kleiner Junge. Es ist schon verrückt: Oft tut er so cool und unnahbar, und letztens beim Herrenausstatter wurde mir schlagartig klar, dass er schon ein junger Mann ist: groß und schlank geworden – anscheinend über Nacht! Aber jetzt ist er wieder mein kleines Baby. Eben habe ich ihm noch die Schultern eingecremt und ich habe mich gefragt, wie lange er mich das noch tun lässt. Jetzt spielt er selbstvergessen und kindlich mit seinem Schlauchboot. Die Martinis haben Recht: Er ist eine Blume, die im Begriff ist zu blühen. Wir müssen ihr nur den richtigen Platz dafür besorgen. Amerika tut ihm gut. Unverkrampft und freundlich sind hier die Menschen. Unvoreingenommen. Hilfsbereit. Heiter und unkompliziert. Es stimmt schon: In seinem altsprachlichen Gymnasium war nicht genug Sonne für ihn.

Mister Martini hat einen Blick auf Adrians dentale Großbaustelle geworfen. Natürlich kennt Mister Martini auch einen fantastischen Kieferorthopäden hier in L. A., bei dem wir nächste Woche einen Termin haben. Brennan Newsom, eine Koryphäe auf seinem Gebiet, ein alter Knabe, zu dem ganz Hollywood wegen strahlend schöner Zähne pilgert. Mark Daniel war dort auch jahrelang in Behandlung. Also, wenn sein fantastisches Strahlegebiss die Visitenkarte dieses Zahnarztes ist, dann kann ich mich für Adrian nur freuen.

Er hängt im Moment an mir wie ein kleiner Junge. Als ich gestern das Thema »Heimkehr nach Salzburg« anschnitt, fing er fast an zu weinen.

»Immer denkst du bloß ans Geldverdienen und nie denkst du an mich!«

»Also, Adrian, jetzt mach aber mal 'nen Punkt. Du bist es doch, der es genießt, in einem Landhaus mit eigenem Badestrand zu wohnen, ein eigenes Moped zu haben, eine Hängematte im Garten, die Berge vor dem Fenster, den Skilift vor der Haustür...«

»Na und? Ist doch nicht MEIN Problem!«

»Adrian, du kannst nicht immer alles haben...«

»Wieso denn nicht! Du willst doch selber immer alles haben!«

Für so eine Bemerkung hätten unsere Eltern uns früher eine reingehauen, ich weiß. Ich aber musste leider grinsen und sagte: »Will ich auch. Und daran arbeite ich.«

Ich strich dem Bengel über seine nassen Haarfransen. »Sollen wir einfach hier bleiben, Adrian? Du und ich?« Er zuckte wieder die Schultern. »Klar.« Das war schon echt viel!

»Aber was wird aus unserem Haus am Mondsee?«

Drittes Schulterzucken. »Ist doch nicht mein Problem!«

Tja, Anne. Aber meins. Wenn ich eine Zeit lang hier bleibe, was ich wirklich gerne tun würde, dann müsste ich jemanden haben, der mir auf das Haus schaut.

ALSO WORAUF WARTEST DU NOCH???

Warum setzt du dich nicht einfach ins Auto und fährst mit deinen Mädchen zu mir? Es würde uns doch beiden helfen, Anne. Bitte, überleg es dir. Es ist mehr als eine Einladung. Es ist eine Riesenbitte. Nein, es ist ein Befehl!! Alle unsere Probleme wären mit einem Schlag gelöst.

Melde mich von unterwegs.

Pass auf dich auf, Anne, und sei fest umarmt von
deiner Alex

PS: Mache mir Sorgen wegen dieses anonymen Briefeschreibers. Wer könnte das sein?

Liebste Alex,
wie stellst du dir das vor, so einfach abhauen? Ich sitze hier mitten in der tiefsten Scheiße! Stell dir vor, was heute schon wieder passiert ist. Morgen ist der vierte Advent und wir alle, sämtliche Mitarbeiter, gehen seelisch und nervlich am Stock.

Um kurz nach neun, die Personalversammlung war gerade zu Ende, kam Jürgen Böhser nach kurzem Anklopfen noch mal in mein Büro. Er war ganz komisch, hatte rote Flecken im Gesicht und sein Schnurrbart zitterte.

»Hallo, Jürgen«, sagte ich, »was gibt's? Hast du was vergessen?«

»Ich schau mir das nicht länger an«, platzte Jürgen heraus. Die Stimmung ist, wie ich schon erwähnte, in unserem Hause zur Zeit sehr aufgeladen.

Ich stutzte. »Was ist los, Jürgen?«

»Ich kann diesen oberpeinlichen Siegwulf Mennecken nicht mehr sehen!«

»Komm, Jürgen, reiß dich zusammen. Ich weiß, wir sind alle nervös, aber bald ist das Jahr vorbei und du hast doch auch noch Resturlaub zu bekommen…« Ich blätterte in meinen Unterlagen. »Nimm dir einfach die letzte Woche des Jahres frei. Das geht auf meine Verantwortung.«

»Das könnte dir so passen!«

»Bitte??«

»Dass du mit deinem Siegwulf freie Bahn hast!«

»Ich denke, eine solche Äußerung steht dir nicht zu.« Dabei habe ich innerlich gebebt vor Stress!

»Und DIR steht es nicht zu, einen Kollegen bevorzugt zu behandeln, nur weil du mit ihm ins Bett gehst!«

»Spinnst du, Jürgen?« Ich stand auf, wusste nicht wohin mit meinen Händen, steckte sie in die Kitteltasche. Drinnen habe ich sie zu Fäusten geballt.

»Nein. Aber DU spinnst! Du bist verheiratet und hast zwei Kinder!«

»Was geht dich das an?«

»Viel geht mich das an!«

»Das geht dich einen Scheißdreck an!«

»Du verlogenes Luder. Hier in der Firma immer schön die Saubere spielen, weiße Bluse, glatter Rock, perfekte Frisur, immer unantastbar, aber auf der Dachgarage, da bumst du den schmierigen Werbeplakateankleber in der Mittagspause, und der wiederum gibt vor, zu seinem senilen Vater ins Altersheim zu fahren, den es gar nicht gibt!«

»Natürlich gibt es den! Und jetzt raus!«

»Was seid ihr doch alle für verkommene, durchtriebene Schweine!« Er zitterte vor Erregung, dass sein Schnäuzer über der Oberlippe bebte.

»Du hast für den Rest des Tages frei.« Ich wies ihm die Tür.

»DAS wird noch Folgen haben, Anne, das verspreche ich dir…«

Wutschnaubend verzog sich der liebe Jürgen, ein hasserfülltes Glühen in den Augen. Im Türspalt blieb er stehen und gab mir den Rest: »Ich habe Mittel und Wege, meine Liebe, dir diese Romanze zu versauern…«

Damit knallte er die Tür zu. Jürgen Böhser. Herren-Oberbekleidung. Fachspezialist für Über- und Zwischengrößen. Für kurzbeinige Dicke, wie er selber einer ist.

Ich saß lange untätig da.

Als das Telefon klingelte, hoffte ich, es wäre Jürgen Böhser, um sich zu entschuldigen. Es war aber Siegwulf. Und jetzt halt dich fest: Sein seniler Vater im Altersheim hat AUCH einen anonymen Brief bekommen!

»Ihr sauberer Herr Sohn, der immer vorgibt, Sie zu besuchen

usw., vögelt auf der Dachterrasse die Personalchefin seiner Firma, obwohl diese verheiratet ist und zwei Kinder hat! Bei Interesse lasse ich Ihnen gerne detailliertere Informationen zukommen!«

Zum Glück konnte der Alte den Brief gar nicht mehr lesen und hätte auch den Sinn des Schreibens gar nicht mehr begriffen. Die Altenpflegerin hat Siegwulf den Brief also per Post zugeschickt.

Jedenfalls weiß ich jetzt sicher, dass es den Vater wirklich gibt.

Muss los, unser Detektiv hat einen Azubi beim Klauen erwischt. Es ist alles so NEGATIV!!

Eilig, hektisch, erkältet, frustriert und kein bisschen in Weihnachtsstimmung.
Deine Anne

PS: Für das Vorsingen deines neuen Stars toi, toi, toi!
PPS: Hier im Kaufglück-Lautsprecher leiert seit vier Wochen die gleiche schnulzige Weihnachts-CD. O du ölige, o du mehlige, fade schmeckende Weihnachtsgans…

Salzburg, Drehscheibe der Stars, eine Nacht zu Hause

Uiuiui, Anne!

Bin wieder zu Hause – in MEINEM REICH. Im Gästebad duscht Mark und ich sitze irgendwie nervös am Laptop. Kann mir gar nicht vorstellen, dass da gar nichts laufen soll … ist doch sonst nicht meine Art, einen so feschen Kerl vornehm zu ignorieren! Ich hab ihm das blaue Gästezimmer gegeben, mit Zugang zum Saunabereich … weiß auch nicht, warum. DOCH!! Schließlich bin ich auch nur eine Frau!

Draußen liegt alles tief verschneit und völlig friedlich – Bäume, See und Wiesen. Der Vollmond leuchtet, als wäre es Tag. Meine Hormone schlagen Purzelbäume.

Trotz inneren Bebens: zuerst zu dir und deinen Plattstädter Problemen. Mein Gott, ich wollte, ich hätte sie. Ich würde sie mit einem Kinnhaken lösen. Anne, es ist doch völlig klar, dass dieser schmierige kleine Wichser Jürgen Böhser die anonymen Briefe geschrieben hat!

Pack ihn dir, tritt ihm in die Eier und feuere ihn hochkantig!

Wo liegt das Problem?? Der geht schon nicht zur Plattstädter Presse. Und wenn, ist es auch egal! Denunzianten disqualifizieren sich immer selbst.

Er ist immer noch im Bad. Er duscht. O Gott. Was? Wen? Ich darf gar nicht daran denken … Zur Sache, Schätzchen.

Anne! Tauch doch mal auf aus deinem Piranhabecken! Es gibt noch ein anderes Leben als Plattstadt und Kaufglück! Es tut mir so Leid um deinen Horizont!

Warum gehst du auf mein Angebot nicht ein? Pack deinen Kram und komm her! Nimm dir eine Auszeit! Du hast eine riesige Landhausvilla mit eigenem Seegrundstück für dich!

Als Gegenleistung erwarte ich nur ein bisschen Blumen gießen, Post durchschauen und Faxe nachsenden!

Bitte, Anne! Tu dir und mir doch den Gefallen! Um unserer alten Freundschaft will…

O Gott! Jetzt kommt er raus. Was macht er? Geht tatsächlich in die Sauna!!

Muss mich ablenken. Hole mir ein Glas Rotwein. Aah, seufz. Gut. Bin entspannter.

Um zur Sache zu kommen: Er hat die Rolle! Er singt den König Phillip im »Don Carlos«! Ich hätte auch nichts anderes von ihm erwartet! Trotzdem: Selten war ich bei einem Casting so aufgeregt. Habe mir fast die Fingernägel abgeknibbelt. Anders Mark. Er war die Ruhe selbst.

Die Intendantin war auch ganz verzückt, und sogar die alte Fürstin hatte es sich nicht nehmen lassen, dem gesamten Vorsingen beizuwohnen. Es steht völlig außer Frage, dass Mark der neue Favorit des Salzburger-Festspiel-Publikums sein wird, da sind sich alle einig. Ich könnte mir dauernd selbst auf die Schulter hauen! Was das langfristig für Knete einbringen wird! Ich könnte Mark Daniel küssen und ihm zärtlich sagen: »Du meine Altersvorsorge!«

Wir waren noch zusammen essen, im Goldenen Hirschen, am Nachbartisch saß zufällig Caroline von Monaco, mitsamt ihrem Gemahl Ernst August, der diesmal mit Mozartkugeln auf ahnungslose Gäste warf. Es gab Ente à la Grand Marnier mit Bordeaux-Rotkraut und Pommes Croquettes, dazu einen kalifornischen Merlot, samtig schwer und betörend wie Mark Daniels Stimme, wenn er singt: »Sie hat mich nie geliebt!«

Ach, was war das schon wieder für ein hinreißender Tag! Ich sage dir, Anne: Den Mann muss man sich gar nicht schöntrinken! Gott, Anne, es ist so hinreißend! Ach Anne, ich könnte ihm verfallen!

Ob er schon schläft? Ob ich einmal nach ihm schauen soll?

Uups – Sie haben Post…

Plattstadt, Kaufglück, Montag vor Heiligabend –
im Laden ist die Hölle los

Hallo, Alex,
ich bin's schon wieder. Konnte deine Antwort nicht abwarten,
muss mir meinen Ärger von der Seele schreiben. Als ich in der
Mittagspause nach Hause kam, stand plötzlich Oma Margot auf
der Matte.

Sie hielt mir einen Wisch unter die Nase, bevor ich überhaupt
nur die Schuhe ausgezogen hatte, und keifte auf mich ein.
»Kannst du mir mal erklären, was DAS hier soll?«

Wirklich, Alex, ich schwöre dir: Jeden Moment rechnete ich
mit einer Ohrfeige, wie früher!

»Keine Ahnung, was ist das denn?«

»Das ist ein ANONYMER BRIEF!«, schnauzte mich Oma
Margot an. »An MICH!«

Ich nahm ihr das Schreiben aus der Hand und ging ins Licht.
Tatsächlich. Der gleiche Schmierfink. »Ihre saubere Frau Tochter
trifft sich mit ... und ... während Sie ihr den Haushalt machen
und die Kinder hüten.«

Es muss also jemand sein, der unsere Familie wirklich gut
kennt. Ich stammelte zwar unter Tränen, dass auch ich ein Opfer
dieses Schreiberlings sei, aber das konnte ihren Zorn nicht mil-
dern. Im Gegenteil. »Das hast alles du unserer intakten, harmo-
nischen Familie angetan! Du Schlampe!!«

Damit hat sie sich umgedreht und die Tür hinter sich zuge-
knallt.

Der Weihnachtsstern auf der Fensterbank wackelte noch lange bedenklich mit dem schamroten Köpfchen.

Wenn ich doch wäre wie du! Aber die Kraft habe ich nicht.

Ich trau mich nicht, hier einfach abzuhauen. Das käme einem solchen Skandal gleich, das kann ich dir gar nicht beschreiben. Lieber ertrage ich diese Krise und warte, bis sie vorbei ist. Halte es mit der Vogel-Strauß-Technik. Kopf in den Sand und warten, bis der Sturm vorbei ist. Werde hier wohl versauern bis ans Ende meiner Tage. Habe es einfach nicht anders verdient.

Traurig, einsam und verfroren
Anne

PS: Hoffe inständig, dass Siegwulf vor Weihnachten noch mal mit mir Auto fährt. Er ist zur Zeit ständig im Altersheim bei seinem Vater. Sagt, er muss ihn über die Feiertage nach Hause holen und da kann er nicht mit mir telefonieren.

PPS: Wie ich dich um deinen muskulösen Kerl in der Sauna beneide... Was hat denn nun gesiegt? Geld oder Liebe?

Santa Barbara, 20. Dezember…

Ach Anne!

Bin wieder in Kalifornien. Unser Trip nach Europa war kurz, aber ereignisreich.

Was mach ich nur mit dir? Wie gern würde ich dir zu Weihnachten deine Freiheit schenken! Unter deinem Weihnachtsbaum sollte ein Päckchen liegen mit der Aufschrift »Freiheit«.

Aber wenn du das Päckchen doch nicht greifst!

Weißt du noch, deine ersten E-Mails? Da hast du mir geschrieben, wie gut es dir geht und wie glücklich du bist. Hast du dich denn so sehr selbst getäuscht?

Oder bin ich womöglich schuld daran, dass du auf einmal nicht mehr glücklich bist?

Stelle besorgt fest: Dein Leiden ist noch nicht stark genug, als dass du alle Kräfte mobilisierst. Also: Leide noch ein bisschen. Ich kann dir nur meine ganze Energie rüberschicken.

Liege mit Adrian in der Sonne am Strand – es ist herrlich!

Adrian hat seine Zeit ohne mich hier sehr gut rumgekriegt. Mrs Martini hat ihm das Surfbrett von Mark Daniel ausgeliehen und mein Süßer hat tatsächlich eifrig in den Wellen des Pazifiks geübt! Natürlich will er mir noch nicht zeigen, wie gut er schon auf dem Brett steht. »Mama! Das ist echt voll peinlich!« Aber wenn ich so tue, als würde ich schlafen, dann stiehlt er sich davon und kämpft wild entschlossen gegen die Wellen. Und dann blinzele ich heimlich und könnte vor Stolz und Freude heulen. Endlich wacht dieses kleine Stinktier aus seinem Winterschlaf auf! Ich glaube, ich bin selbst schuld daran, dass er so ein Rumhänger war. Hab ihm ja schließlich alles vorne und hinten reingesteckt – und das kannst du wörtlich nehmen! – aus lauter Schuldgefühlen, ihn zu einer »Scheidungswaisen« gemacht zu haben. Und auch noch berufstätig zu sein. Dabei hat der Bengel das voll durchschaut und ausgenutzt.

Also, Anne: Unser plötzlicher Ortswechsel öffnet Mutter und Sohn die Augen, Herz und Sinne. Ich kann nur für dich hoffen, dass dir irgendwann das Gleiche passiert.

Die Steigbügel will ich dir gerne halten, aber aufsteigen musst du allein.

Jetzt packe ich mal meine Siebensachen zusammen und geh rauf in das Ferienhaus, duschen. Heute Nachmittag haben wir den Termin beim Kieferorthopäden. Die Amerikaner arbeiten wie die Tiere – selbst kurz vor Weihnachten. Aber sie sind alle froh dabei!

Ach Anne, alles wird gut! Wünsche dasselbe auch dir!
Deine aufgekratzte, zu allen Schandtaten bereite
Alex

PS: Was machst du eigentlich über die Feiertage? Sag nicht, du feierst mit deinen Lieben zu Hause unterm Weihnachtsbaum.
PPS: Mein Angebot steht immer noch!!

Liebste Alex!
DU bist ja gut drauf! Wie ich dich beneide!! Alles läuft so genial
bei dir!

Finde es wunderbar, dass du deine Mutterrolle so ausfüllst!
Kann ja sein, dass Adrian dich nur für eine kurze Übergangszeit
so sehr braucht, aber auf jeden Fall braucht er dich jetzt. Und,
sag es doch ehrlich, er ist schließlich der einzige Mensch in deinem Leben, der dir wirklich was bedeutet und bei dem du nicht
an Geld denkst! Genieße deine Zeit mit ihm! Deine ganzen Pferd-
chen laufen schon eine Weile allein! Gestern stand Nackedei
schon wieder in der Panorama: gemeinsam mit dem Außen-
minister auf einem Foto. Nackedei sah klasse aus: hochgesteck-
te Haare, klassisch-elegantes Ballkleid, tanzte mit allen namhaften Politikern. Bildunterschrift: »Gern gesehene Gäste beim
Adventsball im Bundestag…« Donnerwetter. Du hast wirklich
ganze Arbeit geleistet.

Im Stern war ein sehr guter Artikel über »Promis, die wir un-
terschätzt haben«. Da war auch Nackedei erwähnt, mit dem
Kommentar: »Liegt es an der neuen Managerin oder ist sie selbst
so schlau? Nackedei arbeitet hart und zielstrebig an ihrem
Imagewechsel. Sie will nicht mehr Everybody's Pin-up-Girl sein.
Sollte sie etwa außer ihrer ansehnlichen Verpackung noch mehr
zu bieten haben? Deutschland darf gespannt sein!«

Mir geht's dafür gar nicht so toll. Inzwischen pfeifen es die
Spatzen von den Dächern. In der Kantine sprachen mich sogar
die Aushilfen darauf an: »Na, Frau Pistrulla? Fahrstunden auf
dem Parkdeck?«

Ich habe das Gefühl, gemobbt zu werden.

Die dicke Frau Fischer aus der Frischbackwaren, die selber wahnsinnig gern einmal einen Flirt haben würde, schob mich sogar ganz unverfroren bei der Personalversammlung zu einem leeren Stuhl neben Siegwulf: »Da wollen Sie doch bestimmt gerne sitzen, nicht wahr, Frau Pistrulla? Sind Sie doch jetzt so daran gewöhnt!«

Ich hätte ihr gern eine geklebt.

Mit Siegwulf ist alles romantisch. Er hat mir ein Handy geschenkt, stell dir vor!

Mit Lothar nach wie vor Eiseskälte.

Aber einfach abhauen und nach Mondsee fahren, wie du mir so lapidar vorschlägst, das geht natürlich nicht. Ich habe zwei kleine Kinder! Und Verantwortung!

Was glaubst du, was hier los wäre, wenn ich einfach ginge!

Hohoho! Nicht vorzustellen! Wie sie REDEN würden!

Außerdem muss ich natürlich dazu beitragen, dass unser verklinkertes Reihenhaus abbezahlt wird.

Frag mich nicht, wie ich mich fühle.

Es grüßt dich aus dem seelischen Niemandsland

deine fast leer geträumte

Anne

PS: Die Erde ist ein ödes Jammertal

Und angefüllt mit Elend, Angst und Qual

Nur selten lächelt uns ein stilles Glück

Und füllt mit Freude unsern düstren Blick.

Los Angeles, im Wartezimmer von Dr. Brennan Newsom, dem Kieferorthopäden, 22. Dezember. Da kennen die nix, die Amis. Es wird gebohrt, bis die Knete stimmt…

Liebste Anne,
deine Vorabendserie wird mir langsam zu traurig. Du wirst gemoppt? Von der dicken Frau Fischer aus der Frischbackwaren? WEHR DICH!!

Gibt's nichts Aufregenderes aus »Plattstadt – deine Spießer« zu berichten? Siegwulf, Lothar, Oma Margot, Opa Karl-Heinz und Jürgen Böhser: Das sind alles keine Brüller! Alles Negativfiguren. Und du mittendrin! Das färbt doch ab!! Wenn wir wirklich 'ne Vorabendserie draus machen wollen, muss jetzt endlich ein strahlender Held erscheinen. Oder ein Mörder oder so was. Sonst wird's langweilig.

O Gott, warum tust du dir und mir das alles immer weiter an?

Zappen wir also zu mir, ins Wartezimmer des Kiefernorthopäden.

Adrian hat mir verboten, an dieser peinlichen Sitzung teilzunehmen. Brennan ist ein hinreißender alter Knabe, der mit viel Galgenhumor die Situation in Adrians Mund als gegeben, aber nicht hinzunehmen kommentiert hat. Er sagt, Gott gab Adrian einen verkorksten Kiefer, damit er, Brennan, an ihm Geld verdienen kann. Damit war Brennan mir auf Anhieb sympathisch. Der alte Kerl denkt auch nur an das eine. In sechs Monaten hat er die Großbaustelle Kabul nach dem Bombenangriff unter Kontrolle, sagt er. Im Juli wird Adrian mit der Sonne um die Wette strahlen. Einzige Bedingung: Ich muss aufpassen wie ein Luchs, dass der Bengel die neue Zahnspange Tag und Nacht trägt. Was mag der Sinn an Adrians Katastrophenkiefer sein? Dass ich jetzt ein halbes Jahr in Amerika bleiben muss? Der Gedanke erschreckt mich keinesfalls. Ich liebe dieses Land der unbegrenzten Möglichkeiten.

Brennan sagt, er arbeitet mit hochmoderner Ultraschalltechnik, die in Europa noch gar nicht zugelassen ist. Er selbst hat das Patent auf diese Methode und es sei noch nichts verloren. Wir mussten nur unterschreiben, dass wir ihn niemals wegen eines Kunstfehlers verklagen.

Erinnerst du dich an unsere Zahnspangenzeit, Anne? Meine dauerte sieben Jahre! Wir gingen einmal in der Woche zu dem alten Dr. Miesbach an der Ecke mit den etwas schickeren Klinkerbungalows. Seine Frau mit der Hochsteckfrisur im weißen Kittel machte auf. Im Wartezimmer roch es so schrecklich! Wir lasen immer »Karius und Baktus«, und wenn wir drinnen waren, drehte der gute alte Doktor mit einem kleinen Stift, mit dem man sonst Thunfischdosen öffnet, die Zahnklammer etwas enger und wir konnten wieder gehen. Das war unsere kleine, begrenzte, regelmäßige Welt!

Lebt der alte Dr. Miesbach noch?

Gestern habe ich Adrian im College vorgestellt. Am Montag nach Neujahr kann er anfangen! Damit ist mir meine Hauptsorge genommen.

Leider ist Mark Daniel gestern abgereist, er hat über Weihnachten ein Engagement in Boston. Wir vermissen ihn. Besonders Adrian. Ich hatte das Gefühl, er hätte einen großen Bruder gefunden.

Wir freuen uns jedenfalls sehr auf die Kreuzfahrt. Es geht in die Karibik!

Aus Mondsee melden sie Rekordminustemperaturen! Hoffentlich frieren die Wasserleitungen nicht ein. Schade, dass du dich nicht aufraffen kannst, mir das Haus zu hüten. Es wäre so praktisch gewesen.

Jetzt kommt Adrian aus dem Sprechzimmer. Ich soll sofort reinkommen und mit dem Doktor reden. »Mamaaa!!! Soll ich hier Wurzeln schlagen oder was!«

Also dann, ich muss Schlu…

Plattstadt, 24. Dezember – im Laden ist die Hölle los,
habe noch Dienst bis siebzehn Uhr

Liebste Alex,

na, das ist ja ein Heiligabend! Der schlimmste meines Lebens! Statt friedvoller segensreicher Stimmung fliegen hier die Pfeile des Neides, des Hasses und der Eifersucht.

Ich kapiere das alles nicht. Siegwulf ist zum Werwolf geworden! Nachdem alles so wunderschön und romantisch angefangen hatte, entpuppte sich mein heimlicher Schwarm als total eifersüchtiger, besitzergreifender Macho.

Ich könnte mich schütteln vor Ekel!

Gerade eben ließ er mich sogar ausrufen, nachdem er über die Kaufhaus-Videoüberwachungsanlage beobachtet hatte, dass ich mit einem Kunden ein längeres Gespräch hatte! Ich Blöde habe alles liegen und stehen lassen, bin in den Personalraum geflitzt, weil ich dachte, es sei ein Notfall, und da saß er da fett und breitbeinig hinter dem Monitor und sagte:

»Volle zwölf Minuten! Was habt ihr zu bereden?« Dabei bin ICH seine Chefin!! Ich fasse das alles nicht! Muss weinen, bin einfach rauf in mein Kabuff, um dir schnell zu e-mailen.

Inzwischen glaubt Siegwulf, ich gehöre ihm ganz allein.

Was hab ich nur wieder falsch gemacht?

Wieso triffst du, Alex, immer die Interessanten, Netten, Schönen und ich die verklemmten Idioten! Ich fürchte, ich bin vom Regen in die Traufe gekommen!

Schätze, ich fühle mich ziemlich genau wie dein Adrian in seinem altsprachlichen Schattendasein.

Ich habe keine Lust mehr. Arbeite zur Zeit sechzehn Stunden am Tag. Für WAS?? Ist doch nicht MEIN Problem!

Wenn ich mich doch trauen würde, einfach zu dir zu fahren! Aber ich trau mich nicht!

Könnte heulen, aber werde schon wieder ausgerufen. Wenn ER das jetzt ist, bringe ich ihn um!
Deine Anne

PS: Vor Weihnachten graut es mir! Vor Silvester auch! Diese schrecklichen Feiertage!
PPS: Diesmal war's wirklich was Dringendes: Jemand ist auf der Rolltreppe verunglückt. Muss die Rettung alarmie...

Fort Lauderdale, an Bord der QE 2, Suite 817–819

Frohe Weihnachten, liebe Anne!
Und beste Grüße von diesem alten, feudalen Schiff. Die Queen
Elizabeth II hat Tradition.

Wow! Sehr stilvoll alles, sehr luxuriös, gediegen und durch
und durch englisch. Überall in den Treppenhäusern hängen lebens-
große Porträts von der Queen.

Das Publikum ist von höchster Qualität. Es wimmelt von Mil-
lionären und Milliardären! Vielleicht treffe ich hier einen geeigneten Kerl. Einen, der nicht immer nur ans Geld denkt, weil er
selbst genug davon hat.

Wir schleppen uns von einem Feiertagsdinner zum anderen.
Wenn ich das Wort »bombastisch« gebrauche, untertreibe ich
noch!

Das ganze Schiff ist weihnachtlich geschmückt: bestimmt hundert Weihnachtsbäume an Bord, alle schwer behangen mit goldenen Kugeln und verziert mit meterlangen Girlanden. Die De-
korateure haben tagelang an riesigen Lebkuchenlandschaften
gebastelt. Ganze Dörfer haben sie aufgebaut, mit Puderzucker
überstreuten Dächern. Im Foyer fährt sogar eine elektrische
Eisenbahn durch den Puderzuckerschnee. Überall duftet es nach
Vanille und Rum und Zimt. An jeder Ecke wird Glühwein in
silbernen Kelchen serviert.

Na denn prost, meine liebste alte Schulfreundin!

Noch 'n bisschen mehr aus MEINER Vorabendserie?

In jedem Foyer und in jedem Restaurant sitzen Musiker, die
Weihnachtslieder spielen. Das alles mutet sehr seltsam an, denn
wir fahren in die Karibik, wo wir bis zu vierzig Grad Hitze erwarten! Die Gäste hier an Bord: vorwiegend feiner englischer

Adel, aber auch viele reiche Amerikaner. Fast alle dick und alt, leider. Dick bin ich ja selber, besonders nach dieser Reise werde ich es sein, aber alt?? Noch lange nicht!

Die Martinis machen die Weihnachtsreise traditionell jedes Jahr und treffen hier alljährlich ihre guten Freunde, so auch einige Filmproduzenten, die Walter mir gerne vorstellen will. Du weißt ja, ich denke an Nackedei und ihren großen Durchbruch.

Adrian findet es »geil«, dass wir einen eigenen Butler haben. Der heißt Gordon, ist Mitte sechzig und serviert Adrian morgens um zehn das Frühstück ans Bett. Ham and eggs, cheese, salmon und toast. Frisch gepresster Orangensaft, Honigmilch, Tee.

Gordon zieht Adrian die Vorhänge auf und sagt: »Good morning, Master von Merz. How are you today?«

Und Adrian reckt sich gähnend und murmelt: »Hm, okay!« Dann nimmt Gordon vorsichtig Adrians Klamotten vom Boden, die stinkenden Socken und die Unterhosen, und trägt sie mit spitzen Fingern fort.

Ich wünschte, er würde ihm auch die Zähne putzen und ihm seine Zahnspange mit Kukident reinigen, aber das gehört nicht zu seinen Aufgaben als Butler.

Meinst du, ich verwöhne den Kerl schon wieder? Sollte er nicht lieber in ein Pfadfinderlager, wo er mit vierzehn anderen Stinkfüßlern ein klammes Zelt teilt und sich sein Essen selber schießen muss? Ach Anne, ich bin so unsicher.

Vielleicht habe ich als Mutter schon wieder voll versagt. Aber lass dir weiter schildern. Hier oben auf Deck acht sind die exklusiven Suiten. Wir haben unser eigenes Restaurant, den Queens-Grill, und unsere eigene Cocktailbar, um nicht den Pauschaltouristen von Deck vier und fünf begegnen zu müssen, die noch nicht mal 8 000 Dollar für diese Reise bezahlt haben. Mit denen kann man ja keinerlei geschäftliche Beziehungen knüpfen – völlig langweilige Leute also. Wenn das Schiff sinkt, würde diese Klientel sowieso hinter den Gittern der dritten Klasse eingesperrt, damit wir Suitenbewohner die Rettungsboote für uns haben. – Also, das war ein Scherz, Anne. Die QU II sinkt nämlich nicht. Und wenn doch, dann könnte man die Reederei auf Abermilliarden verklagen – Mensch, Anne, das wäre ein Spaß! Fast denke ich, ein paar Stündchen im warmen Karibikwasser herumzutreiben, bis man von Hubschraubern gerettet wird, wären kein schlechter Deal für das anschließende Schmerzensgeld. Die Amis sind ja die besten Verklager der Welt. Was die mir hier schon für Geschichten zu dem Thema erzählt haben! Die Dame aus der Suite unter mir hat ihren Schönheitschirurgen auf fünfundsiebzig Millionen Dollar Schmerzensgeld verklagt. Weil er ihr das Gesicht verschandelt hat. Ich finde, sie hat Recht, a) ihn zu verklagen und b) dass er ihr tatsächlich das Gesicht verschandelt hat. Sie sieht aus wie ein zu prall aufgepumpter Fahrradschlauch mit Augen. Aber egal!! Für DAS Geld!!

Also, unsere Lounge. Die exklusive, nur für Deck acht reservierte. Jeden Nachmittag sitzen hier einige jüdische Familien um Punkt fünf Uhr zum Tee. Die haben so viel Geld, dass sie gar nicht mehr wissen wie viel. Die meisten Familien reisen nicht nur mit ihrem Personal, ihren eigenen Butlern, Kindermädchen, Zofen und Bodyguards, sondern sie haben auch noch ihre eigenen Finanzmanager dabei. Hier oben auf Deck acht werden die wahren Geschäftsverbindungen hergestellt, sagt Walter. Die Finanzmanager der verschiedenen Familien sitzen in ihren Nadelstreifenanzügen an der Bar oder hocken in den Sitzgruppen, beäugen einander und fangen dann an zu verhandeln. Man muss sich einfach mit seinem Gin Tonic in die Lounge setzen. Walter wird mir die richtigen Leute vorstellen. Ich liebe den alten Knaben. Und Liz auch. Beides sehr feine, humorvolle und warmherzige Leute.

Mir wird immer mehr klar, warum Mark Daniel so gut geraten ist.

Die Reise ist völlig ausgebucht. Ich fragte Gordon, den Butler, warum meine Nachbarsuite trotzdem leer steht. Er sagte: »Sie steht nicht leer, Ma'am, sie ist gebucht!«

»Von wem denn?«

Gordon beugte sich vor, so weit das seine Höflichkeit zuließ, und raunte mir über seinem Silbertablett mit Kaviarcanapés zu: »Die Familie Rosenzweig macht seit dreißig Jahren jedes Jahr die

Weihnachtsreise mit. Der Onkel der Familie, Samuel Rosenzweig, ist nun im Herbst verstorben, aber die Familie hat seine Suite gebucht und bezahlt. Sein Bild steht darin und ich wische dort jeden Tag Staub.«

Die Suite kostet 2000 Dollar am Tag! Für das Foto eines Verblichenen!!

Du glaubst gar nicht, was es hier für Leute gibt. Wenn ich von meiner Dachterrasse aus auf das Running-Deck schaue, dann kann ich außer einigen gestählten Sportlern, die verbissen ihre hundert Runden rennen, auch die fettesten Menschen der Welt sehen. Die haben Sportschuhe und Shorts an und quälen ihre Fettmassen im Watschelgang um das Promenadendeck. Die sind so fett, dass die Jogger sie kaum überholen können! Ich amüsiere mich besser als im Kino, wenn ich beobachte, mit welcher Herablassung und innerer Wut die Gestählten die Fetten überholen. Einige Fette latschen ihre Pflichtrunden mit einem Walkman in den Ohren ab und hören nicht, wenn von hinten ein Jogger naht. Manche Fette gehen auch noch nebeneinander und unterhalten sich. Alle reden über Fat-reducing und Low-calorie-products. Wenig später sitzen sie wieder an der 24-hour-open-Waffle-Bar und ziehen sich die Waffeln mit Eis, Eierlikör, heißen Kirschen und Sahne rein. Trotzdem scheut sich nicht ein einziger Fetter, in Shorts, T-Shirts und Leggins in den Restaurants zu erscheinen.

Allerdings gibt's auch ein paar extrem Magere. Die bestehen nur aus Haut und Knochen, balancieren eine Pampelmusenhälfte vom Frühstücksbüfett zu ihrem Liegestuhl und machen vor aller Augen zwei Stunden Gymnastik. Ein berühmter Schönheitschirurg ist auch an Bord, er hält hier Vorträge über das Fettabsaugen, das Lifting und natürlich über Silikon-Busen. Ich werde ihn mal wegen Nackedei ansprechen – vielleicht macht er mir Sonderkonditionen. Er hat ein Mädel dabei, gegen das Claudia Schiffer alt und schwach aussieht. Wenn das seine Mutter ist, hat er gute Arbeit geleistet. Hahaha. Alex scherzt. Im Spielkasino werden täglich 100000 Dollar verspielt, an Seetagen das Doppelte.

Ich freue mich auf die Silvestergala. Stargast wird Liza Minelli sein. Die kommt aber erst in Barbados an Bord, mit dem Hubschrauber landet sie auf Deck zehn, wo sonst die alten Golfer am Golfsimulator ihren Abschlag und das Putten üben.

In der letzten Suite auf dem Achterdeck wohnt übrigens Sabine Christiansen. Wir haben gestern auf dem Sonnendeck zusammen einen Drink genommen. Sie möchte natürlich ihre Ruhe haben, aber sie hat in Erfahrung gebracht, dass Fotografen von »People Image« dem Schiff nachreisen, von Hafen zu Hafen! Nur um herauszufinden, ob sie schon einen neuen Kerl hat. Sie reist mit ihrem Friseur und dessen Freund. Ich habe ihr angeboten, sich beim Landgang doch einfach meinen Adrian auszuleihen. Als Mutti mit pubertärem Bengel erkennt man sie nicht so schnell.

Adrian war natürlich nicht begeistert von der Idee. Rate, was er gesagt hat, als ich ihm von Sabines Situation berichtet habe.

»Na und? Ist doch nicht mein Problem!«

So, nun muss ich runter ins Spa, zur Massage und anschließend zur Pediküre. Heute Abend ist großes Galadinner. Schrecklich, dieser viele Kaviar.

Bin gespannt zu erfahren, wie du Weihnachten verbracht hast.

Schätze, es war kein Fest der Liebe??

Bin in Gedanken immer bei dir!

Melde dich im alten Jahr noch mal!

Herzlichst – deine Alex

PS: Habe leider jetzt Kleidergröße vierundvierzig. Muss was machen.

PPS: Ab morgen watschele ich auch über das Promenadendeck und überhole die noch viel Dickeren!

Silvester, Plattstadt, an Lothars Schreibtisch

Liebe Alex,
wie ich dich beneide!! Auch wenn du Kleidergröße vierundvierzig hast: Das kann man ja ändern!

Während du mit Kaviar und Champagner auf deinem Sonnendeck liegst, friste ich hier mein trübes Dasein in schmuddelgrauer Schneematschsuppe. Die Tage wälzen sich wie zähes Leder einer nach dem anderen gnädigst vorbei. Natürlich hatte ich keinen Tag Urlaub. Selbst heute, am Silvestertag, musste ich bis achtzehn Uhr im Laden stehen.

Nun ist endlich dieses Jahr zu Ende!

Lothar kehrt gerade die Einfahrt, weil wir zum Abendessen die Alten erwarten. Die Mädchen sitzen im Schlafzimmer auf dem Bett und schauen die Sendung mit der Maus. Lothar ist genau so frustriert wie ich. Er fühlt sich einerseits unterfordert, andererseits ständig überarbeitet. Wo du immer von Energie redest: Er scheint seine gesamte Energie in die falschen Dinge zu stecken. Er arbeitet sich halb tot, aber er kommt mir vor wie eine Ameise, die krabbelt und krabbelt und nicht wirklich vom Fleck kommt.

Deshalb ist er krank und kratzt sich und ist übellaunig und gereizt und kann nicht schlafen und wird immer unausstehlicher und hat an nichts auf der Welt mehr Spaß. Wenn er doch ein Mal im Leben in so einer Luxuslounge auf einem Kreuzfahrtschiff mit jüdischen Milliardären Gin Tonic trinken und sie in finanziellen Dingen beraten dürfte! Wie das seiner Gesundheit zugute käme! Aber es ist weder Lothar noch mir bestimmt, aus unserem Ameisenhaufen Plattstadt herauszukrabbeln. Wir rennen so lange im Hamsterrad im Kreis, bis wir sterben. Das ist unser Schicksal.

Ich darbe hier so vor mich hin. Die letzte Woche war schrecklich: Hektik in der Firma, brechend voll das Geschäft, unzufriedene Gesichter, überfüllte Straßenbahnen, Schneematsch, nasskalt, alles ätzend. Ich fühle mich, als hätte ich eine Kette um den Hals.

Und jetzt kommen wir zur Folge einundzwanzig unserer beliebten Vorabendserie: »Plattstadt – deine Spießer«.

Rate mal, wer die anonymen Briefe geschrieben hat! Nicht Jürgen Böhser, wie wir beide glaubten!

Siegwulf Menneckens Ehefrau!!

Ja, du liest richtig. Der Kerl ist verheiratet!

Es existiert überhaupt kein seniler Vater im Altersheim!! Jürgen Böhser hatte also Recht. Niemand anderes als Siegwulfs Frau ist Insassin dieses Heimes für pflegebedürftige Menschen. Siegwulf hat seine Frau vor Jahren nach einem Unfall, den übrigens er selbst mit seinem Cabriolet verschuldet hat (!), in dieses Heim gesteckt. Es findet natürlich nix mehr statt, seit die Frau vom Nabel abwärts gelähmt ist. Siegwulf hatte anscheinend sexuellen Notstand, als er anfing, mich anzubaggern.

Die Frau, die geistig völlig fit ist, hat keinen anderen Lebensinhalt, als hinter ihrem Gatten herzuspionieren. Man kann es ihr noch nicht mal verübeln. Ich glaube, sie hat einen Detektiv auf ihn angesetzt. Jedenfalls war sie perfekt im Bilde über unsere »Affäre«, die ja letztendlich keine war, und weil die arme Frau so viel Zeit übrig hat, hat sie die besagten Briefe selbst geschrieben. An Lothar, an meine Mutter, an Opa Karl-Heinz, an meinen Chef, an verschiedene Kollegen. Auf dem Computer. Schrecklich, sich vorzustellen, dass sie in ihrer Zelle hockt, im Rollstuhl, und diese Briefe schreibt – ihre einzige Beschäftigung, wie es scheint! Tatsächlich ein bisschen wie das Skelett aus »Psycho« …

Mir tut die arme Frau so Leid und ich fühle mich so schuldig! Wieder eine Person mehr, der gegenüber ich mich schuldig fühle. Natürlich musste ich Siegwulf sofort entlassen und Jürgen Böhser gleich mit.

Hab sie noch vor Jahresende rausgeschmissen. Fristlos. Das

hat mich in neue Schuldgefühle gestürzt, denn schließlich haben beide Familie!

Mein Chef ist sauer: Seine besten Leute müssen gehen, weil sie angeblich ein privates Verhältnis mit der Personalchefin hatten! Dabei war nichts. Nur das Gerede der Kollegen.

Und dann kam's: Abmahnung!! An mich! Schriftlich!

Vom Chef persönlich! Einen Tag vor Silvester. Danke schön. Ich hab geheult wie ein kleines Mädchen. Und hatte keinen Menschen, der mich getröstet hätte. Oma Margot, der ich natürlich nichts erzählen wollte, ließ sich nur zu der Bemerkung herab: »Wenn du in der Firma Ärger hast, wirst du es wohl verdient haben!« Und als ich heulend im Gästeklo verschwand – dem einzigen Raum in diesem Reihenhaus, in dem ich mich einschließen kann –, rief sie noch durch die Tür: »Wenn Lothar was von der Angelegenheit erfährt, dann kriegt er wieder seine Neurodermitis! Also reiß dich zusammen und hör auf zu heulen!«

Heiligabend habe ich noch bis siebzehn Uhr präzise geschuftet (jetzt rede ich schon wie Lothar!), dann bin ich mit der Straßenbahn nach Hause, wo schon Oma Margot und Oma Helga den Baum mit viel goldenem Lametta behangen hatten. Als ich das Haus betrat, schlossen sie demonstrativ die Wohnzimmertür ab. Oma Margot versetzte mir mit steinernem Gesicht eine weitere Handgranate: »DU hast ja hier nicht mitgeholfen, also bring uns jetzt auch nichts mehr durcheinander!«

Ich schlich mich ins Esszimmer, wo Opa Karl-Heinz im weißen Oberhemd mit Fliege unter beige-brauner Strickweste bereits am gedeckten Tisch lauerte. Er hat mir einen grauenhaften Vortrag über Pünktlichkeit, Zuverlässigkeit und Fleiß gehalten, während Lothar mit den Zwillingen das Bad blockierte. (»Der Vati badet!«)

Der Heilige Abend selbst war eine einzige Farce. Oma Margot hatte eine CD mit Weihnachtsliedern aufgelegt und versuchte, uns zum Mitsingen zu bewegen, während Opa Karl-Heinz nicht aufhören wollte, mir über seine Menschenkenntnis und seine Tätigkeit als Inspektor zu erzählen. Er riecht immer schrecklich penetrant nach Knoblauch, ist ganz stolz darauf, dass er »geistig

noch so fit« ist durch die überdosierte Einnahme von Knob-
lauchpillen. Erinnerst du dich noch an diesen Alten aus der Werbung, den es früher in den Schaufenstern der Apotheken gab: ein
Männchen, das sich langsam an einer Stange hochzieht und
schließlich einen Überschlag macht? Dann baumeln seine Beine
heftig hin und her, bis er sich zu neuen Klimmzügen aufschwingt.
Genau so ist Opa Karl-Heinz. Knapp neunzig und topfit. Geistig.
Meint er. Allerdings wiederholt sich sein Repertoire von Selbst-
beweihräucherungen jeden Tag zehnmal. Wie oft er mir schon
erzählt hat, dass er als Vierzehnjähriger zwischen den beiden
Weltkriegen der Beste im Turmspringen war! Oder dass er als
Pfadfinder in der DDR-Jugend mit Auszeichnungen für Tapfer-
keit überhäuft wurde! Hab ich dir schon geschrieben, dass Karl-
Heinz und Helga ursprünglich aus Lutzkow stammen? Sie säch-
seln ziemlich penetrant, sagen »födderlich« und »votteilhaft«
und »Vadi« und »Muddi« und »Loddar«. Und »Kalla« und
»Greda«. Nur »Anne« können sie nicht versächseln. Hab ich dir
auch noch nicht geschrieben, dass sie erst kurz nach »Loddars«
Geburt in den Westen gekommen sind?

Auf welche Weise, will Opa Karl-Heinz mir allerdings nicht
sagen. Das wundert mich, da er doch sonst mit seinen Helden-
taten nicht hinter dem Berg hält. Wahrscheinlich ist er durch die
Spree geschwommen oder hat aus Bettlaken einen Ballon genäht
und hat sein Neugeborenes samt »Muddi« auf dem Luftweg
nach Plattstadt geholt... Aber da ist er eisern: Das ist ein »Ga-
biddel«, zu dem er schweigt.

Also weiter die Vorabendserie »Plattstadt – deine Spießer«.

Oma Helga hatte zur Feier des Tages kochen dürfen – schließlich waren ja Lothar und Opa Karl-Heinz als Aufsichtspersonen
dabei – und so gab es thüringische Weihnachtsgans mit Rotkohl
und Kartoffeln und zum Nachtisch »Eingewecktes«. Weißt du
noch, was das ist?

Pflaumen und Birnen aus dem Einmachglas, von Oma Helga
vor zwanzig Jahren eigenhändig »eingeweckt«. Und jetzt wieder
aufgeweckt. Ach, würde man mich doch jetzt einwecken!! In
einem großen Glas mit Gummiring! Man könnte mich getrost in

Lothars Hobbykeller stellen und mit Spinnweben überziehen lassen! Eines Jahres käme ein Prinz, würde mich verwundert, aber hoch entzückt betrachten, an dem Gummiring ziehen, dann würde es zischen und – plopp! – heraus käme: ich!

Natürlich dürfte der Abreißnippel des Gummiringes nicht kaputtgehen, wie so oft bei solchen Einweckgläsern. Dann würde der Prinz blöd gucken und ich würde von drinnen an das Glas hämmern und brüllen: »Hol mich hier raus, du Idiot!«

Kommen wir zurück zu Oma Helgas thüringischer Weihnachtsgans mit Klößen.

Solche Stichworte greift Opa Karl-Heinz gerne auf, um von den Gefangenen damals im Knast zu berichten, die so ausgehungert waren, dass sie das Futter der Wachhunde gegessen haben.

Was allerdings unter Strafe stand. Unter welcher, wollte er Heiligabend nicht sagen.

Kommen wir zu den gigantischen Weihnachtsgeschenken, die einem die Tränen in die Augen treiben: Die Mädchen bekamen von den Großeltern ein Sparbuch – sie sind jetzt fünf, sagt Oma Margot, und da müssen sie lernen, mit Geld umzugehen.

Geschenke hätten sie schließlich genug, sagt Lothar, weil ich sie ja mit Mitbringseln aus dem Kaufhaus überhäufe. Lothar hat ihnen einen Bausparvertrag eingerichtet. Mir hat er ein elektronisches Zeitplanbuch geschenkt, in das er schon alle Daten (Weltspartag, Wüstenrot-Tag usw.) einprogrammiert hatte.

Kurz und gut: Es war ein brillantes Fest der Liebe. Jetzt müssen wir noch die Silvesternacht rumkriegen. Aber das schaffen wir auch noch. Wahrscheinlich gehe ich um neun mit den Zwillingen zu Bett.

Bei dir ist es erst Mittag – wahrscheinlich liegst du zwischen Liza Minelli und Sabine Christiansen am Strand unter Palmen und lässt dir von einem karibischen Schönling die Füße massieren.

Ich hasse dich. Schreib mir nie wieder und fahr zur Hölle.
Deine Anne

PS: Wenn du mir weiter schreibst, werde ich immer unglücklicher.

PPS: Wenn du mir aber nicht mehr schreibst, werde ich noch unglücklicher!

Auf See, zwischen Barbados und Martinique, Neujahr,
auf der QE 2, Suite 817–819

Frohes neues Jahr, meine liebe Anne!
Ich schreibe dir weiter! Je unglücklicher du wirst, desto schneller änderst du dein Leben!

Elf Uhr vormittags. Nach einer ausschweifenden Silvesterparty.

Nein, was habe ich wieder gelacht über deine Vorabendserie!

Ich überlege ernsthaft, dieses Sendeformat bei Sat.1 oder RTL unterzubringen. Ich kenne da ein paar wichtige Produzenten – solche Stoffe werden immer gesucht.

Bitte schreib tapfer weiter! Irgendwie mache ich noch Kohle aus deinen E-Mails!!

Meine Augen schmerzen noch immer, so viele Gin Tonics hab ich mir gegönnt.

Liza Minelli hat eine phänomenale Show gemacht. Der Saal hat getobt. Sie sah fantastisch aus. Ein Paket aus Power, Energie und Lebensfreude. Frisch verheiratet, strahlte aus allen Knopflöchern, konnte ihre Glückshormone gar nicht für sich behalten. Echt ansteckend. Sie war übrigens vor zwei Jahren noch richtig fett, nach einem Zeckenbiss und anschließender Hirnhautentzündung, saß im Rollstuhl und war nur noch eine Karikatur ihrer selbst. Dann trat ihr Produzent und jetziger Ehemann in ihr Leben und alles nahm eine dramatische Wende zum Guten!! Man hat sie in eine sensationelle Abspeckklinik geschickt und heute sieht sie aus wie neu! Vielleicht gehe ich auch mal in diese Klinik. Bin ganz ohne Zeckenbiss so fett geworden. Von lauter Kaviar, Champagner, Gin Tonic und Salzburger Nockerln.

Leider hat Liza schon einen Manager. Die Alte würde ich mir

gern unter den Nagel reißen. Aber was soll ich mit der Taube auf dem Dach! Apropos Spatz in der Hand: Mark Daniel Martini ist gestern in Barbados zugestiegen! Er kam mit Liza Minelli im selben Hubschrauber. Auf einmal stand er da, lachend und braun gebrannt, in seinem schwarzen Polohemd und weckte mich aus meinem Liegestuhl-Dämmerschlaf. Seine ausgemergelte Kim hatte er zum Glück nicht mitgebracht. Das war ja eine freudige Überraschung!

Er musste über Weihnachten in Boston singen, aber seit gestern hat er frei. Er verbreitet gute Laune und freut sich über alles hier – man kann den Kerl schon verdammt gern haben, das sage ich dir. Und wie der aussieht! – Ach, ich wiederhole mich. Sorry.

Zur Silvesterfeier erschien er im Smoking, ab Mitternacht trug er, wie alle Herren hier an Bord, einen Zylinder. Für die Damen hatte man Krönchen und Girlanden verteilt. Es war eine sensationelle Party. Sogar Adrian hatte einen Zylinder auf und es war ihm keineswegs peinlich. »Voll geil« fand er alles und »echt super abgefahren, die Party«.

Um drei Uhr nachts fing Mark Daniel an zu singen, im großen Saal, nachdem Liza schon im Bett war. Ein Häufchen hartgesottener Fans war im Saal geblieben und das Unterhaltungsorchester spielte noch mal auf. Mark war wieder mal hinreißend.

Wie lässig er dastand, in seinem Smoking, eine Hand in der Tasche, die andere am Mikro, sang er unter anderem »My way« von Frank Sinatra. »I did it my way.« Das ist es, was Mark und Frank Sinatra und Harald Juhnke und mich verbindet: Wir haben es einfach auf unsere Weise gemacht. Egal was die Leute von uns erwarten oder denken oder über uns sprechen.

»My way« solltest auch du dir zum neuen Lebensmotto machen, Anne.

Zurück zum gestrigen Abend: Die Leute waren hingerissen. Adrian auch. Er steckte zum ersten Mal im Leben in einem schwarzen Anzug mit Krawatte, allerdings mochte er auf seine ausgelatschten Turnschuhe, Duftmarke »Krankes Pferd«, nicht verzichten. Seine Augen leuchteten, er war richtig stolz auf »unseren« Mark Daniel. Was ich mit dem für einen Hauptgewinn gezogen habe!! Als das Saalorchester seine Brocken zusammenpackte, sind wir alle noch hinaus aufs Sonnen-, in diesem Fall »Mond«deck. Du wirst mich erdolchen wollen, aber der riesige, goldene Vollmond stand wie bestellt über der Karibik, die Sterne leuchteten zu Tausenden und Mark sang, begleitet von der Band, die draußen stand, noch weiter, während die nimmermüden Paare in festlicher Garderobe tanzten oder mit ihrem Champagner an der Reling standen. Es war ein Silvester wie im Werbeprospekt. Ich musste zwischendurch lachen, weil ich an dich dachte, wie du jetzt wahrscheinlich mit den Zwillingen im Bett liegst und ihnen ein Kapitel aus »Aschenputtel« vorliest. Schick mir tausend kleine vergiftete Dolche, wenn dir das hilft.

Aber du weißt ja: Neid ist verschenkte Energie. Die kannst du für dich selber einsetzen.

Um neunzehn Uhr am Silvesterabend bin ich übrigens mit der ersten Champagnerflasche zu den Martinis gegangen. Ein paar andere Deutsche waren auch dabei und wir haben alle auf dem großen Balkon des Achterdecks bei einem gigantischen Sonnenuntergang auf unsere Freunde und Exmänner in Deutschland angestoßen, bei denen es jetzt schon Mitternacht war. Und Nieselregen, Sturm und Graupelschauer. Nachdem alle auf einen bestimmten Freund getrunken hatten – ich natürlich auf dich –, sagte ich sehr feierlich: »Auf meine Feinde!«

Zuerst waren die anderen ganz verdutzt und haben gelacht und da sagte ich stolz: »Alle meine Feinde habe ich mir redlich verdient!«

Anne, ich trinke auf dich und darauf, dass du am nächsten Silvester viele Feinde hast!

Bin immer noch nicht wieder ganz nüchtern. Gordon, der Butler, hat ein »Katerfrühstück« gebracht. Hering, Käseomelett, Lachs, Eier, Toast, Kaviar und Champagner. Kinder, nein, was GEHT'S uns gut!! Ob Mark Daniel schon wach ist?

Jetzt werde ich runtergehen aufs Sportdeck, schauen, was mein Adrian macht. Er hat sich mit ein paar Jugendlichen angefreundet, deren Hosen bis in die Kniekehlen hängen, mit denen er Tennis und Shuffle-Bord spielt. Alle haben diese coole angesagte »Queen Elisabeth II«-Baseballkappe auf, natürlich verkehrt rum, und megageile Sonnenbrillen. Nachher gibt's Weißwürste, Brezeln und bayrisches Bier auf Deck fünf, als Neujahrs-Brunch.

Liza Minelli will auch vorbeischauen.

Liebe Anne, sieh dem neuen Jahr gelassen entgegen. Du hast so viel Power und Energie, so viel Kraft und Lebensfreude! Die mag durch deine Erlebnisse in den letzten Jahren verschüttet sein – vielleicht steckt sie auch in dem von dir erwähnten Einweckglas –, aber wir werden sie schon wieder ans Tageslicht buddeln! Ich bin sicher, dass dein Leben nicht so weitergeht. Weil du kein passiver Mensch bist. Und Selbstmitleid nicht zu deinen bezeichnenden Eigenschaften gehört.

In freundschaftlicher Liebe
deine Alex

PS: Klar bin ich ein Ego-Weib. Aber was willst du? Ich LACHE doch!

Plattstadt, Kaufglück, 10. Januar des neuen Jahres

Liebste Alex,
danke für deine Neujahrs-Mail. Ich musste mich erst Mal ein paar Tage sammeln, bevor ich wieder die Kraft fand, »Neues aus Plattstadt« für deine Vorabendserie zu schreiben.

Die Kollegen mobben mich kräftig. Überall hässliche Bemerkungen: »Da kommt ja unsere liebe Kollegin Frau Pistrulla. Was haben Sie sich aber heute wieder schick gemacht! Wen wollen Sie denn diesmal beglücken?«

»Ging der Rock nicht noch ein bisschen enger, liebe Kollegin?«

»Die glücklich verheiratete Frau Pistrulla trägt in letzter Zeit immer ihre Haare offen!«

»Na, Frau Pistrulla, welchen Kollegen baggern Sie denn als Nächstes an – am Baggersee? Oder ist er zugefroren? Keine Fahrstunden mehr?«

Die freche Hexe Jacoby von der Damen-Oberbekleidung wedelte mit einem knallroten Fummel vor meinen Augen: »Probieren Sie doch das mal an, Frau Pistrulla, das macht sich gut beim Cabriofahren!«

Mein Ruf eilt mir voraus. Ausgerechnet mir passiert das! Ich gelte als Schlampe! Du wärest wahrscheinlich mächtig stolz darauf und würdest darüber lachen. Aber ich, ich bin einfach anders gestrickt. Ich glaube, ich habe »Schämen« in meine Festplatte einprogrammiert, lange vor »Lachen«.

Flüchte mich in mein Kämmerlein und verschlinge deine E-Mails. Habe alle unsere Mails seit dem vierten September noch einmal durchgelesen. Und weißt du, was ich festgestellt habe? Am Anfang war ich mit meinem Leben hier ganz zufrieden! Und jetzt finde ich kein Loch, in dem ich mich verkriechen könnte, weder zu Hause noch in der Firma! Dieser kleine Raum hier ist meine Zuflucht. Und der PC.

Mein Fenster zur Welt. Dabei sitze ich weder im Rollstuhl noch bin ich gefesselt! Nur im Kopf! In Gedanken war ich mit dir auf dem Schiff. Ich habe alles genau vor mir gesehen. Ich selbst war natürlich noch nie auf so einem Dampfer. Hätte viel zu viel Schiss – hab doch schließlich »Titanic« gesehen. Was, wenn der Kahn einen Eisberg rammt? Na gut, wirst du sagen, in der Karibik gibt's keine Eisberge. Du Abgebrühte spielst sogar mit dem Gedanken, freiwillig zu kentern, um die Reederei zu verklagen.

Und selbst wenn nix passiert: Muss man sich nicht dauernd übergeben? Ich sehe mich schon über der Reling hängen, weiß im Gesicht, mit schlotternden Knien, und all das von mir geben, was ich vorher im Fünfsternerestaurant zu mir genommen habe… Sag, ist das Lothars Schwarzmalerei, die ich da schon an den Tag lege? Sein Pessimismus, sein Teufel-an-die-Wand-Malen, sein Freudeverderben? Ich fürchte, ich bin ein Chamäleon. Habe alle seine Eigenschaften schon angenommen. Wie kann ich selbst Feuer fangen, wenn ich mit einem Feuerlöscher verheiratet bin?

Gestern in der Post: wieder eine Absage vom Jugendamt. Nein, in der ganzen Stadt und Umgebung kein Kindergartenplatz. Oma Margot führt wieder das Regiment. Mit eiserner Miene stand sie am 2. Januar wieder auf der Matte: Von der ganzen unerfreulichen Sache wolle sie »kein Wort mehr hören«. Damit griff sie energisch zum Wischmopp. Oma Helga verzog sich derweil mit den Zwillingen ins Kinderzimmer. Memory. Wie gehabt.

Lothar war »zwischen den Jahren« einmal mit uns unterwegs. Soll ich dir das überhaupt noch schildern? Oder kriegst du Brechreiz?

»Plattstadt – deine Spießer«, Folge fünfundzwanzig.

Wir gehen rodeln, sagte der Vati.

Die Muddi fügte sich in ihr Schicksal.

Bis die Kinder »witterungsgemäß korrekt angezogen« waren,

verging eine Stunde. Oma Helga und Oma Margot stopften die Mädchen in lange Unterhosen, langärmlige Unterhemden, rosafarbene Skianzüge, die ich noch aus dem Sonderangebot mitgebracht hatte. Dazu Fäustlinge aus Wasser abweisendem Material, Mützen mit Sonnenschutz (!), dicke Socken aus dem Reformhaus und Matschstiefel, innen gefüttert. Dann lud Lothar mit einem Gesichtsausdruck, als müsste er Hundekacke aus seinem Bett putzen, den Schlitten in den Kofferraum. »Das sperrige Ding beschädigt mir den Lack! Konntest du keinen Kleineren bekommen?«

Während die Zwillinge schon wie Heringe in der Dose in ihren Kindersitzen klemmten, prüfte er noch penibel das Profil seiner Winterreifen und zog dann vor unser aller gespannter Augen Schneeketten auf, schließlich plante er einen Ausflug in den Taunus! Und da sind ja bekanntermaßen gefährliche Schluchten und Untiefen im ewigen Eis.

Wir standen die ganze Zeit dabei und schauten ihm schweigend zu. Als Lothar endlich bereit war, sich aus dem Carport winken zu lassen, mussten Greta und Carla Pipi. Da mussten wir sie wieder aus ihren Sitzen klauben und aus ihren Anzügen schälen.

»Konntest du das nicht zweckmäßigerweise erledigen, während ich mich um die Sicherheit des Fahrzeugs kümmere?«, schnaubte Lothar beleidigt und zog die Nase hoch.

»Tja, unsere Anne musste den Mädchen ja noch Fanta geben«, petzte Oma Margot.

Ich war mal wieder schuld an der Verzögerung unseres Familienausflugs.

Endlich fuhren wir los. Lothar machte auf der Hauptstraße, die zur Autobahn führt, mehrmals heftige »Bremsproben« – weshalb der Opel anfing zu schlingern und die Mädchen und ich vor Schreck zu schreien anfingen. Erwin hinten auf seiner Hutablage brach sich fast die Hinterbeine und bekam Schüttelfrost vor Angst. Dann fuhr »der Vati« noch auf eine Tankstelle, um das Scheibenwischwasser mit Frostschutzmittel aufzufüllen – was er alles den Mädchen erklärte –, und dabei stellte er fest, dass die

Wischblätter der Scheibenwischer nicht mehr ganz schlierenfrei arbeiteten, weshalb sie ausgetauscht werden mussten. Ich spare mir und dir die restlichen Schilderungen. »Der Vati tauscht jetzt die Wischblätter aus«, »Der Vati prüft jetzt die Bremsbeläge« und »Der Vati führt jetzt den Hund hinter die Waschanlage, damit er nicht ins Auto Pipi macht«. (Böser beleidigter Blick auf »die Muddi«, die einfach faul und tatenlos auf ihrem Beifahrersitz hocken bleibt.)

Gegen frühen Nachmittag kamen wir endlich im Taunus an, da hatte sich die Sonne schon verzogen, die Mädchen waren nass geschwitzt unter ihren Anzügen, heulten und hatten Durst. Lothar gab mir die Schuld. »Das ist erklärtermaßen DEINE Aufgabe, für die angemessene Körpertemperatur der Kinder zu sorgen, während es MEINE Aufgabe ist, für die Sicherheit des Fahrzeuges Sorge zu tragen …

Wir mussten in einem überfüllten, stickigen Café einkehren, weil die Mädchen was trinken wollten. Der Tee in der Thermoskanne war aus unerfindlichen Gründen im Kofferraum ausgelaufen – das beleidigte Gesicht von Lothar inklusive Nasehochziehen kannst du dir ja vorstellen, als er am Schraubverschluss rumdrehte.»Der Vati muss jetzt mal feststellen, wer daran SCHULD ist!« Als hätte ich mutwillig Ketchup auf seinen Schonbezügen verschmiert oder Margarine in seinen Ersatzkanister gestopft.

Das »Rodeln« fand dann zwischen fünfzehn Uhr dreißig und sechzehn Uhr statt, Lothar bestand darauf, immer nur mit einem Mädchen auf dem Schlitten zu sitzen, da er sonst »die Kontrolle über das Fahrzeug« verlieren würde. Leider gibt es ja keine Schlitten mit Dreipunktanschnallgurten und Airbag. Es gab Gerangel und Streiterei, Tränen und Trotz.

Weißt du was, Alex? Ich habe einfach dagestanden unter dem bewölkten trüben Himmel, auf dem grauen, überfüllten Hang, und laut mit mir selbst geredet. »Es wird Abend, auch dieser Tag geht vorbei, morgen ist wieder Montag, da kehrt wieder der Alltag ein; bitte, lieber Gott, lass Abend werden. Das denke ich oft. Lieber Gott, lass es dunkel werden. Heute und morgen und übermorgen wieder.

Ja, Alex. Ich bin reif für Veränderungen. Aber wie? Mein Reservetank ist leer!

Mit meinem letzten bisschen Kraft hasse ich dich von Herzen, aber ich bin süchtig nach deinen E-Mails. Sie sind wie vereinzelte Sonnenstrahlen im nasskalten Januar. – Auweia!, ich habe mich zu lange verdrückt. Der Chef ist stinksauer auf mich. Muss mich um unseren neuen Werbeleiter kümmern. Herr Sporitz aus der Filiale Hannover. Die Mädels aus der Dekoration haben den ganzen Weihnachtsschmuck abgebaut und kramen schon die Karnevalsdekoration aus dem Lager.

Das Leben geht unerbittlich weiter.
Deine Anne

PS: Wieso eigentlich?

Los Angeles, 16. Januar, auf dem Campus
der Beverly Hills Highschool

Liebste Anne,
das sind ja wieder prickelnde Neuigkeiten aus Trübland! Ich hab mich abgerollt vor Lachen.

»Plattstadt – deine Spießer« wird ein Riesenerfolg! Wenn ich wieder in Europa bin, spreche ich sofort den Programmchef von Sat.1 und den Vorabendtypen aus der ARD an.

Lass dich mitreißen ins sonnige Kalifornien, lehn dich zurück und genieße folgende Szene.

Adrian ist mit seinen neuen Studienkollegen unterwegs. Ich habe mich mit meinem Laptop in den Schatten verzogen. Um mich herum junge Menschen, die zu ihren Kursen laufen. Zu zweit, zu dritt, plaudernd, lachend. Einige sitzen unter den Bäumen im Schatten, lesen, lernen oder knutschen. Ach, das erinnert mich an meine eigene Studienzeit in Salzburg! Wir haben im Mirabellgarten unsere Freistunden verbracht oder sind an der Salzach entlanggeschlendert. Mit meinem alten Fahrrad habe ich Touren in die wunderschöne Umgebung gemacht. Schon damals war mir nichts so wichtig wie meine Freiheit. Kein Mensch auf der ganzen Welt durfte mir mehr Vorschriften machen. Gott, was habe ich da intensiv gelebt! Obwohl das alles fünfzehn Jahre her ist, habe ich das Gefühl, keinen einzigen Moment vergessen zu haben. So muss das Leben sein, Anne! Und nicht: Lieber Gott, mach, dass es dunkel wird!

Lieber Gott, lass mich diesen Augenblick festhalten! Und den nächsten und den übernächsten! So muss ein Stoßgebet lauten, wenn man überhaupt den großen Intendanten da oben für seine eigene Tragikomödie verantwortlich machen will. Damals haben wir im Café Bazaar nach prominenten Schauspielern oder Musikern Ausschau gehalten, nur um ein Mal in ihrem Dunstkreis zu atmen. Ich habe damals schon genau gespürt, dass es diese Menschen geschafft hatten, und genau das wollte ich auch. In diese Sphären gelangen. Auf welche Weise auch immer. Singen konnte ich nicht, tanzen konnte ich nicht, Klavier spielen konnte ich nicht. Ich sah noch nicht mal besonders gut aus: Du weißt ja: klein, drall, ein Hintern wie ein Brauereipferd. Aber ich wusste, dass ich da oben hin WOLLTE! Einmal beobachteten wir Götz George, wie er da unter den Kastanien saß und seinen verlängerten Braunen trank. In dem Moment erschien Senta Berger, die damals im »Jedermann« die Buhlschaft spielte, und setzte sich zu ihm. Wir sind vor Ehrfurcht und Bewunderung fast gestorben. Wenn ich daran zurückdenke, muss ich milde lächeln. Heute manage ich Leute wie Götz George und schlage für sie Werbe- und Filmverträge für Hunderttausende von Euro heraus. Damals haben wir Senta Berger beim »Jedermann« als Buhlschaft bewundert! Wir hatten Stehplätze auf dem Domplatz und waren überglücklich, einen Zipfel von ihr zu Gesicht zu bekommen! Heute grüßt sie mich in der Damentoilette des Berliner Schauspielhauses mit Namen und fragt mich, welchen Lippenstift ich benutze.

Heute sitze ich, wenn ich überhaupt noch zum »Jedermann« komme, in der ersten Reihe Mitte auf dem reservierten Platz mit der Aufschrift »Festspielleitung«. Man muss nur die richtigen Leute kennen. Beziehungen sind alles. Ja, meine Liebe, die Zeiten ändern sich. Auch für dich. Verabschiede dich von Plattstadt.

Bitte übernimm mein verwaistes Büro, mein verwaistes Haus, mein verwaistes Bett, meinen verwaisten Wintergarten, mein verwaistes Faxgerät, meinen verwaisten Computer, meinen verwaisten Kühlschrank... meinetwegen auch noch meine schwulen Mitarbeiter. Du tätest mir einen Riesengefallen!!

Liebste Anne, fass dir ein Herz! Pack deine Zwillinge ins Auto und fahr in die Festspielstadt! Wenn du zurückmailst, sage ich dir, wo der Schlüssel liegt.

Adrian kommt zurück. Er will mir was zei...

Ach Alex!

Ich denke so viel über dein Angebot nach! Ich danke dir auch für dein Vertrauen. Aber ich fürchte, du schätzt mich völlig falsch ein. Das KANN ich doch gar nicht!!

Erstens war ich noch nie im Leben allein. Noch keine einzige Nacht meines Lebens. Ich würde in deiner knarrenden Villa vor Angst vergehen. Schon der Gedanke, alleine so eine weite Fahrt zu machen, ohne Lothar, der mir sagt, wie man die Kinder anschnallt, wie man tankt und wie man bremst, stürzt mich gelinde gesagt in Panik. Ich trau mich doch nicht ins AUSLAND! Brauche ich da nicht einen gültigen Pass? Und Kinderausweise? Und einen internationalen Führerschein??

Und wie könnte ich – ohne die Omas – mit zwei Kleinkindern allein in deinem Haus zurechtkommen?? Wenn der Herd nicht funktioniert! Oder der Kachelofen! Bestimmt ist die Heizung eingefroren, hast du selbst gesagt! Im Garten liegt meterhoch Schnee! Wie soll ich den beseitigen, allein, schwach und zittrig, wie ich bin?

Und dann die Gefahren! Auf dem See ist bestimmt Eis, in das die Kinder einbrechen können. Ich würde sie keine Sekunde aus den Augen lassen können!

Wir würden uns nicht auskennen. Wo ist der Supermarkt, wo der Kinderarzt, wo kriege ich Streusalz für die Einfahrt? Was tun, wenn die Garagentür klemmt?

Tausende von Unwägbarkeiten hindern mich daran, deinen lieb gemeinten Vorschlag anzunehmen.

Aber so warst du früher schon in der Schule. Alex hat eine Idee und die muss dann sofort in die Tat umgesetzt werden. Du hast schon immer gern für andere mitgedacht und alles umorganisiert. Darum bist du ja auch Managerin geworden. Aber ich hab einfach nicht den Mut, Plattstadt zu verlassen. Ich war hier sechsunddreißig Jahre lang! Hier kenne ich mich aus.

Ich habe Angst vor deinem leeren großen Haus.

Nein, ich glaube nicht, dass das eine gute Idee ist. Ich glaube, das ist eine bescheuerte Idee.

Nein, ich möchte eigentlich nicht meine Energie daran verschwenden. Nachher sitzt da so ein Stachel in meinem Herzen, den du gepflanzt hast, meine Liebe!

Gott, wie ich dich hasse. Warum bist du nur wieder in mein Leben getreten? Warum hab ich Idiot dir das Interview mit Heinrich und seiner Schülerzeitung gemailt?

Für mich ist Plattstadt und Kaufglück der Nabel der Welt, da kann ich mich festhalten. Du bist schon immer ohne Angst im Meer geschwommen, ich nur immer im Schwimmbad. Weil ich einen Rand zum Festhalten brauche. Und Grund unter den Füßen.

Es wird wohl so bleiben, wie es ist.

Jetzt muss ich zum Chef. Es gibt Ärger. Ich glaube, der mag mich nicht mehr.

Drück mir die Daumen. Ich glaube, ich höre auf dir, zu schreiben. Ich ertrage das nicht mehr.

Deine zerknirschte Anne

PS: Früher hast du mich immer darum beneidet, dass ich hübsch bin. Und ich habe immer gesagt, hübsch sein ist noch nicht mal die halbe Miete.

Hollywood, Sunset Boulevard, Hotel Bel Air – im Spa

Hallo, Kleinchen,
nein, hör nicht auf, mir zu mailen. Ich brauche dich. Du bist
mein letztes Zipfelchen Heimat, Kindheitserinnerung und Geborgenheit. Lass uns bloß nicht aufgeben. Auch wenn wir mal
Meinungsverschiedenheiten haben.

Lasse mir gerade eine Pediküre machen, kann vor der Maniküre noch zurückmailen.

Du kennst mich ja: Ich rede viel ins Unreine, träume, plane,
organisiere. Manches geht auch schief. Aber ich habe mich nie
gelangweilt, Anne. Nie auf das Ende eines Tages gewartet. Nie
die Stunden gezählt, bis ich nach Hause gehen darf.

Erinnerst du dich noch an unseren Spaziergang, damals im
Winter, um den viel besungenen Plattstädter Baggersee? Das
war ja unser einziges Highlight, dieser Tümpel! Es wurde schon
dunkel und wir mussten uns entscheiden, ob wir zurückgehen
oder es wagen sollen, den See ganz zu umrunden. Du warst für
Zurückgehen. Das war für dich der sicherste Weg. Ich war für
Weitergehen – in ein neues kleines Abenteuer. Wir haben ge-
stritten. Du sagtest, du willst unbedingt noch bei Dämmerung
wieder am Parkplatz sein, wo unsere Räder standen. Ich nannte dich einen jämmerlichen Feigling, du mich einen chaotischen
Idioten.

»Okay«, habe ich gesagt. »Ich werde noch vor der Dunkelheit
wieder am Parkplatz sein!« Da bin ich einfach quer über den See
gelaufen. Als ich einsackte, war ich schon zehn Meter vom Ufer
entfernt.

Du standest da und hast um Hilfe geschrien. Die Waldarbeiter
sind mit ihrer Leiter gekommen und haben mich rausgezogen.

Ich wäre da alleine nicht wieder rausgekommen. Plump und schwer, wie ich war.

Du hast mir das Leben gerettet, Anne. Deshalb hast du bei mir noch einen gut.

Solche und ähnliche Erfahrungen habe ich noch ein paarmal gemacht im Leben. Einige Bauchlandungen habe ich zu verzeichnen, über die ich heute lache.

Du bist diesen Erfahrungen immer ausgewichen. Aber dieses Mal werde ich dich keinen Feigling nennen. Bin ja auch reifer geworden und höflicher im Umgang. Ich habe gelernt, die Entscheidungen anderer Menschen zu akzeptieren.

Leb und stirb in Plattstadt, wenn es dich glücklich macht, unglücklich zu sein.

Hier tut sich viel: Adrian ist seit Jahresbeginn begeistert in seiner neuen Schule.

Im Fußballspielen ist er ein Ass, im Tischtennisspielen auch. Er konnte gleich gute Punkte sammeln, als er sich anbot, mit den anderen zu trainieren. Dafür bringen ihm die anderen Baseball und Kricket bei. Außerdem bekommt er Intensivkurse in Englisch und Spanisch. Dafür durfte er sein verhasstes Latein und Griechisch vergessen.

Sein Zimmer muss er mit drei anderen Guys teilen, ein Umstand, den er in Salzburg nie und nimmer akzeptiert hätte. »Vergiss es«, hätte er gesagt und die Tür hinter sich zugeschlagen. Jetzt freut er sich wie ein kleiner Junge, dass er oben schlafen darf. Die Neuen müssen immer für ein halbes Jahr oben ins Stockbett. Seine Kumpels sind sehr rücksichtsvoll und nett mit ihm. Hier in Amerika herrscht ein ganz anderer sozialer Umgang. Alle sind so freundlich und hilfsbereit, jeder hat ein Lächeln auf dem Gesicht – so auch diese reizende Dame, die jetzt schon seit fünf Minuten geduldig wartet, bis meine Hände frei werden, damit sie mit der Maniküre beginnen kann.

Wie es wohl Mark Daniel jetzt ergeht? Seine Proben in Salzburg müssen schon begonnen haben. Gleich werde ich Liz und Walter anrufen, um zu fragen, ob alles okay ist.

Schade. Wenn du dich entschlossen hättest, nach Salzburg zu

gehen, dann hättest du ihn bestimmt kennen gelernt. Ich glaube, er hätte dir gefallen.

Vielleicht wäre er der Prinz gewesen, der an dem Einmachglasgummiring zieht?

Mein Angebot gilt!

Deine Alex – mit den schönsten Füßen der Welt!

PS: Nachher hab ich einen Termin bei Jeff Miles, dem Oberoberboss der Filmproduktionsgesellschaft »Miles and more«, einer Tochterfirma von Warner Brothers, die ein neues Bond-Girl sucht! Sein Partner war auf dem Schiff und wir haben uns in jeder Hinsicht näher kennen gelernt...

Plattstadt, Kaufglück, 24. Februar

Liebste Alex,
bitte gib mir Zeit. Ich kann im Moment nicht mehr mailen und ertrage es auch nicht, immer zu lesen, wie gut es dir geht. Bleib mir aber gewogen – ich muss einfach nachdenken, dann melde ich mich wieder!

Danke, dass es dich gibt.
Anne

Kein PS.

Hollywood, Hotel Bel Air, am Pool

Liebste Anne,
kein Problem. Du weißt, ich bin nie beleidigt.
Ich denke an dich und wünsche dir nur das Allerbeste.
Mach's gut.
Alex

Auch kein PS.

Plattstadt, Kaufglück, 17. März

Liebste Alex,
entschuldige, dass ich so lange nichts mehr von mir habe hören lassen, aber ich habe eine grauenvolle Zeit hinter mir. Irgendwann hatte ich noch nicht mal mehr den Mut, dir von meinen ganzen Niederlagen zu berichten, und »Plattstadt – deine Spießer« war wirklich nicht mehr zum Lachen.

Heute ist mein letzter Arbeitstag – ich muss meine Sachen packen. Sie haben mich entlassen.

Siegwulf Mennecken und Jürgen Böhser haben beide beim Arbeitsgericht geklagt. Sie haben übereinstimmend ausgesagt, ich hätte sie sexuell belästigt, was auch im Plattstädter Anzeiger stand. Sie haben zu Protokoll gegeben, ich hätte sie zum Sex gezwungen!! Wenn sie nicht mit mir schlafen würden, hätte ich ihnen mit Entlassung gedroht. Siegwulf Mennecken hat schluchzend von seiner kranken Frau im Behindertenheim gesprochen, die er doch ernähren müsse – deshalb hätte er wohl oder übel mit mir geschlafen.

Was nicht stimmt, Alex!

Jürgen Böhser sagte, er hätte Angst vor Arbeitslosigkeit, in seinem Alter bekäme er doch nie wieder eine Festanstellung, und auch er hätte Frau und Kinder zu ernähren. Also hätte auch er wohl oder übel mit mir geschlafen.

Ihre Geschichten haben in markanten Details übereingestimmt.

Angefangen hat das Ganze damit, dass man Siegwulf Mennecken in seiner neuen Firma beim Klauen erwischt hat. Er hat elektronische Geräte entwendet und bei sich zu Hause gestapelt. Bei einer Hausdurchsuchung fand man dann auch Gegenstände, die er aus unserer Kaufglück-Filiale gestohlen hatte: Videokameras, Digitalkameras, Lautsprecheranlagen und all so einen Kram, von dem ich nichts verstehe. Siegwulf Mennecken wurde in Handschellen abgeführt und landete im Knast. Das alles hat man zwar hinter vorgehaltener Hand bei uns in der Firma erzählt, aber mir war der Kerl ja schnuppe. Ich wurde zwar wegen diesem Mann gemobbt, aber ich habe bewusst weggehört.

Und jetzt rate mal, von wem Siegwulf im Knast Besuch bekam: von Jürgen Böhser!

Die beiden müssen sich gründlich unterhalten haben, denn auf einmal wurde Siegwulf auf Bewährung freigelassen. Er gab zu Protokoll, ich, Anne Pistrulla, Personalchefin bei Kaufglück, hätte ihm die Gegenstände aus der Elektronikabteilung geschenkt.

GESCHENKT! »Für sein Schweigen«.

Man hat mich vor Gericht mit diesem Protokoll konfrontiert und es mir Wort für Wort vorgelesen. Siegwulf Mennecken saß oben im Zeugenstand und hat mir frech ins Gesicht gegrinst. Die Sitzung war öffentlich und alle Plattstädter Spießer hingen in den Rängen!

»Für sein Schweigen? Aber worüber?«

»Darüber, dass Sie regelmäßig mit dem Zeugen Mennecken intimen Verkehr hatten.«

»Aber das stimmt nicht!«

»Sie sind von verschiedenen Kolleginnen und Kollegen mit dem Zeugen Mennecken während der Arbeitszeit auf dem Parkdeck in dessen Cabriolet beim Vollzug intimer Zärtlichkeiten beobachtet worden!«

»Das ist nicht wahr! Wir haben nur… Fahrtechniken geübt!«

»Bitte genauer. Was für… Fahrtechniken?«

»Einparken und ausparken!«

Tosendes Gelächter im Saal. Der Richter haute mit dem Hammer auf sein Pult.

»Abgesehen von Ihren kollegialen… Weiterbildungsmaßnahmen kam es aber laut Protokoll zu nächtelangen… sexuellen Orgien… in der Bettenabteilung!«

»WAS?« Ich hatte eine knallrote Birne und schaute mich Hilfe suchend im Saal um.

Wie sehr hätte ich mir gewünscht, dass Oma Margot aufspringen und rufen würde: »Lassen Sie meine Tochter in Ruhe! Die kann schlafen, mit wem sie will!«

Aber es ging ja nicht um den Tatbestand des Beischlafes, sondern um den Tatbestand des erkauften Schweigens mit Hilfe von gestohlenem Diebesgut aus meinem Laden!

Ich drehte mich wie ein aufgeschrecktes Kaninchen im Kreise und rief hilflos: »Das ist nicht wahr! Das stimmt nicht!«

»Verschiedene Zeugen haben das übereinstimmend zu Protokoll gegeben!«

Alex, sie haben bis ins Detail identische Dinge ausgesagt! Für jedes »Mal« hätte ich den alten fetten Säcken elektronische Geräte geschenkt! Sie haben sich abgesprochen und gegen mich verbündet! Sie haben sogar die Kollegin aus der Bettenwarenabteilung, die ich vor zwei Monaten entlassen hatte, dazu gebracht zu behaupten, morgens seien immer die Kissen zerwühlt gewesen! Das alles stand auch detailgetreu im Plattstädter Anzeiger. Mit Bild. Von mir.

Oma Margot hat im Gerichtssaal einen hysterischen Schreikrampf gekriegt, Opa Karl-Heinz hat gebrüllt, dass so etwas in der DDR mit Zuchthaus bestraft worden wäre, und Oma Helga hat geweint und Selbstgespräche geführt.

Lothar mussten sie mit einem akuten Anfall von Stressneurodermitis in die Klinik bringen, wo ich ihn nicht besuchen darf.

Man hat mir einen Vergleich angeboten aus Mangel an Beweisen, und bei Kaufglück bekam ich eine Entschädigung von sechs Monatsgehältern, wenn ich die Entlassung akzeptiere.

Was sollte ich denn machen, Alex? Kämpfen? Auf meiner Anstellung beharren? Den Mut und die Nerven habe ich nicht.

Jetzt pack ich diesen Computer ein und überspiele mir unsere sämtlichen Mails auf Diskette.

Ein letzter Blick auf unsere Schule, deren Pausenzeichen soeben ertönt.

Wenn dein Angebot noch gilt, Alex: WO LIEGT DER SCHLÜSSEL?

Anne

Hollywood, Hotel Bel Air – im Spa

Anne!
Ich kann's nicht fassen! Du BIST SO WEIT!!!

ALSO: Wenn du die Einfahrt rauffährst, findest du rechts eine mit Wein bewachsene Pergola. Unter der vierten Sprosse klebt ein blaues Kästchen. Das ist die Fernbedienung für das Gartentor. Du kannst sie vom Auto aus greifen. Fahr den Kiesweg ganz hinauf, das Tor schließt sich automatisch wieder. Die Fernbedienung kannst du im Auto lassen und weiterhin benutzen.

Du solltest direkt vor der großen Freitreppe parken, um deinen Kram auszuladen. Später kannst du in die Garage fahren, die automatisch aufgeht, wenn du den schwarzen Knopf an der rechten Regenrinne drückst. Nicht den roten! Das ist die Alarmanlage!

Vor der Haustür steht ein blauer, handbemalter Bauernschrank. Drinnen findest du Besen, Mistkübel, Gummistiefel und allerlei Gartenwerkzeug. Im zweituntersten Fach links steht ein Paar rosa Skischuhe. Im rechten Schuh liegt ein Schlüssel unter der Wärmesohle. Ganz vorn, am großen Zeh.

Dieser Schlüssel ist für das dritte Schubfach rechts oben. Darin sind alte Kassetten von Adrian, die wir früher immer im Auto gehört haben. In der fünften Kassettenhülle – Aufschrift: »Die Doofen« – findest du einen Schlüssel.

Das ist der Hausschlüssel.

Vorher musst du die Alarmanlage entsichern. Der Code ist: 11.211.5657.

War doch ganz einfach, oder?

Sobald du da bist, sende mir eine Mail! Mein Computer steht oben auf der Galerie, das Kennwort ist »adrian«!

Gute Reise, Hals- und Beinbruch,
und: Du schaffst das, Anne!!
Deine Alex

PS: Ich bin stolz auf dich!

Mondsee, im Frühling

Liebste Alex,
ich bin drin! War doch ganz einfach! Kann es alles gar nicht fassen. Wo soll ich anfangen?

Danke für die fantastische Wegbeschreibung, die ich noch als Letztes auf meinem Computer fand, bevor ich meine Siebensachen packte. Habe alle unsere Mails überspielt und dann gelöscht, nur die Wegbeschreibung noch schnell ausgedruckt.

Abends habe ich in Ruhe gepackt und Lothar einen Brief hinterlassen:

Lieber Lothar,
glaube über die Sache, was du willst – es ist mir egal.

Ich will jedenfalls nicht länger schuld an deinem schrecklichen Leben sein. Sei du nicht mehr schuld an meinem! Wir führen keine Ehe, sondern eine Stressgemeinschaft, die uns beide zerstört.

Die Kinder nehme ich mit. Sie sind wichtiger als der Bausparvertrag.

Behalte ihn und alles hier – ich fange neu an.

Versuche nicht mich zu finden – ich melde mich, wenn ich so weit bin.

Gute Besserung!
Anne

Was Besseres fiel mir in der Eile nicht ein.

Morgens um fünf hab ich mir die schlafenden Mädels gepackt, sie in aller Eile in den Opel verfrachtet und bin im Leerlauf rückwärts auf die Straße gerollt, um niemanden durch das Starten des Motors zu wecken.

Um neun war ich schon bei Nürnberg, wo wir an einem Rastplatz gefrühstückt haben.

Für die Mädchen ist es ein genauso großes Abenteuer wie für mich!

Aber alles funktioniert! Ich kann Auto fahren, ich kann tanken, ich kann einen Autoatlas lesen, ich kann meine Mädchen aus- und anziehen, ich kann... mein Leben selbst bestimmen!

Während der ganzen Fahrt war ich so euphorisch, als hätte ich Drogen genommen. Wir haben laut gesungen und waren übermütig vor Glück. Aber die Droge heißt FREIHEIT!!

Gegen sechzehn Uhr bin ich in deine Einfahrt gerollt – mein lieber Schwan!! So ein tolles Anwesen!! WOW!!

Habe alles leicht gefunden. Man muss ja nur die Leute im Dorf nach dir fragen – sie geben bereitwillig Auskunft. Die Frau mit dem Garten voller Schneeglöckchen, Krokus und Narzissen hat nach dir gefragt. Ich habe gesagt, es geht dir blendend und du kommst bald zurück.

Die Kinder spielen draußen im Garten, ich kann sie von hier aus durch die riesigen Panoramafenster sehen. Deine Galerie ist ja eine Wucht! Man fühlt sich wie im Traum, wenn man hier oben über dem Wintergarten am Schreibtisch sitzt, mit Blick auf die Berge, den See und den riesigen Garten: Ist ja toll, was du für deinen Adrian alles hast anschaffen lassen! Die Schaukel, die Rutsche, der Sandkasten – das ist alles ein Paradies. Und das riesige Seegrundstück! Gehört das Pferd hinter dem Zaun auch dir? Es schaut immer so rüber, als wollte es sagen: Nett, dass wieder jemand zu Hause ist.

Schön, dass du eine Kindersicherung im Gartentor angebracht hast. So muss ich mir keine Sorgen machen. Hier ist herrlicher Frühling, die Berge ringsum sind noch schneebedeckt, aber in der Sonne sind es achtzehn Grad. Ganz ohne schlechtes Gewissen habe ich den Mädchen ihre Anoraks ausgezogen. Sie haben KEINE Mütze auf!! Und keinen Sonnenschutz! Hurra!!

Mensch, Alex. Ich kann das alles noch gar nicht fassen. Das riesige Haus ist leer und still. Nur meine zwei wunderbaren Kinder, die seltsamerweise ganz allein spielen können.

Wenn jetzt Lothar da wäre, der würde mich anherrschen, dass der Jägerzaun noch lange kein Garant dafür sei, dass die Mädchen nicht innerhalb der nächsten zwanzig Sekunden ertrunken sein werden. Und wie ich es mit meinem Gewissen vereinbaren könne, dass die Fünfjährigen ganz unbeaufsichtigt auf der gefährlichen Rutsche spielen, ganz zu schweigen von der Schaukel, deren Gefahren sie ja noch gar nicht abschätzen können. Lothar würde sich jetzt nach der anstrengenden Fahrt, deren Dauer er mir auf die Minute vorrechnen würde, zum Schlafen ins Bett verziehen und sich ausbedingen, dass absolute Ruhe herrscht für wenigstens zwei Stunden! Dann würde er mit beleidigter Miene die Rollläden runterlassen und dabei die Nase hochziehen. Und zum Kofferauspacken würde er sich einschließen. Damit die Kinder ihm nicht zwischen die Klamotten laufen.

Komisch, dass allein alles viel einfacher geht. Ich habe unser Gepäck in das Vorhaus gestellt und werde gleich mal schauen, wo das Gästezimmer ist.

Jetzt werde ich in aller Ruhe dein Haus inspizieren. Es ist noch alles drin – wenn ich das richtig beurteile. Du hast mir ja schon von dem traumhaften Wintergarten erzählt, aber so habe ich ihn mir nicht vorgestellt. Ich dachte an ein paar Topfblumen vor einer Glasscheibe!

Richtige Palmen! Riesige Zierpflanzen! Ganze Landschaften von Blättern, Kletterpflanzen und Blüten! In der Galerie oben fängt sich viel Sonnenlicht. Die Topfblumen müssen dringend gegossen werden. Ziemlich viel Staub liegt auf den alten Bauernmöbeln. Es wird mir eine Freude sein, hier mit Meister Proper durchzuwirbeln! Eine Katze ist gleich an mir vorbeigeflitzt und hat sich im Haushaltsraum verzogen, wo sie sich über das Trockenfutter hergemacht hat. Im Kühlschrank stehen noch zwei Flaschen Bier und eine Dauerwurst.

Ich fühl mich gleich so österreichisch! Schmankerl oder wie nennt man das hier?

Bleibe du in Amerika, so lange du willst. Ich hüte dir dein Haus und bringe dir alles wieder auf Vordermann. Und um dein Büro werde ich mich auch kümmern.

Grenzenlos glücklich und erstaunt über meinen eigenen Mut, den Lothar bestimmt »Wahnsinn« nennen würde, sei fest umarmt von deiner
wahnsinnig glücklichen Anne

PS: Dürfen die Mädchen in Adrians Zimmer? Sonst können wir auch alle drei im Gästebett schlafen, das macht uns nichts aus.
PPS: Kostet es wirklich so wenig, sein eigenes Glücksrad ein bisschen zu drehen?

Hollywood, auf dem Gelände der Filmproduktion
»Miles and more«, 20. März

Liebe Anne,
na, hast du's gemerkt? Ich nenne dich nicht mehr Kleinchen. Du
bist erwachsen! Ich umarme dich und drücke dich und gratulie-
re dir!!

Und ich freue mich so doll mit dir, dass ich hier rumhüpfen
könnte!!

Ganz schnell, während der große Meister noch mit Steven
Spielberg verhandelt – ich sitze in seinem pompösen Vorzimmer,
seine Sekretärin hat sich gerade entschuldigt, dass es eventuell
noch einen Moment dauern könnte, aber ich bin ja immer so
wahnsinnig busy mit meinem Laptop; kein Schwein merkt, dass
ich meiner besten Freundin E-Mails schreibe, alle denken, ich arbeite in jeder freien Minute – also, WILLKOMMEN im Paradies! My home is your castle!!

Es war wirklich eine Frage der Zeit, und dass du dir den Frühling ausgesucht hast, ist klar.

Der Frühling DEINES Lebens, Anne!!

Natürlich schläfst du in MEINEM Bett, das Schlafzimmer ist
oben rechts, das hast du inzwischen sicher gefunden. Da hast du
auch ein eigenes Bad und ein Ankleidezimmer. Frische Bettwäsche findest du ganz hinten links im blauen Bauernschrank. Alles, was du findest, gehört dir, fühl dich wie zu Hause! Und
natürlich schlafen die Mädchen in Adrians Zimmer! Die Schlaf-
couch kannst du ausklappen, Adrian hatte auch immer Freunde
zum Übernachten da.

Die unanständigen Poster von Nackedei kannst du abreißen,
wenn sie euch stören.

Bitte kümmere dich auch um die Post! Ich habe ein Postfach im Dorf, sei so lieb und hol den Krempel. Ich war inzwischen einige Male zu Hause, aber wegen Adrian und Nackedei musste ich immer sofort wieder rüber in die Staaten. Jetzt war ich seit letzter Woche Freitag nicht mehr da und Rico und Jaime haben kein Lebenszeichen hinterlassen. Die Nachbarin müsste allerdings da gewesen sein, schon wegen der Blumen. Sie fährt nicht Polo, sondern Trecker, und ihre Straße darf man ruhig schmutzig machen. Liegen eh viele Pferdeäpfel drauf.

Also, die Post. Reiß ruhig alles auf und mail mir die wichtigsten Sachen. Im Haushaltsraum findest du Gefriertruhe und Waschmaschine, Trockner und so weiter. Die Katze heißt Pizza. Adrian hat sie mal so genannt. Sie ist uns zugelaufen und sie kommt durch einen Spalt im Kellerfenster rein und raus. Bitte hör auch den Anrufbeantworter ab. Mail mir die wichtigsten Dinge. Putzen brauchst du nicht selbst. Meine Putzfrau heißt Frau Koberlechner und hat die Nummer 1642. Ich hatte sie vor meiner Reise abbestellt, aber sie kommt, sobald du sie anrufst. Die Frau mit dem blumenverwachsenen Garten ist die Kathi Seegreiner, deren Mann macht uns immer das Boot klar, wenn wir rausrudern wollen.

Dann ist mir noch was eingefallen: Der Kindergarten von der Liesi Hinterleitner ist keine dreihundert Meter vom Haus entfernt. Soviel ich weiß, nehmen die immer Kinder auf, auch mitten im Jahr. Geh einfach mal schauen und grüße die Liesi von mir.

Kommen deine Mädchen nicht im Sommer in die Schule? Wir haben eine bezaubernde knallgelbe Volksschule, die ist schon über 150 Jahre alt, sie liegt drüben am Berg und hat immer Morgensonne. Die Kinder sagen noch »Frau Lehrerin« und machen einen Knicks.

Wenn du willst, kommt jeden Morgen die Antonia mit dem frischen Holzofenbrot. Du musst sie nur anrufen: 2578. Ihr Holzofenbrot ist sensationell. Sie ist die Wirtin von der Erlachmühle, wo du auch mit den Kindern zur Jause gehen kannst. Man kann herrlich draußen sitzen am Bach und dem Mühlrad

zuschauen, wie es sich dreht. Der See ist übrigens nicht gefährlich: Es geht ganz seicht ins Wasser hinein und wir haben ein besonders schönes Stück Seegrund; auch der Sandstrand, den du
vom Haus aus gar nicht siehst, gehört dazu. Die Kinder müssten
schon dreißig Meter weit ins Wasser laufen, bis sie nicht mehr
stehen könnten! Nebenan ist das öffentliche Strandbad mit Rutschen und Schaukeln, da ist im Sommer immer was los.

Ach, du Arme, was hat dein Lothar immer schwarz gemalt!

Jetzt kannst du dein Feuer entfachen – wo du den Feuerlöscher los bist!

Genieße nun deine Freiheit und … Die Sekretärin sagt, Mister
Miles erwartet mich!

Ich werde Steven Spielberg noch schnell die Hand drücken!

Servus, mach's gut!

Ein bisschen aufgeregt – Alex

PS: Ich weiß nicht, ob ich dir schon berichtet habe, dass wir auch
zwei Hunde haben! Du musst sie bei der Nachb…

Mondsee, abends um elf an deinem Schreibtisch

Liebste Alex,
puh, ich bin geschafft! Die Kinder schlafen selig und süß – haben auch den ganzen Tag draußen gespielt und waren so dreckig wie noch nie! Ich habe sie in die Badewanne von Adrians Bad gesetzt, war das okay? Wir haben auch Adrians Duschgel benutzt, kaufen aber morgen eigenes.

Wenn ich darf, schlafe ich tatsächlich in deinem Zimmer. Das ist ja wunderschön!

Dieses riesige ovale Bett! Und wie du alles in zartem Apricot gehalten hast – von den Wänden, über die Vorhänge, über den Teppich! Als vorhin die Abendsonne reinschien, fühlte ich mich in Gold getaucht. Und dann habe ich erst deinen blumengeschmückten hölzernen Schlafzimmerbalkon entdeckt! Du hättest mich schreien hören sollen! Dieser bombastische, schneebedeckte Berg, von der Abendsonne beschienen! Wie heißt der? Ist das der Schafberg?

Sag mal, Alex, ist DAS deine Aussicht?? Vom BETT aus? Ich habe bestimmt zwanzig Minuten dagestanden, mit dem Bettzeug in der Hand, und habe »aah« und »ooh« und »Wahnsinn« und »Das glaub ich nicht!« gestammelt, während die Sonne rückwärts über dem See unterging und einen blutroten Strahl über das matt schimmernde Wasser sandte.

Wie in einem kitschigen Film sind mir die Tränen über die Wangen gekullert und auf deine apricotfarbene Damastbettwäsche getropft.

Nein, was ist das wunderschön!! Weißt du, welche Aussicht ich in Plattstadt vom Schlafzimmerfenster aus hatte? Das grau verklinkerte Haus gegenüber mit dem vergitterten Küchenfenster und dem Carport, in dem ab Punkt achtzehn Uhr fünfunddreißig ein VW Passat stand!

Und weil bei uns die Häuser so eng beieinander stehen, fiel auch nie ein bisschen Sonne herein. Wohl aber konnte man genau hören, wenn die Pentschkes mal wieder miteinander stritten. Dann machte er den Fernseher laut und Lothar regte sich darüber auf.

Die absolute Ruhe hier wird nur vom Vogelgezwitscher unterbrochen! Hinten am Waldrand, wo es so hügelig wird, habe ich drei Rehe äsen sehen!

Ja, den Kindergarten werde ich gerne morgen aufsuchen. Kaum zu fassen, wenn die Liesi tatsächlich meine Mädels nehmen würde! Nein, das kann ich alles gar nicht glauben.

Dein Rasen müsste gemäht werden. Erklär mir bitte, wie ich mit diesem Traktor umgehen muss, der in der Garage steht. Und wie kriege ich den Kamin an? Nicht dass es sehr kalt wäre, aber ich möchte nichts falsch machen. Habe noch nie im Leben einen Kamin angezündet.

Dein Faxgerät schreit »Papier her oder ich fall um!« und dein Anrufbeantworter quillt über. Ich werde ihn morgen in Ruhe abhören. Bin im Moment zu müde, um mich mit der Technik abzugeben. Habe auch Angst, ich könnte aus Versehen alles löschen. Im Vorhaus haben sich die Zeitungen und auch Briefe gestapelt. Morgen fahre ich ins Dorf zur Post und frage nach Paketen und Nachnahmesendungen.

Was ist mit den Hunden? Bei welcher Nachbarin muss ich sie abholen? Wie groß sind die Viecher denn? Ach, es ist ein Abenteuer! Ich freue mich wahnsinnig, hier zu sein!

Jetzt werde ich mich in deine riesige ovale Badewanne legen, durch dein verglastes Dach auf den Mond und die Sterne schauen und, wenn du erlaubst, die angebrochene Flasche Champagner aus dem Getränkekühlschrank im Haushaltsraum mit raufnehmen!

Soo fühlst du dich also immer! Fehlt nur noch Rico mit der Fußmassage! Und Jaime, der mir die Bettwäsche aufbügelt.

Kein Wunder, dass dir alle Menschen mit Respekt begegnen – du begegnest dir ja selber mit Respekt!

Liebe Grüße nach Hollywood! Hoffentlich hattest du Erfolg!
Deine hundemüde, aber glückliche
Anne

PS: Habe ich dir eigentlich schon DANKE gesagt??
PPS: DANKE DANKE DANKE DANKE DANKE DANKE
DANKE DANKE DANKE

Los Angeles, Universal Studios, 26. März

Liebste Anne,
ich müsste DIR danke sagen! Schließlich nimmst du mir die große Sorge um mein Haus, um die Tiere, den Garten und die Pflanzen drinnen. Was hätte ich ohne dich gemacht?

Ich hätte die Bude vermieten müssen! Oder verkaufen, damit
sie nicht verfällt. Klar sorgen die lieben Nachbarsfrauen und das
halbe Dorf irgendwie für mich und das Haus, aber es ist wirklich
besser, wenn jemand drin WOHNT!! Und dann noch jemand
mit so liebevoller Hand. Und mit solch begeisterter Freude.

Auch dass deine beiden Kleinchen jetzt hüpfen und springen
wie frisch geborene Frühlings-Rehlein, erfüllt mich mit geradezu
mütterlicher Freude.

Bei mir hat sich tatsächlich Sensationelles ergeben: Mister
Miles machte mich mit dem Producer und mit dem Regisseur des
neuen Bond-Films bekannt und wir redeten fast zwei Stunden.

Wie das Leben so spielt, ist Jeff ein begeisterter Fan von Opern
und klassischer Musik und hat schon viele Aufführungen unter
der Leitung von Leo von Merz besucht.

Er hat mir beim Essen mit der Gabel ständig was vordirigiert,
Schuberts Unvollendete und »Ein Sommernachtstraum« von
Mendelssohn. Er erinnerte sich ganz genau an Tempo und Dy-
namik in einem Konzert in Boston, das Leo vor zwölf Jahren mit
den Boston Symphonics gegeben hat. Als er erfuhr, dass ich Leos
Geschiedene bin, hat er sich gar nicht mehr eingekriegt vor Glück!

Nun produziert er also den neuen Bond-Film, und das Casting
läuft gerade. Jeff zeigte mir eine Mappe mit Fotos der aktuellen
Bewerberinnen – traumhafte Girls sind dabei, sagt er, aber er
konnte sich bisher noch für keine entscheiden.

Mit anderen Worten, Anne, er will Nackedei sofort sehen!! Sie dreht gerade ihren Werbespot in Kanada für Streichkäse; habe dir, glaube ich, davon berichtet. Wir lassen sie morgen per Privatjet einfliegen. Ich muss bei dem Casting unbedingt dabei sein. Sie kann sich natürlich kaum artikulieren, ihr Englisch ist grauenvoll und ihre Stimme sowieso. Aber ich werde das schon hinkriegen. Jeff meint, es ist nicht wichtig, dass sie spricht. Wir können sie nachsynchronisieren lassen, das machen viele.

Nun habe ich hier also noch eine Weile zu tun. Für die Rolle des James Bond sind George Clooney, Brad Pitt und Tom Cruise im Gespräch.

Heute Abend ist eine Gala, zu der auch Tommy Gottschalk mit Thea kommt, und Til Schweiger und seine Frau Dana stehen auch auf der Gästeliste.

Bin mal gespannt auf unser Wiedersehen. Kenne sie alle schon seit Jahren.

Am Wochenende fahre ich auf jeden Fall ins College und besuche Adrian. Von ihm kommen nur positive E-Mails – wenn auch wesentlich knappere als von dir.

»Hi, Mom, alles okay« ist schon viel, oder »brauche Geld«, aber auch »alles geil«.

Genieße deine Freiheit am Mondsee – und melde dich immer, wenn du was brauchst.

Schon wieder im Begriff, einen fetten Fisch an Land zu ziehen, und deshalb in Champagnerlaune
deine Alex

PS: Die Hunde sind bei Frau Koberlechner, meiner Putzfrau! Ruf sie an, dann kommt sie und bringt die Viecher gleich mit!

Mondsee, an deinem Schreibtisch, 30. März

Liebste Alex,
wo soll ich anfangen? Bei dem gigantischen Sonnenaufgang heute früh, den ich mir wie einen Film vom Balkon aus angesehen habe? Bei dem Milchmann, der um sieben mit frischer Kuhmilch vorbeikam? Oder bei Antonia, die tatsächlich noch warmes, duftendes Steinofenbrot brachte? Das ist ja eine ganz süße, quirlige Herzliche, und auch wenn ich kein Wort verstanden habe, so habe ich doch begriffen, dass ich jederzeit mit den Kindern zur Jause vorbeikommen kann. Bei unserem Frühstück auf der Morgensonnenterrasse? Wir saßen alle im Schlafanzug draußen und ich habe fast vor Freude geweint. Weit und breit keine Menschenseele um diese frühlingshafte Zeit!

Wie heißt der schneebedeckte Berg mit dem senkrechten Zacken, den man vom Balkon aus sehen kann? Die Morgensonne blinkte dort oben, als würde sie sich in etwas spiegeln!

Ein Hotel? Eine Almhütte? Eine gute Fee? Der Spiegel zu meiner Seele?

Später bin ich mit den Mädchen zu dem Kindergarten geschlendert – es sind gerade mal dreihundert Meter, für unsere Verhältnisse durch eine wahnsinnig steile Schlucht! Die Liesi kam mir gleich lächelnd entgegen, und als ich unter Tränen stammelte, die beiden seien schon fünf und sie hätten in Plattstadt trotz rechtzeitiger Anmeldung (nämlich schon vor ihrer Geburt) keinen Kindergartenplatz gekriegt, fragte sie: »Wolln's heit scho kimma oder langt's moagn?«

Mir fiel die Kinnlade runter! Bei ihr war es keine Frage von »dieses Jahr« oder »nächstes Jahr«, sondern heute oder morgen!! Die Mädchen bettelten, dass sie gleich bleiben wollten –

und schwups, waren sie in dem schmucken gelb getünchten Haus mit den grünen Fensterläden verschwunden. Die Liesi meinte noch, es reiche, wenn ich sie um fünfzehn Uhr abhole, und wenn's später würde, wär's auch kein Problem. Sie wohnt gleich nebenan und nimmt die »Schlusslichter« immer mit heim. Alex, du weißt gar nicht, was das für eine göttliche Gnade ist!! Zwei Kinder im Kindergarten!

Bis fünfzehn Uhr!! Ich stand geschlagene fünf Minuten präzise und exakt vor ihrer Tür und versuchte, ruhig weiterzuatmen und nicht laut zu jodeln vor Glück!! Mir liefen schon wieder die Tränen. Hab nah am Wasser gebaut im Moment. War wohl alles ein bisschen viel in letzter Zeit.

Ich bin dann leichten Schrittes wieder nach Hause gegangen, vorbei an Schäfchen und Kälbchen und Schweinchen, die mich erstaunt anblickten, und da stand eine dralle Alte mit zwei wunderschönen Golden Retrievern an der Leine in der Hauseinfahrt.

»Sie müssen Frau Koberlechner sein!«, rief ich verbindlich aus. Frau Koberlechner hat etwas zurückgeschrien, was ich nicht verstanden habe, zumal die Hunde anfingen zu bellen. Die Hunde sind gleich an mir hochgesprungen und haben mir ihre Pfoten auf die Schulter gelegt. Sie haben an meinem Ohr geschnüffelt und erfreut daran geleckt. Schöne weiche warme Schnauzen.

Frau Koberlechner hat gegen den Lärm angeschrien, dass es »eh scho fei fad« gewesen sei für die »Hunderl« ohne dich und dass sich »die Viecherl ganz damisch freia wie verruckt«.

Wir sind dann rein ins Haus und Frau Koberlechner hat sich sofort ans Werk gemacht.

Die Hunde haben sich auf die Katze gestürzt, aber was zuerst aussah wie kollektives Auffressen, war nur eine herzliche Begrüßung. Alle drei liegen jetzt schlafend nebeneinander im Haushaltsraum, nachdem sie das Katzenfutter zu dritt alle gemacht haben.

Ich bin dann mit einer Tasse Kaffee rauf an deinen Schreibtisch, um deine Post und deine Faxe durchzusehen, da schreit die Frau Koberlechner von unten in höchsten Tönen: »Gehn's, Frrau

Pistrulla, i brraach an Putzfetzn für die Fenster, hom's on oids Laiberl von die Dirndln, wos nimmer braucha?«

Ich musste dreimal »Wie bitte?« fragen, bis ich begriffen hatte, dass sie ein altes T-Shirt oder so was von den Mädchen will, um damit die Fenster zu putzen.

Jetzt putzt sie und ich arbeite mich durch deine Faxe.

Du hast viele Einladungen, Vernissagen, Konzerte, Ausstellungen, Filmpremieren. Zum Teil ist das schon vorbei. Aber einige persönliche Sachen, die man, glaube ich, beantworten sollte.

Zum Beispiel von der Fürstin zu Sayn-Wittgenstein-Sayn, zum Mittagessen in ihrem Garten. Es ist eine handschriftliche Einladung mit einem netten Foto von euch beiden.

Das wäre genau in einem Monat. Bist du bis dahin zurück? Was soll ich schreiben?

Frau Koberlechner schreit: »Frau Pistrulla, gehn's, bittschön, an der Tür wär der Rauchfangkehrer! Und der Briefträger wär auch scho do!«

Muss mich kümmern. Bin glücklich.
Anne

PS: Was bedeutet Rauchfangkehrer? Ist das was zum Fürchten?

Hollywood, beim Stylisten, 18. April

Liebste Anne,
ein Rauchfangkehrer ist ein Schornsteinfeger – hast du wahrscheinlich inzwischen selbst rausgefunden. Der bringt dir Glück!

Sitze mit Nackedei beim Friseur – Jeff rief mich noch mal an
und sagte, dass das Bond-Girl knielange Haare haben muss! Es
gibt nämlich eine Szene im Film, wo James Bond und sein Bond-
Girl es im Freien treiben – und wegen der Prüderie der Amerikaner müssen sie mit irgendwas zugedeckt sein! Nackedei lässt sich
also Extensions machen – Haarverlängerung bis zum Knie.
Strähne für Strähne wird ihr mit Ultraschall feinstes Echthaar an
ihr Eigenhaar gelötet, das dauert zwölf bis vierzehn Stunden.

Nackedei ist wahnsinnig aufgeregt wegen ihres Castings morgen. Ich übe mit ihr die wenigen Sätze auf Englisch, die sie sagen
muss. Auch wenn man sie nachsynchronisiert: Die Lippenbewe-
gungen müssen stimmen. Ansonsten muss sie im Film einfach
nur wahnsinnig erotisch sein.

Ich weiß nicht, ob ich es schon erwähnt habe: Nackedei heißt
eigentlich Kerstin Schöller, stammt aus Mörsenbroich und ist ge-
lernte Fleischereifachverkäuferin. Sie hat ihre Prüfung gemacht
in den Disziplinen »Schlachten«, »Selchen« und »Blut kochen«.
Davon hat sie mir gerade ausführlich erzählt. Hättest du auch
nicht gedacht, was? Jedenfalls ist sie über ihrem Job zur Vegeta-
rierin geworden. In einer Disco in Düsseldorf hat man sie entdeckt, als sie die Wahl zur »Miss Mörsenbroicher Ei« gewann.
Sie wurde als Partygirl nach Hamburg ins Valerio eingeladen,
dort traf sie Boddel, der ja bekanntermaßen der Sohn eines
Haushaltswarengroßmarktkettenbesitzers ist, und von dem hat
sie sich auf einer Großpackung Haushaltsrollen – im Schaufens-

ter einer väterlichen Filiale – flachlegen lassen. Der Rest der Geschichte dürfte dir bekannt sein – das gehört zur Allgemeinbildung, mehr als Schillers »Glocke« oder Goethes »Faust«.

Im Grunde ihres Herzens ist Kerstin – Nackedei – Schöller ein einsames, kleines, schutzbedürftiges Mädel, das sich immer in den Falschen verliebt.

Aber zugegeben: Ich habe gerade daraus eine Riesenmarketingnummer gemacht.

Als sie einmal auf der Verleihung der goldenen Gans neben dem Texteschreiber Holger Reimann saß, habe ich gleich eine große Love-Story an die Bunte exklusiv verkauft. Vielleicht erinnerst du dich: Nackedei und Holger waren auf dem Titel, Überschrift: »Ja, es ist Liebe!« Obwohl die beiden sich heute noch siezen. Ein bisschen mogeln gehört halt zum Geschäft, meine liebe Anne. Wir haben 60 000 Euro für die Story gekriegt. Du weißt ja, ich kriege für alles zwanzig Prozent. Und wie allgemein bekannt ist, hat die Kampagne niemandem geschadet, und Nackedeis Marktwert stieg um dreihundert Prozent. Was meinst du, warum sie jetzt das Bond-Girl wird.

Jetzt reichen ihr die ersten Haare schon bis zu den Fußknöcheln. Der italienische Meister hier sagte gerade, er wolle das nachher noch ein bisschen beischneiden. Damit sie nicht stolpert.

Jetzt aber zu dir, liebe Anne. Danke für die ganzen Mails im Anhang. Ich werde sie gleich der Reihe nach beantworten. Die Einladung bei der Fürstin ist wichtig! Sie ist eine ganz liebe alte Freundin von Leo von Merz und mir, fast ein bisschen Mutterersatz! Geh bitte unbedingt hin! Sie hat, im Gegensatz zu deinem Schwiegervater Karl-Heinz, WIRKLICH Menschenkenntnis. Man kann sehr viel von ihr lernen. Eine tolle Frau!

Ihre Gartenfeste sind ein Muss!! Sie kocht noch selbst, mit viel Liebe deckt sie die Tische unter den schattigen Bäumen, und du triffst bei ihr die ganze Salzburger-Festspiel-Prominenz!

Bestimmt hat sie auch den hoffnungsvollen Neuzugang Mark Daniel Martini eingeladen! Mist, ich habe ganz versäumt, seinen Eltern mitzuteilen, dass ich selbst noch gar nicht wieder zurück in Salzburg bin. Ich hatte ihm nämlich ausrichten lassen, dass er mich unbedingt mal besuchen soll. Falls du ihn kennen lernst: Grüße ihn herzlich von mir! Vielleicht begegnest du auch Leo und Olga. Dieses Event lassen sogar die beiden sich nicht entgehen und reisen extra aus Hallstadt an.

Muss Nackedei einen Vegetable-Burger holen.

Liebe Grüße nach Mondsee!

Deine Alex

PS: Vergiss nicht, die Bananenbäume und Strelizien im Wintergarten zu gießen! Sie brauchen nächtelang leichte Berieselung aus der Sprenganlage unter der Balustrade! Temperiere das Wasser bitte auf siebenunddreißig Grad! Exakt, hörst du! Körpertemperatur! Präzise sechs Stunden! Und vergiss nicht, ihnen tagsüber die Sonnenmützen aufzusetzen. Aua. Nicht hauen.

PPS: Beim Dinner bei der Fürstin ist Dirndlzwang! Schau mal in meinen Kleiderschrank, da findest du Dirndl für alle Gegenheiten, von Größe achtunddreißig bis zweiundvierzig! Oder hast du etwa sechsunddreißig, du miese Freundin?

Mondsee... Frühling!

Liebe Alex,
habe Größe sechsunddreißig! Aber bitte nicht hauen! Ich fresse
mir auch wieder was an!

Die Kinder sind im Kindergarten bei der Liesi. Als ich sie gestern abholte, waren sie ganz begeistert. Greta meinte allerdings
bedauernd: »Hier sprechen alle Kinder italienisch!«

Aber die Liesi sagt, sie werden den Dialekt schon bald lernen.
Carla sagte abends beim Baden: »Dreckige Dirndln sind was
Schiachs!«

Und da antwortete Greta: »Und was is mit dreckige Buam?«
»Aah, geh, dreckige Buam sind eh normal!«

Also, sie sind auf dem besten Wege, die Sprache zu lernen. Ich
selbst habe damit noch so meine Schwierigkeiten. Gibt es eigentlich von deinem Freund Florian Langenscheidt einen Sprachfüh-
rer Deutsch – Österreichisch/Österreichisch – Deutsch? Dann
soll er mal ein Werbeexemplar rüberwachsen lassen!

Als ich im Dorf beim Metzger »dreiviertel Pfund Gehacktes«
bestellte, da guckte er mich fassungslos an. Schließlich sagte seine rotwangige Frau: »Siehme Deka faschierts Laiberl wülls!«

Und auch beim Bäcker darf man ja nicht ungestraft sagen:
»Vier Brötchen.«

Die gucken, als hätte man russisch gesprochen. »A Weckerl, a
Hörnderl, a Stangerl, a Kornspitzlaiberl oder a ganz normales
Semmerl?«, hat mich die Verkäuferin freundlich gefragt, und ich
hätte vor Scham vergehen mögen. »Einfach nur was zum Essen«, habe ich gesagt. Da haben sie mir die Backwaren eingepackt und rübergereicht und mitleidig gelächelt.

Ansonsten erstaunt mich am meisten, dass die Leute hier

kaum mit dem Auto fahren, sondern hauptsächlich mit dem Trecker. Und während sie so ihre Besorgungen machen, lassen sie eine unglaublich stinkende Flüssigkeit hinten aus dem Trecker auf die Wiesen und Äcker spritzen. Deine Hunde sind ganz begeistert von der würzigen Delikatesse. Sie reißen sich von der Leine los und stürzen sich schwanzwedelnd darauf, um den Kuhmist zu verzehren. Ich weiß nicht – ob sie davon sterben…? Jedenfalls haben sie eine Verdauung wie die Postrosse. Leider auch in deinen Wintergarten. Erwarte weitere Anweisungen von dir zu dem Thema!

Gestern habe ich fast zwanzig Minuten (exakt und präzise!) mitten im Dorf auf der Straße gewartet, bis eine Gruppe Kühe die Straßenseite gewechselt hat. Sie wirkten so wie eine Busladung voller alter Touristenweiber – gemächlich, desinteressiert, überfressen. Sie trotteten in Reih und Glied ganz gelassen über den Zebrastreifen. Einige von ihnen kackten ungeniert auf die Straße. Ganz am Ende ging ein kaum achtjähriger kleiner Reiseleiter mit einem Stock und haute seine Schützlinge auf den Arsch, wenn sie nicht schnell genug gingen. Stell dir vor, alle Reiseleiter würden ihre Touristen auf den Arsch hauen, wenn sie nicht schnell genug gehen! Was das ein Spaß wäre!

Mitten in diesem Abenteuer habe ich mir plötzlich eingebildet, Lothar im Rückspiegel in einem anderen wartenden Auto zu sehen. Ich hab zweimal hingeguckt, die Augen zusammengekniffen und mir überlegt, ob ich aussteigen und hingehen soll. Aber das ist natürlich Quatsch. Lothar liegt in Plattstadt im Krankenhaus, und wenn sie ihn schon wieder rausgelassen haben, dann sitzt er a) pünktlich und präzise wieder in seiner Filiale, b) weiß er gar nicht, wo wir sind, und c) hat er ja gar keinen Opel mehr, höhöhö!!

Dieser freudlose Gänseblümchenzertreter soll nicht in unser sonniges Paradies eindringen. Ich werde mich bei ihm melden, wenn ich die Kraft dazu finde. Du hast mir doch was von einer tollen Anwältin geschrieben. Her damit! Ich schätze, ich werde ihre Hilfe in Anspruch nehmen.

Alles Liebe – muss mich sputen, die Mädchen von der Liesi abholen. Liesi fragte mich heute Morgen, ob ich was dagegen habe, wenn sie den Kindern lesen und schreiben beibringt. Alle ihre Kindergartenkinder lernen bei ihr Lesen und Schreiben. Rate, was ich gesagt habe! Nein, ich bestehe darauf, dass ihr Bommel bastelt!

Ich war noch nie so glücklich!

Deine Anne

PS: WELCHES von den dreihundert Dirndln soll ich mir enger machen lassen, wenn ich zur Fürstin gehe?

PPS: Schnappe mir jetzt die Hunde und laufe einmal um den See herum. Das muss einfach sein.

Anne, halt dich fest!!

Wir HABEN die Rolle! Kerstin Schöller aus Mörsenbroich ist das neue Bond-Girl! Jeff, Steve und Carlo haben gesagt, sie sei haargenau der Typ, den sie gesucht hätten!

Bei »haar-genau« haben wir uns angegrinst.

Nackedei ist jetzt vor lauter Haaren nicht mehr zu sehen, wenn sie sie offen trägt. Sechzehn Stunden hat die Haarverlängerung und Haarverdichtung gedauert und Nackedei hat jetzt vierhundertsechsundvierzig kleine Plastiknoppen an der Kopfhaut. Ich muss ihr noch verbieten, sich ständig am Kopf zu kratzen. Sie sagt, es sei nicht auszuhalten, besonders nachts. Sie hat das Gefühl, tausend Haarnadeln in der Kopfhaut stecken zu haben, aber ich habe ihr gesagt, erstens sind es nur vierhundertsechsundvierzig, und zweitens, wer im Leben Erfolg haben will, der muss auch mal ein Opfer bringen.

Es geht ja nicht allen Promis so wie Iris, die nur dreieinhalb Liter Wasser am Tag trinken muss, um mit sechsundfünfzig noch so schön auszusehen. Unter uns, Iris trinkt auch jeden Tag einen Liter Rotwein. Sie hat eben einfach fantastische Gene.

Ich handele hartnäckig und zäh um die Gage. Wenn Leute wie Cameron Diaz für eine Rolle zwanzig Millionen Dollar bekommen und Julia Roberts fünfundvierzig Millionen Dollar, dann können wir unsere Messlatte getrost bei zwölf Millionen Dollar ansetzen. Oder was meinst du? Soll ich mich mit acht begnügen? Für den Anfang? Sie wollen Nackedei. Dann müssen sie auch blechen. In Hollywood liegt das Geld sowieso auf der Straße. Da muss man sich noch nicht mal tief bücken.

Zusätzlich habe ich für Nackedei einige andere Bedingungen

ausgehandelt: einen Riesen-Super-Luxus-Wohnwagen am Set, natürlich mit eigener Maskenbildnerin, eigener Stylistin, eigenem Coach und eigenem Masseur. Dazu einen Fitnesstrainer, einen Ernährungsberater, einen Dolmetscher und ein halbes Dutzend Bodyguards. Wer hier ohne Bodyguards rumläuft, setzt automatisch seinen Marktwert herab. Und den setze ich ja gerade fest.

Außerdem die besagte Schönheitsoperation bei dem Chirurgen, den ich auf dem Schiff kennen gelernt habe. Er ist der Angesagteste seiner Branche im Moment. Augenlidstraffung, Busenvergrößerung, Bauchstraffung, Fettabsaugung.

Nackedei ist jetzt nervlich ganz fertig, sie sagt, sie kann diesen Erfolg gar nicht ohne meine Hilfe verkraften. Das soll sie auch gar nicht, die kleine Ratte! Wer hat sie da hingebracht, wo sie jetzt ist, hm?? Ich, Alex von Merz, die begnadete Chancen-Witterin und beinharte Verhandlerin! Ich werde mich jetzt um das Mädel kümmern und dafür sorgen, dass sie sich in Ruhe auf ihre Rolle vorbereiten kann.

Ach Anne! Wir können unser Glück immer noch nicht fassen. Das Geld purzelt nur so rein! Kerstin Schöller braucht ab sofort einen Finanzmanager. Ich versteh ja so viel vom Geld, dass ich weiß, dass es auf der Straße liegt, aber wie man jetzt mit Steuervorteilen und Ausländersteuer und langfristigen Anlagen und Schwarzgelddepots in der Schweiz oder Liechtenstein umgeht, weiß ich nicht. So viel Geld kann man gar nicht unter die Matratze stopfen, wie dieses Mädchen in den letzten Wochen »verdient« hat.

Ich kann das Mädel übers Wochenende jedenfalls nicht allein lassen. Die ist so hilflos wie ein Fisch an Land. Entwickle mehr und mehr Muttergefühle für das junge Ding. Werde sie wohl mitnehmen müssen, wenn ich Adrian im College besuche. Hoffentlich flippen die jungen Bengels dann nicht aus.

Ich muss bestimmt ein Jahr hier in Amiland bleiben. Deshalb trifft es sich wahnsinnig gut, dass du dich jetzt um meine Firma und mein Haus kümmerst! Was täte ich nur ohne dich!

Also, meine liebe Anne: Breite dich ungeniert aus, mach's dir gemütlich, nimm alle Veränderungen vor, die dir das Leben noch lebenswerter machen, benutze mein BMW Cabrio, meine Wanderschuhe und meine Dirndlsammlung, gehe auf meine Einladungen und räume bei den Festspielen die Premierenkarten ab!! Genieße dein neues Leben in vollen Zügen!!

Zur Fürstin zum Dinner musst du perfekt erscheinen. Wenn ich perfekt sage, dann meine ich perfekt. Das geht nicht mit einem enger gemachten Teil aus meinem Schrank. Also, lass dir beim Tostmann in Seewalchen am Attersee eines an den Leib hängen. Da kennt man mich, da habe ich alle meine Dirndl gekauft. Frau Hertha zieht dich perfekt an, von den Haferlschuhen bis zum Halstuch, und zeigt dir auch, wie man das Mascherl bindet. Das ist eine Philosophie im Salzkammergut, damit darf man nicht spaßen!

Lass dir auch gleich ein festliches Trachtengewand für die »Don Carlos«-Premiere geben! Rechnung bitte an meine Agentur, das setz ich voll von der Steuer ab.

Du musst unbedingt dahin! Die Karten liegen bei der Intendanz im Büro.

Nächster Punkt: Lothar. Darüber mache ich mir auch so meine Gedanken. Ich habe mich hier mit meinem Freund Walter unterhalten. Er sagt, du musst dem Vater deiner Kinder schon deine Adresse mitteilen, sonst kann er dich wegen Kindesentführung anzeigen.

Also, verhalte dich korrekt, aber sei stark bei dem, was du tust. Einen Anwalt brauchst du in dieser Situation allerdings.

Ich empfehle dir meine Anwältin, die mich schon bei meiner Scheidung bestens beraten hat: Kyllikki von Homburg. Durch ihre Kompetenz habe ich die komplette Villa behalten, den Jungen UND meine gesamte Firma. Dafür habe ich auf Unterhalt verzichtet, was mir nicht schwer fiel, und auf Zugewinnausgleich. Das war sehr geschickt von Kyllikki, denn im Ernstfall hätte ich Leo noch was draufzahlen müssen: Meine Firma war nämlich während unserer Ehe gewinnbringender als seine künstlerischen Auftritte. So hat Leo, der von der ganzen Materie nichts versteht, mir noch froh und dankbar die Villa für meine »Drehscheibe der Stars« überlassen – und natürlich Adrian. Mit dem hätte er sowieso nichts anfangen können. Er lebt ja jetzt mit Olga in Hallstadt, ganz zurückgezogen, mit seinen Pfauen.

Durch ihre ausgleichende und kluge Art hat Kyllikki es außerdem geschafft, dass Leo und ich Freunde geblieben sind. Das ist das Allerwichtigste bei einer Scheidung. Der Hass, den man nach einer Trennung oft empfindet, kostet einen so viel Energie, dass man damit eine Firma gründen, ein Haus bauen oder ein Kind großziehen könnte.

Deswegen ist es unumgänglich, jemand Kompetenten mit der Trennung zu beauftragen. Du brauchst deine Energie jetzt für dich selbst, meine Liebe. Und für deine Mädchen.

Kyllikki sitzt in Frankfurt und kommt auch runter nach Salzburg. Ich schick ihr eine Mail, dass sie sich um dich kümmern soll.

Mach Lothar klar, dass du Zeit brauchst und dass er dich in Ruhe lassen soll, wenn er eine friedliche Scheidung will.

Ich sage dir, die Kerle drehen alle durch und sehen rot, wenn sie ihre Felle davonschwimmen sehen. Und deiner kriegt noch Asthma vor lauter Stress! Ersparen wir ihm das.

Deine Alex – in Gedanken immer bei dir

PS: Mit Kyllikki wirst du Spaß haben. Sie hat selbst vier Kinder – und strahlt viel Power aus. Du wirst sie mögen.

PPS: Das wahre Gesicht eines Mannes erblickt man erst dann, wenn man mit ihm bricht.

Mondsee, 2. Mai

Liebe Alex,
bin in Panik!

Er ist hier! Als ich heute Nachmittag mit den Mädchen auf dem See ruderte, sah ich Lothar aus einem Taxi steigen. Mir krampfte sich das Herz zusammen. Plötzlich schienen die ganze Idylle und unser Frieden wie eine Seifenblase zu zerplatzen!

Wir waren ziemlich weit draußen, an der Anlegestelle für Ausflugsdampfer, also sicherlich hundert Meter weit weg. Aber ich habe ihn genau erkannt! Er zahlte das Taxi, sprach mit dem Taxifahrer und ging suchend die Einfahrt hinauf. Ich habe die Mädels abgelenkt. Ich wollte nicht, dass sie ihn sehen und uns womöglich durch lautes Schreien verraten.

Zum Glück hatte ich die Haustür abgeschlossen, aber Lothar ging noch einmal in den Garten und schaute sich überall um. Die Hunde schnüffelten an ihm und er bückte sich, redete mit ihnen und streichelte sie. Das hat mich erstaunt. Normalerweise findet er fremde Hunde gefährlich und unhygienisch. Als er uns nicht fand, ist er wieder in das Taxi gestiegen und weggefahren. Ich konnte mich eine ganze Zeit lang nicht rühren in meinem Boot. Erst als ich ganz sicher war, dass er weg ist, sind wir wieder zum Ufer gerudert.

Im Nachhinein erstaunt mich eines: Er hat seinen Opel keines Blickes gewürdigt.

Dass er sich einfach so von seiner Sparkasse freigemacht hat! Normalerweise rechnete er mir jede Stunde vor, die er sich »für die Familie freigeschaufelt« hatte! Und nun schlendert er hier herum! Er machte keinen eiligen oder nervösen Eindruck. Er wirkte richtig entspannt. Und hatte, soweit ich das bei dem Abstand erkennen konnte, ungewohnt coole Klamotten an. Er war sogar braun gebrannt und die Haare schienen mir voller. Als wenn er sich hier schon prima erholt hätte.

Was soll ich bloß tun, Alex? Die Polizei rufen? Die lachen mich doch aus, die Burschen.

Was soll ich machen? Erbitte dringend Mail!

Zittrige Grüße

Anne

PS: Deine Katze macht einen schwangeren Eindruck!

Hollywood, Universal Studios, 3. Mai, total im Stress,
zwischen zwei Interviews mit Nackedei

Liebe Anne,
ganz schnell, in aller Eile: keine Panik auf der Titanic!

Du kannst die Toreinfahrt mit der Alarmanlage sichern, das blaue Kästchen, mit der du sie aktivieren musst, liegt im Briefkasten! Der Code ist 11.211.5657 – habe ich dir schon mal geschrieben.

Alle Fenster sind ebenfalls mit einem Alarmsignal versehen, dazu gibt es Scheinwerfer rund ums Haus, die automatisch angehen, wenn sich heimlich jemand nähert.

Im Weinkeller, hinter dem Beaujolais, liegt eine geladene Knarre! Die hat Adrian mal bei Leo und Olga geklaut – trag sie rauf ins Vorhaus und lass sie dort griffbereit liegen, am besten auf der Hutablage, damit die Kinder nicht rankommen.

Tut mir wahnsinnig Leid, muss schon wieder runter ins Studio. Lass mich schnellstens wissen, was sich tut!

Drücke dir alle Daumen und sei tapf…

Liebste Alex,
vielleicht hab ich ja nur Gespenster gesehen. Seit drei Tagen ist
alles ruhig und friedlich. Ich hab mich und die Kinder hier verschanzt wie in einer Festung, aber inzwischen finde ich das
lächerlich. Sorry, dass ich dich so in Aufregung versetzt habe.

Wir haben in den letzten Tagen – obwohl gerade mal Anfang
Mai – im Badeanzug im Garten gelegen! Bin aus Vorsicht nicht
mehr rausgegangen, aber tagsüber haben wir zumindest die
Alarmanlage ausgeschaltet. Sie geht ja schon an, wenn eine Zie-
ge am Zaun schnuppert!

Die Kinder haben »Zirkus« gespielt mit den Ziegen vom
Nachbargrundstück! Es war so köstlich, wie sie versucht haben,
die dämlichen Biester dazu zu bringen, durch ihre Reifen zu
springen! Ich hab mir erlaubt, deine Videokamera herzunehmen.
Wir haben uns zwischendurch gekugelt vor Lachen. Die Nach-
barskinder kamen auch angerannt und die jungen Hunde mischten sich noch dazwischen. Ein Gebell, Geschrei und Gemecker!

Die Mädchen sind so süß! Sie haben Ideen, sind kreativ, un-
ternehmungslustig, mutig! Lothar soll und darf uns diese »Zeit
des Erwachens« nicht wieder zerstören!

Alex, ich schäme mich, es zuzugeben, aber dies ist unsere erste
intensive Zeit zusammen. Ich sehe meine Mädels mit ganz anderen Augen, ich genieße sie zum ersten Mal im Leben! Ich habe
noch nie so zärtliche Gefühle für sie gehabt, noch nie so innig mit
ihnen Abends am Bett gesessen, noch nie so intensiv mit ihnen
gesprochen, noch nie so herzlich mit ihnen gelacht. Was die für
köstliche Dinge von sich geben! Ich hab angefangen, ein Kinder-

mundtagebuch zu schreiben. Sie entdecken diese spannende abenteuerliche Welt mit solch einer unbefangenen Freude! Sie dürfen lachen, toben, rummatschen und plantschen. Sie dürfen sich schmutzig machen und die Hunde anfassen. Sie dürfen die Katze mit ins Bett nehmen! Sie strahlen und lachen den ganzen Tag. Sie sind so zufrieden! Sie werden endlich gefordert. Nicht nur »beschäfigt« und »belehrt«.

Sie schreiben mir ihre ersten kleinen krakeligen Briefchen! »Mami, du bisst meine beste Mami!«

Neuerdings singen sie die Lieder, die sie im Kindergarten lernen. »Januar, Februar, März, April… die Jahresuhr steht niemals still. Mai, Juni, Juli, August – wecken in uns die Lebenslust«, tönt es gerade von unten aus dem Kinderzimmer. Sie sitzen da und malen ihre Bilder, ganz versunken.

Sie lernen so viel in ihrem neuen Kindergarten! Können schon alle Wochentage, Monatsnamen, Jahreszeiten aufsagen, zeigen mir Pflanzen und Blumen, die ich nie beachtet hätte. »Bärlauch« und so was! Vierblättrige Kleeblätter bringen sie mir an, Feldblumensträuße und gestern auch einen Mistkübel voller Froschlaich. Den haben sie in deinem Swimmingpool gefunden. Bei näherem Hinsehen haben wir dann etwa zwei Dutzend fette Kröten in deinem Pool entdeckt, die in der grünlichen Pampe vor sich hin trieben. Die Weibchen, die schon gelaicht hatten, waren alle tot. Zum Teil vom Wasser aufgeschwemmt, handtellergroße Wasserleichen! Die Männchen hielten sie von hinten umklammert und lebten noch.

Carla und Greta wussten genau, was es auf sich hatte mit der Krötenwanderung. »Die haben es nicht mehr bis zum See geschafft, da haben sie in unserem Swimmingpool eine Pause gemacht und die Weibchen haben ihre Eier gelegt und dann sind sie gestorben. Das ist normal bei den Kröten, Mami, mach dir keine Sorgen.«

Wir haben mit Hilfe eines Keschers die fetten Viecher eingesammelt und runter zum See gebracht. Dein Swimmingpool wird professionell gereinigt werden müssen. Ach, was für Abenteuer!

Hier auf dem Lande bekommt man wenigstens was mit von der Natur! Ich habe noch niemals einen Frühling so intensiv empfunden!

Diese Weite! Diese Stille! Diese klare Luft! Diese Gerüche, die der Wind vom See herüberbringt!

Oft stehe ich da auf deinem Balkon und schaue mir stundenlang die Eberesche an, die soeben rote Blüten treibt. Und die Narzissen, die in deinem Garten sprießen. Und die Schwäne, die Junge bekommen haben und täglich an unserer Bootsanlegestelle vorbeigleiten.

Deine Katze, Pizza, scheint auch jeden Moment niederzukommen. Ihr Bauch wölbt sich verdächtig und sie umschnurrt uns ständig, als wollte sie sagen, jetzt brauche ich doppelt und dreifach Liebe. Und die bekommt sie auch! Wenn die Hunde sich auf sie stürzen, springt sie nicht mehr wie sonst behände auf einen Baum, sondern rollt sich auf dem Pflaster zusammen. Schätze, uns steht bald eine Geburt ins Haus!

Die Mädchen sehen das alles zum ersten Mal.

Wir haben uns ganz neu ineinander verliebt, die Mädchen und ich. Gestern Abend haben wir zu dritt in deiner Riesenbadewanne rumgeplantscht, danach haben wir uns in deine flauschigen Badelaken gehüllt, in dein Bett gefläzt und dann habe ich ihnen aus dem großen dicken Märchenbuch vorgelesen, das in Adrians Bücherregal stand.

Natürlich das Märchen vom Froschkönig. Jetzt, wo wir die ekligen fetten Kröten im Pool gefunden haben.

Unterbrechung.

Gerade kam in RTL Exklusiv die sensationelle Neuigkeit, dass Nackedei das neue Bond-Girl ist. Ach, was bin ich stolz auf dich, Alex!!

Frauke Ludowig moderierte den Bericht an und meinte, dass Nackedei nicht mehr Nackedei heißen will und dass man ein Preisausschreiben ausgesetzt hat! Wer Nackedeis neuen Namen findet, gewinnt eine Kreuzfahrt! Stimmt das? Frauke Ludowig meinte mit einem leichten Anflug von Spott, dass Nackedei eigentlich Kerstin Schöller heißt und in einer Diskothek in Mörsenbroich entdeckt worden ist – alles Dinge, die zur Allgemeinbildung gehören – und dass George Clooney als ihr Partner bestimmt einen interessanten Dreh vor sich hat. Auch die Sache mit der schnellen Nummer auf den Haushaltsrollen im Schaufenster der Boddel'schen väterlichen Filiale wurde als kurzer Einspieler gesendet, von Frauke natürlich gesalzen kommentiert. Man hat auch Boddel interviewt, der gerade sturzbetrunken auf einer Düne auf Sylt saß, mit einer dunkelhäutigen Nabelfreien im Arm. Er hat nur gelallt, dass Nackedei doch ein geiler Name sei. Er selbst hat ihn nämlich erfunden und was anderes passt doch gar nicht zu Kerstin, hat er gesagt. Zum Abschluss hat er noch gemeint, er hofft, dass sie irgendwann kochen lernt.

Sogar den alten Texteschreiber Holger Reimann hat man bemüht. Er war gerade im Studio mit der blinden Schlagersängerin Yvonne beschäftigt, die einen neuen Text von ihm lernt:

»Hört den Kindern zu – sie erzählen euch ihre Sorgen – seid zu den Kindern nett – denn Kinder sind Menschen von morgen!«

Der Text ist ja schon wieder Grand-Prix-verdächtig! So viel Genius! Jedenfalls hat der greise Dichter seine Brille in die Stirn geschoben und gefragt: »Wer ist Nackedei?«

Und die blinde Yvonne hat gesagt: »Aber Liebling! Das ist das neue Bond-Girl!«

Du siehst, deine Erfolge pfeift man hier schon von den Dächern! Ich bin sehr stolz auf dich!

Danke für den Tipp mit Kyllikki. Was is'n das für'n Name? Hört sich an wie ein Kanarienvogel. Soll ich ihn anrufen oder fliegt er von selbst vorbei?

Trotz aller Befürchtungen, Lothar betreffend, irgendwie sehr glücklich und relaxed
deine Freundin Anne

PS: Schönes Wochenende mit Nackedei im Bubeninternat. Grüße Adrian und sag ihm, wir genießen es wahnsinnig, in eurem Haus zu sein!
PPS: Heiner Lauterbach hat angerufen. Er wollte mit Viktoria

und dem Kind zum Grillen vorbeikommen. Ich hab gesagt, er kann gerne kommen, aber als er merkte, dass ich nicht du bin, meinte er, es eilt nicht.

Santa Barbara, im Haus von Walter und Liz, 9. Mai

Liebe Anne,
Kyllikki meldet sich nächste Woche bei dir. Ich mache mir große Sorgen wegen Lothar.

Hast du inzwischen rausgefunden, wo er logiert? Lass dich bloß nicht von ihm überrumpeln! Keine Tricks! Lass ihn nicht ins Haus!

Fühl dich nicht immer schuldig, Anne!! Es ist dein Recht, ein freies und selbstbestimmtes Leben zu führen. Du bist erwachsen und kannst allein über dich entscheiden!

Wenn ich doch schnell nach Europa fliegen könnte, um dir beizustehen! Aber ich komme hier beim besten Willen nicht weg. Nackedei wird rumgereicht von einem Fototermin zum anderen, die Zeitungen zahlen sechsstellige Summen für ein Interview mit ihr.

Heute Abend hatte ich ein tolles Gespräch mit Liz und Walter beim Dinner. Es sind wunderbare Menschen, aufgeschlossen, weltoffen, tolerant. Gebildet und klug, aber nicht eingebildet und elitär. Sie müssen Mark Daniel wirklich gute Eltern gewesen sein – und sind es noch! Sie sind ja so stolz auf ihn! Sie haben mir stundenlang von seinen Streichen erzählt – und irgendwie erinnern mich diese ganzen Geschichten an Adrian. Die Lässigkeit und Großzügigkeit, mit der sie auf Mark Daniels Missetaten eingegangen sind, werden mir ein Beispiel sein. Ich will Adrian nie mehr anschreien oder losheulen, wenn er mal wieder in seinem neuen Smoking Fußball spielt oder seine neue Zahnspange dazu verwendet, Mäuse zu erwürgen.

Ich habe Walter und Liz heute so viel von den Salzburger Festspielen vorgeschwärmt, dass sie beschlossen haben, zu einer der späteren Aufführungen zu reisen. Bis Ende Juli hat Walter noch hier mit seinem Verlag zu tun. Er stampft schon wieder einen riesigen Neubau aus dem Boden. Mit Geldern aus Immobilienfonds und langfristig angelegten Wertpapieren – hochinteressant. Er sagt, sein Geld vermehrt sich von selbst und er und Liz könnten schon lange von den Zinsen leben. Ich wünschte, ich verstünde mehr von der Materie.

Jetzt werde ich Schluss machen und schlafen gehen. Stell dir vor, ich bewohne hier Mark Daniels Zimmer! Kerstin, also Nackedei, die sowieso nicht an unserer Unterhaltung teilgenommen hat, schläft schon lange im Gästezimmer. Sie interessiert sich nicht für Konversation, wenn es nicht um Silikon-Busen, Haarverlängerung, Nasenverkleinerung oder Fettabsaugen geht. Morgen nehme ich sie mit zum College. Ich freue mich auf Adrian!

Sei lieb gegrüßt und mach alles gut!!
Deine Alex

PS: Du hast mich gefragt, wie der Berg heißt, den man vom Balkon aus sehen kann. Es ist der Schafberg! Es fährt eine Zahnradbahn rauf. Du kannst aber auch zu Fuß raufgehen – vier bis fünf Stunden, je nachdem, welche Route du nimmst! Oben hast du einen sensationellen Blick über acht Seen und hundertfünfzig schneebedeckte Berge!

Mondsee, in deiner Galerie, 12. Mai, nachmittags
halb fünf – die Sonne steht schräg über dem Wald, die Amseln
zwitschern und auf dem Nachbargrundstück verteilt ein
Bagger Kuhmist…

Liebe Alex,
ich hab's gemacht!! Bin überglücklich, todmüde und voll von
wunderschönen Eindrücken.

Nachdem ich heute Morgen schon um halb sieben die
Mädchen in den Kindergarten bringen durfte, bin ich mit dem
Opel nach Bad Süß gefahren und von dort zu Fuß auf den Schafberg gestiegen! Die Hunde habe ich mitgenommen, sie waren
zwei treue und geduldige Wandergefährten.

So früh am Morgen war noch kein Mensch unterwegs, ich
hatte die herrlichen Wälder und Schluchten noch ganz für mich
allein. Hab mir erlaubt, deine Wanderschuhe aus dem blau be-
malten Bauernschrank zu nehmen. Im Gegensatz zu deinen
Dirndln passen sie genau. Und den kleinen Rucksack. Zur Sicherheit hatte ich das Handy mit, das Siegwulf mir mal geschenkt hat, weil ich natürlich bange war, dass mir was passieren
könnte. Eigentlich war ich am Anfang schrecklich ängstlich.
Aber dann überwog die Begeisterung. Dieser Duft eines erwachenden Waldes! Die Geräusche, wenn die eigenen Schritte über
trockenes Gehölz gehen! Das Zwitschern der Vögel! Das Rau-
schen der vielen kleinen Wasserfälle, die zu Tal plätschern!
Alex, war das hier schon IMMER?? Und ich war in der Zeit in
Plattstadt?? Und habe das alles versäumt? Ich war so berührt,
dass mir die Tränen kamen. Die Hunde rannten ihrer eigenen
Nase nach, die immer dicht am Boden war. Sie waren total begeistert von den verschiedenen Fährten. Manchmal buddelten sie

minutenlang an einem Fuchsbau oder unter einem Gehölz, aber wenn ich ein paarmal gepfiffen hatte, kamen sie immer mit angelegten Ohren angewetzt. Das sind ja so liebe Viecher! Wie heißen sie eigentlich? Jedenfalls fühlte ich mich sicher mit ihnen, hatte fast keine Angst. Früher hätte ich mich im Leben nicht getraut, einfach allein in einen Wald zu gehen.

Als ich zwei Stunden gewandert war, kam ich an die Baumgrenze. Da fuhr gerade die erste Zahnradbahn rauf, voll gestopft mit Touristen. Ich habe auf einem Baumstumpf an der Lichtung Rast gemacht, die Hunde hechelten zu meinen Füßen.

Dann musste ich mich entscheiden: Der rechte Weg führte weiter an den Bahngleisen entlang, in sanften Serpentinen über freie Buckelwiesen bergauf, vorbei an Ziegen und Kühen, die hier oben weideten. Der andere Weg führte verschlungen in ein felsiges Gebiet, er machte mir den interessanteren Eindruck. Auf dem Wegweiser stand »Nur für Geübte!«. Ich habe mindestens zehn Minuten gebraucht (präzise und exakt), bis ich den Mut gefasst hatte, den schwierigeren Weg zu nehmen. Habe im Moment eine Phase, in der niemand und nichts mich aufhalten kann! Irgendwie war es ein symbolischer Akt, den schwierigeren, unbekannten Weg ins Geröll zu nehmen. Ich erinnerte mich an deine vorweihnachtlichen Mails und dachte, das schulde ich dir, dass ich den schwierigen Weg nehme.

Tatsächlich war der Pfad recht schmal, mitunter rutschte der Tritt etwas ab, aber wenn es sehr steil wurde, gab es in der Felswand einen festen Draht, an dem ich mich festhalten konnte. Ich stieg und stieg, stetig bergauf. Hinter jeder Kurve öffnete sich mir ein neuer, atemberaubender Blick. Die Hunde liefen dicht vor mir. Wenn ich zurückblieb, warteten sie mit hängender Zunge auf mich. Unser Keuchen war das einzige Geräusch, was hier oben noch zu hören war. Ich hatte mir vorgenommen, bis drei Uhr wieder am Kindergarten zu sein, aber für alle Fälle hatte ich die Nummer von der Liesi eingespeichert. Hier im Dorf ist alles so einfach, so leicht! Wenn man um drei Uhr anruft, dass man noch nicht kommen kann, nimmt die Kindergärtnerin die Kleinen mit zu sich nach Hause und macht mit ihnen Palatschinken.

Das ist völlig selbstverständlich. In Plattstadt hätte es vermutlich einen schriftlichen Verweis gegeben und der Elternrat hätte sich zu einem Krisengespräch getroffen und beim zweiten Mal wäre man rausgeflogen. Ach Alex!

Während der Wanderung habe ich über so vieles nachgedacht. Warum habe ich mir mein halbes Leben von anderen Leuten Vorschriften machen lassen! Warum dauerte es sechsunddreißig Jahre, bis ich durch einen Scheißkerl wie Siegwulf Mennecken zum ersten Mal die Chance bekam, mein eigenes Leben zu leben! An den Kerl muss ich viel denken. Und so mies und feige der ist: Ich verdanke ihm meine Freiheit!

Ich liebe es, einfach zu wandern, stundenlang, und keiner Menschenseele zu begegnen. Aber ich musste so alt werden, um diese Leidenschaft an mir zu entdecken. Wie viele Leidenschaften ich wohl noch entdecken werde?? Ich freu mich so darauf!

Fühle mich wie eine Sandburg, die jahrelang zugeweht war und die ich jetzt ganz allmählich, Sandkorn für Sandkorn, wieder freilegen darf. Sie hat noch viele Gänge und Tunnels und alle sind unerforscht, aber völlig intakt! Wie spannend! Um zehn Uhr dreißig – präzise und exakt!! – stand ich auf einem Felsvorsprung und sah hinunter ins Tal. Es war atemberaubend! Ich musste mich an einem überhängenden Strauch festhalten, weil mir schwindelig wurde. Vor Glück? Vor Angst? Ich weiß es nicht.

Drunten lag der See, glitzerten die Boote in der Sonne. Ich kam an einem kleinen Bergsee vorbei – dunkelgrün und geheimnisvoll.

Und plötzlich tat ich etwas, was ich mich früher nie getraut hätte!

Ich schlüpfte aus meinen durchgeschwitzten Klamotten, legte sie alle auf den Rucksack und ließ mich ganz langsam ins eiskalte, undurchsichtige Wasser gleiten. Es war so eisig, dass ich die messerscharfen Schmerzen der Kälte nach drei Sekunden nicht mehr spürte. Ein atemberaubendes, unheimliches Gefühl! Die Hunde winselten erst erschrocken am Ufer, dann tapsten sie ebenfalls ins Wasser. Sie sind wahrscheinlich den seichten Mondsee gewöhnt, in dem man noch meterlang herumlaufen kann. Hier gingen sie sofort bis zur Schnauze unter. Etwas erschrocken schwammen sie auf mich zu. Ich genoss dieses leichte Gruseln, nicht zu wissen, wie tief der See unter meinen Füßen ist. Aber die Panik vor dem Wasser, die ich sonst immer hatte, war weg! Du weißt ja, ich habe mich nie getraut, in einem offenen Gewässer zu schwimmen. Ich brauchte immer einen Rand zum Festhalten oder einen Grund, den man sehen konnte. Jetzt aber genoss ich die Erfrischung, die Einsamkeit, die Stille.

Mir wurde plötzlich eines klar und das war so eine Überraschung wie Weihnachten: Ich langweile mich mit mir nie, sondern bin mir selbst die beste Freundin!

Als ich wieder auf dem glitschigen Felsboden stand und mich mit meinem T-Shirt abtrocknete, hörte ich plötzlich ein Knacken. Die Hunde spitzten die Ohren und fingen an zu bellen. Mir schlotterten die Knie. Bereit, mich sofort wieder in den alles verdeckenden See zu stürzen, wartete ich ab. Ich hörte Lothar schimpfen: Wie kannst du denn auch als FRAU ALLEIN eine solch GEFÄHRLICHE Bergtour machen!

Da näherte sich eine Gestalt den steilen Pfad herauf. Ich kniff die Augen zusammen. Die Umrisse waren nicht zu erkennen, weil ich gegen die Sonne blinzeln musste!

Auf jeden Fall hielt ich mir schützend das nasse Leiberl vor den Busen, bis er vor mir stand: ein fremder Mann, bärtig, mit langen gelockten durchgeschwitzten Haaren. Ein Mountainbiker, der sein Fahrrad im Laufschritt den Berg hinauftrug!

Ich starrte ihn peinlich berührt an, er schenkte mir im Rennen nur einen kurzen Seitenblick: »Griass di!«

»Griass di«, antwortete ich fassungslos, aber da war der Kerl schon weg.

Ich zog mich wieder an, kicherte etwas über meine eigene Bangigkeit und nahm die letzten sechshundert Höhenmeter in Angriff. Nach einem längeren Steig kam ich über eine Felskuppe, sah tief unter mir meinen kleinen Bergsee, umrundete ihn diesmal auf dem angezeigten Pfad, und dann stand ich plötzlich unterhalb dieses Zinkens, den man von deinem Balkon aus so gut sehen kann! Er sieht aus wie ein großes »L«, aber er ist höher als das Empire State Building!

Es ging senkrecht rauf; diese Schlucht, in der ich stand, kam mir vor wie ein riesiges Freilufttheater. Ich stellte mir vor, dass hier Tausende von Menschen in der steinernen Arena sitzen würden und dass man unten auf dem Bergsee eine schwimmende Bühne errichtet hätte, auf der fünfhundert Mitwirkende »AIDA« spielen würden! Es war gigantisch! Weit hinten in der Felswand erspähte ich den Mountainbiker, der jetzt sein Fahrrad senkrecht den Felsen hinauftrug. Irgendwie hat mich das angestachelt. Ich nahm allen Mut zusammen und machte mich auf das letzte Stück des Weges. Unter einem Totenkopf im Fels stand noch einmal »Nur für Geübte!«. Ich wusste, dass ich jetzt nicht aufgeben, nicht zurückgehen durfte.

Ich wollte es mir selbst beweisen, dass ich es schaffe.

Während ich Schritt für Schritt vor mich hin keuchte und mir der Schweiß in Bächen von der Stirn tropfte, hörte ich Oma Margot, Lothar, Oma Helga und Opa Karl-Heinz in meinem inneren Ohr durcheinander schimpfen: »Sie überschätzt sich völlig! Um drei hat der Kindergarten Schluss, und es ist NACH elf!! Präzise vier Stunden! Kein Sonnenschutzmittel! Ozonschicht in den Bergen! Völlig blauäugig! Keine Wanderkarte dabei! Kein Pickel und kein Seil! Orientierungslos! Ohne Verstand! VERANTWORTUNGSLOS!«

Auch die Kollegen hörte ich sticheln und lästern: »Na Frau Pistrulla? Neue Abenteuer? Reicht Ihnen unser kleines Leben im Kaufglück nicht mehr? Darf's ein bisschen mehr sein?«

Dieses Gezeter trieb mich an. Ich zeig's euch allen! Ich schaffe es!

Ich klammerte mich mit den Händen an die Haltegriffe, die im Felsen angebracht waren. Ganz oben, vor einer Bergkuppe, balancierte der Mountainbiker herum. Nach einer Weile erreichte auch ich diese Kuppe. Mich umdrehen und runterschauen konnte ich nicht. Nur immer einen Schritt vor den anderen setzen, dachte ich. Die Hunde krabbelten auch mit Mühe bergan, aber sie schienen noch Spaß an der Sache zu haben.

Und dann stand ich unter einem Felsdurchgang, auf dem »Himmelspforte« steht. Wie bezeichnend!

Ich hatte es geschafft! Keuchend und erschöpft durchschritt

ich diesen steinernen Torbogen und plötzlich öffnete sich der Blick! Ich stand auf der großen Buckelwiese, über die auch die Zahnradbahn von der anderen Seite aus nach oben gefahren war. Gerade ergoss sich ein neuer Strom von Touristen auf den asphaltierten Bahnsteig und nahm die fünfzig Meter seichten Anstiegs zur Aussichtsterrasse in Angriff. Mir gelang es noch mit letzter Kraft, sie alle zu überholen. Mit einem Gefühl des Triumphes bestieg ich die Aussichtsterrasse. Und siehe da, der bärtige Mountainbiker saß mit nacktem Oberkörper in der Sonne und zog sich einen gespritzten Apfelsaft rein.

»Griass di«, sagte er wieder.

»Hallo«, antwortete ich, immer noch keuchend. Ich wischte mir den Schweiß mit dem Handrücken von der Stirn. Mir zitterten die Beine. Jetzt sah ich erst, wie hoch ich gestiegen war! Die Hunde stürzten sich sofort zu dem Wassertrog, der für Vierbeiner bereitstand.

»Mogst an Schluck?!« Der Mountainbiker reichte mir sein Halbliterglas.

»Danke.« Ich stürzte mindestens die Hälfte davon in mich rein.

Er lachte. »Host koa Wasser mit g'hobt?«

Ich entschuldigte mich: »War meine erste Bergbesteigung!«

»Is eh a Leistung«, sagte er. Er streckte mir den behaarten Arm entgegen: »Hannes.«

»Anne«, sagte ich.

»Bist auf Urlaub?«

»Nicht wirklich. Ich … hüte einer Freundin das Haus. Und du?«

»I wohn da.« Er zeigte in eine Richtung, irgendwo da unten, zwischen den vielen Seen und Bergen. »Wenn i Zeit hab, dann laufi g'schwind vor dem Mittagessen auf'n Schafberg und radle wieder obi. Dann kann i besser arbeiten.«

»Aha«, sagte ich. »Was arbeitest du denn?«

»Finanzberater«, sagte der braun gebrannte, muskelgestählte Hannes.

Mir blieb der Mund offen stehen. Wenn doch Lothar jeden

Tag auf so einen Berg flitzen würde! Dann hätte er bestimmt keine Stressneurodermitis und könnte nachts gut schlafen. Inzwischen waren alle Touristen mit ihren Fotoapparaten vor den dicken Bäuchen bei uns oben angekommen. Überall sächsische, westfälische, rheinische und holländische Töne zu hören.

Hannes erklärte mir noch, wie die Seen heißen, die man von oben sehen kann.

»Der große da, das ist der Attersee, schau, und wo der endet, da beginnt der Mondsee. Der kloane da hinten, das ist der Irrsee. Da soll eine ganze Stadt drin versunken sein. Rechts hinterwärts, das ist der Wolfgangsee, kennst eh. Und rechts der schmalere, das ist der Fuschlsee.«

Ich wollte ihm gerade voller Stolz erklären, dass ich dort wohne, nämlich in der Villa von der berühmten Alexandra von Merz, aber da murmelte er was von »Jetz wird's ungmiatlich«, schwang sich auf seinen bananenschmalen Sattel, rief noch »Servus, besuch mich mal!« über die Schulter und weg war er.

»Du mich auch«, murmelte ich.

Ich blieb noch eine Weile oben stehen, genoss die sensationelle Aussicht, bildete mir sogar ein, deine Villa und die Zwiebelturmkirche und den Kindergarten zu erkennen, und zog mir einen Liter gespritzten Apfelsaft rein.

Dann war es zwölf und ich hatte die Wahl, mit den plappernden Touristen mich in die Zahnradbahn zu zwängen und eine Stunde unter Gerumpel wieder talwärts zu fahren oder auch den Rückweg zu Fuß in Angriff zu nehmen.

Obwohl ich fürchten musste, dass ich es dann bis drei nicht zum Kindergarten schaffen würde, habe ich das gemacht. Ach Alex, es war so herrlich, über die sattgrüne Buckelpiste wieder talwärts zu laufen! Ich fühlte mich so leicht, so frei, so glücklich wie noch nie im Leben. Die Hunde und ich, wir liefen um die Wette. Und wir haben auf diese Weise den Abstieg in zweieinhalb Stunden geschafft! Um PUNKT drei war ich am Kindergarten, präzise, auf die SEKUNDE!! Ich hab das Gefühl, der liebe Gott wollte mir heute ein ganz besonderes Geschenk machen.

Jetzt sitze ich an deinem Schreibtisch, die Mädchen spielen

mit Steinen und Stöcken im Garten, ganz selbstvergessen, ganz versunken. Sie spüren, dass ihre Mama zufrieden ist.

Also sind sie es auch. Die Hunde liegen schachmatt unter dem Pfirsichbaum. Sie haben eben eine Fünfliterschüssel Wasser leer gesoffen. Ich habe ein eiskaltes Bier neben mir stehen und trinke aus der Flasche. Und bin der glücklichste Mensch der Welt.

Sei fest umarmt von deiner Anne

PS: Lothar ist nicht mehr aufgetaucht und hat auch sonst kein Lebenszeichen hinterlassen. Aber von Kyllikki, dem Kanarienvogel, war eine Nachricht im Briefkasten: Sie hat sich in der »Sonne« angemeldet und wartet dort nächsten Sonntag auf meinen Anruf. Super. Danke.

PPS: Der muskelgestählte Hannes hat mir sehr gefallen. Vielleicht trägt er mal sein Fahrrad zu mir und dann gönnen wir uns einen Liter gespritzten Apfelsaft!

Liebe Anne,
glaub jaa nicht, dass ich diesen Tag vergessen habe!

Herzlichen Glückwunsch zum Geburtstag!!

Na, hättest du dir letztes Jahr um diese Zeit träumen lassen, dass es dir mit siebenunddreißig so gut gehen würde?? Du hast es gemacht, Anne. Du hast es gewagt!! Ein größerer Wunsch hätte für dich nicht in Erfüllung gehen können.

Ich freue mich wahnsinnig. Glückwunsch auch zu deiner Bergbesteigung! Wie du dir sicher denken kannst, war ich noch nie auf dem Schafberg, weder zu Fuß noch mit der Zahnradbahn. Das sind alles Sachen für Touristen. Wenn man da arbeitet, kommt man nicht mehr dazu, solche Dinge zu tun. Eigentlich schade. Nach deinem schwärmerischen Brief habe ich Blut geleckt: Sobald ich wieder zu Hause bin, mache ich mich auf den Weg! Und zwar zu Fuß! Du kennst ja meinen Ehrgeiz: Ich konnte es noch nie verwinden, wenn jemand anderes besser war als ich. Das hat ja früher unsere Freundschaft so aufgeheizt.

Als ich letztens mit Nackedei hier im College auftauchte, fielen den Buben erst mal die Augen aus dem Kopf. Adrian wurde knallrot und zischte: »Mamaaa! Willst du mich blamieren oder was!!«

Ich habe ihm erklärt, dass Nackedei kein Englisch kann und ohne mich ganz verloren wäre, da fühlte er sich augenblicklich besser. Er übernahm sogar die Führung durch die Schule und die Sportanlagen! Seine Augen leuchteten. Er war stolz und rührend schüchtern zugleich.

Jetzt ist er fast sechzehn und will unbedingt den Führerschein machen. Alle seine Kumpels hier nehmen bereits Fahrstunden.

Ich habe es ihm erlaubt unter der Bedingung, dass er jetzt regelmäßig seine Zahnspange trägt. Er hat mich umarmt wie seit vielen Jahren nicht mehr.

In der kurzen Zeit hat er immense Fortschritte gemacht. Erst mal ist er jetzt eindeutig einen Kopf größer als ich, zweitens ist seine Stimme jetzt gleichmäßig tief und drittens hat er fast keine Pickel mehr. Als wir so über den Campus schlenderten, fing ich einige Blicke von Mädchen auf, die ihm galten. Er tat so, als hätte er es nicht bemerkt, aber bei einem Mädchen wurde er so flammend rot, dass ich wusste, ihr gehört sein Herz.

Er läuft auch nicht mehr in den ewig gleichen verwaschenen Kapuzen-Sweatshirts rum und trägt nicht mehr die ausgelatschten, nach krankem Panther riechenden Turnschuhe. Die Kids hier haben einheitliche Schulkleidung: genau die Klamotten, die Mark Daniel ihm vor drei Monaten gekauft hat. Er ist ein Großer, Schlanker, Hübscher geworden. Ich bin wahnsinnig stolz auf ihn.

Wie Recht die Martinis doch hatten: Er musste nur seine Wurzeln an einem Ort schlagen, wo die Sonne auf ihn scheint. Jetzt blüht er.

Nackedei hat natürlich alle Blicke auf sich gezogen, wie sie mit ihren knöchellangen blonden Haaren, dem nabelfreien Top, dem überquillenden Busen und den zwanzig Zentimeter hohen Sandaletten über den Campus stolziert ist.

Einige Schüler kamen sofort an und wollten ein Autogramm von ihr. Es hat sich also auch hier in Amerika schon herumgesprochen, dass sie das neue Bond-Girl ist.

Als die Kumpels von Adrian das mitkriegten, hatte Adrian gleich einen noch viel höheren Stellenwert. Ich glaube, er handelt jetzt mit Nackedei-Postern und Autogrammkarten.

Der Direktor der Schule sagte mir, dass Adrian ein großes Potenzial hat, dass sein Englisch von Tag zu Tag besser wird und dass er sich ganz prima eingelebt hat. Er hat noch keine Fische aneinander gebunden und erst recht noch keine Lehrer. Mir fällt ein Riesenstein vom Herzen!

Bei uns ist es seit Wochen stressig. Nackedei hat ein Presse-

Shooting nach dem anderen. Sie wird rumgereicht wie eine Trophäe. Ich sage dir, Anne, mein Klingelbeutel klingelt und klingelt! Für jedes Interview, jedes Shooting, jeden TV-Beitrag, in dem sie auftritt, kassiert Nackedei zwischen 20 000 und 100 000 Dollar. Und ich kriege davon zwanzig Prozent. Das Geld liegt auf der Straße! Da wollen wir es nur nicht liegen lassen. Nackedei braucht für ihr Geld einen eigenen Finanzberater. Das Geld soll ja nicht rumliegen, sondern sich fleißig vermehren, so dass Nackedei und ich bald auch von den Zinsen leben können. Von der Materie verstehe ich gar nichts. Leider. Sonst hätte ich meine Knete vermutlich schon verdoppelt und die von Nackedei auch. Ganz Amerika beteiligt sich inzwischen am Nackedei-Umtauffieber. Wer findet den besten Künstlernamen für Kerstin Schöller? Zu gewinnen ist eine Weltreise mit dem Traumschiff »Millennium« für zwei Personen.

Viele liebe Grüße nach Mondsee!

Grüße die Fürstin von mir, wenn du zu ihr zum Dinner gehst!

Deine viel beschäftigte, steinreiche und ziemlich zufriedene Alex

PS: Und falls Mark Daniel auftaucht: Gib ihm ein Busserl von mir!

PPS: Ich brauche keinen Mann, um meine Existenz zu rechtfertigen. Die tief gehendste Beziehung, die wir jemals haben werden, ist die zu uns selbst.

Mondsee, 26. Mai

Liebe Alex,

danke für den Glückwunsch! Dass du meinen Geburtstag nicht vergessen hast!

Ich hatte tatsächlich den schönsten Geburtstag meines Lebens! Meine Wunschpyramide hat sich erfüllt: Margot-freie, Karl-Heinz-freie, Lothar-freie, Kollegen-freie Zone, Zeit für die Kinder und mich, Ruhe, Frieden und selbstbestimmtes Leben. Eine Arbeit, die mir Spaß macht – in deinem Büro bin ich mein eigener Herr!

Danke für dein Vertrauen. Ich hoffe, ich erledige alles so, wie du dir das vorstellst.

Die wichtigsten Mails schicke ich dir alphabetisch geordnet im Anhang, die andere Post bearbeite ich selbst.

Ein Immobilienmakler hat hier rumgeschnüffelt und sagt, er habe Interessenten, die dein Haus kaufen wollen. Ich habe ihm gesagt, er soll sich verziehen, war doch hoffentlich in deinem Sinne! Die Einladungen sortiere ich nach wichtig – unwichtig – schon gelaufen.

Die Presseanfragen für Interviews im Inland leite ich, wie du gesagt hast, direkt an deine Künstler weiter, die Einladungen zu Talkshows, Quizshows usw. ebenso. Für alles habe ich Rechnungen über zwanzig Prozent geschrieben und sechzehn Prozent Mwst. dazugerechnet. Mit deinen wichtigsten Partnern telefonierst du ja sowieso jeden Tag.

Eigentlich verrückt, dass wir beide noch nie telefoniert haben, was? Aber inzwischen ist unsere Mailerei ein Ritual geworden, das ich nicht mehr missen möchte.

Komm also bloß nicht auf die Idee und ruf mich an! Und steh

hier erst recht nicht plötzlich auf der Matte! Erst muss ich noch alles auf Vordermann bringen!

Nachdem es einige Tage geregnet hat und ich die Zeit für dein Büro genutzt habe, scheint jetzt wieder die herrliche Frühlingssonne mit einer Intensität, dass man oben in der Galerie einen Sonnenbrand kriegen würde. Also habe ich meine Arbeit nach draußen verlegt.

Seit Montag bin ich schwer im Garten beschäftigt. Ich habe alle Sträucher geschnitten, besonders die japanischen Ziersträucher vor der Wohnzimmerterrasse. Herr Koberlechner hat mir das Wasserhochdruckreinigungsgerät erklärt. Ich habe damit deine Garpa-Holzgartenmöbel gereinigt. Die Kissen und Sitzbezüge habe ich alle in die Reinigung gebracht, ebenso deine ganze Wintergarderobe, die im Ankleidezimmer verstreut herumlag.

Du bist ja letztens so eilig aufgebrochen, hattest wohl keine Zeit mehr, alles in Ordnung zu bringen. Macht nichts. Dein Haus auf Vordermann zu bringen, macht mir riesigen Spaß. Auch in der Küche habe ich ein bisschen aufgeräumt: Die ganzen alten Pflanzen habe ich rausgeschmissen – sie waren eingegangen – und habe ein paar neue Clivia-Stöcke aus der Gärtnerei Steiniger bringen lassen. Der Preis war in Ordnung, mach dir keine Sorgen. Der kleine Sohn von den Steinigers geht mit Carla und Greta in den Kindergarten und kommt nachmittags öfter zum Spielen. Da hat der Vater gleich ein großes Arrangement aus Clivia und Hibiscus rangeschleppt. Außerdem hat er aus seiner Dekoration vier riesige Bourgainvilleas mitgebracht. »Helen Johnson« und »Double delight« nennen sich die Blüten. Herr Koberlechner hat die üppigen Blumenkübel, die aussehen wie Kronleuchter, kurzerhand an der Decke über dem Wintergarten angedübelt. Es sieht gigantisch aus.

Auch deine Küchenschränke mussten mal ausgewaschen werden und bei der Gelegenheit habe ich das Geschirr neu geordnet. Das Besteck habe ich poliert, wie ich das bei Oma Margot gelernt habe. Sicher hältst du mich jetzt für ein schreckliches Hausmütterchen, aber es ist das erste Mal, dass ich in einem Haushalt etwas ganz alleine tun darf! Niemand macht mir Vorschriften, niemand schließt mich aus meiner eigenen Küche aus, niemand weist mich darauf hin, dass ich zwei linke Hände habe!

Die Kinder machen alles eifrig mit. Wir drei Mädchen sind ein eingeschworener Weiberhaushalt. Nachdem das Regenwetter von letzter Woche vorbei war, habe ich mich mal auf dein Dach getraut und alle Abwasserrinnen vom Winterdreck befreit. Es waren Unmengen von Blättern und Moder drinnen, die Herr Koberlechner und ich mit vereinten Kräften mit Hilfe der Schubkarre weggeschleppt haben. Als wir alle Dachrinnen sauber hatten, haben wir dein sonnengelbes Haus, zumindest von der Eingangsseite her, mit dem Hochdruckreiniger abgespritzt. Koberlechners sind begeistert: Die Fassade blitzt wie neu! Auch die Fensterläden wurden wieder schön saftig grün. Zum Schluss habe ich mit diesem Wunderreinigungsgerät die Terrasse abgesprüht. Ich bin so richtig in Rage gekommen – wahrscheinlich war es ein symbolischer Akt, diese Aufräumwut, dieses Säubern.

Zwischendurch habe ich mir schon wieder eingebildet, Lothar stünde am Gartenzaun und würde mich beobachten. Aber als ich das Gerät ausgeschaltet hatte und vom Dach gestiegen war, um nachzusehen, hatte er sich in Luft aufgelöst. Ich sehe wahrscheinlich Gespenster.

Ach Alex, ich fühle mich um zwanzig Kilo Ballast befreit! Das ganze Unkraut ist weg. Ich habe mir erlaubt, die Pflanzen, die in der Garage überwintert haben, alle wieder hervorzuholen und bei der Gelegenheit umzutopfen.

Jetzt werde ich mir mal den Swimmingpool vornehmen. Die Reinigungsfirma war gestern da und hat die Kacheln gesäubert. Ich putze trotzdem noch mal hinterher. Es war doch okay, dass ich sie angerufen habe? Die ganzen Adressen der Firmen habe ich in deiner Computerkartei gefunden. Morgen lassen sie neues Wasser ein. Das wird die Mädchen freuen! (Lothar würde vor Panik vergehen!!)

Frau Koberlechner putzt deine Riesenscheiben oben in der Galerie. Das ganze Haus riecht nach Sidolin. Die schwangere Katze aalt sich auf dem weißen Sofa in der Sonne.

Die Mädchen polieren mit Hingabe die Palmenblätter. Die Hunde knabbern draußen an der alten Blockflöte von Adrian. Manchmal kommt ein schauerlicher Quietschton raus, dann stellen die Hunde die Ohren auf und springen erschrocken zur Seite. Ich hoffe, Adrian wird den Verlust verschmerzen.

Im Radio läuft wie immer österreichische Volksmusik – »Herzerl, komm her zum Zaun, lass dir in die Äugerl schaun…« Hätte nie gedacht, dass mich so was mal begeistern würde!

Hast du was dagegen, wenn ich das Kinderzimmer neu streiche? Mir ist im Baumarkt ein Sonderangebot aufgefallen, hellgelbe Farbe für die Wand, dazu passend eine zartrosa Tapete und aus den gleichen Farbtönen Vorhänge und Bettwäsche!

Ich weiß, dass Adrian das Scheiße finden würde, aber sobald ihr wiederkommt, mache ich's wieder ab. Bitte, erlaube es mir! Ich möchte diese Dinge einfach mal ausprobieren!

Alles zum ersten Mal im Leben! Was hab ich bisher alles verpasst!!

Deine glückliche Anne

PS: Wie findest du »Jane Blond«?

Mensch, Anne!

Das IST es!! Du bist genial!! Gerade habe ich deine Mail gelesen und den Namen SOFORT Jeff ins Ohr geflüstert, der hier gerade völlig aufgelöst mit dem Intendanten von CNN verhandelt. Alle sind begeistert, nicken: That's it! Das Mörsenbroicher Ei der Anne Pistrulla!

JANE BLOND!

Einfacher geht's nicht! Wieso ist darauf bisher nur keiner gekommen!

Es sind Hunderttausende von Vorschlägen eingegangen, aber die Herrschaften konnten sich für keinen Namen entscheiden. Dabei liegt er doch auf der Hand! Im Mund! Und wird noch auf Dollarnoten aufgedruckt werden! Auf Briefmarken! Auf Straßenschildern! Auf Badelaken!

JANE BLOND!

Deine Mail ist gerade auf die Sekunde richtig angekommen. Wir sind unmittelbar vor der öffentlichen Ziehung des besten Namens! Natürlich wird das getürkt. Der Name »Jane Blond« wird gezogen werden. Wie fast alles im Fernsehen – wir nennen das »fake«.

In drei Minuten geht Nack… Jane Blond auf Sendung! Ihr großes Outing wird in der Talkshow von Oprah Winfrey sein. Das ist übrigens die reichste Frau Amerikas. Die hat NBC gekauft! Werde mich nachher mal mit ihr unterhalten über Geldanlagen und so was.

Honorar für Janes dreiminütigen Auftritt: 25 000 Dollar. Davon kriege ich zwanzig Prozent.

Das Geld liegt auf der Straße! (Habe ich das eigentlich schon mal erwähnt?)

DU hast die Kreuzfahrt gewonnen, meine Liebe! Auf der Millennium, dem Jahrtausendschiff! Eine Weltreise! Zu einem Zeitpunkt deiner Wahl!

Nimmst du mich mit??

Muss Na… muss Jane dolmetschen. Die versteht kein Wort.

Werde abgepudert, gehe mit ins Studio.

Sehr aufgeregt und glücklich,

deine Alex

PS: George Clooney kriegt auch schon ein Doppelkinn – für wen soll man denn noch schwärmen?

PPS: Ja, was stellst du denn mit meiner Villa an? Werde ich sie noch wiedererkennen?

Aber mach ruhig. Das steigert ihren Wert. Falls ich doch mal verkaufe.

Mensch, Alex,

du hast Recht: Das Geld liegt auf der Straße. Dass man mit so einer einfachen kleinen Idee gleich eine Kreuzfahrt gewinnt... KLAR nehme ich dich mit! Wie ich mich freue!

Und irgendwie habe ich das Gefühl, wir erfüllen damit Heinrich Seeligs letzten Willen.

Es gibt so viele Neuigkeiten aus deiner Heimat, ich weiß gar nicht, wo ich anfangen soll. Mark Daniel Martini hat mehrmals auf den Anrufbeantworter gesprochen, mit einer Stimme, dass ich eine Gänsehaut bekam. So tief, so rund, so profund... kurz, wie du beschrieben hast.

Er sei im Lande, die Proben verliefen prima und er möchte dich besuchen. Er hätte es schon zwei-, dreimal probiert, aber niemanden angetroffen. Süß irgendwie: Er sagt, er hätte eine Idee für die Gestaltung deines Wintergartens. Die Kulisse von »Carmen« wäre für einen Appel und ein Ei zu verkaufen! Soll ich ihn zurückrufen? Er hat seine Nummer hinterlassen.

Ich soll dich herzlich von Günther und Ingrid grüßen. Die zwei sind ja wirklich lieb!

Heute, Sonntag, bin ich einfach mit den Mädchen zum Hotel »Zur Sonne« gegangen. Wir wanderten mitsamt den Hunden den kleinen Uferweg entlang, freuten uns an den entzückenden bunten Holzhäuschen, deren Fensterläden alle einladend offen standen, warfen Stöckchen und Steinchen in den See und ließen die Hunde danach schwimmen. Greta und Carla sind ganz verliebt in die Hunde. Jede hat ihren eigenen Liebling, der abgerichtet und streng erzogen wird. Du hast mir immer noch nicht

gesagt, wie sie heißen. Wie ich dich kenne, hast du sie »Dollar«
und »Euro« genannt.

Die Kinder haben sie »Maggi« und »Ketchup« getauft, nachdem die Katze ja schon »Pizza« heißt. Ich weiß, das ist sicher
Blasphemie bei so teuren Rassehunden, aber Frau Koberlechner
hat mit ihrer Messersschneidestimme im dreigestrichenen Oktav-
bereich gerufen: »Wie's hoassn, woas i aa net, aber des zwoa
Weiberl san, dös is sicher! Dös oane is scho kastriert, dös andere net! Also tun's besser aufpassen, wenn a Manderl daherkimmt!«

Wir passen also auf, wenn »a Manderl« daherkimmt, ob nun
Hund oder Kerl.

In der »Sonne« war der Bär los! Jetzt beginnt die Hochsaison,
da ist sonntags kein Platz mehr auf der Terrasse zu finden. Als
ich der netten Chefin des Hauses aber sagte, dass ich sie von dir
grüßen soll, machte sie uns sofort einen reservierten Tisch auf
dem Steg frei. Wie sagst du immer? Beziehungen sind alles!

Die Kinder bekamen einen Kaiserschmarren und ich habe
mich an einer Mondsee-Forelle erfreut. Greta meinte bedauernd:
»Die hat der Koch totgebraten.« Aber sie schmeckte so frisch,
wie ich noch nie eine Forelle bekommen habe! Ingrid, die bezaubernde junge Wirtin im hellblauen Dirndl, setzte sich trotz Hetze und Stress ein wenig zu uns auf die hölzerne Bank, und später
kam auch Günther, ihr Mann, der Maggi und Ketchup eigenhändig zwei Knochen aus der Küche brachte. Sie sind genau so,
wie du sie beschrieben hast, herzlich, freundlich und trotz der
vielen Arbeit gelassen. Und es stimmt: Überall wuseln die Geschwister von Ingrid rum, die haben alle Ähnlichkeit mit ihr. Das
gleiche strahlende, zuvorkommende Lächeln. Also, Alex, ob du
es glaubst oder nicht: Ich habe noch nie im Leben so viele
lächelnde Gesichter auf einmal gesehen. Liegt das an der Landschaft, an der Natur, an der Weite, der Stille, der Großzügigkeit,
mit der der liebe Gott diese Gegend bedacht hat? Wenn ich da an
die verkniffenen, unzufriedenen und ausdruckslosen Gesichter
denke, die einem in Plattstadt täglich begegneten...

Ich habe Ingrid vorsichtig gefragt, ob ein Herr Lothar Pistrulla sich bei ihnen eingeschrieben hat, und sie rannte sofort in die Rezeption, um im Computer nachzusehen. Aber sie sagte: Nein, weder angemeldet noch unangemeldet sei er aufgetaucht.

Nur Kyllikki von Homburg hat sich angemeldet. Für kommenden Sonntag.

Jetzt bin ich wirklich beruhigt. Vielleicht ist Lothar tatsächlich wieder abgereist, weil er glaubte, wir sind nicht hier. Oder war er es womöglich doch nicht? Manchmal zweifle ich an mir. Vielleicht halluziniere ich schon! Aber ich hätte schwören können, dass er es war.

Ingrid und Günther haben gesagt, wenn ich irgendwas brauche, soll ich mich nur immer an sie wenden. Deine Freunde seien auch ihre Freunde. Das fand ich ganz bezaubernd.

Weil gerade wieder drei volle Busse vorfuhren, habe ich mich mit den Mädchen und den Hunden dann verdrückt. In unserer Euphorie haben wir den ganzen Mondsee umwandert, immerhin zwölf Kilometer! Ich hätte nie gedacht, dass die Mädchen so weit laufen können. Aber sie rennen einfach immer mit Maggi und Ketchup mit! Als es bergauf ging, habe ich den Mädchen die Leinen um die Hüften gebunden und die wackeren Hunde haben sie gezogen. Im Schloss haben wir noch einmal Rast gemacht und auf der Schlossterrasse ein riesengroßes Eis mit Himbeeren gegessen. Am Nachbartisch saßen ganz feine Herrschaften, alle im feinsten Tuch und Trachtengewand. Eine alte Dame war offensichtlich der Mittelpunkt der Gesellschaft. Alle Herren begrüßten sie mit Handkuss und die Kinder machten einen Knicks oder Diener. Ich glaube fast, das könnte die Fürstin gewesen sein! Habe mich aber nicht getraut, sie anzusprechen, denn erstens hatte ich nur Shorts und Turnschuhe an und zweitens hatte ich zwei himbeereisverschmierte Mädchen mit schmutzigen Knien und zwei himbeereisverschmierte Hunde mit schmutzigen Pfoten dabei. Außerdem bin ich ja von Natur aus schrecklich schüchtern. Weißt du ja. Aber ich meine, die Schauspieler vom »Jedermann« erkannt zu haben. Meinst du, ich könnte auch für den »Jedermann« noch eine Karte bekommen? Kann auch gerne ein Stehplatz sein! Ich würde es so genießen wie du damals vor fünf-

zehn Jahren. Ach, es ist alles so aufregend! Jetzt sind wir alle todmüde. Eine Fußmassage von Rico wäre gerade recht.

Die Kinder sitzen in der Badewanne. Muss sie vor dem Ertrinken retten.

Sei umarmt von deiner glücklichen, müden
Anne

PS: Wie KONNTE ich diese Schauspielerin jemals beneiden??
Soll ich dir was sagen? Ich finde, ich sehe besser aus. Hundertmal
besser.

Liebste Anne,

Jane Blond ist der ganz große Renner. Sie hat in Amerika eingeschlagen wie eine Bombe! Jeff sagt, seit Marylin Monroe sei keine weibliche Gestalt mehr so ein Mythos schon zu Lebzeiten gewesen. Es gibt schon Jane-Blond-Badelaken, Jane-Blond-Sonnenmützen, Jane-Blond-T-Shirts (mit eingebautem Schaumstoffbusen), Jane-Blond-Frühstücksflocken, Jane-Blond-Vitamindrinks und so weiter und so weiter. Du hast auf den Namen das Urheberrecht, das habe ich durchgesetzt. Bist du damit einverstanden, wenn ich zwanzig Prozent dafür nehme?

Ich maile dir im Anhang den Vertrag. Es werden sowieso Millionenbeträge werden. Kannst du gar nicht mit zwei Händen eingraben, so viel Geld. Also, mach dir keine Sorgen: Wenn deine sechs Monatsgehälter vom Kaufglück aufgebraucht sind, kannst du dir trotzdem noch eine Villa und eine Yacht kaufen.

Ich hoffe, das freut dich. Aber wie ich dich kenne, ist dir das ziemlich wurscht.

Hörst du, Mädchen? Du bist finanziell unabhängig! Du bist frei!!

Magst du vielleicht MEINE Villa kaufen?? Schenken kann ich sie dir nämlich leider nicht. Bei aller Liebe.

Du kannst auch Lothar einen kleinen Teil davon geben, dann ist endlich euer verdammtes Reihenhaus abbezahlt. Und deinen Opel kannst du gegen ein Mercedes Coupé eintauschen.

Jedenfalls sollst du eines begreifen, Anne: DU BIST REICH!!

Ich hab dir doch gesagt, das Geld liegt auf der Straße!

Endlich hast du es begriffen!! Aber wahrscheinlich interessiert dich viel mehr, wo du einen preiswerten Wanderführer für die restlichen fünfhundert zu besteigenden Berge herkriegst. Aus der Buchhandlung Engelschall, unten im Dorf. Die Besitzerin ist eine Freundin von mir. Grüße sie und sag ihr, sie soll dir Prozente geben.

Ab sofort muss nicht nur ich jede Million zweimal umdrehen!!

Kann ich dir inzwischen irgendwie aushelfen? Du brauchst doch Cash! Zur Sicherheit mal meine Kreditkartengeheimnummer: 4377. Bei der Sparkasse Mondsee. Die Karte klebt mit Tesafilm unter der Schreibtischauflage. Auf dem Geschäftskonto müssten noch ein paar hunderttausend Euro sein. Mach dir keine Sorgen. Du kannst mir das eines Tages mit Zins und Zinseszins zurückzahlen. Du weißt ja, dass ich kein Geld verschenke.

Muss Schluss machen, Jane Blond ist müde. Morgen anstrengender Dreh!

Liebe Grüße nach Mondsee!
Deine Alex

Hilfe, Alex!!
Er ist doch hier.

Heute, Samstag früh um zehn, klingelte er vorne am Gartentor. Ich gebe zu, wir waren noch im Bett, wir drei, weil es gestern Abend so spät geworden ist. (Wir waren bei Antonia von der Erlachmühle, die immer das Steinofenbrot noch warm serviert, und hatten uns bei einem bis drei Krügen Most unter dem Kastanienbaum festgequatscht.)

Ich krabbelte also zum Schlafzimmerfenster und lugte durch den Vorhang. Da stand er! Braun gebrannt, als käme er gerade aus dem Urlaub. Die Hunde bellten, er tätschelte ihnen über den Zaun hinweg den Kopf und redete mit ihnen. Er hat sich die Haare wachsen lassen! Sah irgendwie überraschend gut aus, so, als würde ihm unsere Trennung richtig gut tun. Ich hatte schreckliches Herzklopfen. Aber ich wollte ihn ums Verrecken nicht in unser Stückchen Paradies lassen!!

Er klingelte wieder, betrachtete das Haus, kam aber zum Glück nicht zum Gartentor rein, wie beim letzten Mal. Als ich nicht öffnete, zog er wieder ab. Sogar sein Gang hat sich verändert. Er ging so gerade, aufrecht und zielstrebig, die Hände in den Taschen, weg. Und pfiff dabei. Total unheimlich. Seit ich Lothar kenne, hat er noch nie beim Gehen gepfiffen. Was mich auch völlig verunsichert: Er hat wieder seinem Opel keinen Blick gegönnt! Weder den Reifendruck geprüft noch mit dem Finger über die Türleiste gestrichen, um zu schauen, ob der Wagen gewaschen werden muss, noch hat er die Scheibenwischer weggeklappt. Nichts. Er ließ seinen Opel einfach unbeachtet da stehen.

Er hat auch keinen Zettel bekritzelt und in den Briefkasten gestopft, wie er das sonst immer tat, wenn er mich nicht angetroffen hat: »Habe präzise zehn Minuten am verabredeten Treffpunkt gewartet, aber du hast dich nicht an die Vereinbarung gehalten…«

Nein. Nichts. Er ist so anders geworden! Wie gewaschen und geschleudert! Und schon-getrocknet!

Ich habe noch mindestens zehn Minuten unbeweglich hinter dem Schlafzimmervorhang gestanden, weil ich nicht sicher war, ob er zurückkommen würde. Aber er blieb verschwunden. Mein Herzklopfen habe ich immer noch nicht unter Kontrolle.

Alex, was soll ich tun? Die Polizei rufen? Aber mit welcher Begründung? Was soll ich denn sagen? Mein Mann hat angeklopft? Das kann ich doch nicht bringen!

Auf jeden Fall muss ich die Mädchen in Sicherheit bringen. Glaubst du, er will sie einfach zurückholen?

Ausgerechnet morgen ist diese Einladung zur Fürstin zum Mittagessen. Da kann ich die Mädchen nicht mitnehmen. Aber ich will unbedingt hingehen! Dein viel besungener Mark Daniel steht auch auf der Gästeliste! Ich bin so gespannt auf ihn!!

Bin ich eine Rabenmutter, wenn ich Greta und Carla zur Liesi Hinterleitner bringe?

So ein Mist. Jetzt freue ich mich gar nicht mehr richtig auf das Fest.

Aber da ich zugesagt habe, werde ich hingehen.

Gut, dass Kyllikki Montag früh kommt. Auf diese Rechtsanwältin baue ich. Dann fühle ich mich nicht mehr so allein.
Liebe Grüße
Anne

PS: Danke für das Angebot mit dem Geld. Aber mit meiner Abfindung vom Kaufglück komme ich erst mal über die Runden.
PPS: Das mit dem Namen und dem Urheberrecht, das war doch bestimmt ein Scherz, oder??

Ich bin doch nicht wirklich reich…?

Hollywood, Hotel Bel Air, in meiner Suite, 18. Juni

Liebe Anne,

nein, ausnahmsweise habe ich nicht gescherzt! Du bist REICH! Deine Gelder fließen schneller als alle Wasserfälle Österreichs! Du hast die Anteile an Jane Blonds Markenartikeln! Du hast das Urheberrecht auf ihren Namen und damit auf alles, was sich unter diesem Namen verkauft! Täglich kommen Millionenbeträge rein! Ich weiß nicht genau, zu wie viel Prozent du beteiligt bist, da verhandele ich noch. Bin inzwischen bei acht.

Davon kriege ich noch mal zwanzig Prozent. Aber das ist für dich trotzdem ein sensationeller Gewinn!

Es dauert nur, bis das ganze Geld auseinander geklaubt ist. Bräuchte einen Fachmann, der sich mit so was auskennt und liebend gern über Kontoauszügen brütet. Komme selber vorerst nicht dazu – aber du schreibst ja, im Moment kommst du über die Runden.

Habe Nackedei soeben ins Bett gebracht – ihre Suite ist nebenan. Vor der Tür stehen zwei Bodyguards und unten vor der Auffahrt sind noch mal vier.

So glatzköpfige, bullige Typen, die immer mit ihrem Hemdsärmel reden. Wie im Film.

Wir haben eine Verbindungstür und gerade habe ich meinem Schützling noch eine heiße Milch ans Bett gebracht, mit Honig. Wenn sie privat ist, benimmt sie sich wie ein kleines Mädchen. Sie braucht so viel Liebe und Zuwendung! Unten in der Lobby lauern Brad Pitt und George Clooney in der Hoffnung, dass Jane noch mal runterkommt. Aber sie fühlt sich erkältet. Habe ihr den Rücken mit Wick eingecremt und jetzt schläft sie. Ich fürchte, sie nimmt noch nicht mal die Pille.

Mein Gott, ist das anstrengend, plötzlich einen wirklichen Star zu managen!

Alle anderen konnten sich doch wenigstens selbst an- und ausziehen und sich die Zähne putzen. Nack... Jane Blond kann das alles nicht. Kerstin. Immer wenn sie abgeschminkt ist und mit ihrem weißen T-Shirt barfuß herumläuft, ist sie wieder Kerstin. Sie heult mir vor, wie trostlos ihre Kindheit war, die Mutter hatte immer andere Kerle, der Vater hat sie angegrabscht, die Mutter hat getrunken... Eben fing sie an zu heulen, weil noch niemand ihr je den Rücken mit Wick eingecremt hat. Ich hab sie in den Arm genommen und hin und her gewiegt, bis sie sich beruhigt hatte. Das ist ein armes Hascherl, sage ich dir!

Aber Tagesgagen von 60 000 Dollar.

Gerade habe ich deine letzte Mail gelesen. Das mit Lothar besorgt mich allerdings sehr.

Mensch, lass dich scheiden und bleib für immer in Mondsee!! Kauf mein Haus! Ich mach dir ein freundschaftliches Angebot – 1,6 Millionen Euro, so um den Dreh.

Denk mal darüber nach! Wenn Rico und Jaime mich im Stich lassen, brauche ich sowieso jemanden, der die Firma organisiert, während ich auf Reisen bin. Das mit Jane Blond war ja alles nicht absehbar und schon wegen Adrian und seiner Zahnregulierung muss ich noch eine Weile in den Staaten bleiben. Wir sollten darüber reden, wenn wir uns sehen.

Es ist schon verrückt: Wir haben uns jetzt fast siebzehn Jahre nicht mehr gesehen und trotzdem bist du meine engste Freundin und mein vertrautester Mensch. Und ich habe das Gefühl, dass es dir mit mir genauso geht.

Jetzt gehe ich auch schlafen. Wann genau gehst du zum Lunch zur Fürstin? Bin gespannt, was du berichtest!

Halte dir alle Daumen und schicke dir positive Energie.
Deine Alex

PS: Bin so gespannt, wie du Mark Daniel findest!

Mondsee, 20. Juni, elf Uhr vormittags

Liebe Alex,
heute geh ich zur Fürstin! Ich bin aufgeregt und freue mich wie ein kleines Mädchen!

Nachdem ich die Kinder bei der süßen Liesi Hinterleitner abgegeben hatte, bin ich erst mal an deinen Kleiderschrank und habe mir die von dir beschriebenen Dirndl rausgeholt.

Ich fühlte mich so lächerlich verkleidet. Außerdem hing die Bluse an mir runter wie ein Bettlaken und die Schürze sah aus wie ein alter Aufnehmer. Ich wusste nicht, ob ich lachen oder weinen sollte. Zum Glück fiel mir ein, dass du mir gemailt hast, ich soll zur Chefin dieses Trachtengeschäftes gehen, die mir zeigt, wie man ein Mascherl bindet.

An einem noch ungetragenen Dirndl hing zum Glück noch das Preisschild mitsamt Adresse und Telefonnummer des Ladens. Ich fasste mir ein Herz und rief an.

Eine halbe Stunde später stand ich in diesem Geschäft. Tostmann am Attersee.

Frau Hertha, eine gestrenge Dame im perfekt sitzenden Dirndl, empfing mich kopfschüttelnd. Das hatte sie noch nie erlebt, dass jemand ein Dirndl nicht allein anziehen kann. Sie zwängte mich in ein apricotfarbenes mit spitzenbesetzter Schürze, stopfte die Bluse mit energischen Griffen in die Korsage, schnürte mich dann ein, wie damals im Film Sissi von der Kammerzofe eingeschnürt wurde, und band mit flinken Händen die Schürze einmal um mich herum, um vorne über dem Bauch eine perfekte Schleife zu machen. Das Mascherl war frisch gestärkt und knisterte. Dann band sie mir noch ein schwarzes Samtband mit Silberanhänger um den Hals und steckte mich in passende schwarze Wildlederschuhe mit handgesticktem Silberbesatz.

Als sie mich dann vor den Spiegel schob, wurde ich ganz rot vor Verlegenheit. Ich wusste gar nicht, wie gut mir die hiesige Tracht steht.

»So gehen Sie zur Fürstin und nicht anders!«

»Ich kann das nicht bezahlen«, stammelte ich.

»Dann bezahlen Sie es nicht.« Frau Hertha schien keine Widerworte akzeptieren zu wollen.

»Ja, wie…?«

»Wenn Sie eine Freundin von Alexandra von Merz sind, dann passt's schon.«

Sie gab mir noch ein wunderschönes Schultertuch aus gleichfarbiger Seide mit und schob mich zur Tür.

»Viel Spaß!« Damit war ich entlassen!

Ja, Alex, Beziehungen sind alles! Und das Geld liegt auf der Straße!

Liebe übermütige glückliche Grüße

von deiner Trachten-Anne

PS: Kyllikki musste den Termin verschieben – sie kann erst nächsten Sonntag kommen.

PPS: Sagt heute Morgen die Carla zur Greta, während sie aus der Badewanne steigt: »Das Leben könnte so weitergehen, da habe ich echt nix dagegen!«

Liebe Anne,
im Moment bereitet man gerade ein Jane-Blond-Fotoshooting vor
und Kerstin steht im Marylin-Monroe-Kleid auf einem Luft-
schacht, wo sie sich sowohl Rock als auch Haare um die Beine
wehen lässt. Kommt gigantisch gut. Alle sind völlig begeistert.
George Clooney streitet sich mit Brad Pitt um Jane Blonds
Gunst. Brad spielt den Bösewicht. Gestern waren wir auf einer
Party in Malibu. Till Schweiger hatte uns eingeladen. Wir trafen
auch Julia Roberts und Tom Cruise. Ich habe mich sofort mit deren Managern unterhalten. Wir waren alle einer Meinung: Das
Geld liegt auf der Straße. Allein für die Scheidung von Tom und
Nicole Kidman, sagt der Manager, kann er sich einen Privatjet
kaufen. Ein stiernackiger fetter alter Kerl ist das, unrasiert, im
pinkfarbenen Hemd, das über dem Bauch spannte. Sah aus wie
Danni de Vito. Hätte sein Zwillingsbruder sein können.

John Duffy hieß er. Ich fragte ihn, ob er denn den Piloten-
schein habe. Er lachte fett: Nein, das Geld brauche er für seine eigene Scheidung!! Dann zeigte er mir das Püppchen, mit dem er
jetzt verbandelt ist, und ich stutzte: Die kenne ich doch!

Ich brauchte einige Augenblicke, bis ich das Girl erkannte: Es
war die Freundin von Mark Daniel, die dürre Kim, die aussieht
wie Daryl Hannah nach vierzig Tagen Nulldiät!

»Hi«, sagte sie schmallippig grinsend zu mir. Ich schüttelte ihr
die knochige eiskalte Hand und bemerkte höflich, dass sie einen
leicht kränklichen Eindruck machte!

»I'm pregnant«, hauchte sie.

»Schwanger! Von WEM??« Ich konnte meine Neugier kaum
verbergen.

»John Duffy!«

Ups! Von dem milliardenschweren Fettsack wär ich auch gern noch mal schwanger.

Dann drehte sie sich um und wackelte mit dem werdenden Vater davon. Hat sie sich also auch für die wahren Werte im Leben entschieden.

Schönheit vergeht, Geld vermehrt sich. Wenn man es richtig anlegt natürlich. Apropos vergehende Schönheit: Arnold war natürlich auch da. Wir kennen uns noch von früher, er ist ja auch Österreicher. Ihn habe ich übrigens auch beim Mittagessen bei der Fürstin kennen gelernt, vor hundert Jahren!

Jane Blond ist auf jeder Party der unumstrittene Mittelpunkt. Das merke ich daran, dass die Weiber vor Neid erblassen, während die Kerls sich wie Ameisenbären um den Honigtopf rotten. Köstlich. Ich bin so froh, dass ich in diesem Fegefeuer der Eitelkeiten nur eine beobachtende Rolle spiele! Immer wenn ich dabeistehe und die Szene beobachte, zähle ich heimlich mein Geld. Eigentlich bin ich eine Reinkarnation von Dagobert Duck.

Jeden Morgen springe ich vom Fünfmeterbrett in meinen Dollarberg.

Nun aber zu dir, meine liebe Anne im Glück: Es freut mich, dass es dir so gut geht. Trotzdem mache ich mir große Sorgen wegen Lothar. Ist doch klar, dass der nicht kampflos das Feld räumt! Der hat sich nur zurückgezogen, um mit viel dickeren Geschützen zurückzukehren! Einer wie Lothar lässt seine Frau und seine Kinder nicht so einfach ziehen.

Deswegen: Sei wachsam, schließe abends ordentlich das Tor, geh nach zwanzig Uhr nicht ans Telefon, schließe deine Kinder ein und hole sie immer persönlich vom Kindergarten ab. Ziehe die Liesi ins Vertrauen und unbedingt auch Ingrid und Günther, die für dich durchs Feuer gehen werden, wenn es hart auf hart kommt.

Muss Schluss machen, man braucht mich am Set.

Viel Spaß bei der Fürstin!!

Deine Alex

PS: Und? Wie FINDEST DU MARK DANIEL???

Mondsee, abends in deiner Galerie,
Datum ist mir entfallen

Liebste Alex,
er verfolgt mich. Lothar war bei der Fürstin!!

Ich zwinge mich, alles der Reihe nach zu erzählen.

In der Gärtnerei unten im Dorf besorgte ich noch einen Riesen-blumenstrauß, und so ausgestattet, fuhr ich mittags zur Fürstin. An einer Lichtung standen schon viele parkende Wagen, hauptsächlich Rolls-Royce und so was, und da stellte ich den Opel einfach ab. Mit dem bombastischen Rosenstrauß im Arm wackelte ich auf meinen Samtschuhen den Waldweg hinauf hinter den anderen Herrschaften her, die alle in angesagte Trachten gehüllt zur Fürstin eilten. Mein Gott, Alex, so fühlst du dich immer! Da kann man ja süchtig werden!

Mitten auf einer Waldlichtung steht das Anwesen der Fürstin, kennst du ja. Es besteht aus mehreren uralten Holzhäusern, deren Balkone sich von Blumen biegen. In das größte strömten die Gäste. Ich folgte den Leuten neugierig. Drinnen in der kostbar eingerichteten Wohnstube hingen alle Wände voll mit Fotos, die die Fürstin selbst gemacht hat. Gracia Patricia von Monaco, noch in Schwarzweiß, gemeinsam mit der Fürstin (noch in Jung), dann Lady Di und Prinz Charles, weiter links die Königin von Schweden, vorne an der Anrichte entdeckte ich noch Caroline und Stephanie von Monaco, die mit der Fürstin verwandt sind. Viele andere erlauchte Hoheiten befanden sich noch dabei. Selbst Prinzessin Maxima und ihr Willem Alexander waren schon dabei! Ich erkannte die Callas mit Onassis, ebenfalls mit einer noch sehr jungen Fürstin, und dann entdeckte ich DICH!! Du stehst neben Karajan und seiner Frau Eliette und einem weiteren

Mann. Da dieser den Arm um dich legt, nehme ich mal an, dass es Leo von Merz ist! Während ich dich noch so voller Stolz betrachtete, kam ein Diener und reichte mir ein Glas eisgekühlten Holundersekt. Ich schaute mich um. Alle Gäste waren in edle Trachten gekleidet, wovon keine der anderen glich.

Alle schienen heiter, freundlich, lächelten mich an. Eine junge Frau im ockerfarbenen Brokatdirndl nahm mir die Blumen ab und führte mich zur Fürstin, die gerade mal im Nebenzimmer gewesen war, um ein Autorennen anzuschauen. Da sie Ralf Schumacher am Arm hatte, wollte ich nicht stören, aber sie hakte sich gleich bei mir unter und rief: »Knips mal, Eleonore, das sind meine neuen Gesichter heute!« Jetzt bin ich auf einem Foto mit Ralf Schumacher und der Fürstin zu Sayn-Wittgenstein-Sayn und komme auch an die Wand in ihrem Wohnzimmer. Wenn ich das in meinem Club erzähle…

Die Fürstin plauderte sehr lieb über dich – du seiest ihr eine ganz liebe treue Freundin mit einem fantastischen Kunstgeschmack und einem phänomenalen Gespür für angesagte Künstler, hat sie gesagt. Weil neue Gäste eintrafen, wollte ich nicht stören. Bin sehr entspannt im Garten umherspaziert, habe mit diesem und jenem ein bisschen geplaudert und ziemlich deutliche Blicke aufgefangen – von den Frauen kritische, von den Männern erfreute.

Eine Malerin, die ihre Bilder gerade in Salzburg in den Räumen der Burg ausstellt, erklärte mir, dass ich, da ich zum ersten Mal hier sei, neben der Fürstin sitzen würde. Und Ralf Schumacher an ihrer anderen Seite. Eine andere Dame wollte wissen, in welcher Beziehung ich zur Fürstin stehe. Als ich deinen Namen erwähnte, ging sofort ein breites Lächeln über ihr Gesicht. Sie erzählte mir, sie sei jahrelang die Chefredakteurin der Bunten gewesen und kenne dich schon lange. Ihr beide hättet gemeinsam Stars groß gemacht. Das letzte Mal, sagt sie, hätte sie dich bei der Verleihung der Goldenen Kamera in Berlin getroffen, als Joopie Heesters für sein Lebenswerk geehrt wurde. Sie nahm mich ganz nett beim Arm und brachte mich zu meinem Sitzplatz am größten Tisch in der Mitte des Rasens. Es grünte und blühte überall wie in einem Heimatfilm, die Vögel sangen, die Grillen zirpten. Kleine weiße Wolken zogen am blauen Himmel vorüber. Ich war einfach bezaubert von diesem traumhaften Ambiente!

Die Tische waren großzügig im ganzen Garten aufgestellt, mit rosa Tischdecken und wunderschönem alten Tafelsilber eingedeckt. Die riesigen gelben Sonnenschirme leuchteten wie überdimensionale Butterblumen durch den Garten. Auf jedem Tisch standen bunte Garten-Blumensträuße in handbemalten Tonkrügen, von der Fürstin selbst gepflückt und arrangiert. Überall liefen junge Mädchen und Burschen in Trachten herum, schenkten Wein und Holundersekt nach und baten die Herrschaften zu Tisch. Ein Bub in Lederhosen spielte Ziehharmonika. Mir wackelten die Knie vor Freude und Aufregung, als ich mich niedersetzte!

Jetzt rate, wer mir direkt gegenübersaß! Dein Exmann, Leo von Merz, mit seiner reizenden, rundlichen Frau Olga Schellongova. Die füllte ihr violettes Dirndl aber wirklich bis zur letzten spannenden Naht aus. Ihr üppiger Busen lugte freundlich aus dem Ausschnitt und wogte vor Wonne. Sie lächelte mich gleich sehr freundlich an, ohne zu wissen, wer ich bin, reichte mir über den Tisch ihre warme, weiche Hand und sagte mit ihrem tschechischen Akzent: »Wir müssen plaudern! Wenn Sie in diesem Kreis neu sind, werde ich Ihnen helfen! Ich war auch mal neu, wissen Sie, und es braucht seine Zeit, bis man seine Schüchternheit abgelegt hat!«

Dein Leo dagegen sieht streng aus. Man wagt kein überflüssiges Wort in seiner Nähe zu sagen. Er hat eine ziemlich spitze Nase in einem kantigen Gesicht, schmale Lippen und schütteres graues Haar. Ich kann mir gar nicht vorstellen, dass du mit ihm verheiratet warst!

Er redete ziemlich viel und machte nicht den Eindruck, als würde er sich sonderlich für andere interessieren. Mit der Fürstin und einigen anderen, die am Tisch saßen, diskutierte er fast verbissen über das Tempo des dritten Satzes einer Mozart-Symphonie und dirigierte mit seiner Gabel über dem Brotkörberl herum. Während die Schellongova immer wieder versuchte, mit mir ein paar freundliche Sätze zu wechseln, um mich nicht völlig auszuschließen, dominierte dein Herr Exgemahl in weiten Teilen die Tischrunde.

Ich wechselte ein paarmal einen Blick mit Ralf Schumacher, den die Mozart-Symphonie auch nicht so sonderlich zu interessieren schien. Aber Herr von Merz duldet keine anderen Götter neben sich, kann das sein? Olga legte ihm ganz mütterlich die Speisen vor und zupfte ihm seine Serviette zurecht. Wir lobten alle das köstliche Essen. Die Fürstin hatte wirklich selber gekocht! Mit dreiundachtzig Jahren kocht sie mal eben für sechzig Gäste, sieht fantastisch aus und parliert dann noch lächelnd und fachkundig in mehreren Sprachen über Musik und Kunst!

Wenn ich da an den selbstherrlichen Opa Karl-Heinz denke, der niemals anderen zuhören kann und kein anderes Thema drauf hat als sich selbst! Von wegen Menschenkenntnis!

Natürlich kam das Gespräch irgendwann auf den großen Star der Salzburger Festspiele, deinen viel versprechenden Mark Daniel Martini. Ich war ja schon so gespannt auf ihn!!

»Eine fantastische Neuentdeckung«, sagte Leo von Merz. »Für große Talente hat Alex schon immer einen fantastischen Riecher gehabt.« Er grinste und zitierte dann deinen Lieblingssatz: »Das Geld liegt auf der Straße!«

Schallendes Gelächter am Tisch!

»Unsere hochverehrte liebe Alexandra von Merz weilt gerade beruflich in den Staaten«, sagte die Fürstin liebenswürdig, »deshalb hat sie uns ihre reizende Freundin Anne Pistrulla als Vertreterin geschickt.«

Ich lächelte scheu in die Runde und alle hoben mir ihr Glas zu. Ich musste den Blick senken, weil ich so ein Getue um mich einfach nicht gewöhnt bin.

Dann wurde über Mark Daniel gesprochen. »Diese Stimme« und »diese Ausstrahlung« und »diese Musikalität« und »seine Interpretation des alternden König Phillip mit gebrochenem Herzen« und so weiter. Alle waren sich einig, dass er der unumstrittene Höhepunkt der Festspiele ist, jetzt schon, zwei Tage vor der Premiere. Die Generalprobe war öffentlich und jeder hier auf dem Fest schien bereits dort gewesen zu sein.

»Und Sie kommen doch sicher auch zur Premiere, meine Liebe«, sagte die Fürstin und legte ihre schöne, alte, gepflegte Hand auf meine.

»Ja ... klar.« Meine Antwort war vermutlich nicht so originell. »Ich hab ja zwei Karten von Alex.«

»Und wirklich fantastische Plätze«, sagte die Fürstin. »Direkt in der Intendantenloge!«

Meine Güte, ich wurde ganz rot, als mich alle neidisch taxierten.

»Ein normaler Sterblicher kann die gar nicht bezahlen«, sagte jemand, und »Beziehungen sind alles!«, grinste dein Exmann, »Alex' zweiter Lieblingssatz!«

Ich musste auch grinsen.

»Sie kennen doch sicher den ›Don Carlos‹?«

»Ähm ... persönlich eigentlich noch nicht«, sagte ich verlegen. »Aber ich habe schon viel von ihm gehört! Alex hat ihn schon oft in ihren E-Mails erwähnt.«

Alle lachten mich aus. »Ich spreche doch von der Oper, Liebes, und nicht von unserem Solisten!« Die Fürstin tätschelte mir aufmunternd die Hand, die eiskalte.

»Ja, also ... doch, im ... Musikunterricht, da haben wir, die Alex und ich ... Also wir hatten so ein Projekt große Oper und unser Lehrer, der leider inzwischen verstorben ist, hat uns den ›Don Carlos‹ nahe gebracht ...« Ich schaute irritiert in die Runde, weil ich spürte, wie lächerlich ich mich machte mit jedem Wort, das ich noch mehr sagte. »Also damals noch per Schallplatte, CDs gab's ja noch nicht ...« Mein Geschwätz versickerte in einer plötzlichen Welle der Aufmerksamkeit, die ein Neuankömmling erregte. Keiner hörte mir mehr zu, alle schauten zum Gartenaufgang hin, wo ein schwarzer Mercedes vorgefahren war.

Der Mann, der nun den Weg hinaufkam, hatte zwar einen ähnlich großen Blumenstrauß dabei wie ich, weshalb man sein Gesicht nicht sofort sehen konnte, aber alle hörten auf zu essen und erhoben sich halb von ihren Bänken, die Gräfin sprang erstaunlich behände auf und lief ihm entgegen, sogar Leo von

Merz tupfte sich mit der Serviette den Mund ab und stand auf. Olga Schellongova rief entzückt: »Da ist ja unser junger Held! Schauen Sie, Anne!«

»Das ist er! König Phillip!«

Ich schaute. Meine Beine wackelten. Meine Hände waren eiskalt und klamm.

Obwohl es im Garten so heiß war.

Ich erlebte alles wie in Zeitlupe: die aufspringenden Leute, die ungeteilte Aufmerksamkeit für den Ankömmling, die Sekunde, wo er die Blumen der Fürstin überreicht und ihr die Hand küsst, sie hakt ihn unter, genau wie sie vorher mich untergehakt hat, und schreitet mit ihm über den Kiesweg hinauf zur Wiese, auf der die Tische stehen, ich sehe alle Gesichter ihm zugewendet, dann klatscht jemand Beifall, alle stimmen ein, die ganze Gesellschaft klatscht, er winkt ab, lacht, so wie er noch nie gelacht hat, so... tief und profund. »Keine Vorschusslorbeeren!«, ruft er, und dann begegnen sich unsere Blicke.

Er hat einen hellbraunen Leinentrachtenanzug an, grün eingefasst, der perfekt sitzt. Dazu ein schneeweißes Hemd mit einer himmelblauen Seidenkrawatte. Er sieht unbeschreiblich gut aus. Wie kann sich ein Mensch so verändern? Ich kenne ihn nur mit seinen runtergesetzten grob karierten Kombinationen! Mit seiner lächerlichen schmalen Fliege und seinen blank geputzten schwarzen Troddelschuhen.

Ich starre ihn an wie eine Fata Morgana, er starrt mich auch an, ich spüre das Nasse unter der Zunge nicht mehr, meine Knie flattern, dass ich mich kaum erheben kann, mein erster Gedanke ist: »Weg hier!«

Ich stoße fast den Tisch um, der Stuhl hinter mir fällt ins Gras, ich schlage einen Haken und renne in meinem Dirndl quer über die Wiese, mitten durch die festliche Gesellschaft, verliere dabei mein Tuch, das wie ein Schatten hinter mir ins Gras fällt, ich bücke mich nicht danach, sondern hetze weiter wie ein aufgeschrecktes Tier, alle sind erstaunt und machen »aah« und »ooh«, ich knicke um und verliere noch einen von diesen schwarzen Wildlederschuhen im hohen Gras, krame im Rennen nach mei-

nem Autoschlüssel, hinke den Waldweg hinauf, höre noch er-
schrockene Rufe: »Was hat sie denn?« und »Vielleicht ist ihr
nicht wohl?« und »So lauf ihr doch jemand nach!«, aber ich renne, als ginge es um mein Leben, auf einem Schuh und einem
Strumpf, erreiche meinen – seinen – Opel, schließe ihn mit so zitternden Fingern auf, dass der ganze Lack verkratzt, werfe den
Motor an, der heult, als hätte ihm jemand auf den Schwanz getreten, und schieße aus meiner Parklücke, krache rückwärts an
einen Baum, ein großer Ast bricht ab und fällt polternd auf die
Heckscheibe, ich sehe noch den ganzen Abgasqualm, den ich
verursacht habe, im Rückspiegel und presche den Waldweg hinunter bis ins Dorf. Erst am Ufer des Sees kann ich mich ein bisschen beruhigen, lenke den Wagen immer noch zitternd auf einen
Wanderparkplatz, mache den Motor aus. Ganz langsam ent-
krampfen sich meine Finger, die das Lenkrad umfassen, mein
Kopf sinkt auf das Lenkrad und ich heule los.

Lothar!

Er will mich seelisch zermürben!

Er hat sich eine Perücke aufgesetzt oder was! Und ganz andere Klamotten an als sonst.

Das Unheimliche an dieser ganzen Aktion ist: Er tut so, als
hätte er mich noch nie gesehen. Aber es ist nun schon das vierte
Mal, dass wir uns begegnet sind. Das erste Mal im Dorf, als die
Kühe über den Zebrastreifen gingen. Dann am Haus, als ich mit
den Kindern im Boot draußen war. Das dritte Mal, als er morgens am Gartentor klingelte. Und jetzt bei der Fürstin.

Ich begreife das alles nicht.

Er hätte sogar am Tisch neben mir gesessen, wenn ich nicht
geflüchtet wäre.

Alex, hilf mir. Sag, was ich machen soll.

Schreib mir, so schnell du kannst.

In Panik

Anne

PS: Ich warte auf den Moment, wo Oma Margot im Dorfladen an
der Kasse sitzt oder Opa Karl-Heinz als Briefträger vorbeikommt.

Los Angeles, im Schneideraum der Miles-and-more-Film,
26. Juni – wir schauen erste Proben an

Beruhige dich, Anne!!

Cool down, darling.

Meine Güte, nun hab ich hier in L. A. mein kleines hysterisches Sorgenkind und jetzt drehst du mir dahinten in Salzburg auch noch durch.

Bist du SICHER, dass es Lothar ist? Vielleicht sieht ihm irgendjemand nur ähnlich!! Meine Güte, es gibt doch Doppelgänger oder so was!

Aber wer in aller Welt sollte sich was davon versprechen, als Lothar rumzulaufen?

Du schreibst, er hat dich angestarrt. Aber so, wie du dich verhalten hast, hätte ich dich auch angestarrt.

Hals über Kopf abhauen, die Hälfte der Klamotten verlieren, gegen einen Baum fahren und dann abdüsen. Mädchen, Mädchen. Kann man dich denn nicht sechzehn Jahre allein lassen!

Ich bin sicher, deine Nerven spielen dir einen Streich. Was hast du alles erlebt in letzter Zeit? Das war ja auch zum Verrücktwerden. Der ganze Psychoterror daheim. Und gegessen hast du auch nichts mehr, wie du schreibst. Du siehst kleine grüne Männchen.

Schade, dass du weggerannt bist. Sonst hättest du der Sache auf den Grund gehen können.

Außerdem hast du jetzt Mark Daniel verpasst!

Also, bleib jetzt ganz ruhig, schließ das Haus anständig ab und setz dich morgen sofort mit Kyllikki in Verbindung. Mist, dass sie noch nicht kommen konnte.

Ich mach mir wirklich große Sorgen.

Die Hunde sind ja leider alles andere als Wachhunde. Die lecken noch jedem Einbrecher erfreut die Hand. Sorry, dass ich keine besseren Nachrichten für dich habe.

Mail mir, sobald es dir wieder besser geht.

Deine Alex

PS: Dabei hab ich den totalen Stress wegen Jane Blond!! Was mach ich nur mit der ganzen Kohle?

Mondsee, Landhaus Merz, an deinem Schreibtisch,
2. Juli, morgens um fünf

Liebste Alex,
danke für deine aufmunternden Worte. Aber was jetzt wieder
passiert ist, kannst du dir überhaupt nicht vorstellen. Der Reihe
nach. Hoffe, du kannst es ertragen, wenn ich die Spannung langsam steigere.

Jedenfalls war ich am Abend ganz allein im Haus. Ich hatte
noch Maggi und Ketchup rausgelassen in der Hoffnung, dass sie
mich eventuell bewachen.

Ich also zurück ins Haus, die Hunde gefüttert, die übliche
Riesenschüssel Wasser ins Vorhaus, und dann habe ich alles abgeschlossen, Tür, Gartentor, Einfahrtstor, Garage, beide Terras-
sentüren, sogar die Balkontür und das Kinderzimmerfenster habe ich verrammelt.

Allerdings habe ich die Alarmanlage nicht angeschaltet. Die
Katze läuft nämlich so unruhig rein und raus, ich glaube, die will
bald niederkommen.

Mit bangem Herzen bin ich so gegen Mitternacht rauf in dein
Schlafzimmer gegangen. Natürlich konnte ich überhaupt nicht
schlafen.

Vielleicht bin ich dann doch eingenickt, aber plötzlich war ich
wieder hellwach. Überall knackte es im Gebälk. Bald darauf bildete ich mir ein, Schritte zu hören.

Draußen ist es ja nachts geradezu totenstill. Kein Auto von
ferne, keine Stimme, kein Tritt. Aber im Hause selbst, da
kracht's. Dann hörte ich eine Tür zuschnappen. Nicht die Katze.
Ein sehr menschliches Geräusch. Da kam jemand zur Tür rein!

Mein Herz setzte aus. Lothar. Die nächste Attacke.

Die Hunde schlugen nicht an. Ich verkrampfte mich vor lauter Angst, lag reglos im Bett, zog mir die Decke über die Nase, starrte mit weit aufgerissenen Augen in die Dunkelheit.

Erst mal lange nichts. Eine Stille, die man anfassen konnte. Plötzlich Scheinwerfer! Von einem Auto! Dann alles wieder brettdunkel. Meine Finger tasten sich schweißnass zur Nachttischlampe.

Ich schiele angestrengt auf die Uhr. Halb drei. Die richtige Zeit für einen Einbrecher. Mein Herz rast. Warum bellen die Hunde nicht? Sonst bellen sie doch wegen jeder Fliege an der Wand! Vielleicht sind sie schon tot?

Also raus, Beine aus dem Bett, LOS!

Ach Alex! Ich hab gelitten wie ein Schwein. Kennst du das Gefühl, wenn man glaubt, man wird wirklich verrückt?

Schritte! Ich höre doch deutlich Schritte! Hin und her gehen sie unten, wieder klappt eine Tür.

Tritte von einem Mann. Der geht da unten zwischen Küche und Esszimmer hin und her.

Als wenn meine Beine noch nicht genug gezittert hätten, taste ich mich barfuß aus dem Bett, schleiche über den Teppich ins Bad, schaue mich mit irrem Blick nach einer geeigneten Waffe um.

Mit dem Klobesen in der Hand taste ich mich Zentimeter für Zentimeter aus dem Schlafzimmerflur. Im Treppenhaus brennt wirklich Licht!

Ich bleibe wie erstarrt auf dem obersten Treppenabsatz stehen. Lausche. In meinen Ohren pulsiert das Blut.

Stimmen.

Sie kommen aus der Küche. Ich kann nicht mehr stehen vor Angst.

Geschäftiges Klappern. Jemand öffnet eine Flasche. Leises Klirren.

Ich schleiche mich noch ein paar Stufen weiter runter, fühle plötzlich etwas Weiches, Warmes, Nasses an meinen nackten Beinen, erstarre!

Es sind die Hunde, die mich entdeckt haben und schwanzwedelnd begrüßen. Sie lecken mir die Hand und wollen in die Klobürste beißen.

»Aus!«, sage ich leise mit belegter Stimme. »Aus! Sitz! Platz!« Natürlich gehorchen die Viecher nicht, rangeln und knurren um die Klobürste, die sie für ein gut riechendes totes Karnickel halten.

In dem Moment öffnet sich die Küchentür. Starr vor Schreck starre ich in das plötzliche Licht.

»Ist da jemand?«, fragt eine Männerstimme.

Ich räuspere mich. »Ich …!«

»Wer ist ICH?«

Plötzlich geht das Flurlicht an. Ich sehe mich einem braun gebrannten Jüngling gegenüber, der pechschwarze lange Haare hat. Er steckt in engen schwarzen Lederhosen und einem fliederfarbenen Seidenhemd, das bis zum Bauchnabel geöffnet ist. In der einen Hand hat er eine Zigarette und in der anderen ein Bier.

»Jaime, wir haben Damenbesuch«, näselt er, und dann erscheint noch ein braun gebrannter Jüngling, diesmal blond. Auch er hat eine Bierflasche in der Hand. Die beiden sehen aus wie Siegfried und Roy für Arme.

»Sie müssen Rico sein«, stottere ich mit belegter Stimme.

»Ja, genau, der bin ich«, kichert der fliederfarbene Jüngling. »Woher wissen Sie das nur?«

»Ich bin Anne, die Freundin von Alex.«

Jaime, der blond Gesträhnte, schiebt Rico zur Seite und reicht mir die Hand.

»Willkommen in unserer Hütte!«

»Ja. Ebenfalls willkommen«, sage ich. Schließlich wohne ICH hier.

Dann laden sie mich in die Küche ein auf ein Bier.

Ich setze mir die Flasche an die Lippen und kippe das kalte Zeug in mich hinein.

Noch nie hat mir ein Bier so gut geschmeckt, Alex, noch nie!

Jedenfalls, langer Rede, kurzer Unsinn: Die zwei wohnen jetzt wieder hier, wollen sich wieder um den Haushalt kümmern und haben nix dagegen, dass ich noch ein bisschen bleibe.

Jetzt werde ich endlich müde. Habe mir drei Baldriantabletten mit Bier reingezogen. Draußen zwitschern schon die Vögel, und ein gigantischer dunkelroter Sonnenstreif beleuchtet den Schafberg, der sich langsam vor dem Grau eines erwachenden Morgens abzeichnet.

Werde mich noch ein bisschen auf deinen Balkon stellen und die Morgenluft inhalieren.

Sehr müde, verwirrt, aber doch erleichtert
grüßt dich
deine Anne

PS: Heute sehe ich endlich Kyllikki und morgen ist Premiere »Don Carlos«. Muss schlafen, sonst schaffe ich dieses Pensum nicht.

Hollywood, Fatburn-Wonder-Private Clinic,
in meiner Zelle, 5. Juli

Liebe Anne,
durch die vielen Partys sind Kerstin und ich so fett geworden, dass
wir für zwei Wochen in eine Fastenklinik müssen. Das heißt, wirklich nötig habe nur ich es, denn Jane hat ihre Rundungen an den
richtigen Stellen, aber wegen des Anschlussdrehs darf sie kein
Gramm mehr auf den Rippen haben als vor zwei Wochen. Sie war
die ganzen Drinks und das Fast Food überhaupt nicht gewöhnt,
sagt, sie hätte früher für Boddel immer vegetarisch gekocht, und
hier gab's hauptsächlich nachts nach Drehschluss immer die fetten
Burger an den Wohnwagen gebracht. Außerdem stand überall
Knabberzeug herum und die Colas schüttet man sich hier liter-
weise rein. Ich selber habe nun schon eher Größe sechsundvierzig
als vierundvierzig, und das bei meiner Körpergröße von eins fünfundsechzig! Umhülle mich nur noch mit schwarzen Sackkleidern.

Gemerkt habe ich es aber eigentlich erst, als Adrian bei meinem Wochenendbesuch unumwunden sagte: »Mami, du bist ein
Tönnchen geworden!«

Kurz und ungut: Wir sitzen jetzt hier in einer Fastenklinik. Sitzen ist noch milde ausgedrückt. Denn abgesehen von unseren
Schlafenszeiten müssen wir uns immerfort bewegen, bei einem
genau vorgeschriebenen Puls, bei dem angeblich optimal viel Fett
verbrannt wird.

Morgens um sechs geht das hier schon los: Dauerlauf durch
die Prärie, mit einer tierisch nervenden Trainerin, die vor guter
Laune schon bald explodiert. So eine blonde aufgeblasene Bar-
bie-Puppe, der der Busen fast aus dem Sport-BH fällt, die aber eine Taille wie eine Wespe hat und so brutzelbraun ist, dass man

303

denkt, sie ist gerade aus dem Toaster gehüpft. Ich pfeife aus dem letzten Loch, wenn ich da hinter meiner Gruppe hertrabe, kann es kaum glauben, dass dieses Rumgehetze helfen soll. Der Speck sitzt doch nicht unter den Fußsohlen! Habe mir gestern als Erstes zwei dicke Blasen gelaufen, weil ich das Laufen ja sowieso nicht mehr gewöhnt bin. Jane taut aber richtig auf, sie ist ja noch ein junger Hüpfer und hat Spaß daran, endlich mal wieder ungeschminkt durch die Wiesen rennen zu dürfen. Ihre meterlangen Haare habe ich ihr zu einer Gretchenfrisur hochgebunden, damit sie sich besser bewegen kann.

Zum Frühstück gibt es ein leckeres Abführwässerchen, dann darf man sich in der Nähe seines privaten Örtchens aufhalten (was ich gerade tue!), dann ab elf Uhr ist Aerobic nach Jane Fonda, die diese Klinik besitzt. Um zwölf haben wir so eine Art Selbsterfahrung auf der Wiese, mit Urschreien und Baum umarmen und Wurzeln betasten und so 'n überflüssigen Blödsinn, dann dürfen wir mit einem Strohsack auf dem leeren Magen einen Mittagsschlaf halten (unumstritten die beliebteste Disziplin hier in dem Laden!). Nachmittags geht's an die Geräte, pro Problemzone ein Gerät, also mein Privatcoach hat mir sieben Geräte verordnet. Glücklicherweise laufen auf großen Leinwänden immer die neuesten Hollywoodstreifen.

Jane war total unglücklich, als Jeff ihr sagte, sie muss mindestens drei Pfund abnehmen. Einziger Trost: George Clooney ist auch hier. Leider nicht der Requisiten-Assi, in den sie sich verguckt hat. Der ist eh mager, außerdem hätte der das nötige Kleingeld für diesen Schuppen hier nicht. Schließlich kostet es ein Vermögen, nichts zu essen zu kriegen.

Einige andere amerikanische Oberpromis sind auch hier. Gestern sah ich John Travolta auf der Massageliege. Der Bursche neigt ja auch zu Adiposi…

Entschuldige mich …

Puh. Da bin ich wieder. Uiuiui. Hab mich noch nie so leer gefühlt. Aber gut. Ich meine, ich habe keinen Hunger oder Magenknurren oder so. Fühle mich gut.

Uuuuups – Sie haben Post…

Liebe Zeit! Anne, was hast du alles erlebt!

Jetzt sind wenigstens Rico und Jaime wieder da. Schicke ihnen eine gesonderte E-Mail. Die zwei müssen sich um den Garten, die Hunde, die Garage und den Wintergarten kümmern. Außerdem soll Jaime alle Vorhänge abnehmen, waschen und bügeln! Rico soll dir jetzt jeden Abend eine Fußmassage machen, du glaubst nicht, wie das gegen Nervenstress hilft.

Kyllikki habe ich auch eine Mail geschickt. Sie weiß Bescheid und Ingrid und Günther habe ich auch eingeweiht. Du brauchst jetzt Freunde.

Da siehst du mal, wofür ich jetzt Zeit habe – in meinen morgendlichen Darmentleerungsstunden. Endlich kann ich mal was Privates schreiben. Geschäftskontakte sind hier streng untersagt.

Ich denke Tag und Nacht an dich und bin schrecklich gespannt, wie es mit Lothar weitergeht.

In… oh… Es geht wieder los,
Alex

Kein PSsssssss!

Mondsee, in deiner Galerie am Schreibtisch, 8. Juli

Liebe Alex,
hoffentlich lebst du noch! Lass noch ein paar Vitalstoffe in dir, ich wär dir sehr verbunden!

Ist ja köstlich, was du mir über die Diätklinik schreibst.

Erhol dich und ruh dich aus. Das hast du wirklich verdient.

Und das mit dem Nixessen ist gar nicht so schlimm. Mir geht's genauso. Ich laufe auch dauernd aufs Klo und kann auch nix essen. Vor lauter Aufregung.

Heute Mittag traf ich endlich Kyllikki von Homburg. Sie sieht wirklich aus wie eine Mischung aus einem Kanarienvogel und einem Reh – so spitzbübisch und bunt geschminkt, aber auch so fragil und beweglich. Ich hab sie sofort ins Herz geschlossen und sie mich anscheinend auch. Wir haben auf der Terrasse der »Sonne« zusammen Mittag gegessen. Das heißt, sie hat gegessen und ich habe gestochert.

Mein erster Eindruck von der Frau: Klasse. Danke für den Tipp. Die ist patent, fröhlich, herzlich, humorvoll und stark. Obwohl sie ziemlich klein ist. Aber die Lachfältchen um die Augen! So eine quirlige, zähe kleine Anwältin ist genau die Richtige für mich. Du hast sie ja schon komplett unterrichtet von meinen Problemen.

Sie fragte mich als Erstes, ob ich mich scheiden lassen will. Klar, diese Frage habe ich mir schon oft gestellt und die Antwort kam wie aus der Pistole geschossen: Ja, ich will! Das Beste fiel mir zuletzt ein: Ich werde nicht mehr Piss-Trulla heißen! Ich nehme meinen Mädchennamen wieder an!! Anne Klein. Das hat was. Klingt nach Modedesignerin, findest du nicht?

»Eine einverständliche Ehescheidung ist in der Tat unkompliziert und kann nach einem Jahr Trennung bei Gericht beantragt werden«, sagte Kyllikki freundlich lächelnd.

»Das ist mir zu lang!«

»Trick siebzehn«, grinste Kyllikki spitzbübisch, »beide Ehegatten müssen vor Gericht angeben, seit wann sie getrennt leben. Das Gericht überprüft die Richtigkeit dieser Aussagen nicht, so dass es durchaus möglich ist, gemeinsam einen Termin zur Trennung zu bestimmen.«

»Nach welchen Kriterien kann man den bestimmen?«

»Hatte man sich seit langem nichts mehr zu sagen, keine Gemeinsamkeiten mehr, keinen Geschlechtsverkehr mehr...«

»Dann sind wir seit sieben Jahren getrennt«, fiel ich ihr ins Wort.

»Na bitte«, freute sich Kyllikki. »Das Recht, die eheliche Wohnung zu nutzen, muss einvernehmlich geregelt sein.«

»Geschenkt!«

»Der gesamte Hausrat...«

»Auch geschenkt!!«

»Haben Sie im gesetzlichen Güterstand der Zugewinngemeinschaft gelebt, so ist das während der Ehe geschaffene Vermögen...«

»GESCHENKT!!«

»Nicht so eilig, meine Liebe! Sie sollten wenigstens die Kinder absichern durch einen Versorgungsausgleich, das bedeutet, dass die erworbenen Rentenanwartschaften...«

»Ich möchte nur geschieden werden«, sagte ich. »Schnell.«

Kyllikki redete dann noch lange weiter, von besonderen Härtegründen, Unterhaltszahlungen und Vereinbarungen, die auf ihre Billigkeit hin zu prüfen seien, aber ich hörte ihr gar nicht mehr zu.

Vor meinem inneren Auge spulte sich noch mal die Hochzeit ab. Lothar Pistrulla und Anne Klein beim Plattstadter Standesamt, Oma Margot und Opa Karl-Heinz als Trauzeugen. Der Standesbeamte, ein junger Kerl mit Minipli (war damals der letzte Schrei!), fragt erst Lothar, dann mich. Ich zögere, schaue in altgewohnter Weise zu Oma Margot rüber, und die durchbohrt mich mit ihrem Adlerblick und zischt: »Ja, ich will!«

Und dann hab ich's brav gesagt. »Ja, ich will.« Zur Strafe musste ich mit »Pistrulla« unterschreiben.

Später in der Kirche, als beide Omas im Chor mitsangen und Opa Karl-Heinz mit seiner Schmalspurkamera um uns rumtanzte, da musste ich es noch mal sagen. Obwohl ich damals so ein seltsames Brodeln im Magen hatte, so ein Gefühl von: »Ich will eigentlich nicht, aber da alle hier es wollen, will ich mal nicht aus der Reihe tanzen.«

Ich habe ein altes Tagebuch gefunden, Alex, und weißt du, was ich am Abend vor der Hochzeit hineingeschrieben habe?

»Wenn ich den nehme, bin ich selber schuld.«

Kyllikki lachte, als ich ihr die Geschichte erzählte. »Anne Klein hat sich immer ganz klein gemacht, was?«

»Hm.« Ich guckte verlegen auf meinen Teller.

»Dann werden wir also als Erstes auf ganz normalem Wege die Scheidung einreichen«, sagte Kyllikki heiter. »Überlassen Sie alles mir und genießen Sie Ihre Zeit mit Ihren Kindern.«

»Okay, und dann?«

»Dann warten wir ab, ob Lothar Pistrulla sich ebenfalls einen Anwalt nimmt und wie er auf die Scheidungsklage reagiert. Wie schätzen Sie ihn ein? Wird er zustimmen oder will er die Ehe aufrechterhalten?«

In Anbetracht der Tatsache, dass er mir hier seit Wochen nachschleicht, glaube ich, dass er die Ehe aufrechterhalten will. Sonst würde er uns ja in Ruhe lassen.

»Keine Ahnung. Wahrscheinlich will er das, was wir bisher hatten, aufrechterhalten. Nennen Sie es Ehe, ich nenne es Zwangshaft.«

Kyllikki lachte wieder. »Wir beantragen Scheidung wegen Zerrüttung. Das Schuldprinzip ist glücklicherweise abgeschafft. Keine Angst, wir werden keine schmutzige Wäsche waschen. Die Frage ist jetzt nur: Bestehen Sie noch nicht mal auf Zugewinnausgleich?«

Ich überlegte. »Nein«, sagte ich schließlich.

»Das macht die Sache einfach. Unterhalt für die Kinder wollen wir aber schon?«

»Nein. Ich werde demnächst … an einer Gewinnausschüttung beteiligt sein und dann kann ich die Mädchen allein ernähren.« (»Das Geld liegt auf der Straße«, habe ich klugerweise nicht gesagt, denn schließlich stellt sie mir am Schluss eine Rechnung!)

»Das ehrt Sie, aber wir werden auf jeden Fall auf Unterhalt klagen«, sagte Kyllikki.

»Besuchsrecht bekommt er als Vater natürlich.«

»Natürlich«, sagte ich und schluckte.

Am liebsten würde ich Lothar aus dem Leben der Kinder komplett streichen, weil er sie nur verrückt macht mit seiner peniblen kleinlichen Art, aber Kyllikki sah mich über ihre Brillenränder hinweg an: »Sie haben nicht das Recht, Ihren Kindern den Vater zu nehmen.«

»Ich weiß«, sagte ich und knibbelte an meinem Daumennagel. »Tut mir Leid, dass ich überhaupt darüber nachgedacht habe.«

»Da sind Sie nicht die Einzige.« Kyllikki aß mit großem Appetit ihre Palatschinken. »Am Anfang ist die Wut auf den Expartner so groß, dass man ihn am liebsten ausradieren würde. Aber wenn man mit jemandem Kinder hat, ist das ausgeschlossen. Sie schaden ja nicht nur dem Vater, sondern auch und in erster Linie den Kindern.«

»Sie fragen nie nach ihm…«

»Eines Tages werden sie nach ihm fragen.«

»Ich weiß. Ja. Sie haben Recht.« Dann fasste ich endlich Mut und erzählte Kyllikki von Lothars merkwürdigem Verhalten.

»Ich bin im Bilde«, sagte sie schlicht. Sie tupfte sich die Mundwinkel mit der leinenen Serviette ab. »Trinken Sie noch einen Cappuccino mit mir?«

»Sicher. Ich habe Zeit.«

»Die Rechnung geht übrigens auf Ihre Freundin Alex«, lächelte Kyllikki.

»Für den Cappuccino oder für das ganze Essen?«

»Für die ganze Scheidung.«

Alex!! Du bist mir eine! Ich bin ja schon zu manchem eingeladen worden, aber dass mir eine Freundin die Scheidungsanwältin spendiert … echt nobel von dir! Danke!

Ich werd's dir »heimzahlen«, wenn ich eines Tages dazu in der Lage sein werde!

»Ich werde jedenfalls jetzt sofort Kontakt zu Ihrem Lothar aufnehmen«, sagte Kyllikki, »und ihn auffordern, seine Nachstellungen zu unterlassen.«

»O ja, bitte, tun Sie das!« Ich seufzte vor Erleichterung auf.

Sie lachte. »Aber wenn er versucht, die Mädchen zu sehen, dann müssen wir ihn lassen. Er soll sich aber vernünftig anmelden und nicht um Ihr Haus herumschleichen.«

»Alexandras Haus.«

»Ja, ja.«

»Muss ich auch die Omas und Opa Karl-Heinz lassen?«

»Nicht wenn Gefahr besteht, dass sie die Kinder zurückentführen.«

»Wollen Sie damit ausdrücken, dass ich meine Töchter... ›entführt‹... habe?«

»Im gerichtlichen Sinne ja. Wenn ein Elternteil mit den Kindern spurlos verschwindet, ist das vor den Augen des Gesetzes Kindesentführung.«

»Ach, du Scheiße...« Mir wurde ganz flau. »Ist das strafbar?«

»Wenn Lothar die richtigen Anwälte findet – könnte er Ihnen einen Strick draus drehen, ja.«

Mir wurde schlecht.

»Aber mit den Methoden, mit denen er arbeitet, macht wiederum ER SICH strafbar«, lächelte meine Anwältin. »Das passiert oft, dass verlassene Männer völlig durchdrehen. NOCH haben wir die besseren Karten. Wir müssen jetzt aber wie schon gesagt sofort den Kontakt herstellen.«

»Bitte, tun Sie das!«

Kyllikki und ich plauderten dann noch über andere Dinge. Sie hat selbst vier Kinder und einen Mann, der auch Anwalt ist. Wir redeten über Erziehung und wie man es als Frau schafft, Kinder und Karriere unter einen Hut zu bringen. Das übliche Lieblingsthema der berufstätigen Frauen. Als ich ihr gestand, dass ich bisher noch nicht viel von meinen Zwillingen gehabt habe, weil immer die Omas anwesend waren, verdrehte sie voller Mitleid die Augen. Sie war mir so sympathisch, dass ich glaubte, eine lang vermisste Freundin vor mir zu haben.

Als wir uns verabschiedeten, habe ich sie ganz spontan zur morgigen Premiere »Don Carlos« eingeladen. Schließlich habe ich zwei Karten. Sie hat sich sehr gefreut und zugesagt.

Da sie so klein und zierlich ist, wird ihr keines deiner Dirndl passen. Ich habe sie zum Tostmann nach Seewalchen am Attersee geschickt, damit sie sich dem Anlass entsprechend einkleiden kann. Sie lachte und sagte, es war schon immer ihr Traum, mal ein richtiges Festspieldirndl zu besitzen, und das könne sie sich von deiner ersten Rate auch leisten.

Also, Alex, lass dir sagen, wie dankbar ich dir bin für ALLES, was du für mich tust!!

Ich bin so glücklich, dich wiederzuhaben!

Sei fest umarmt und melde dich ganz bald!

Deine aufgeregte Anne

PS: Was ich völlig vergessen habe zu erwähnen: Pizza hat vier Junge gekriegt! In deinem Wäscheschrank!! Sie heißen Margarita, Funghi, Tonno und Salami!

Immer noch Diet Clinic von Jane Fonda, Hollywood, neben
meiner Marmorschüssel, irgendwann Anfang bis Mitte Juli

Liebste Anne,
na Klasse. Ausgerechnet jetzt, wo ich nix essen darf.

Und dann in meinem Wäscheschrank! Auf den BHs oder den Höschen? Oder an der Rheumaunterwäsche? Oder vielleicht sogar auf den Seidenpyjamas??

Ja, die Kyllikki ist eine Wucht. Mach dir keine Sorgen, ich kann den gesamten Vorgang von der Steuer absetzen, wenn ich beim Finanzamt angebe, dass es sich um Recherchen für einen Film handelt.

GERNE helfe ich dir, wo immer ich kann. Erstens ist das der Sinn einer Freundschaft und zweitens hilfst DU MIR ungemein, indem du mein Haus und den Garten hütest, nach der Post und nach dem Rechten schaust und mir das Gefühl gibst, dass eine gute Seele in meinen Räumen ist! Außerdem hilfst du mir mit deinen täglichen Mails, die ich immer spannender finde und auf die ich schon regelrecht hinfiebere. Du hilfst mir, den Alltag und das normale Leben nicht zu vergessen. Nachdem es hier seit vierzehn Tagen nichts zu essen gibt, sind deine Mails meine einzige Nahrung.

Aber lass dir voller Stolz berichten: Ich habe schon sieben Kilo runter! SIEBEN KILO!!

Wie nix!! Mein Personal Coach ist sehr zufrieden mit mir: Langsam verwandelt sich mein Fett in Muskeln. Die morgendlichen Läufe gehen schon viel besser und an den Kraftgeräten empfinde ich so etwas wie masochistische Lust. Ich glaube, wenn ich wieder unter den Lebenden bin, werde ich täglich etwas Sport treiben. Wie einfach es doch ist, ein gesunder, schlanker

Mensch zu werden! Die täglichen Vorträge und Übungen hier helfen, die grundsätzliche Einstellung zum eigenen Körper zu verändern. Außerdem gibt's natürlich jede Menge Vitaminpillen und sonstigen Zaubertrank. Die Amis sind uns da weit voraus.

Früher dachte ich immer, ich tu mir was Gutes, wenn ich einen guten Wein trinke oder mir ein fettes Stück Kuchen gönne. Heute weiß ich, dass ich mich damit langsam, aber sicher zerstöre. Auch das Rauchen habe ich mir viel leichter als gedacht abgewöhnt.

Meine Güte, das waren alles absolut überflüssige Rituale! Und wusstest du, dass der Geist viel freier arbeiten kann, wenn die Gehirnwindungen nicht mehr mit Fett und Nikotin verklebt sind? Ungeheuerliche Erkenntnis! Das Fett, das man auf den Hüften sieht, schmeichelt nicht der Eitelkeit; aber das Fett, das man in den Gehirnwindungen hat und gar nicht SIEHT, lässt den menschlichen Geist schleichend verkommen!! Ganz zu schweigen von dem Ruß und Teer, den man sich auf die Lungen lädt.

Sie haben hier in einem Kühlschrank eine Raucherlunge liegen. Die durften wir alle mal anfassen. Ich sage dir, mir ist so schlecht geworden bei der Vorstellung, so ein teerschwarzes, verseuchtes, vergiftetes Organ in meiner Brust zu haben! Aus eigener Schuld!

Nein, ich habe sofort meine letzten Glimmstängel mit meinen letzten anderen Körperabfällen im Klo runtergespült. Und siehe da: Ich laufe vier Treppen rauf, ohne zu keuchen!

Meinst du, dass Dicke und Raucher grundsätzlich dumm sind? Ich bin inzwischen fest überzeugt davon. Man kann sich auch gleich die Gehirnzellen einzeln aus dem Kopf reißen.

Wir machen hier Gedächtnisübungen, und je schlanker ich werde, desto mehr Gegenstände und Zahlen und abstrakte Begriffe kann ich mir merken! Das ist faszinierend.

Gestern habe ich fehlerlos siebenundzwanzig abstrakte Begriffe in der richtigen Reihenfolge aufschreiben können, die man mir vorher gesagt hatte. Beim ersten Mal schaffte ich gerade acht, aber in der falschen Reihenfolge. Ich glaube, als Managerin werde ich noch viel besser und konzentrierter sein, wenn ich hier wieder rauskomme!

Jane ist zwar nicht merklich schlauer geworden, aber ihre Rundungen sind wieder perfekt. Sie schreibt kleine Liebesbriefchen per SMS an ihren Requisiten-Assi, die sie mir vorher immer zu lesen gibt, damit ich die Rechtschreibefehler korrigiere.

Nach wie vor fließt täglich Geld auf ihr Konto, von diesen Werbeverträgen für Nachtwäsche, Konfitüre, Vollkorn-Cerealien, ein neu entwickeltes Cabriolet mit dem Namen »Jane Blond«, ihre T-Shirts mit eingebautem Plastikbusen (das ist DER Hit hier in L.A!) und ihre Bikinikollektion. Ich zapfe mir immer meine zwanzig Prozent ab, überlege aber ernsthaft, das Geld für Kerstin sinnvoll anzulegen. Schade, dass man deinen Lothar nicht mehr befragen kann. Er hätte bestimmt ein paar wertvolle Ideen gehabt.

Jane würde die Knete in ihr Kopfkissen stopfen, wenn ich sie nicht daran hindern würde.

Jetzt meldet sich wieder der kleine Freund... aufs Töpfchen!!
Eilig
Alex

PS: Habe gar nicht nach dir gefra...

Mondsee, an deinem Schreibtisch in der Galerie,
nachts um drei, 13. Juli oder so

Liebste Alex!
Macht doch nix! Ich meine, dass du nicht fragst! Ich schreibe dir auch völlig unaufgefordert! Würde platzen, wenn ich es nicht könnte!

Gestern. Gott, was ist das Leben zur Zeit spannend. Jeden Tag ein neues Drama.

Also. Die Premiere »Don Carlos«.

Am Nachmittag holte mich Kyllikki – im Dirndl – hier zu Hause ab. Sie begrüßte die Zwillinge, die ganz begeistert mit den Hunden und unseren lieben schwulen Freunden am Seeufer gespielt hatten.

Kyllikki stellte mit Genugtuung fest, dass es den Mädchen großartig geht, und sagte, während wir in Lothars Opel stiegen: »Interessante Neuigkeiten, meine Liebe!«

»Was ist? Haben Sie mit Lothar gesprochen?«

»Mit Lothar nicht, aber mit seinem Anwalt!«

»Er hat sich also auch einen Anwalt genommen.«

»Ja. Aber wir haben riesiges Glück: Der Mann ist völlig verwirrt und mit seinem Job eindeutig überfordert.«

»Inwiefern?« Ich setzte sehr gekonnt rückwärts aus der Einfahrt. Ich war gespannt, ob Kyllikki es merken würde, dass ich erst seit einigen Wochen Auto fahren kann.

»Lothars Anwalt heißt ›Troddel‹ und macht seinem Namen alle Ehre.«

Ich konnte mir ein schadenfrohes Grinsen nicht verkneifen. »Endlich habe ich mal die besseren Karten gezogen«, murmelte ich und drückte mit Genugtuung aufs Gas.

»Irgendwie kriegt dieser Kollege gar nichts auf die Reihe. Erstens sprach er immer von den Zwillingen, als wenn es Jungen wären: ›Die beiden Jungs müssen ja demnächst eingeschult werden und mein Mandant hat sie bereits in Plattstadt angemeldet.‹«

»Da sei Gott vor!« stöhnte ich.

»Da sei Kyllikki vor«, tröstete mich meine Anwältin. »Die Mädchen gehen da zur Schule, wo ihre Mutter lebt.«

»Am liebsten hier«, sagte ich.

»Dann sprach der Anwalt immer von dem PKW, den Sie Lothar gestohlen haben, und von dem gemeinsamen Eigentum, dessen Abzahlung zurzeit allein zu Lasten des Beklagten geht. Da Sie anscheinend Ihren Dauerauftrag bei der Bank gekündigt haben, muss Lothar Ihren Anteil der Hypothek mit übernehmen.«

»Er kann das Haus mitsamt seiner Hypothek haben!«, rief ich. »Was sagt der Troddel dazu, dass sein Mandant mich auf so abartige Weise verfolgt?«

»Tja, das hat mich am meisten gewundert«, sagte Kyllikki, während sie die schöne Landschaft ringsum bewunderte. »Der Kollege Troddel sagt, Herr Pistrulla habe keine Ahnung, wo Sie sich aufhalten, und sei Ihnen deshalb auch nicht im Mindesten gefolgt.«

»Wie? Er hat NICHT auf unserem Grundstück gestanden, er hat NICHT am Gartentor geklingelt und er ist mir NICHT auf der Party bei der Fürstin begegnet?«

»Nein. Von all dem will er nichts wissen.«

»Er lügt!!« Vor Empörung wechselte ich fast die Spur. Kyllikki zuckte zusammen.

»Nur ruhig«, sagte ich. »Ich bin eine erfahrene Autofahrerin!«

»Daran habe ich nie gezweifelt«, grinste Kyllikki. »Also, was sollen wir dem Kollegen Troddel antworten?«

»Dass Lothar aufhören soll, mich zu verfolgen, dass er seinen blöden Opel vergessen kann und dass ich die Scheidung will.«

»Klare Aussage«, sagte Kyllikki und lehnte sich entspannt zurück. »Die Landschaft hier ist wirklich atemberaubend.«

Dann fuhren wir nach Salzburg rein und ich kurvte wie ein alter Hase durch die Innenstadt.

Parkst du auch immer auf dem Rotkreuzparkplatz an der Salzach?

Nein. Das kostet ja Geld. Wie ich dich kenne, hast du wegen deiner guten Beziehungen zum Starfrisör Fred Sturmmayr immer einen Gratisparkplatz in seiner Tiefgarage.

Wir waren spät dran und rannten mit gerafften Röcken durch die Getreidegasse. Gerade noch mit dem dritten Läuten kamen wir im Festspielhaus an und trippelten zwischen letzten feierlich gekleideten Festspielbesuchern die Stiege hoch in unsere Loge. Neben uns saß übrigens Angela Merkel mit ihrem Mann. Sie sah nett aus. Entspannt und viel hübscher als im Fernsehen. Der Mann begrüßte Kyllikki, als sei sie eine langjährige Bekannte.

Tja, und dann, Alex!

»Don Carlos« begann, und endlich kam der große Auftritt von König Phillip, deinem Mark Daniel, und ich muss zugeben, dass ich nur noch auf ihn geachtet habe. Ein Raunen ging durchs Publikum, als er anfing zu singen. Er hatte eine Puderperücke auf und war ganz blass geschminkt – er wirkte fast unmenschlich. Wie er da stand, so groß, so ernst, so traurig, und mit welch wunderschöner, profunder und samtiger Stimme er gesungen hat, da wurden mir die Knie weich.

Wie er dann in Hemdsärmeln in seiner Kammer auf dem Diwan zusammensinkt, die Perücke ablegt, ein ganz verletzlicher, privater Mann ist: »Sie hat mich nie geliebt!«, da hat das ganze Publikum den Atem angehalten.

»Amor per me non ha, Amor per me non ha.« Dieser Mark Daniel hat es geschafft, die ganze Verletzlichkeit einer Menschenseele hervorzuholen hinter dem Mantel von Macht und Intrigantentum.

Nach der dreieinhalbstündigen Aufführung war es erst mucksmäuschenstill im Saal und dann brach ein frenetischer Jubel los. Mich hat's gefreut, dass das Salzburger-Festspiel-Publikum, das ja als kritisch und verwöhnt gilt, noch dermaßen begeisterungsfähig ist!

Kyllikki und ich standen an der Balustrade unserer Loge und haben uns die Hände wund geklatscht! Obwohl die Elisabeth, der Don Carlos und die Eboli wirklich gut waren, hatte König Phillip mit Abstand den meisten Applaus. Die Leute standen auf und schrien: »Bravo! Bravo, Martini!«, dass es eine Freude war. Ich selbst war so begeistert, dass ich gleichzeitig schluchzen und lachen musste, und Kyllikki reichte mir ein Taschentuch und weinte auch.

Wir zwei Weiber sind uns richtig nahe gekommen über deinem König Phillip!!

Schweißgebadet wankten wir schließlich noch zur Premierenfeier ins Hotel Sacher, deine Einladungen fest in der Faust.

Zuerst habe ich mich fast nicht reingetraut in das exklusive Etablissement. Festliches Stimmengewirr, Gläserklirren, der Schein von den vielen Kronleuchtern und Kerzen haben mich fast etwas eingeschüchtert. Aber ich wollte mich nicht vor Kyllikki blamieren und so gingen wir beide tapfer hinein. Ich habe noch nie so viele schöne, edle Roben gesehen! Wahnsinn, was da für Seiden- und Brokatstoffe zu bewundern waren. Ganz zu schweigen von den zentnerschweren Diamanten und Goldgeschmeiden, die die Frauen sich an den Leib hängen! Kyllikki und ich fühlten uns aber sehr standesgemäß gekleidet in unseren festlichen bodenlangen Trachtengewändern. Die Herren waren alle im Smoking oder in feinster Tracht gekleidet. Ich sah viele bekannte Gesichter, sogar Thomas Gottschalk war da! Senta Berger, Christiane Hörbiger, Christian Quadflieg und solche Kaliber. Überall rannten Kameraleute herum und versuchten, für einen kurzen Spot eine bekannte Nase vor die Linse zu kriegen. Um Kyllikki und mich scherte sich natürlich niemand. Alle warteten auf die Solisten. Und dann kamen sie! Einzug der Gladiatoren! Sie waren alle noch in Kostüm und Maske, was den Auftritt noch beeindruckender machte. Die Fotografen stürzten sich auf sie, Blitzlichtgewitter. Sofort wieder Standing Ovations, Bravorufe, strahlende, ehrlich begeisterte Gesichter unter den teuer ausstaffierten Gästen. Und ich mittendrin, in der Hautevolee! Mensch, Alex!!

Das verdanke ich alles dir! Du hast mir ein Riesentor aufgemacht!! Danke, geliebte Freundin!! Wie ich das genossen habe!

Man reichte Champagner und Canapés und ich musste mich in den Arm zwicken, um zu begreifen, dass ich das alles nicht träume. Mensch, Alex, und so was erlebst du IMMER? So was gehört für dich zum Alltag?? Während ich fünfzehn Jahre lang im »Kaufglück« rumgestanden und jede volle Stunde die Kundentoiletten kontrolliert und ansonsten den Feierabend herbeigesehnt habe, hast du fünfzehn Jahre lang in so einem Metier Hof gehalten?

Jedenfalls hat Leo von Merz, der als Dirigent auch sehr umjubelt worden war, eine wunderschöne Rede gehalten, wie sehr es jedes Mal wieder ein Erlebnis ist, mit neuen Sängern zusammenzuarbeiten, die einem während der Probenarbeiten zu wertvollen Freunden werden... Er herzte und küsste die beiden Sängerinnen, auch der Tenor wurde hoch gelobt, aber der eigentliche Star war Mark Daniel Martini. Leo von Merz ließ ihn neben sich auf das Pult steigen und sagte, dass er seiner hoch geschätzten Exfrau Alexandra diese atemberaubende Neuentdeckung verdanke und dass du doch immer ein ungetrübtes Näschen für viel versprechende Talente hättest, wobei du unter »viel versprechend« an andere Werte denken würdest als er. Alle haben gelacht, jeder wusste wohl, was dein Exmann damit meinte. Du scheinst unwahrscheinlich beliebt zu sein in diesen Kreisen. Du hast dir schon jetzt ein Denkmal gesetzt. Ich bin so stolz auf dich!

Die Party wurde immer fröhlicher und ich gesellte mich zu den Leuten vom Chor.

Sie schwärmten ebenfalls von Mark Daniel (die Weiber besonders, die sind ganz hin und weg!) und irgendwie hörte ich durch Zufall mit, dass für die bevorstehende Produktion von Bellinis »Norma« noch Chorsänger gesucht werden.

»Kyllikki! Haben Sie das gehört? Sie suchen noch Chorsänger...!«

»Tut mir Leid, ich kann gar nicht singen...!«

»Sie doch nicht!! ICH!! Ich kann – ich konnte mal ... also ich wollte sogar mal Sängerin werden!«

»Na also! Worauf warten Sie noch?«

»Ich trau mich nicht!«

»Also bitte! Anne!« Kyllikki nahm mich beherzt am Arm und führte mich zu Leo von Merz, der mit Olga Schellongova bei den Solisten stand.

»Entschuldigung, darf ich mal stören?«

»Sie stören doch nicht…« Olga Schellongova hatte mich gleich erkannt und gab mir rechts und links ein Küsschen. »Es ist eine Freude, Sie wiederzusehen!«

»Meine Freundin hier möchte gern bei der ›Norma‹-Produktion im Chor mitsingen!«

Ich wurde so rot, dass ich es bis in die Haarwurzeln spürte. Besonders, als Mark Daniel, König Phillip der Traurige, sein ganzes Augenmerk auf meine Wenigkeit im Dirndl lenkte. Und ansatzweise lächelte. Er sah mich an auf eine Weise, die mir so seltsam bekannt vorkam. Ich fühlte schon wieder dieses Zittern in den Knien, aber das lag bestimmt daran, dass dein Exmann mich strengen Blickes taxierte.

»Soll vorsingen«, sagte er knapp.

»Wie? Jetzt?« Womöglich am Flügel draußen in der Bar?

Gott, wie blöd von mir, Alex! Mark Daniel konnte sich das Lachen nicht verbeißen.

»Leo! Das ist doch die Freundin von Alex!« Die Schellongova stupste ihn in die Seite.

»Und wenn sie die Callas höchstpersönlich wäre! Soll vorsingen! Wie jede andere auch!«

»Klar«, sagte Kyllikki keck. »Macht sie. Wann und wo?«

»Im Orchesterbüro anrufen«, sagte dein Exgatte kühl. »Da kriegt sie einen Termin.«

In dem Moment kam der Landeshauptmann auf ihn zu, taxierte mich kurz und verwickelte deinen Leo in ein Gespräch. Ich stand da, fühlte mich, wie so oft, wie eine abgekanzelte Schülerin und wollte mich nur noch verdrücken. Oma Margot hätte gesagt: Siehst du, Kind, in solche Kreise gehörst du eben nicht. Ab mit dir nach Plattstadt und besinne dich, wer du bist. – Ich muss wohl ziemlich bedröppelt geguckt haben.

Da richtete König Phillip in seiner traurigen Maske das Wort an mich: »Dann sehen wir uns ja jetzt öfter!«

Er hat einen leichten amerikanischen Akzent, aber er kommt mir irgendwie bekannt vor. Es zieht mir die Kniekehlen zusammen. Irgendwas ist mit dem Mann. Er löst irgendwas in mir aus.

»Wieso?«, stammelte ich, völlig verwirrt.

»Weil ich in der ›Norma‹ auch mitsinge!«

»Ach… ja?«

»Ich singe den Orovese«, sagte Mark Daniel mit seinem profunden Bass.

Da bin ich einfach weggerannt. Ich fand es unerträglich, dass König Phillip mit mir redete!

Wie gern hätte ich ihm gesagt, dass er fantastisch gesungen hat, dass ich ganz begeistert bin, dass ich schon viel von ihm gehört habe, dass seine Managerin meine Freundin ist – aber mir blieb das Nasse unter der Zunge weg! Kyllikki plauderte noch ein bisschen mit ihm, aber ich wartete richtig blöd und zickig am Ausgang, fröstelte dort unter meinem dünnen Seidenschal und starrte auf die festlich erleuchtete Burg. Alles ist so unwirklich, wie ein großes, nicht enden wollendes Märchen! Endlich kam Kyllikki und ich lief aufgelöst und verwirrt neben ihr her zum Parkplatz.

»Er ist sehr nett«, sagte Kyllikki.

»Er macht mich fertig«, stöhnte ich.

»Ja, das hab ich gemerkt«, lachte sie. »Singt aber auch wie ein Gott. Ich kann Ihre Begeisterung verstehen.«

Als wir im Wagen saßen und unter tausend Sternen nach Hause fuhren, sagte Kyllikki plötzlich: »Ach, nicht dass ich das vergesse. Er lässt Sie grüßen und Ihnen ausrichten, Sie sollen nicht immer weglaufen. Er beißt nicht.«

»Wieso laufe ich IMMER weg?«, fragte ich gereizt.

»Keine Ahnung«, sagte Kyllikki beiläufig. »Ich danke Ihnen jedenfalls für den wunderschönen Abend. Wenn Sie mich jetzt zum Bahnhof fahren würden, dann erreiche ich noch den City-Night nach Frankfurt, aber wir bleiben in Verbindung.«

Tja, das war der Abend, Alex. Ich sitze »schlaflos in Mondsee« vor deinem Schreibtisch, über dem Glasdach leuchten die

Sterne, der gute alte Mond lugt gütig hinter einem schwarzen Wolkenstreif hervor, und ich, Anne Pistrulla, geborene Klein, würde fast sagen, ich habe mich verliebt. In einen großen, dunklen, unbekannten, sehr traurigen König. Mit Puderperücke.

Gehe jetzt schlafen. Meine Güte, was für ein TRAUM, im Festspielchor mitzusingen! »Norma«! Von Bellini! Seite an Seite mit Mark Daniel Martini!

Nein, was bin ich doch verrückt. Anne Pistrulla, ab in die letzte Reihe!

Danke, dass ich meinen seelischen Müll in deine Tasten hacken darf!

Sei fest umarmt
von deiner Anne

PS: Morgen habe ich endlich wieder Zeit für die Mädchen! Werde eine Schiffsrundfahrt auf dem Attersee mit ihnen machen.
PPS: Die Katzenkinder sind so süß!! Salami und Funghi haben schon die Augen offen!

Diet Clinic von Jane Fonda, Hollywood, 16. Juli

Liebe Anne!!

Das sind ja erfreuliche Neuigkeiten!! Mark Daniel hat also seine Feuertaufe bestanden! Und kriegt auch noch die Hauptrolle in »Norma«! Bingo! Soll ich dir sagen, was das für mich bedeutet? Zwanzig Prozent von 56 000 Euro! Ich sage dir, das Geld liegt auf der Straße. Alles, was mein Schützling jemals wieder singt, fließt zu zwanzig Prozent aus seiner Goldkehle direkt in meine Brieftasche! Glaube mir, Anne: Das ist für Mark Daniel ja erst der ANFANG!! Wenn einer bei den Salzburger Festspielen besteht, dann kann er sich vor Angeboten nicht mehr retten. Auf Mark Daniel warten die Met, die Mailänder Scala, die Arena von Verona! Ich könnte mich ohrfeigen, dass ich für den »Don Carlos« »nur« 100 000 Euro für zwölf Vorstellungen verlangt habe! Der Kerl ist gut und gerne das Doppelte wert!

Siehst du, wie gut es ist, dass ich nicht mit ihm geschlafen habe?! Stell dir vor, er wäre jetzt mein Geliebter. Dann könnte ich die ganze Knete vergessen.

Von daher hast du meinen Segen, liebste Freundin, wenn du dich in ihn verknallt hast! Süß!! Ich könnte vor Wonne in mein Kopfkissen beißen! (null Kalorien!)

Hast also doch noch Geschmack, meine gute alte Anne Klein.

Ja, der Mark Daniel ist ein Mann zum Träumen. Aber wie ich deinem Geschreibsel entnehme, hast du ihn überhaupt noch nie ohne Kostüm und Maske gesehen. Du musst ihn mal in natura erleben! Ein Bild von einem Mann!

Er scheint ja wirklich auf dich abzufahren! Tja, du bist blond und schlank, da steht er drauf. Und du hast noch mehr in der Birne als Daryl Hannah für Arme.

Die Idee mit dem Festspielchor ist doch genial! Da bist du deinem Idol ganz nahe! Trau dich, Anne! Das Leben ist bunt! Sing Leo vor. Der tut nur so unnahbar, der alte arrogante Kotzbrocken. In Wirklichkeit hat er eine ganz verletzliche, eitle Seele. Wie sollte er denn auch reagieren vor all den Leuten? »Sie ist die Freundin von Alex und braucht deshalb nicht vorzusingen!«? Das kann er doch nicht bringen! Da musst du ihn auch verstehen!

Klar, du hast keine Gesangspraxis mehr. Bisschen vorbereiten musst du dich schon auf das Vorsingen. Du kannst einem Leo von Merz nicht mit »Röslein Röslein rot« kommen. Dann fühlt der sich verarscht. Eine schöne Arie muss es schon sein. Lass mich mal überlegen. »Carmen«? Nee, das passt nicht zu dir. Du bist zu schüchtern, die nimmt er dir nicht ab. Die Carmen hat Leo schon von den Weltklasse-Mezzi gehört. Andererseits: bloß keine Kirchenarie. Von wegen »Buß und Reu knirscht das Sündenherz entzwei«. Anne Klein, mach dich nicht immer so klein! Was Weltliches. Aber nix zu Schweres. Ein Schubert-Lied vielleicht. Nicht gerade »Die junge Nonne«, da kriegt er Brechreiz. Aber warte, ich hab's.

Was ist mit »Meine Ruh ist hin, mein Herz ist schwer«, was du damals bei Heinrich im Musikunterricht vorgesungen hast? Gretchen am Spinnrad. Das war doch voll der Hammer. Weiß noch genau, dass du eine Eins dafür gekriegt hast. Und das passt auch total zu deinem Typ. Schüchtern, verletzlich, aber ehrlich, treu und redlich. Auch leidenschaftlich. Mensch. Genau. Das ist es.

»Wo ich ihn nicht hab, ist mir das Grab. Die ganze Welt ist mir vergällt.« Die tiefere Fassung. Das liegt dir. Ich hab sogar die Noten!! Alle Schubert-Alben sind im Notenschrank im Wohnzimmer neben dem Flügel! Zweituntersters Fach, rechts!

Ich hab aber eine geniale Idee (wie immer, Schätzchen!!): Ich schicke der Schellongova eine Mail und bitte sie, dich auf das Vorsingen vorzubereiten. Sie arbeitet viel mit jungen Sängern, die halten alle große Stücke auf sie. Dann hast du erstens ein gutes Gefühl und zweitens hört dich Leo sowieso schon singen. Klar, da helfen wir ein bisschen nach.

Beziehungen sind alles im Leben. Warum sollte man sie also nicht nutzen?

Bei mir tut sich ebenfalls Erfreuliches in Sachen Herz: Ich glaub, ich hab mich endlich auch mal wieder verknallt. Vorgestern ruft mich mein Früchtchen an, Adrian, der Zahnarzt wünscht mich sofort zu sprechen.

Ich sage: Adrian, Bengel, hast du deine Zahnklammer nicht regelmäßig getragen?

Nein, sagt Adrian, es ist was anderes, der alte Brennan Newsom hat Ärger wegen eines vermeintlichen Kunstfehlers, du weißt ja, die Amis verklagen ihre Ärzte auf Millionen, wo sie nur können. Er sitzt im Knast, wartet, dass er auf Kaution freikommt! Er kann sich also deswegen nicht mehr um Adrian kümmern und nun soll Adrian zu seinem Vertreter gehen. Da traut er sich allein aber nicht hin, was ich ja auch verstehen kann. Sag mal einem sechzehnjährigen Bengel, er soll ganz allein zu einem neuen Zahnarzt gehen. Ich hab mich also aus meiner Diet Clinic davongestohlen, bin mit dem Taxi zu Adrian und mit Adrian wiederum zu dem neuen Kieferorthopäden. Steve W. Vanderbilt. Das W steht für William. Gott, was für ein Mann! Anne, ich sage dir: strahlende Augen, tiefblau, blonde naturgewellte Haare, ein heiteres Gesicht, in dem schneeweiße Zähne blitzen (okay, die sind nicht echt!), und zwei tiefe, spitzbübische Grübchen, wenn er lacht. Ich schob meinen widerwilligen Adrian in Steve W. Vanderbilts super nagelneue, blitzende und blinkende Praxis und wir lachten uns an, Steve W. Vanderbilt und ich. Er reichte mir die Hand: »I didn't know that Adrian's mother is such a beautiful lady!« Na ja, ich sehe jetzt auch wirklich wieder gut aus nach meiner konsequenten Diät. Habe zwölf Kilo runter und genieße es, in todschicken engen Klamotten rumzulaufen. Meine Haare glänzen, ich hab mir mahagonifarbene Strähnchen machen lassen und meine Haut ist nach diversen Peelings und dem vielen Training an der frischen Luft rosig wie ein Kinderpopo. Alle Sorgenfalten sind geglättet, ich sehe keinen Tag älter aus als neunundzwanzig! Muss mich mal selber loben, wenn es sonst keiner tut.

Irgendwie macht Erfolg wohl sexy. Ich fühlte mich jedenfalls blendend, als Dr. Vanderbilt mir erklärte, dass er Adrian sofort vier Zähne ziehen muss, damit Platz für die anderen Zähne geschaffen wird. Das hatte Brennan Newsom wohl übersehen. Ob ich ihn deshalb auf Millionen Dollar verklagen soll, werde ich mir noch überlegen.

»Na, dann mal los!«, sagte ich munter.

»Mamaa!«, zischte Adrian mich an. »Vergiss es!!«

»Aber Junge! Was du heute kannst besorgen, das verschiebe nicht auf morgen!«

Auch Dr. Vanderbilt war dafür, dass wir die Sache sofort hinter uns bringen. Seine Helferinnen waren zwar schon weg, aber das schien ihn nicht weiter zu stören.

Er reichte mir einen grünen Mundschutz, band sich selber auch einen um und machte sich sogleich ans Werk. Ich habe meinem leise wimmernden Adrian die Riesenpranke gehalten, an der Tintenflecke klebten, und ich war in meinem ganzen Leben noch nicht so gerührt.

Wie wir dastanden, Kopf an Kopf über dem Mund meines Sohnes ... das hatte was! Adrian sagte nachher, es hätte überhaupt nicht wehgetan, er wollte nur ein bisschen Spannung erzeugen zwischen uns, was ihm auch echt gelungen ist.

Ich wurde zwischendurch ein bisschen ohnmächtig, weil ich so viel Blut im Moment nicht gut sehen kann. Wenn man so gar nichts im Magen hat, wird man empfindlicher gegen so was. Als ich wieder zu mir kam, sah ich diesen bildschönen Zahnarzt ganz dicht über mir.

Vanderbilt maß mir den Blutdruck und legte mir ein Kissen unter den Kopf. Dabei sah er mich über seinem Mundschutz mit seinen blauen Augen so durchdringend an, dass ich am liebsten schon wieder ohnmächtig geworden wäre. So schön war das Aufwachen.

Nachher war ich die Patientin, nicht Adrian! Die beiden kümmerten sich ganz reizend um mich, flößten mir ein Glas Wasser ein und fächelten mir Luft zu.

Ich muss gestehen, Anne, dass es ein richtig schönes Gefühl war, mich einfach mal fallen zu lassen, im wahrsten Sinne des

Wortes. Nachher bestand Dr. Vanderbilt darauf, mich nach Hause zu fahren.

In seinem elfenbeinfarbenen Cadillac de ville, kostet schätzungsweise 100 000 Dollar, nur mal so nebenbei erwähnt. Dem guten Doktor scheint es also nicht schlecht zu gehen.

Er wollte mich für heute zum Essen einladen, aber ich habe gesagt, ein Spaziergang am Meer tut's auch. Wollte ihm nicht gleich auf die Nase binden, dass ich seit Wochen nur durchgeseihte Gemüsebrühe und Abführsalz zu mir nehme. Dem Spaziergang sehe ich nun mit Spannung entgegen!! Bin in Topform! In zwei Stunden kommt der gut verdienende Zahnarzt und holt mich ab! Und weil ich mich so sexy fühle, werde ich mir von Nacke… von Jane Blond einen ganz geilen Fummel ausleihen! In den passe ich nämlich jetzt wieder rein!

Schwarze Seidenbluse, zum Teil durchsichtig, mit schwarzen Jeans, Stretch, von Jil Sander, Größe achtunddreißig. Könnt mich küssen. Weißt du noch, unsere Bedürfnispyramide?? ALLES stimmt! Geld, Figur, Liebe, Erfolg. UND Adrian redet zusammenhängende Sätze mit mir und trägt sogar seine Zahnklammer regelmäßig (Vanderbilt hat sie ihm angeschweißt) UND das Geld liegt auf der Straße!!

In diesem Sinne: Hals- und Stimmbruch für dein Vorsingen! Bin gespannt, wie es dir ergangen ist!
Love – Alex

PS: Lieber ein Zahnarzt in der Hand als einen Opernsänger auf dem Dach.

Mondsee, an deinem Schreibtisch,
wie immer nachts, 19./20. Juli

Liebste Alex,
du verrückte Tomate! Wie gern würde ich jetzt mit dir in den Jubel einstimmen, aber ich habe leider schlechte Nachrichten: Heute brachte der Briefträger ein Einschreiben mit Rückschein: einen Brief vom Finanzamt. Soweit ich daraus ersehen konnte, fordert man dich auf, dein Einkommen offen zu legen. Also eine Einkommensteuererklärung. Bei Monopoly muss man ersatzweise auch in den Knast. Ohne über Los. Und ohne Besuch.

Man weiß, dass du seit einigen Monaten erhebliche Einkünfte im Ausland beziehst, und die hast du dem Finanzamt noch nicht angegeben. Anscheinend stand jetzt eine Menge über Nackedeis Gagen in der Zeitung, und alle Welt weiß, dass du ihre Managerin bist.

Du sollst bis zum fünfzehnten des Monats Stellung nehmen. Andernfalls: Prozess am Hals!!

Es ist schon wieder was Seltsames passiert. Ich sage nur: Lothar.

Gestern, Montag, am spielfreien Tag, habe ich die Mädchen ins Auto gepackt und bin mit ihnen zum Attersee gefahren. Durch die ganzen Turbulenzen in den letzten Tagen hatte ich kaum noch Zeit für meine beiden! Ich wollte mal eine schöne Schiffstour mit ihnen machen.

Bei herrlichstem Sommerwetter bestiegen wir in Nussdorf das weiße Ausflugsschiff, bekamen noch drei Plätze oben an Deck und bestellten uns erst mal Würstchen mit viel Senf. Wir schipperten so dahin, genossen den Sommerwind und die Aussicht und kurz drauf legten wir in Seewalchen an. Ich guckte so beiläufig runter auf den Steg, betrachtete die Leute, die dazustiegen, und plötzlich sah ich ihn schon wieder! Ich wischte mir die Augen, aber er war es!! Lothar!! Er stand mitten zwischen den Leuten auf dem Steg und wartete auf das Schiff.

Er sieht wirklich verändert aus, Alex. Richtig gut. Fast könnte ich mich an seinen Anblick gewöhnen. Ich drehte ihm sofort den Rücken zu und lenkte die Kinder ab. Er hat uns nicht gesehen, ging jedenfalls auf das hintere Deck, wo er sofort seine Zeitung aufschlug.

Ich starrte ihn die ganze Zeit heimlich durch meinen Kosmetikspiegel an.

Plötzlich sah er mich! Er winkte, faltete seine Zeitung zusammen und machte Anstalten, sich vom Vorderdeck zu uns aufs Achterdeck zu begeben.

Das Schiff hatte gerade wieder angelegt. Ich schnappte mir die Mädchen, riss sie von ihren Würstchen weg, knallte zehn Euro auf den Senf und schaffte es gerade noch, mit ihnen auf den Steg zu springen, bevor man die Leinen einzog.

Greta schrie wie am Spieß: »Mein Teddy, mein Teddy liegt noch auf dem Schiff!!«

Ich redete auf sie ein: »Ich kauf dir einen neuen Teddy!«

»Ich will meinen geliebten TEDDY haben!!«

Lothar stand erstaunt da oben, bewegungslos, und ich sah, dass er sich nach dem Teddy bückte.

Mir zitterten die Beine, dass ich kaum weitergehen konnte.

Ich habe jedenfalls sofort Kyllikki angerufen, und die versprach, mit dem Rechtsanwalt Troddel zu sprechen. Nach einer halben Stunde rief sie zurück: Lothar säße in seiner Sparkassenfiliale und schwöre Stein und Bein, dass er mir nicht gefolgt sei.

Bin ich denn völlig durchgeknallt, Alex?? Hat Lothar wirklich einen Doppelgänger?? Aber warum treffe ich den dauernd?
Sehr verwirrt – deine Anne

PS: Die Schellongova hat mich angerufen und zum Tee nach Hallstadt eingeladen! Morgen fahre ich hin!!

In der Praxis von Dr. Vanderbilt, Los Angeles, 23. Juli

Liebste Anne,
Adrian ist drinnen zur Nachuntersuchung. Ich sitze halb aus Mutterliebe, halb aus reinem Egoismus im verchromten Wartezimmer: Nachher will Steve W. mit mir eine Spritztour in seinem elfenbeinfarbenen Cadillac de ville machen. Meine Güte, Anne, ich finde diesen Strahlemann hinreißend. Und was der für Knete hat! Er besitzt eine Villa am Strand und noch eine Stadtwohnung in der Nähe seiner Praxis. Außerdem ist er stolzer Besitzer einer wunderschönen Segelyacht.

Vor drei Tagen waren wir am Strand spazieren. Er ist so kurzweilig und charmant! Ich fühlte mich wie Mitte zwanzig, als ich in Jane Blonds teuren Edelklamotten barfuß neben ihm herlief. Sehr bezeichnend, dass auch ich für unser erstes privates Date Schwarz gewählt habe. Als seien wir seelenverwandt. Er sagte, er habe zuerst gedacht, ich sei Adrians Schwester! Ich hab ihm eine Menge aus dem Showbiz erzählt, wen ich alles kenne und wen ich manage und so, und da bin ich in seinem Ansehen natürlich noch etwas mehr gestiegen. Er findet es genial, wie weit ich Jane Blond gebracht habe, und hat sich kaputtgelacht, als ich ihm erzählte, dass Jane eigentlich Metzgereifachverkäuferin aus Mörsenbroich ist und nicht bis drei zählen kann. Dass ich aus nichts Geld mache, das imponiert ihm.

Liebes Kleinchen, ich bin eigentlich rundum glücklich! Wenn da die Sache mit dem Finanzamt nicht wäre! Danke für das Fax. Das war natürlich ein echter Schock. Aber es war andererseits naiv von mir zu glauben, ich könnte im Ausland das dicke Geld scheffeln und die Steuerfahnder in Europa würden das nicht merken. Zumal ich selbst ja ständig meinen Marktwert betone, indem ich meine finanziellen Deals in der Zeitung veröffentliche! Ziel der Kampagne war, dass sich alle namhaften Stars um mich reißen. Aber der Schuss ging wohl nach hinten los. Nun reißt sich das Finanzamt um mich. Eigentor. Shit.

Jane muss sich dringend einen Finanzberater zulegen, aber es muss ein Deutscher sein. Die ganzen gerissenen Burschen hier in den Staaten kennen sich ja mit dem deutschen Steuerrecht nicht aus. Am liebsten hätte ich einen, der meine ganze Knete grundehrlich und zuverlässig verwaltet, anlegt und dem Finanzamt gegenüber das Nötigste sehr korrekt angibt, so dass die Burschen erst gar keinen Verdacht schöpfen. Komischerweise stelle ich mir immer deinen Lothar vor, wenn ich darüber nachdenke. So einen Nadelstreifen-Langweiler im Anzug, der jeden Morgen eine Stunde lang mit säuberlich getippten Listen – plus, minus, Steuer, Anlage, Schwarzgeld, Sparmodell, Zins, Tilgung und so weiter – während meiner Fußmassage in der Ecke sitzt und meine Anweisungen empfängt. Diese Aktie kaufen, jene abstoßen. Rendite hier, Bilanz da. Hin und her, Preiselbeer. Oberlangweilig, würde Adrian sagen. Spießig. Aber solche muss es auch geben. Und, wie du mir glaubhaft schilderst, gibt es die ja auch.

Man muss sie ja nicht gleich heiraten. Es reicht, wenn sie einem die Knete verdoppeln.

Na gut, damit will ich dich jetzt nicht behelligen. Du hast deine eigenen Probleme.

Ich steige da nicht mehr durch mit deinem Lothar. Einerseits beteuert er, in seiner Kreissparkasse in Plattstadt zu sitzen, andererseits verfolgt er dich auf Partys und Ausflugsschiffe und klingelt am Gartentor und du siehst ihn im Rückspiegel im Auto.

Ich würde sagen, Lothar hat einen Doppelgänger. Ich bekomme eine Gänsehaut. Ein echter Thriller.

Mensch, was machen die so lange da drin? Man hört nichts. Kein Bohrer, kein Schrei, kein Laut. Vielleicht unterhalten die zwei Männer sich einfach nur über geile Vehikel?

Vorgestern habe ich die erste feste Nahrung nach sechs Wochen zu mir genommen.

Ich konnte nichts runterkriegen, war nach einer halben Vorspeise schon satt. Das machte natürlich einen sehr exquisiten Eindruck auf meinen Begleiter. Als er seine goldene American Express zückte, sagte er, ich hätte ja gegessen wie ein Spatz und das würde meine Mundschleimhöhle bestimmt zu schätzen wissen wegen der nicht entstandenen Bakterien. Köstlich, diese Zahnärzte. Ob die beim Küssen an Bakterien denken und beim Blasen daran, ob Sperma Karies verursacht?

Adrian kommt. Die neue Zahnspange si...

Mondsee, in deiner Galerie, 25. Juli,
wieder mal mitten in der Nacht

Liebe Alex,
du fasst dich an den Kopf, wenn ich – der Reihe nach.

War heute bei der Schellongova in Hallstadt wegen der Gesangsstunde. Du hast mir ja die alte Kaiserzeitvilla schon beschrieben: ein Museum aus Kuriositäten, die Olga aus der ganzen Welt zusammengetragen hat. Die beiden wohnen wirklich total versteckt auf der Schattenseite des Sees hinter einem zugewachsenen Viadukt. Ich habe es fast nicht gefunden. Hinter dem verschnörkelten Eisentor parkten einige Wagen und der schwarze Mercedes mit dem Salzburger Kennzeichen kam mir irgendwie schon bekannt vor.

Die Schellongova saß mit offenem pechschwarzen Haar vor der Glasveranda und trank Wein aus einer verschnörkelten Karaffe.

Auf dem Tisch standen drei Gläser, in denen noch Reste von Wein waren.

»Schön, dass Sie kommen konnten«, sagte sie, stand auf und küsste mich auf beide Wangen.

Ich hatte ihr einen schönen Strauß gelber Rosen mitgebracht, die sie gleich angeregt plaudernd in einer kostbaren Blumenvase, in der wahrscheinlich schon Sissi die kaiserlichen Rosen aufbewahrt hat, verstaute.

»Leo ist gerade weggefahren!«, rief sie aus und zeigte auf den See.

Auf spiegelglatter Oberfläche trieb träge ein längliches Holzboot dahin. Es sah aus wie eine dieser Gondeln aus Venedig.

Es waren zwei Personen darin. Die eine ruderte. Im Stehen. Die andere saß. Unbeweglich.

Beide waren schwarz gekleidet. Der Anblick erinnerte mich an »Wenn die Gondeln Trauer tragen«.

»Was ist los, Kind? Trinken Sie einen Schluck Wein, Sie sind ganz blass!«

Sie reichte mir ein Glas mit kaltem erfrischenden Weißwein. »Den haben wir hier von unserem Weinbauern vor Ort, probieren Sie!«

»Wer... ist der andere?«, fragte ich tonlos.

»Welcher andere?«

»Der Mann im Boot.«

Die Schellongova lachte ihr helles Sopranistinnenlachen. »Das ist doch der Maat!«

Ich dachte, Mensch, was bin ich blöd! Natürlich braucht so 'n Boot einen Maat. Der rudert doch nicht selbst, der Maestro.

»Ach so«, sagte ich deshalb schnell und trank den köstlichen kühlen Wein in einem Zug aus.

Die Schellongova hat ja so einen osteuropäischen Akzent, so einen harten, gutturalen.

»Die beidän hollän Nachschub«, sagte die Schellongova. »Wir haben hier schon den ganzen Nachmittag gebächärt, nachdemm wir heute Morrgen sär intensiv am Orrowwäst gearrbeitet haben. Und jetzt ist uns där Wein ausgägangän – Sie haben gerade noch den letzten Schluck bekommen!«

Ich nickte und lächelte. Aha. Der Maat. Die haben wahrscheinlich den ganzen Morgen am Mast gesägt und jetzt holen sie Wein. Klar.

Wir gingen hinein. In einem mit hohen Stuckdecken und Schnörkeln verzierten riesigen Salon stand ein ebenso verschnörkelter riesiger Flügel, auf dem Noten aufgeklappt standen:

»Norma!«, sagte ich schlau.

»Eine wundervolle Oppär!«, rief die Schellongova wieder so sopranig aus.

Es klang wie »eine wundervolle Aupair!«.

»Ich habe beides gesungän, zuerst die Adalgisa und dann die Norma selbst! Beides Traumpartien! Ich sage Ihnen! Sie brauchen einen Umfang von drei Oktaven und ein Zwerchfell aus Stahl für die Koloraturen! Gerade hab ich mit dem Maat das Duett aus dem zweiten Akt probiert!«

Sie schlug behände ein paar Akkorde an und trällerte ein paar glockenhelle Töne.

Ich wunderte mich zwar ein bisschen, dass sie mit dem Maat ein Duett probiert hat, aber wer weiß, was dieses verschrobene Weibchen in ihrer Einsamkeit so alles tat, um sich und ihren Gatten bei Laune zu halten. Jedenfalls habe ich immer noch nicht geschnallt, wovon die Rede war!

Ich stellte mich nun in meinem schneeweißen Hosenanzug erwartungsvoll neben den Flügel, betrachtete die ganzen samtbezogenen Diwane und Ottomanen aus der Kaiserzeit, die samtverkleideten Gebetsbänke vor russisch-orthodoxen Marienbildern, die Pfauenfedern in der bronzenen Bodenvase, den Gekreuzigten mit den appen Armen aus dem 14. Jahrhundert und die vielen schweren handgewebten Teppiche aus Sibirien. Mehrere Tigerköpfe glotzten mich aus gläsernen Augen an, während ich andächtig auf meinen weißen Schühchen auf ihren Rücken herumspazierte.

»Alles Honorare!«, jubelte Olga. »Wie oft habe ich für Naturalien gesungen!«

»Ich hoffe, Sie erzählen mir von Ihrer großen Zeit«, sagte ich.

»Das werde ich gerne tun, mein liebes Kind, aber zuerst wird gearrbeität! Was haben Sie mir mitgebracht?«

»Gretchen am Rennrad.«

»Grätchen am was?«

»Spinnrad. Verzeihung.«

Ich sang erst mal ein paar zittrige Töne, ganz schaurig und schülermäßig. Ihre kleinen dicken Finger mit den dicken Ringen daran perlten munter über die Klaviatur, sie nickte mir aufmunternd zu und ihre meterlangen pechschwarzen Haare flogen ihr um das Gesicht.

»Nain, naain!«, rief sie dann aus. »Nicht ›maine Ruh ist chien, mein Härz ist schwäär‹, als hätten Sie die Hosän voll.«

»Hab ich aber«, murmelte ich.

»Viel vornähmer müssen Sie das singen, viel gerader! Stähen Sie gerade. Schließen Sie die Augen. Denken Sie an den wunderschönsten Mann, den Sie je gesähen haben.«

Behände rutschte die kleine dicke Olga vom Klavierschemel, stellte sich auf einen der gläsern glotzenden Tiger, schloss die Augen, von deren Deckeln schier die dick gekleisterte Schminke fallen wollte, atmete eine Woge der Wollust in ihre Brust und sang dann, wunderschön, ruhig, majestätisch und stolz: »Meine Ruh ist hin, mein Herz ist schwer, ich finde, ich finde sie nimmer, und nimmermehr!«

Wahnsinn, Alex, was diese Frau noch singen kann.

Wir arbeiteten sehr intensiv, bis mir der kalte Schweiß auf dem Rücken stand. Sie schien die Zeit zu vergessen. Im schummrigen Raum fingen die ausgestopften Tiere an zu leben und mir war unheimlich und bange zumute, aber gleichzeitig war ich fasziniert und gefesselt von dieser Atmosphäre.

Draußen zeichneten sich die Felsen wie in einer Bleistiftzeichnung vom Horizont ab, der schon dämmrig wirkte. Die Pfauen stießen jämmerliche Schreie aus, so als riefen sie um Hilfe, aber Olga bemerkte es nicht.

Die Schellongova lockte Töne aus mir heraus, von denen ich nicht wusste, dass meine Stimmbänder sie hergeben!

»Sein Händedruck, und ach, sein Kuss!«

Genau in dieser Sekunde klopfte es von draußen ans Fenster. Mit einem spitzen Gegenstand.

Ich zuckte zusammen und auch Olga hatte sich erschreckt. Ihr entfuhr ein spitzer Schrei.

SEIN Gesicht draußen am Fenster!

Lothars Gesicht!

Ganz dicht vor meinem! Am Fenster!

Ich schrie. Meine Stimme schrie einfach. Laut und spitz.

Das Gesicht lächelte. Wie eine Fratze.

Eine eiserne Hand legte sich um mein Herz und drückte es, dass ich dachte, ich muss sterben. Mit offenem Mund starrte ich zu dem Fenster hin.

Aber da war niemand! Es war schwarz und leer, wie vorher! Ich fühlte meine Beine wegsacken.

»Böser Bubä!«, hörte ich Olga rufen. Ihre Stimme klang, als wäre sie ganz weit weg.

Sie lief behände zur Verandatür und öffnete sie.

Und aus der Schwärze der Nacht kam er lachend ins Zimmer. Lothar. Der nicht Lothar ist.

»Sorry!«, rief er aus, und seine Augen strahlten mit seinen weißen Zähnen um die Wette. »Ich wollte niemanden erschrecken!« Da war wieder dieser leichte amerikanische Akzent. Und die Stimme, die mir so bekannt vorkam.

Während ich mir das Hirn zermarterte, stellte er die Weinkiste auf den toten Bären und reichte mir die Hand: »Ich wusste doch, dass wir uns wiedersehen!«

In dem Moment betrat Leo von Merz den Raum. »Na Olga, kann sie singen?«

»Ja, es wird schon, es wird schon!«, rief Olga, und dann sah sie mein entsetztes Gesicht.

»Aber Kind!«, rief sie. »Ich habe doch gesagt, dass der Leo und der Mark mit dem Boot in die Stadt gefahren sind und Wein holen! Sie kommen wieder und wir essen zusammen zu Abend!«

Ich stand da mit hängenden Armen, starrte von einem zum anderen und stieß nur ein einziges Wort hervor: »Mark!«

»Stimmt, ich habe mich noch gar nicht vorgestellt«, sagte der doppelte Lothar.

»Ich bin Mark Daniel Martini. Ich habe übrigens noch einen Teddy für Sie.«

Alex, ich kann nicht mehr schreiben. Muss Pause machen. Mark Daniel Martini ist Lothar Pistrullas Doppelgänger. Um nicht zu sagen: sein Zwilling.

Darüber muss ich erst einmal nachdenken.

Leer im Kopf
Anne

San Francisco, Golden Gate Bridge,
beim Dreh mit George Clooney, 26. Juli

Wenn das mal gut geht! Wenn das bloß gut geht!

Jane muss mit George springen. Kein leichter Dreh heute. Wir sitzen seit fünf Uhr früh auf der Brücke und warten auf die geeigneten Lichtverhältnisse. Zuerst war die Rede davon, dass Jane ein Double bekommt für die Szene. Man munkelt, das Double traut sich nicht. Verstehen kann ich's. Jetzt muss Jane springen. Sie steht halb nackt mit George am Geländer und friert und zittert und schaut runter. Ich hab ihr jetzt die ganze Zeit gut zugeredet, aber jetzt musste ich selber mal in den Wohnwagen, Pipi machen und 'nen heißen Tee trinken. Und da fand ich deine Mail.

Ja, sag mal! Anne! Was schreibst du denn da für ein Drehbuch? Kaum bin ich weg, passiert mal was in Mondsee! Ich starre zum Wohnwagenfenster hinaus. Sie steht auf dem Brückengeländer, zittert.

Der Straßenverkehr tobt an uns vorbei.

Der Set ist kaum abgeriegelt, weil wir den Autoverkehr im Hintergrund brauchen.

Schaulustige haben sich hinter der Absperrung versammelt. Einige glauben, es handele sich um einen geplanten Selbstmord. Manche haben über Handy die Polizei gerufen.

Hier ist was los, sage ich dir!

Aber das ist ja alles nichts gegen das, was DU erlebt hast!! Deine letzte Mail hört ganz plötzlich auf, mitten in der spannendsten Szene!

Wenn ich dich recht verstanden habe, war es nicht LOTHAR, den du dauernd triffst, sondern MARK? Mark Daniel Martini? Der, dem ich meine Rente verdanke? Noch mal für Doofe.

Du stehst bei der guten alten Olga im Wohnzimmer, trällerst dein Schubert-Lied, da klopft es von außen ans Fenster, und der Eindringling, den du wie gewohnt für deinen Lothar hältst, ist Mark Daniel Martini.

Ist es das, was du mir schreiben wolltest??

Ich habe deine Mail jetzt zum dritten Mal gelesen und komme zu keinem anderen Schluss.

Das würde bedeuten, dass MEINE Entdeckung, Mark Daniel Martini, dieser appetitliche gut aussehende Kerl mit dem Knackarsch, der göttlichen Stimme, dem spitzbübischen Lachen und dem Charme einer sechsköpfigen Boy Group der Doppelgänger von DEINEM langweiligen, spießigen, verklemmten und verhärmten Lothar ist, ja? Der mit der Stressneurodermitis, den Schuppen und der chronischen Bronchienverschleimung, der immer sofort beleidigt ist und schon morgens um sieben die Auffahrt kehrt?

Sag mal, haben wir beide unterschiedlich getönte Brillen auf? Wie kann der eine dem anderen ähnlich sehen? Zum VERWECHSELN ähnlich, wie du schreibst?

Bin sprachlos, kann mich nicht weiter äußern, sehe deiner nächsten Mail mit hohem Fieber entgegen, muss jetzt sowieso aus Janes Wohnwagen, die Sonne steht da, wo sie stehen soll, und sie SPR…

Mondsee, wie üblich an deinem Schreibtisch
in der Galerie, 27. Juli

Liebste Alex,
konnte letztes Mal einfach nicht weiterschreiben, weil ER nämlich in dem Moment angerufen hat.

Also Mark. Mark Daniel Martini.

Er wollte DICH sprechen, wusste nicht, dass du gar nicht da
bist und dass ICH in DEINEM Haus wohne. Der Mann ist ja genauso verwirrt wie ich.

Er sagt, er hat mich schon oft gesehen, mit den Kindern beobachtet, aber er sei mir nicht nachgeschlichen, sondern er hätte
nur versucht, DICH zu erreichen.

Versuche, der Reihe nach weiterzuerzählen. Dabei schütte ich
mir einen Wein von Leo und Olga mit Eiswürfeln rein, aus dem
Weißbierglas, randvoll. Zitter. Den hat Mark Daniel mir noch
per Kiste ins Haus geschleppt.

An jenem Abend bei Leo und Olga in Hallstadt haben wir zusammen zu Abend gegessen. Olga hatte eine kalte Jause vorbereitet, mit Kärntner Bauernspeck, dem berühmten Hallstädter Berg-
käse, Erdäpfelkas, Tomaten, Gurken und Radieschen. Leo gab
sich sehr jovial und köpfte eine Weinflasche nach der anderen.
Wir haben den Wein getrunken wie Limonade, besonders ich.

Keiner verstand meine Verwirrung, woher auch.

Ich glotzte den ganzen Abend über den Tisch Mark Daniel an,
der seinerseits verunsichert war, dass ich ihn so anstarre.

Er ist Lothar aus dem Gesicht geschnitten. Ich weiß nicht, wie
ich dir das schildern kann – eigentlich wirkt er erwachsener und
doch um hundert Jahre jünger. Ich betrachtete seine Finger, wie
sie mit der Gabel spielten. Er hat die gleichen Finger wie Lothar.

O Gott, ich kann wirklich nur darüber schreiben, wenn ich mir den Hallstädter Wein reinschütte. Ich werde sonst verrückt.

Wann hat Lothar mich das letzte Mal berührt? Ich meine, wann hatte ich Spaß daran, dass Lothar mich berührte?

Ich betrachtete den Mund. Wie er sprach. Wie er aß. So – appetitlich. Ich konnte diesem Mann ganz ohne Ekel beim Essen zusehen. Wenn Lothar isst, dann … stopft er so hektisch das Essen in sich rein, er kaut nie mit Genuss, sondern immer so gierig, meistens mit offenem Mund, weil seine Nasennebenhöhlen verstopft sind, und er macht diese unappetitlichen Geräusche. Aber dieser Mark, der isst langsam und bedächtig, ich würde fast sagen: vornehm, Bissen für Bissen, und zwischendurch legt er das Besteck weg und redet und lacht, und all das passiert in harmonischer Reihenfolge und ist appetitlich anzusehen und macht keinerlei überflüssige Geräusche. Du hältst mich für verrückt, Alex. Aber ich muss dir das einfach so genau schildern.

Weil ich mich in keiner Weise am Gespräch beteiligte, fachsimpelten die drei immer weiter. Dann hatten sie plötzlich die geniale Idee, dass Mark Daniel in dieser Festspielsaison noch einen Liederabend singen soll, weil das Festspielpublikum so begeistert ist.

Sie einigten sich auf die »Winterreise« von Schubert, und das war das Stichwort für Olga, mich doch endlich in das Gespräch mit einzubeziehen.

»Meine neue Schülerin hier singt auch Schubert!«

Ich wollte schier unter dem Tisch versinken. »Schubert für Arme«, sagte ich schnell.

Mark Daniel sah mich so über sein Weinglas hinweg an. »Schubert für Reiche gibt's nicht«, sagte er. »Schubert war selber arm wie eine Kirchenmaus. Aber reich im Herzen!«

Guckt er dich auch immer so an?

Werde mir die Hunde schnappen und auf den Schafberg gehen. Morgen ganz früh.

Viel Glück mit Jane – lebt sie noch?

Entschuldige, dass ich nicht nach dir gefragt habe. Bitte berichte, wie es euch geht.

Anne

PS: Alle vier Kätzchen krabbeln durch den Wäschekeller und nagen an dem Rattansofa. Die Mädchen sind hingerissen!

San Francisco, immer noch auf der Golden Gate Bridge,
im Wohnwagen, 29. Juli

Liebste Anne,

das sind ja ungeheuerliche Geschichten!!

Was kann ich sonst für dich tun? Außer dass ich Tag und Nacht in Gedanken bei dir bin?

Übrigens kenne ich das, dass man gewissen Männern nicht beim Essen oder Trinken zusehen kann. Ich war mal eine Zeit lang mit jemandem liiert, der in der deutschen Showbranche heute ganz oben ist. Kann den Namen nicht sagen, denn er ist die berühmte Ausnahme, die ich gemacht habe: Habe mit ihm geschlafen und konnte dann keine zwanzig Prozent mehr kassieren. Ein Fehler, den ich in jeder Hinsicht bereut habe! Ohne diesen völlig überflüssigen Ausrutscher wäre ich nämlich schon seit Jahren Multimillionärin – und nicht erst seit Jane Blond!

Habe aber eine Verschwiegenheitsklausel unterschrieben, was in unserer Branche üblich ist.

Jedenfalls, dieser Jemand, den ganz Deutschland liebt wie den eigenen Schwiegersohn, dieser Jemand war zwei Jahre lang mein Geliebter. Wir hatten sogar heimlich eine Wohnung zusammen, in Schwabing. Tja, und weißt du, woran die Sache gescheitert ist?

Ich konnte es nicht ertragen, wie er sein Mineralwasser trank.

Und dann rechnete ich mir aus, wie oft er im Leben noch Mineralwasser trinken würde. Da war mir klar, dass wir keine Zukunft hatten.

Themawechsel. Ich wollte dir nur sagen, dass ich dich verstehe. Aber was mag das bedeuten, was du mir da schreibst?

Du verlässt nach zwölf Jahren einen Mann, um ein paar Monate später denselben Mann wiederzutreffen und dich in ihn zu verlieben?

Nein, nicht denselben. Den GLEICHEN. Ist es das?

Du schreibst, es könnten ZWILLINGE sein. Frag ihn ganz unauffällig nach seinem Geburtsdatum!

Ich platze vor Spannung! Aber sag ihm NICHTS!!! Es könnte unser Vorteil sein!!

Man darf seine Trümpfe nie aus der Hand geben, bevor man weiß, wofür man sie brauchen kann.

Denk bloß nicht, hier wäre inzwischen nichts Spannendes passiert! Jane ist tatsächlich gesprungen, es war phänomenal! Das Double hat sich nicht getraut, aber sie selbst ist von der Golden Gate Bridge gehüpft, als wäre es ein Gartenmäuerchen! Alle TV-Sender der United States waren dabei und sie ist heute auf jeder Titelseite aller verfügbaren Zeitungen! Sogar der Präsident der Vereinigten Staaten hat ihr ein Glückwunschtelegramm geschickt. Das bedeutet, ihr Marktwert steigt und steigt und steigt. Die United Airlines wollen eine Fluglinie nach ihr benennen und ich verhandele um Millionengagen. Ich brauche einfach jemanden, der sich ausschließlich um das Finanzielle kümmert. Sag deinem Lothar, er soll rüberkommen.

Sehr vergnügt – nicht zuletzt, weil in einer Stunde Steve W. in San Francisco landet und das Wochenende mit mir verbringen will!

Deine zum Zerreißen gespannte
Alex

PS: Singst du denn jetzt im Festspielchor? Haben sie dich genommen?

Mondsee, in deiner Galerie, 30. Juli, spätnachmittags

Alex!!
Rate mal, wer unten im Garten herumtobt und springt und lacht und sich im Grase wälzt! Außer den Hunden und den Katzenkindern, meine ich. Und den Zwillingen und den beiden Schwuchteln und den Nachbarskindern.

Mark Daniel! Er hat Greta ihren geliebten Teddy wiedergebracht.

Um die Pointe vorwegzunehmen: Ja, ich KANN es ertragen, wie er sein Mineralwasser trinkt. Ich habe ihn ganz genau beobachtet. Es gibt NICHTS, was es zu beanstanden gäbe.

Er gab mir die Hand und ich ergriff sie automatisch, kraftlos, wahrscheinlich war sie kalt wie eine Fischflosse. Und wie alle Künstler das eben so machen, legte er seinen Arm um mich und drückte mir rechts und links ein Küsschen auf.

Wir schauten uns an und Jaime und Rico schauten uns an und die Mädchen schauten uns auch an und Frau Koberlechner, die gerade mit dem Staubsauger unter dem Esstisch herumfuhrwerkte, schaute uns auch an.

»Ist was?«, fragte Mark Daniel und grinste.

»Nein … was sollte denn sein?« Ich stand da im Türrahmen und wollte nur noch an selbigem heruntersinken.

»Komm mit in den Garten, wir wollen dir was zeigen!« Carla und Greta schnappten sich je eine Hand und dann zerrten die beiden aufgeregten Plappermäuler ihren vermeintlichen »Vati« davon. Er warf mir noch einen fröhlichen Blick zu und war verschwunden.

Ich sank nun wirklich in die Knie.

»Ist das dein Mann?«, fragte Jaime entgeistert.

»Nein«, sagte ich tonlos.

»Frrau Pistrrrulla, dös is a ganz a Fescher!«, schrie die Kober-lechner über ihren Staubsauger hinweg. »Der Meinige, dös war kaa Brava net! Den hob i aussi g'schmissn! Aber der Ihrige, ja mei, dös is a Monnsbüld, da tät i aa noch schwach wern!!«

»Der ist ja oobersüüüß«, ließ sich Rico schließlich verneh-men.

Jetzt bin ich erst mal rauf in die Galerie, um dir zu mailen. Hilf, Schwester! Was soll ich tun?
Anne

PS: Was ich völlig vergessen habe: Kyllikki hat angerufen! Lothar ist einverstanden mit der Scheidung. Sie sagt, er will ins Ausland und sich beruflich weiterentwickeln.

Liebste Anne,
habe das Wochenende mit Steve W. Vanderbilt in San Diego verbracht und bin heute, Montag, im Privatjet mit ihm nach
L. A. zurückgeflogen. Gott, was ist der Mann reich!

Er ist übrigens geschieden. Seine Exfrau ist eine ganz promi-
nente Schönheitschirurgin und hat zum Glück selbst eine Menge
Moos, so dass er bei der Scheidung kaum geblutet hat. Während
des Fluges habe ich ihn gefragt, wie er eigentlich seine Knete
organisiert, und er hat gesagt, er hat selbstverständlich einen
Finanzmanager und seine Exfrau natürlich auch.

Siehst du, Anne, alle haben einen Finanzmanager. Nur ich
nicht!

Ziemlich beschämt zog ich den Schrieb vom Finanzamt hervor, den du mir gefaxt hast.

Als ich ihm dieses peinliche Geheimnis verraten habe, hat er
sich köstlich amüsiert.

»Du willst doch nicht im Ernst behaupten, du hast niemanden, der sich um dein Geld kümmert!«

»Doch, leider!«

»Aber als Managerin von Jane Blond verdienst du fast täglich
Millionen!«

»Tja. Das muss ich zugeben.« Ich war total beschämt.

»Sag, dass das nicht wahr ist, Darling!« Er lachte sich kaputt.
»Du als erfahrene Topmanagerin, du arbeitest nicht nach dem
neuesten Steuersparmodell?«

»Wie denn? Ich hab weder Zeit noch Lust dazu noch befinde
ich mich auf dem neuesten Stand der Börse in Deutschland!«

»Soll ich dir meinen Finanzmanager vorbeischicken?«

»Das kannst du gerne machen, aber das wird wenig Zweck haben. Ich muss Janes Gagen nach deutschem Recht versteuern und meine eigenen auch!«

»Dann brauchst du einen deutschen Finanzmanager! Einen gerissenen Burschen, der absolut am Rande der Gesetze jongliert, der jeden Trick kennt und dich trotzdem solide berät. Die Typen vom Finanzamt müssen sich langweilen, wenn sie deine Unterlagen durchsehen!«

»So weit war ich auch schon…«

»Darling, ich werde mich umhören. Mein Finanzmanager kennt vielleicht jemanden, der jemanden in Deutschland kennt.«

Ist er nicht süß? Er ist so rührend darum bemüht, dass ich meine Kohle zusammenhalte! Ein echt fürsorglicher Mann, der ganz offensichtlich ehrliche Gefühle für mich hegt.

Also, ich sage dir, Anne, wenn ein Kerl erst mal so weit mit dir ist, dass er sich um dein Geld sorgt, dann meint er es ernst mit dir.

Du schreibst unter PS, dass dein Lothar ins Ausland gehen und sich beruflich verwirklichen will. Meinst du, ich sollte ihm eine Chance geben? Hältst du ihn für geeignet?

So, das war der Vorspann. Jetzt kommt der Hauptfilm! Taschentuch raus!!

Nachdem Steve W. heute und morgen verbaute Kiefer operieren muss (er sagt, er verdient pro Kiefer-OP zwischen 40 000 und 60 000 Dollar und Gott ist sein bester Freund), Jane nicht im Lande ist und mein Adrian in der Schule büffelt, habe ich den lieben Martinis mal wieder einen Besuch abgestattet.

Wir saßen also gestern Abend gemütlich auf der Terrasse, Liz, Walter und ich, und natürlich sprachen wir nach kurzer Zeit über unser gemeinsames Lieblingskind: Mark Daniel.

Dass seine Eltern ihn adoptiert haben, hatte ich dir, glaube ich, schon geschrieben, oder?

Ich wollte Genaueres wissen.

Walter saß rauchend an der Hecke, sein Whiskyglas in der Hand: »Wissen Sie, es fällt uns nicht ganz leicht, darüber zu sprechen. Andererseits ist es ja alles eine Ewigkeit her. Und die politische Situation hat sich komplett verändert.«

»Ja, das ganze Drama ist vierzig Jahre her!«, sagte Liz und fügte nicht ohne mütterlichen Stolz hinzu: »Unser Baby wird vierzig!«

»Und wo genau haben Sie ihn her?« Ich weiß, das war ziemlich direkt gefragt, aber nach all dem, was du mir geschrieben hast, konnte ich meine Neugier nicht mehr unterdrücken.

»Wir hatten damals alles versucht, um auf legalem Weg ein Kind zu adoptieren«, sagte Walter zögerlich. »Sie wollten uns keins geben.«

»Warum nicht?«

»Weil wir vorhatten, in die Staaten zu gehen.«

Ich schaute fragend zwischen den beiden hin und her.

»Na ja, die staatlichen Behörden wollen natürlich eine gewisse Kontrolle über die Familien behalten, denen sie ein Kind anvertrauen. Sie machen regelmäßig Besuche, verfassen Berichte für das Jugendamt, legen Protokolle an, Sie kennen ja die deutschen Behörden!«

»Allerdings«, sagte ich. Obwohl ich mit den deutschen Behörden noch nie was am Hut hatte.

»Sie nehmen sich das Recht heraus, die Adoptivfamilien auch heimlich zu beobachten«, sagte Walter. »In manchen Fällen tun sie das über Jahre!«

»Das ist ja auch verständlich und im Sinne der Kinder«, half Liz nach.

»Ja. Klar. Von der Warte hatte ich das Ganze noch nicht betrachtet.«

»Jedenfalls…«

»Also, was Liz sagen will…«, Walter sog an seiner Zigarre und paffte kleine weiße Wolken in den Nachthimmel, »… sie war am Boden zerstört. Sie sollte mit mir in die Staaten gehen, wo sie keinen kannte, wo sie keine Familie hatte und wo sie erst recht keine Chance auf eine Adoption haben würde. Sie wissen ja, bis man die Green Card bekommt, können Jahre vergehen.«

Er hielt inne, schaut Liz nachdenklich an, sprach dann weiter: »Dabei hatte man ihr für den Fall, dass wir in Deutschland geblieben wären, schon ein Kind versprochen. Es wäre ein Mädchen gewesen. Sie hatte sich schon von Kopf bis Fuß auf das Baby eingestellt...«

»Ich weiß nicht, ob Sie das verstehen können«, sagte Liz. »Einerseits fühlte ich mich regelrecht schwanger. Aber ich musste doch mit meinem Mann gehen. Er stand vor seinem beruflichen Durchbruch! Dafür hatte er jahrelang gearbeitet!«

»Ich glaube, ja«, antwortete ich.

»Zwei Tage vor unserer Abreise bekamen wir plötzlich einen Anruf. Es war nicht die Behörde, es waren... Fremde. Wir könnten ein Baby haben. Sofort. Sie würden uns eine Geburtsurkunde ausstellen, aus der hervorgeht, dass Liz die leibliche Mutter ist.«

Walter brach ab, schaute Liz an. Liz hatte Tränen in den Augen. Sie zuckte leicht die Schultern: »Hm«, machte sie zu mir.

»Und??« Ich biss vor Spannung in meinen Strohhalm.

»Da wir das Land für immer verließen, würden wir keine Fragen gestellt bekommen«, meinte sie schließlich. »Weder hüben noch drüben. Wir waren im Niemandsland, sozusagen.«

»Eine einmalige Chance«, sagte Walter.

»Sie haben es also gemacht.«

»Ja. Ich konnte nicht anders.«

»Sie brachten uns das Baby in einem Auto mit ausländischem Kennzeichen. Zwei Männer mit schwarzen Lederjacken. Sie hatten noch nicht mal einen Babysitz oder so was. Gab es ja damals sowieso noch nicht. Aber sie hatten – nichts! Keine Windeln, kein Fläschchen, keinen Kinderwagen... Der eine zog Mark aus seiner Jacke hervor. Er war winzig klein! Ich hatte noch nie so ein Würmchen von Baby gesehen. Ich dachte, den kriegen wir nie durch. Der andere gab uns die Papiere. In einem verschlossenen braunen Umschlag.«

»Und ... wie viel haben Sie bezahlt?«

»Für damalige Verhältnisse viel«, sagte Walter.

»Fünfzigtausend Mark. Anfang der Sechziger.«

»'ne Menge Moos«, sagte ich.

Walter und Liz sahen mich an.

»'tschuldigung«, entfuhr es mir.

»Es war 'ne Menge Moos«, seufzte Walter. »Aber ich konnte Liz ihren größten Wunsch erfüllen.« Er klopfte ihr liebevoll auf den Rücken. »Sie war eine wundervolle Mutter.«

»Ich würde sagen, Sie sind es noch!«

»Tja, Sie sehen ja, was aus Mark geworden ist. Er hat uns sein Leben lang nur Freude gemacht.«

Ich habe mir VERKNIFFEN, Anne, locker einzuwerfen, dass er sich mittlerweile gerechnet hat. Ich hab's mir verkniffen!

»Und... Sie wissen NICHT, wer seine leibliche Mutter ist?«

»Laut Papiere ist es Liz.« Walter grinste. »Ich finde, er hat ihre Nase...«

»Und von Walter hat er den Humor«, spöttelte Liz.

»Aber jetzt mal im Ernst«, drängelte ich.

»Wir haben eine Spur von einer Ahnung«, sagte Liz.

»Nämlich?«

»Natürlich haben wir immer wieder versucht, etwas über seine Herkunft zu erfahren. Wir wollten das Risiko ausschließen, dass irgendwann seine leibliche Mutter vor der Tür steht und ihn wiederhaben will. Aber die zwei Männer haben damals beteuert, die ganze Sache sei absolut wasserdicht. Deshalb haben wir, allerdings Jahre später, auf unsere eigene Weise Nachforschungen angestellt.«

»Sie haben einen Detektiv mit der Sache beauftragt.«

Walter grinste. »Sie sind ein realistisches Mädchen.«

»Einerseits wollten wir keinen Staub aufwirbeln, andererseits wollten wir Mark eines Tages die volle Wahrheit sagen können. Aber die Spuren verliefen im Sand...«

»Nicht ganz im Sand. Mark stammt vermutlich aus der ehemaligen DDR. Kann aber auch ein anderes Ostblockland sein. Auf der Geburtsurkunde war der Stempel eines Krankenhauses in Lutzkow. Dieses Krankenhaus existierte aber gar nicht. Wir haben dann alle Krankenhäuser im Umkreis von Lutzkow kontrollieren lassen, aber um den 31. August 1962 herum gab es keine Geburt, die zur Adoption freigegeben worden wäre.«

»Und?«

»Nichts und. Es hat sich vierzig Jahre lang niemand gemeldet, der Anspruch auf Mark erhoben hätte.«

»Und Mark?«

»Dem haben wir von Anfang an die Wahrheit gesagt. Er ist damit aufgewachsen. Es gab nie ein Problem. Wir sind für ihn seine Eltern und er ist ganz zufrieden damit.«

Ich räusperte mich.

»Könnte es sein, dass er ... also dass Mark ... einen ... Dopp... einen ... äh ... Zwillingsbruder hat?«

Die beiden schauten mich erstaunt an.

»Wie kommen Sie darauf?«

»Nur so«, sagte ich. »Eine Freundin von mir ist mit jemandem verheiratet, der Mark Daniel zum Verwechseln ähnlich ist.«

»Wann ist denn der Mann geboren?«, fragte Liz interessiert.

»Tja«, sagte ich. »Das werde ich sie in meiner nächsten Mail fragen!«

Also, Anne. Jetzt bist du am Zug.
Vor Spannung platzend,
Alex

PS: Wenn dein Mann auch am 31. August 1962 geboren ist, dann haben wir ein Problem...

Mondsee, Mitternacht, 4. August

Alex!!
Lothars Geburtstag ist der 1. September 62!!
  Kan vor QaAufrerung nich wieterschrie…

353

Ruhig, Anne, ruhig!
Bin schon unterwegs. Die Sache beginnt mich zu interessieren.

Jetzt schlage ich zwei Fliegen mit einer Klappe. Du hast doch nichts dagegen, dass ich deinen Lothar aufsuche? Vielleicht ist er ja der Mann, den ich suche. Werde zu ihm in die Sparkassenfiliale gehen und ihn mal unverbindlich nach möglichen Geldanlagen fragen. Vielleicht kann er mir sogar helfen mit meiner ganzen Knete.

Also, umsonst ist diese Reise sicher nicht. Liz ist übrigens bei mir. Wir zwei verstehen uns wirklich gut. Sie weiß nichts von Lothar, sie hatte einfach Lust, mich zu begleiten.

Keine Angst, Anne. Du bist mit diesem Problem nicht mehr allein. Schätze, wir sehen uns in den nächsten Tagen!

Ich melde mich, sobald ich angekommen bin!
Alex

PS: Wo liegt unser guter alter Heinrich? Habe das dringende Bedürfnis, ihm einen dicken Blumenstrauß aufs Grab zu legen!
PPS: Halt bloß die Schnauze, Anne!! Zu KEINEM ein Sterbenswörtchen!!

Mondsee, in deiner Galerie, 7. August,
morgens um sechs

Ach Alex,
ich weiß gar nicht, wo ich anfangen soll! Die Ereignisse überschlagen sich!

Mark Daniel hat in meinem Leben die Hauptrolle eingenommen. Mir ist, als wäre er das Puzzleteil, das mir zu einem perfekten Leben noch gefehlt hat!

Seit wir uns bei Leo und Olga in Hallstadt endlich »kennen
gelernt« haben, ist noch kein Tag vergangen, an dem wir uns
nicht gesehen hätten.

Er kommt fantastisch mit den Mädchen aus – sie lieben ihn
mit einer stürmischen Zärtlichkeit! Ich stehe oft fassungslos am
Fenster, wenn er mit ihnen im Garten herumtobt. Sie dürfen
schaukeln, klettern, sich schmutzig machen, im See plantschen,
mit den Hunden raufen – und er steht nicht mit miesepetrigem
Gesicht am Rand und predigt was von Bakterien durch die Hunde, Verkühlung durch Nordwind oder Lebensgefahr durch Ertrinken, sondern er lacht und rennt mit ihnen, dass es eine Freude ist.

Wenn ihnen kalt ist, zieht er ihnen was an! Wenn sie nasse
Füße haben, trocknet er sie ab! Wenn sie Hunger haben, macht
er ihnen was zu essen! Wenn sie weinen, nimmt er sie in den
Arm und tröstet sie! Wenn sie hingefallen sind, hebt er sie auf
und lenkt sie ab! Wenn sie sich langweilen, singt er ihnen was
vor!

Er sagt, er hatte nie Geschwister und Kinder leider auch nicht,
und jetzt hat er richtig was nachzuholen. Außerdem ist er völlig
perplex, dass die Mädchen keinerlei Scheu vor ihm hatten und

ihn anfangs sogar »Vati« nannten. Das hat er ihnen aber gleich abgewöhnt.

Er sagt, er findet »Vati« furchtbar spießig. Jetzt nennen sie ihn Mark.

Mark und ich haben einige lange Spaziergänge gemacht, mal mit den Mädchen, mal allein.

Am Sonntag sind wir mit den Mädchen und den Hunden am Wolfgangseeufer entlanggewandert. Er hat die beiden kleinen Prinzessinnen immer abwechselnd auf der Schulter getragen, stundenlang. Das wäre mit Lothar unvorstellbar gewesen. Der hat immer genörgelt, dass er es im Rücken hat, und mich dabei strafend angeschaut. Er hat es ja meinetwegen im Rücken gehabt. Weil er auf der Gästecouch im Hobbykeller schlafen musste.

Mark hat einen Rücken wie ein Holzfäller. Er sagt, während seiner Militärzeit hat er stets dreißig Kilo Marschgepäck geschleppt, und wenn er heute nichts auf dem Rücken hat, dann fehlt ihm etwas. Er hat übrigens jahrelang auf der nackten Erde geschlafen. Im Schlafsack.

Deshalb ist er heute gegen Kälte, Windzug und jedwede harte Unterlage immun.

Mark lacht immer nur. Er genießt das Leben! Er kann alles sehr intensiv wahrnehmen, die Gerüche, die Geräusche, die herrliche Kulisse. Außerdem singt er. Er singt mit den Kindern deutsche Kinderlieder. Er sagt, die hat Liz ihm alle beigebracht.

Wie wir so dahinwanderten am Wolfgangsee entlang, da begegneten uns viele Leute. Und ich fing ihre Blicke auf: Wir waren anscheinend das, was man eine Bilderbuchfamilie nennt! Ein fröhlicher, gut gebauter, gut gelaunter, singender Vater, eine ebenfalls fröhliche, gut gebaute (na ja, Kind, bleib bescheiden!), singende Mama, zwei traumhafte fröhliche Mädchen und zwei herumtollende Hunde – der Vollständigkeit halber erwähne ich, dass auch sie gut gebaut sind, fröhlich waren und gesungen haben; ich kann dir gar nicht beschreiben, wie stolz und glücklich ich war! Ich habe mich noch nie, nie, nie so wohl in meiner Haut gefühlt und ich bete, dass es immer so bleiben wird!

In St. Gilgen schleuste Mark uns in ein urgemütliches Gasthaus, organisierte für uns einen schattigen Tisch am Seeufer – also er schleppte einen Sonnenschirm herbei, stielte ihn ein und drehte ihn so, dass der Tisch schließlich im Schatten war, und versorgte die Hunde mit Wasser. Bevor er sich selbst setzte, besorgte er noch Malbücher und Buntstifte für die Mädchen. Sogar einen Anspitzer hatte er dabei! Dann bestellte er für die ganze Familie eiskalten gespritzten Apfelsaft und Wiener Schnitzel. Peng. Er ist so aufmerksam, so fürsorglich, ich weiß gar nicht, wie ich dir das beschreiben soll. Ständig habe ich Lothar vor Augen. Der hätte – keuchend, schwitzend, leidend! – seinen Hintern auf einen Stuhl fallen lassen, hätte als Erstes von sich gegeben, dass er nun »präzise und exakt« sieben Kilometer lang bei sengender Hitze gewandert sei, dass er sich jetzt aber absolute Ruhe ausbedinge und dass ich die Mädchen ja nun beschäftigen könne. Ansonsten hätte er lange und mäkelnd die Speisekarte betrachtet, penibel ausgerechnet, wie viel das alles schon wieder kosten würde, sich bestimmt die Bemerkung nicht versagt, dass so ein Sonntagsausflug aber ganz schön ins Geld gehe und dass er präzise und exakt um achtzehn Uhr zu Hause sein wolle, um die Sportschau nicht zu versäumen. Lothar, der Freude-im-Keim-Ersticker, der Feuerlöscher, der Lebensfreudevernichter, der Seelenflügelbeschneider, der Fantasiezerstörer.

Warum steht so was alles eigentlich nicht unter Strafe??

Mark hatte übrigens am Sonntagabend Vorstellung Don Carlos!! Um achtzehn Uhr musste er im Festspielhaus sein, aber er ließ den ganzen Tag über keine Hektik aufkommen. Im Gegenteil. Als die Kinder sich müde auf der Holzbank zusammenkuschelten, sprang er auf: »Ich hole das Auto!«, pfiff nach den Hunden und trabte fröhlich pfeifend davon.

Ich saß bei meinen schlafenden Mädchen am Tisch, genoss meine Melange und den warmen Apfelstrudel mit Vanilleeis und blinzelte verträumt in die Sonne.

Weißt du was? Wenn Mark Daniel und Lothar wirklich Zwillinge sind, dann ist mir das alles recht. Ich will nur bei diesem wunderbaren Mann bleiben. Es ist so, als hätte der liebe Gott einfach ein Fenster geöffnet, durch das ich immer bei runtergelassenen Rollläden zu schauen versucht habe.

Mark brachte uns gegen siebzehn Uhr nach Hause, lud dann Jaime und Rico in seinen Mercedes und fuhr mit ihnen zur Vorstellung. Stell dir vor, ich war so eifersüchtig auf die beiden Schwuchteln, dass ich sie hätte erwürgen können!

Ich saß noch lange im Garten und dachte an Mark. Und an Lothar.

Was passiert mit mir, Alex? Was ist da los in meinem Leben?

Ich bin sicher, dass ich das alles nur träume.

Deine Anne

PS: Das Vorsingen für den Festspielchor ist am Dienstag. Ich sollte noch üben, aber ich bringe keinen Ton raus. Meine Ruh ist hin, mein Herz ist schwer...

PPS: Heinrich liegt auf dem Zentralfriedhof neben der Mauer, die an die Frankfurter Bundesstraße grenzt. Parzelle vierundzwanzig, das vorletzte Grab! Bitte leg ihm auch von mir Blumen hin!

Plattstadt, Stadtring-Hotel, Zimmer 113, 8. August

Liebste Anne,
na, das ist ja 'ne üble Kaschemme! Daran muss sich die ver-
wöhnte Diva erst mal wieder gewöhnen.

Bin wieder dort, wo meine Wiege stand! Das ist ja ein merkwürdiges Gefühl. Ich war seit dem Abitur nicht wieder hier! Ehrlich gesagt, Heimatgefühle überkommen mich hier nicht. Die
Stadt ist noch unpersönlicher und gesichtsloser, als ich sie in Erinnerung habe. Wenn man wie ich jahrelang in dieser märchen-
haften Kulisse von Salzburg gewohnt hat, fällt es schwer, die
eintönigen Reihenhäuser, die schnurgeraden Straßen und die fan-
tasielos gestalteten Vorgärten ins Herz zu schließen. Ich habe mir
in Frankfurt bei Sixt einen Mercedes der S-Klasse geholt (habe
durch meine Firma die Vorzugskarte) und musste das Naviga-
tionssystem zu Hilfe nehmen, um überhaupt meine frühere
Straße wiederzufinden.

Von einem Tankwart am Stadtring habe ich erfahren, dass vor
sieben Jahren alle Straßen umbenannt worden sind, weil Plattstadt nun dem Großraum Rhein-Main-Gebiet zugeordnet wurde. Du weißt ja, ich wohnte Nordstraße 15, aber das heißt jetzt
Main-Kanal-Ring und die Hausnummer ist 373.

Schließlich stand ich vor dem Mietshaus, das meiner Erinnerung nach blassblau gewesen war. Jetzt ist es grünlich gelb, wie
alle Mietshäuser im Main-Kanal-Ring. Ich zählte die Balkone –
war es der dritte oder vierte von unten, der zu unserer Wohnung
gehört hat?

Weißt du noch, wie du von deinem Reihenhausbalkon immer
mit dem Bettlaken rübergewinkt hast, wenn du wegen der Haus-
aufgabe eine Frage hattest? Du durftest ja noch nicht mal für

zwanzig Pfennig telefonieren. Heute ist die Sicht zu deinem früheren Haus verbaut. Na, jedenfalls: Die Namensschilder unten an der Haustür waren mir alle fremd. Da hab ich gemacht, dass ich wegkam.

Liz war enttäuscht. Auch sie möchte in ihre alte Heimatstadt fahren, sie stammt aus einem Vorort von Nürnberg. Sie hat alte Fachwerkhäuser in Erinnerung, schmale Gassen und einen verwinkelten Marktplatz mit einem Brunnen, auf dessen Rand sie immer mit ihren Schulfreundinnen saß und Hausaufgaben machte. Wenn wir übermorgen in Nürnberg sind, werden wir natürlich runter nach Salzburg fetzen! Liz will Mark sehen und ich DICH!!

Aber zuerst werde ich hier ein bisschen rumschnüffeln.

Leider ist das Hotel hier auch nicht der Bringer. So ein nagelneuer Kasten direkt an der Autobahnauffahrt, hinter einem riesigen Einkaufszentrum – das ist aber nicht das Kaufglück, nein? – mit fantasieloser Einrichtung und hauptsächlich Vertretern drin und alles in Orange gehalten, mit Plastikblumen auf den Tischen und billigen Drucken an den Wänden! Spei, würg, kotz! Allerdings: Im Keller ist eine Bowlingbahn! Ob Lothar hier anzutreffen ist?

Werde mich jetzt auf mein Nullachtfuffzehn-Bett hauen und erst mal meinen Jetlag ausschlafen. Liz ist »bummeln« gegangen. Hier gibt's nix zu bummeln. Noch nicht mal eine Fußgängerzone! Aber sie will versuchen, Mark zu erreichen, damit wir uns auf jeden Fall nächste Woche sehen.

Für dein Vorsingen drücke ich dir alle Daumen!!
Deine Alex

PS: »Meine Ruh ist hin, mein Herz ist schwer …«, das dürfte dir doch wohl jetzt nicht schwer fallen.

Mondsee, 10. August

Liebste Alex!
Die besten Grüße nach Plattstadt! Nein, mich schaudert's, wenn ich daran denke, dass du Arme nun im Stadtring-Hotel hausen musst! Ich sehe dich vor mir, wie du durch all die gleich aussehenden Straßen irrst, die bei dieser Hitze ausgestorben und noch trostloser als sonst sein dürften! Auch unsere alte Gesamtschule dürfte jetzt während der Ferien verlassen dastehen! Mitten in dem Neubaugebiet, das sich einmal Grüngürtel nannte und jetzt durch die Straßenbahnschienen und die Hochspannungsmasten zerstört ist!

Die arme Liz! Sag ihr, dass es in Deutschland auch sehr, sehr schöne Städte gibt!

Aber ins Kaufglück müsst ihr natürlich unbedingt einmal reinschauen und gucken, wer da jetzt Personalchefin ist. Vielleicht entdeckt ihr sogar Siegwulf Mennecken oder Jürgen Böhser! Wühl mal in den Sonderangeboten! Und geh mal in der Kantine essen! Dann weißt du, wie ich mich in den letzten zwölf Jahren gefühlt habe.

Am meisten interessiert mich natürlich deine Begegnung mit Lothar. Er dürfte in seiner Sparkassenfiliale am Neustadtwall sitzen. Ehrlich, ich habe Herzklopfen, wenn ich daran denke! Was wirst du ihm denn sagen? Bleibt es dabei, dass wir den beiden kein Sterbenswörtchen von ihren Doppelgängern verraten?

Ach Alex, mein Herz hüpft wie früher, als ich noch ein kleines Mädchen war!

Wieder ein ganzer, langer, sonniger Tag mit Mark Daniel!

Jaime und Rico: Als Babysitter sind die beiden hervorragend geeignet.

Es ist kaum zu glauben: Nach den langen Jahren unter der Knechtschaft der sich unentbehrlich vorkommenden Omas bin ich auf einmal von netten jungen Männern umgeben – und das Leben funktioniert! Mit welcher Hingabe sie die Schwimmflügelchen aufgeblasen haben…

Mark und ich fuhren zum Gosausee. Kennst du ihn? Er liegt noch hinter dem Hallstädter See und ist fast noch paradiesischer als alles, was ich bisher hier gesehen habe.

In Bad Ischl machten wir kurz Pause und wanderten auf den Spuren der Kaiserin Sissi.

Es war so romantisch! Hoffentlich kriegst du jetzt keinen Schüttelfrost, ich weiß nicht, wie ich es anders schreiben soll! Die ganze Zeit über musste ich Mark von der Seite anstarren und mir ein blödes Kichern verbeißen.

Im Park vor dem Kurhaus setzten wir uns auf einen Eiskaffee unter eine Kastanie und plauderten. Es vergeht kaum eine Viertelstunde, in der ich nicht plötzlich laut lachen muss! Ich lache eigentlich die ganze Zeit. Er hat so eine charmante Art, mit Leuten umzugehen. Und wenn er nur fragte: »Ist dieser Stuhl noch frei?« oder »Wie viel kostet diese Semmel?«, dann ist das schon eine kleine Szene aus einer Komödie – irgendetwas fällt ihm immer ein, die Leute zum Lachen zu bringen! Es ist ganz merkwürdig: Kaum einer seiner Gesprächspartner bleibt ernst oder guckt lange verkniffen, wenn Mark erst einmal das Wort an ihn gerichtet hat.

Irgendwie merkt man ihm an, dass er in Amerika aufgewachsen ist. Er ist so … unspießig.

Ach Alex, wenn ich jetzt nicht aufhöre zu schwärmen, wirst du neidisch, ich weiß. Und ich kriege bald wunde Fingerkuppen. Meinen blöden Gesichtsausdruck kannst du dir ja eh schon vorstellen. Ich grinse den ganzen Tag glücklich vor mich hin.

Am Gosausee ließen wir die Hunde frei laufen und machten uns auf den Weg.

Diese Kombination aus Hochgebirge und Seen ist das Herrlichste, was man sich wünschen kann. Mark erwähnte beiläufig, dass A. von Humboldt, dieser Naturforscher, von dem wir auch mal in der Schule gehört haben, den Gosausee als »das Auge

Gottes« bezeichnet hat und Adalbert Stifter beschreibt die Gosauer Bergwelt auch in einem seiner Bücher. Und nun beschreibt sie Anne Pistrulla in einer ihrer E-Mails an Alex von Merz.

Es ist zauberhaft, verwunschen, ein Lichterspiel für alle Sinne! Es duftet nach frischem Holz, nach allen wilden Blüten, die ein heißer Landsommer mit sich bringt, nach trockenen Wurzeln und sattem Gras. Im Wasser spiegeln sich die Gipfel der umliegenden Berge und bei jedem Schritt verändert sich das Bild. Ich hatte das Gefühl, dass die Spiegelbilder klarer konturiert waren als die Bergkette selbst. Es war alles wie eine gigantische Opernkulisse – wie überhaupt mein Leben in letzter Zeit eine gigantische Oper zu sein scheint.

Später fuhren wir mit der kleinen roten Gondel hinauf zur Zwieselalm. Alex, warst du mal dort? Sag nicht, dass du noch nie in diesem Stückchen Paradies gewesen bist!

Ich habe noch niemals eine so wundervolle Aussicht genossen – auf die schneebedeckten Berge des Dachsteingletschers und der umliegenden Bergriesen, die majestätisch in der Sonne glänzten. Es ist, als hätte Gott selbst dieses Bild gemalt! Ach Alex, ich bin so hingerissen von diesem traumhaften Fleckchen Erde!

Manchmal frage ich mich, warum es so öde und seelenlose Orte wie Plattstadt gibt und dann gleichzeitig so paradiesische Gefilde wie dieses hier. Und warum es Menschen gibt, die klaglos in Plattstadt wohnen, und andere, die so selbstverständlich und ohne eigenes Zutun in dieser Gegend leben dürfen! Ich habe auf dem heutigen Spaziergang endgültig beschlossen, für immer in dieser Gegend zu bleiben.

Wenn du eines Tages wieder in deinem Haus wohnen wirst, miete ich mir eine kleine Ferienwohnung in der Nähe. Ich geh hier nie wieder weg! Und wenn du in Amerika bleibst, kaufe ich dir dein Haus ab. Und wenn ich putzen gehen muss, um es abzubezahlen!

Ach Alex, lass mich weiter in Erinnerungen schwelgen! Die Hunde wühlten sich begeistert durchs Unterholz, rannten ständig zu einem wild sprudelnden Gebirgsbach und kühlten sich ab. Die pure, nackte Lebenslust hatte uns alle gepackt. Wir waren noch nicht müde genug, um Rast zu machen. Unbedingt wollten wir noch den Höhenrundwanderweg gehen, um diese Aussicht auszukosten.

Mark Daniel schritt strammen Schrittes neben mir her. Wieder so ein Punkt, in dem er sich von Lothar unterscheidet: Lothar hat so einen zähen Gang! Er leidet so beim Laufen. Ich habe immer das Gefühl, ich muss ihn ziehen. Wie oft hat er mir bei früheren Spaziergängen vorgeworfen, ich ginge ihm zu schnell! »Du mit deinem militärischen Stechschritt!«, hat er immer gesagt. Sein Ebenbild, Mark Daniel, hat genau diesen forschen Gang drauf. Der schreitet zügig voran, mit kräftigen, gesunden Schritten. So wie ich.

Unauffällig habe ich festgestellt, dass wir sogar im Gleichschritt gehen. Ohne uns dabei zu verrenken. Oft gehen wir ganz selbstverständlich Hand in Hand. Es gibt so viel zu besprechen!

Ich habe beschlossen, einfach nur meine Zeit mit Mark zu genießen – wie ein kostbares Geschenk.

Kennst du das, Alex, dieses Gefühl, dass man mit dem lieben Gott handeln will, dass er die Zeit still stehen lässt? Dass man jede Minute festhalten möchte, wie ein Kind? Meins, alles meins. Meine Sekunden mit Mark. Jede einzelne ist so kostbar, dass ich sie mit niemandem auf der Welt teilen möchte. Lieber Gott, lass es nicht Abend werden. Bitte halte die Zeit an, bitte, lieber Gott. Ich lebe so gern.

Erschöpft und glücklich landeten wir am späten Nachmittag auf der Zwieselalm, wo wir uns bei einem großen Bier und köstlichen Speckknödeln aneinander lehnten, die Augen schlossen und die Zeit tatsächlich stille stand.

Nachdem die bodenständige Maid im Dirndl die Teller abgeräumt hatte, bat sie Mark verschämt um ein Autogramm. Ist das nicht süß, Alex? Dass diese hochalpine Kellnerin auch zu den Festspielen geht? Oder vielleicht hat sie auch nur Zeitung gelesen.

Jedenfalls wollte ich vor Stolz und Glück platzen.

Muss Schluss machen, liebste Alex, fahre gleich zum Vorsingen.

Bin bestens präpariert – Olga Schellongova hat sich stundenlang mit mir abgemüht. Sie meint, für den Chor reicht es allemal.

Freue mich wahnsinnig auf das Opernleben! Dass sich auf meine alten Tage noch alle meine Träume erfüllen ... Alex, das verdanke ich dir! Sei fest umarmt von
deiner Anne

PS: War schon am Gartentor – bin noch mal zurück: schon wieder ein Brief vom Finanzamt. Dritte und letzte Verwarnung! Wenn du nicht sofort reagierst, schicken sie dir die Steuerfahndung ins Haus. Ich faxe ihn in die Kreissparkasse nach Plattstadt zu Händen von Lothar. Dann hast du gleich einen konkreten Anlass, ihn aufzusuchen. Bestimmt ist er begeistert. Endlich mal eine Aufgabe, die seinem Genius entgegenkommt!

Liebste Anne,
erst mal danke wegen des Steuerschriebs. Lass die Burschen bloß
nicht rein! Wenn die meine Galerie sehen mit den frei fliegenden
Vögeln und dem ganzen Blumenmeer, mit der Hängematte und
der Landschaft aus bunten Polstern, wenn die erst mal ihre
Nase in meine Duftkissen stecken und feststellen, dass Wohn-
und Arbeitsbereich fließend ineinander übergehen, dann erkennen sie mir womöglich noch nicht mal die Galerie als Arbeitszimmer an und ich muss die Steuern der letzten Jahre zurückzahlen!

Das zum Unerfreulichen. Jetzt zum spannenden Teil meiner
heutigen Mail.

Halt dich fest, Anne. Anschnallen. Ich hab ihn kennen gelernt!

Na Wahnsinn. Anne, Mensch! Du hättest ihn treffender gar
nicht beschreiben können!

Gestern stehe ich so an der Rezeption, will mich beschweren
wegen des lauten, völlig übeuteuerten Zimmers, was sich unver-
schämterweise »Suite« nennt, und fragen, wo es in aller Welt in
diesem verdammten Nest eine anständige Fußmassage geben
könnte, da steht ER plötzlich neben mir! Mark Daniel für Arme.

Er hat die Haare kurz, mit Gel drinnen, schrecklich, so bors-
tige Zippel, mit denen Mann von Unterwelt heutzutage rumläuft, dazu einen Vollbart der Marke Hauptschullehrer in den
Achtzigern. Er trägt einen spießigen Kombinationsanzug von der
Stange mit Button-down-Hemd und Fliege. Und eine kleine
runde Brille. Dazu Schuhe mit Troddeln in Weinrot! Grauenvoll!
Er sieht aus wie Mark Daniel Martini, der sich für Karneval mal

so richtig schaurig verkleidet hat – mit viel Mut zur Hässlichkeit.

Da steht er also neben mir, riecht nach O de Kolonj aus dem Sonderangebot und beachtet mich natürlich nicht.

»Ist die Bowlingbahn schon frei?«, fragt er, ohne mir einen Blick zu schenken.

Ich zucke zusammen, lasse den Kugelschreiber und den Stadtplan fallen, starre ihn an.

Diese Stimme! So gar nicht ein bisschen profund!

Er fühlt sich beobachtet, räuspert sich, guckt mich auch an.

»Ist was? Hab ich mich vorgedrängelt?«

»N… nein«, sage ich. »Ich steh hier nur so rum.«

»Also, ist die Bowlingbahn schon frei?«

»Tut mir Leid, Herr Pistrulla, aber sie ist noch bis neunzehn Uhr dreißig besetzt.«

»Ich habe doch EXTRA angerufen und gefragt, wann präzise die Bowlingbahn frei wird! Sie haben mir versichert, AUF DIE MINUTE um sieben, und ich bin davon ausgegangen, dass ich mich auf Ihre Informationen verlassen kann! Ich habe den ganzen Tag gearbeitet, EXAKT neun Stunden und dreißig Minuten, bin OHNE PAUSE von der Bank gleich hierher gefahren, um PÜNKTLICH um PUNKT sieben mit meinem Freizeitprogramm zu beginnen, ich habe sogar EXTRA noch mal zurückgefragt, ob es bei PUNKT SIEBEN bleibt, und Sie haben mir VERSICHERT…«

»Nun mach dich mal locker, Lothar«, entfuhr es mir.

Er hielt inne, starrte mich an. »Was ERLAUBEN… Woher kennen Sie meinen Namen?«

»Alex von Merz«, sagte ich und reichte ihm die Hand. »Entschuldigung. Wir sind zusammen zur Schule gegangen.«

»Tut mir Leid. Ich erinnere mich nicht an Sie.« Er zog die Nase hoch. Kurz, beleidigt.

»Ist ja auch schon ein Weilchen her. Ich war ein paar Klassen unter Ihnen. Beim Heinrich Seelig.«

Seine Augen standen prompt in Tränen. Der ist ja vielleicht fertig, der Mann!

»Dann waren Sie mit meiner Frau in einer Klasse!«

Ich heuchelte, dass sich die Balken bogen: »Wer ist denn Ihre Frau?«

»Anne Klein. Aber sie ist nicht mehr meine Frau. Sie hat mich verlassen.« Eine dicke Träne rann ihm aus dem Augenwinkel. Die Frau an der Rezeption machte sich schleunigst im Hinterzimmer zu schaffen.

Bevor ich ihn noch trösten konnte, zeigte er mir seine Finger. »Gucken Sie mal. Das hier. Stressneurodermitis! Raten Sie mal, wie so was zustande kommt.«

»Vom vielen Rumraunzen«, sagte ich erbarmungslos. »Was ist? Trinken wir was zusammen? Sie müssen ja eh hier warten.«

Ich zog ihn am Ärmel und zerrte ihn in die so genannte Bar, an die große Glasfront mit Aussicht auf die Schnellstraße.

»Sind Sie zufällig hier?«, fragte er, nachdem er einen Tomatensaft OHNE Gewürze und OHNE Eis bestellt hatte. Ich zog mir einen Martini rein. Mit drei Oliven.

»Hab geschäftlich hier zu tun«, sagte ich, indem ich ihn unverhohlen betrachtete. Klar sind das Zwillinge!

Und dabei gleichzeitig diese frappierenden Unterschiede!

»Was starren Sie mich so an?«

»Wollen wir nicht du sagen?«, sagte ich. »Ich meine, als alte Schulkameraden.«

»Hm. Meinetwegen.«

Sprach's und zog beleidigt die Nase hoch.

Ich tat völlig ahnungslos: »Steckst wohl in 'ner Megakrise, was?«

»Das ist noch milde ausgedrückt.« Er nuckelte an seinem Tomatensaft und ich überlegte, ob ich es wohl ertragen könnte, ihm täglich dabei zuzusehen.

»Warum ist denn deine Frau abgehauen?«

»Keine Ahnung. Hatte wohl einen Liebhaber.«

Er hob seine rechte Arschbacke, klaubte einen zusammengefalteten Zeitungsartikel aus der Tasche und fledderte ihn mir hin.

Ich knabberte an meiner Olive und sah ihn fragend an.

»Da! Lies! Ganz Plattstadt redet über sie!«

»Warum soll ich das lesen, wenn du es mir selbst erzählen kannst?!«

»Ist mir peinlich.«

»So schlimm?«

»Na ja, sie hat … ihre Position ausgenutzt und mit ihren Untergebenen…«

»Was?«

»In der Bettenabteilung ihrer Kaufglück-Filiale … und ihnen für ihr Schweigen elektronische Geräte in horrenden Werten geschenkt.«

»Und du glaubst das.«

Er zog die Nase hoch. »Was soll ich denn machen? Mit mir hat sie jedenfalls schon jahrelang nicht mehr geschlafen.«

»Woran das liegen könnte, darüber hast du aber noch gar nicht nachgedacht…?«

»Ich glaube nicht, dass ich darüber mit dir sprechen will.«

Nachdem ihn heftiger Juckreiz befallen hatte und er einer Kratzattacke erlegen war, lenkte er ab: »Und was treibt dich nach Plattstadt?«

»Bin auf der Durchreise«, sagte ich. »Wollte mal wieder meine alte Heimat anschauen.«

»Es hat sich nicht viel verändert«, sagte Lothar. Selbst das klang irgendwie beleidigt.

»Und wie geht's jetzt bei dir weiter?«, wollte ich wissen. Irgendwie tat er mir Leid.

»Das steht überhaupt nicht zur Debatte.« Kurzes, beleidigtes Nasehochziehen.

»Du meinst, es geht mich einen feuchten Kehricht an«, lächelte ich freundlich.

»Du sagst es«, knurrte er. Dann schaute er auf die Uhr. »Noch exakt zweiundzwanzig Minuten. Wenn dann die Bowlingbahn nicht frei ist, rufe ich den Geschäftsführer.«

Ich konnte nicht mehr an mich halten. »Hast du dich jemals gefragt, WARUM Anne dich verlassen hat?«

»Aha«, sagte er schmallippig. »Jetzt kommt also das übliche Emanzengewäsch!«

»Nun halt mal den Ball flach!«, brauste ich auf. »Dass ihr Kerle euch nie an die eigene Nase packt! Das hat doch einen Grund, wenn dir die Frau wegläuft!« Zugegeben, ich wurde ziemlich laut. Aber seine unreflektierte Selbstherrlichkeit, gepaart mit diesem jämmerlichen Selbstmitleid, ging mir schrecklich auf den Geist.

»Schrei hier nicht so rum«, zischte er wütend. »Das ist hier ein zivilisiertes Hotel.«

In dem Moment kam Liz aus dem Fahrstuhl.

»Na, hast du erfahren, wo es hier eine Fußmass… MARK!!

Sie rannte auf Lothar zu und wollte ihm über den Kopf streichen, zuckte aber plötzlich zurück.

Lothar schaute zwischen uns hin und her. »Kann ich jetzt in Ruhe meinen Tomatensaft trinken oder was?« Er zog die Nase hoch und rückte mit seinem Sessel wieder an den Tisch heran. Ich hörte ihn schon sagen: »Kann der Vati jetzt in Ruhe seinen Tomatensaft trinken?«

»Entschuldigung«, sagte Liz. »Ich wollte nicht stören…«

Sie verschwand im Fahrstuhl, nicht ohne Lothar vorher noch kopfschüttelnd zu mustern.

Lothar saß da.

»Jetzt sitz ich hier rum. Den ganzen Tag habe ich mich abgehetzt. Punkt halb acht hab ich auf meinem Bürostuhl gesessen und präzise siebenundzwanzig Telefonate geführt. Eins davon mit diesem Penner, der nicht in der Lage ist, die Termine für die Bowlingbahn zu koordinieren.« Er zog die Nase hoch, dass es nur so rauschte.

»Brauchst du ein Taschentuch?«

»Nein. Das ist chronisch. Stressbedingt.« Er schien richtig stolz darauf zu sein.

»Was machst du denn beruflich?«, fragte ich scheinheilig.

»Ich hänge bei der Kreissparkasse in der Plattstädter Filiale rum«, schmollte Lothar.

»Und das macht dir offensichtlich keinen Spaß.«

»Nein. Aber mich fragt ja keiner.«

»Wieso? Du bist doch erwachsen?«

»Bla, bla, bla«, machte Lothar sauer.

»Du sprühst ja nicht gerade vor Lebensfreude«, stichelte ich.

»Wie denn auch! Erst schuftet man sich präzise vierzehn Jahre lang durch die mittlere Angestelltenlaufbahn, um sich für die Familie das Reihenhäuschen leisten zu können, und dann geht die Frau mit den Kindern laufen!«

»Dann mach doch jetzt was anderes!«

»Wie stellst du dir das denn vor? Was soll ein Mann von vierzig Jahren denn noch anderes anfangen?«

»Ich suche einen Finanzmanager«, sagte ich.

»Komm um neun Uhr morgen früh in meine Zweigstelle«, sagte Lothar und schaute wieder auf die Uhr. »In exakt… sieben Minuten…«

»Ich weiß«, sagte ich. »Die Bowlingbahn.«

»Endlich hat mal eine Frau Verständnis für meine Bedürfnisse«, sagte Lothar. Und dann, Anne! Er lächelte! Richtig sympathisch! In dem Moment sah er Mark ähnlicher als Mark sich selbst. Ich hatte richtig Herzklopfen!

In dem Moment klingelte sein Handy. »Hallo, Vati«, sagte er eilfertig. »Nein, ich kann jetzt nicht. Bin im Beratungsgespräch. Was? Ja. Nimm sie mit. Ich muss heute Abend nichts essen. Sieh nach, ob sie den Herd ausgemacht hat! Ja, ich rufe dich später zurück.«

Wir verabschiedeten uns.

»Bis morgen, um PUNKT neun in deiner Filiale«, sagte ich. »Ich brauche wirklich deine Hilfe!«

»Mal sehen, was ich machen kann«, sagte er gönnerhaft.

Liz und ich gingen später essen. Bei einem Jugoslawen hinter Milchglasfenstern, mit kleinen fiesen, penisartigen Kakteen auf den Fensterbrettern.

Liz hat keinen Bissen runtergekriegt. »Der könnte mein Junge sein«, sagte sie immer wieder. »Wie ist das nur möglich?«

Tja, Anne.

Und das wird herauszufinden sein. Sag mal, ist dein Lothar zufällig auch adoptiert?

Sei lieb gegrüßt von deiner Alex

PS: Bekomme stündlich SMSe von Steve W. Vanderbilt!! Er hat schon wieder zwei Hollywood-Gebisse gemacht! Das sind Zigtausende von Dollars!

Mondsee, 17. August

Liebste Alex,
komme gerade aus Salzburg zurück, wo ich vorgesungen habe!
Auf der Bühne des großen Festspielhauses!

Mitten in der großen Pause ruft der Leo von Merz plötzlich:
»Alle mal in den Saal, wir haben ein Vorsingen!«

Leo von Merz drehte sich suchend im Saal um: »Wo ist sie
denn?«

Mir schlug das Herz bis zum Halse. Meint er etwa MICH?

Der Pianist, der gerade noch die Casta-Diva-Arie der Norma
begleitet hatte, fing an, mein Schubert-Lied zu klimpern! Alex,
kannst du dir meine Panik vorstellen? Alle Sänger, die Statisten,
die Chorsänger, die Einpauker und Souffleure, der Regisseur, die
Regieassistentin, die Beleuchter, mein Gott, es waren vermutlich
siebzig Leute, die da im Saal zusammenströmten, während ich
schweißgebadet auf die Bühne kletterte!

Mark Daniel packte mich am Arm, sah mich an mit einem
Blick, der mir die Knie zu Pudding werden ließ: »So, Darling.
Zeig's ihnen. Stell sie dir alle in Unterhosen vor!«

Mit zitternden Fingern schlug ich mir die Noten auf, aber
Mark nahm sie mir weg. »Ah, geh, Darling! Das kannst du lange auswendig!«

Ich sah ihn Hilfe suchend an, japste nach Luft. »Ich glaube,
ich muss sterben...«

»Ausatmen, ausatmen, bis nix mehr drin ist«, beschwor mich
Mark. Er hatte immer noch diese Keule in der Hand, mit der er
seinen Kriegern droht. Die Krieger lümmelten entspannt in ihren
Bänken.

Mark Daniel nahm mein Kinn und schob es zu sich hoch:

»Denk an mich. Nur an mich. Sing für mich.« Ich drückte Mark die Hand, so fest ich konnte.

Dann sprang er mit einem Satz in den Orchestergraben und war verschwunden.

»Können wir dann mal?«, rief Leo von Merz durch das Stimmengemurmel, und augenblicklich war es ruhig.

Der Einpauker begann wieder zu spielen und ich war auf einmal ganz gelassen. Da stand ich EINMAL im Leben auf der Bühne des Festspielhauses! Keine Noten, an die ich mich klammern konnte, keine klaren Gesichter zu sehen.

Ich war das Gretchen. Ich stellte mir vor, an diesem Spinnrad zu sitzen, diese eintönigen Bewegungen zu machen, und ich begann, mich ausschließlich auf Mark zu konzentrieren. An den ich Tag und Nacht denken muss. Der mein Freund ist, mein Kamerad, mein Gesprächspartner, mein … Geliebter. Der mich geküsst hat und mir gesagt hat, dass er sich so eine Frau vorgestellt hat. Mit dem ich heute Morgen aufgewacht bin. »Meine Ruh ist hin, mein Herz ist schwer, ich finde und finde sie nimmermehr. Wo ich ihn nicht hab, ist mir das Grab, die ganze Welt ist mir vergällt. Mein armer Kopf ist mir verrückt, mein armer Sinn ist mir zerstückt. Nach ihm nur schau ich zum Fenster hinaus. Nach ihm nur geh ich aus dem Haus. Sein hoher Gang, seine hehre Gestalt, seines Mundes Lächeln, seiner Augen Gewalt. Und seiner Rede Zauberfluss… Sein Händedruck – und ach – sein Kuss!! Meine Ruh ist hin, mein Herz ist schwer…«

Als ich fertig war, fingen einige der Kulissenschieber da unten an zu klatschen. So ganz gemächlich, fast gönnerhaft, nach dem Motto: »ISSE denn jetzt endlich fertig!«

»War's das?«, fragte Leo von Merz.

»Ich fürchte, ja!«, rief ich gegen das Scheinwerferlicht.

»Gut. Sopran oder Mezzo, Kollegen vom Chor? Wo können wir sie brauchen?«

Schrecklich sachlich. So – routiniert. Klar, für ihn war es das tausendste Vorsingen.

Für mich das erste. Und letzte. Ich schwör's.

»Mezzo!«, riefen einige.

»Sopran!«, riefen andere dazwischen.

»Tenor!«, johlten einige Kerle aus dem Priester-Chor. »Wegen der Optik!«

»Hahaha«, machten einige aus dem Sopran zickig.

»Optisch können wir sie in der ersten Reihe brauchen!«, rief der Regisseur dazwischen. »Bei der Casta-Diva-Arie kann sie Norma die goldene Schale reichen. Spare ich mir eine Statistin ein.«

»Okay, dann bitte wieder alle auf die Bühne und in den Orchestergraben!«, rief Leo, und damit war das Vorsingen beendet.

Einige Instrumentalisten klopften mir anerkennend auf die Schulter, die Chordamen nickten mich freundlich an, die Chorherren sogar sehr freundlich.

»Willkommen in unserem Haufen«, sagte einer und »Hübsche Damen nehmen wir immer gern« ein anderer. Diese Österreicher sind alle so charmant! In Plattstadt hätte es wahrscheinlich nur neidische Blicke gehagelt.

Ich bin engagiert, Alex! Im Chor der Salzburger Festspiele! »Gastvertrag für die Produktion NORMA!« steht in meinem Vertrag. »Aufwandsentschädigung siebzehn Euro dreiundsechzig pro Vorstellung plus freies Parken in der Felsengarage!«

Alex, ich bin der glücklichste Mensch der Welt. Ich werde jetzt noch sieben Proben und fünf Aufführungen an Marks Seite sein! Der liebe Gott hat meine Gebete erhört. Ich fühl mich wirklich wie Gretchen. Ach, könnt' ich fassen und halten ihn! Wie wird mein Leben weitergehen? Und das meiner Kinder?

Das für heute. Rico wartet. Sein Geschenk zum sensationellen Operndebüt: eine Fußmassage!! Jaime kocht Spaghetti. Brasilianisch-feurig. Seine Mutter hat ihm ein Saucenrezept gemailt.

Nach der »Don Carlos«-Aufführung kommt Mark. Er sagt, ich soll schon mal den Champagner kalt stellen.

Die Mädchen sitzen in der Badewanne und quietschen vor Übermut.

Könnte ich je glücklicher sein??

In gespannter Erwartung deiner nächsten Mail!

Tausend begeisterte Grüße und Küsse von Mark und mir!!
Deine Anne

PS: Die Katzen balgen sich auf der Terrasse, die Hunde lecken sie ab, deine Videokamera ist ständig im Einsatz!

Plattstadt, in meinem jämmerlichen Hotelzimmer mit Aussicht
auf die Umgehungsstraße, 14. August

Liebe Frau Kammersängerin,
ich hab doch immer gewusst, was in dir steckt! Jetzt hast du mit
»Gretchen am Rennrad« noch mal ganz groß Karriere gemacht!
Endlich bist du wieder die, die ich früher kannte!

Ich bin gleich rüber zum Friedhof und habe Heinrich davon
erzählt. Er liegt ja ziemlich einsam da hinten an der Mauer, aber
er macht einen zufriedenen Eindruck. Ich hab ihm von uns beiden gemeinsam einen üppigen Sommerstrauß hingelegt. Und er
hat sich gefreut.

Heute Morgen hab ich mich in mein knallrotes Businesskos-
tüm von Escada geschmissen (was jetzt wieder passt wie 'ne Eins)
und habe deinem amtlichen Herrn Sparkassenfilialleiter meine
Aufwartung gemacht.

Er hat nicht schlecht gestaunt, als er mich in diesem Aufzug
sah! Er nahm seine runde Brille ab, putzte sie umständlich mit
seinem Jackettsaum und setzte sie wieder auf, um weiterhin erstaunt hindurchzustarren. Kaum hatte er sich wieder gefangen,
hat er mir dieses verdammte Fax vom Finanzamt sehr förmlich
überreicht.

»Das ist hier für dich angekommen.«

»Und?«, sagte ich. »Hast du's gelesen?«

»Natürlich nicht. Ich beherzige das Briefgeheimnis.«

»Aber ich will, dass du es liest! Mensch! Die Typen vom
Finanzamt setzen mir die Pistole auf die Brust!«

»Das ist noch milde ausgedrückt«, sagte Lothar, nachdem er
den Schrieb überflogen hatte.

»Du hast erhebliche Einnahmen im Ausland gehabt«, belehrte er mich in diesem beleidigten Nasehochziehton, »und nicht versteuert. Da beißt die Maus keinen Faden ab.«

»Ja«, sagte ich ungeduldig, »weiß ich.«

»Damit hast du dich im weitesten Sinne strafbar gemacht«, mäkelte Lothar. »Alles, was recht ist!«

»Mann! Komm mir jetzt nicht mit diesem moralischen Gesülze! Hilf mir lieber aus der Patsche!«

Er verzog den Mund zu einem süßlichen Lächeln. »Ich kann mich nicht erinnern, von dir zu einer solchen Handlung aufgefordert worden zu sein … Dienst ist Dienst und Schnaps ist Schnaps!«

»Dann FORDERE ich dich hiermit auf!«

»Es tut mir Leid«, sagte Lothar schmallippig, indem er auf seinen elektronisch programmierten Terminkalender tippte. »Aber ich habe überhaupt keine Termine mehr frei … Gut Ding will Weile haben … Rom wurde auch nicht an einem Tag erbaut…«

Boh, diese Spießersprüche! Wie ich dich verstehen kann!!

»Ich BITTE dich!«, sagte ich und sank auf seine Schreibtischkante. Leider hatte er keine Zigaretten rumliegen, sonst hätte ich eine gequarzt. Obwohl ich es mir doch abgewöhnt habe.

Er wich zurück und starrte mir in das Dekolleté, das glücklicherweise nach wie vor üppige …

»Es … handelt sich um … für mich ungewohnte Summen«, sagte er schließlich. »Mit solchen Geldern habe ich keine Erfahrung.«

»Aller Anfang ist schwer«, sagte ich, milde lächelnd. »Dafür sind neue Erfahrungen ja da. Dass man sie macht.« Und, um seiner Sprücheklopferei noch die Krone aufzusetzen, fügte ich, unpassenderweise, hinzu: »Nichts ist unmöglich – Toyota!«

»Ist das ein … offizieller … Auftrag?« Lothar rückte seine Fliege am Hemdkragen zurecht.

Du, Anne, ich glaube, er hat sich wahnsinnig gefreut!

»Alles muss man selber machen«, murmelte er erfreut. »Aber man macht's ja gern.«

»Wo muss ich unterschreiben?« Ich kramte nach meinem 15 000-Mark-Füller.

»Ähm ... hier«, Lothar kramte nun mit einer erstaunlichen Geschwindigkeit ein paar Antragsformulare hervor, die seinen Namen im Briefkopf hatten und aus Tausenden von klein gedruckten Paragraphen bestanden. »Hier unten, wenn's recht ist.«

»Es IST mir recht«, sagte ich und unterschrieb bei »Antragsteller«.

Weißt du was? Ich hab totales Vertrauen zu Lothar. Wenn EINER auf dieser Welt gediegen und zuverlässig ist, dann er. Es kommt mir vor, als würde ich ihn schon lange kennen. Und das tue ich ja auch.

Ich überflog den eng bedruckten Wisch mit den sieben Durchschlägen hastig.

»Kannst du mir mal kurz deine Lesebrille leihen?«

Lothar nahm seine Brille ab und gab sie mir – erstaunt, aber nicht unwillig. Für einen winzigen Augenblick dachte ich an den Moment, Anne, in dem wir das Bikinioberteil getauscht haben. Im Kaufglück. Vor hundert Jahren.

Ich kniff die Augen zusammen und las.

Offensichtlich betreibt dein Lothar da heimlich in seiner Sparkassenfiliale einen lukrativen Nebenjob. Über »Beratung und Abwicklung bei finanziellen Grenzfällen«. Ich sah nur Floskeln wie »im gegenseitigen Einvernehmen wurde absolutes Stillschweigen gegenüber Dritten vereinbart« und so was.

Ich sage dir, Anne, dein Typ gefällt mir. Der ist gewitzt und gerissen, der Bursche. Wahrscheinlich verdient er doppelt oder dreimal so viel, wie er dich, seinen Arbeitgeber und das Finanzamt wissen lässt. Durch private Beratungen bei diffizilen Geldanlagen.

Er schob mir verschämt, aber nicht unstolz einen Wisch rüber und ich lugte durch seine runde Brille: »Liquiditätsbetrachtung im Ist-Stand, Strukturanalyse und Erstellung einer optimierten Vermögensbilanz, Steuer und Liquiditätsbetrachtung: Cashflow. Planung und Projektion, strukturelle Anlageberatung, Präsentation der Analysen durch Ihren persönlichen Financial Consultant, laufende Überwachung Ihrer Vermögensentwicklung... durch Ihren privaten Vermögensberater, Lothar Pistrulla.«

Schätze, ich habe meinen Finanzberater gefunden!

Ich werde Lothar auf diese Weise an mich ketten und ihn genauestens unter die Lupe nehmen.

Wir saßen jedenfalls noch geschlagene drei Stunden über meinen Unterlagen und er hatte eine Menge Ideen, wie man die Gelder gewinnbringend, steuersparend und überhaupt sich selbst ständig in Potenz vermehrend anlegen kann. In der Schweiz, in Luxemburg, kurz, überall, wo nicht wirklich Deutschland ist, aber doch so, dass man nicht ins Gefängnis kommt.

Das ist ein ganz abgewichster Bursche. Aber genau deshalb gefällt er mir!

Lothar hatte einen Höhepunkt nach dem anderen, war regelrecht im Rausch der Sinne!

Ich sage dir, im Laufe der drei Stunden hat er nicht einmal mehr die Nase hochgezogen oder sich zwischen den Fingern gekratzt! Er hat ein paarmal so hinreißend gelächelt, wie Mark das immer tut! Und dann sagte er den entscheidenden Satz, der mir das Herz für ihn öffnete: »Ich kriege übrigens für alle Gewinne aus deinen Anlagen zwanzig Prozent.«

Ich stand da, schaute ihn an, er lächelte wieder; ich wette, er hat die gleichen Grübchen wie Mark unter seinem Bart! – Ich hatte plötzlich ganz herzliche Gefühle für ihn und er kratzte sich verlegen am Kopf, schaute mich auch an, zog die Schultern hoch – es ist GENAU das Schulternhochziehen, das auch Mark Daniel hat! – und sagte, fast spitzbübisch: »So ist das in unserer Branche üblich. Das darf man alles nicht so eng sehen. Klar wie Kloßbrühe!«

»Soll ich dir was sagen?«, fragte ich. »In MEINER Branche auch! Spaß muss sein!«

Und um dieser ganzen spießigen Sprücheklopferei noch einen draufzusetzen, sagte ich, weil mir nichts Besseres einfiel: »Mach 'nen schlanken Fuß! So jung kommen wir nie wieder zusammen!«

Er grinste: »Brat mir einer 'nen Storch! Da bleibt kein Auge trocken!«

Und ich sagte: »Aber hallo! Angriff ist die beste Verteidigung!«

Also ich sage dir, Anne, irgendwie war der Knoten zwischen uns geplatzt.

»Firma dankt«, sagte er und ließ das Formular wieder in seiner Geheimschublade verschwinden.

»Man gönnt sich ja sonst nix«, sagte ich, nur weil ich das letzte Wort haben wollte.

Endlich – mir hing der Magen schon in den Knien – ließ er sich überreden, mit mir essen zu gehen. Mangels Möglichkeiten gingen wir schon wieder zu diesem fettigen Jugoslawen mit den Butzenscheiben und den jämmerlichen Kakteen.

Wir hatten hochinteressante Gespräche! Auch über Oma Helga und Opa Karl-Heinz!

Heute Abend treffen wir uns wieder in irgendeiner Spelunke neben dem »Kaufglück«. Ich hab ihn gefragt, warum wir nicht gleich in die Kantine gehen, aber er hat gesagt, auf deinen Spuren möchte er nicht mehr wandeln.

Wir gehen »gutbürgerlich« in die »Jagdstuben« am Markt. Melde mich, wenn es Neues gibt!

Und vergiss nicht: KEIN Wort gegenüber Mark! Standhaft, duldsam und verschwiegen.

Genieße den Burschen mit allen Sinnen, aber halt den Schnabel, was seinen Doppelgänger anbetrifft! Wir können eventuell aus der Sache noch richtig Kohle machen. Weiß nur noch nicht, wie.

Liebe Grüße nach Salzburg
deine Alex

PS: Kann im Moment unmöglich hier weg – hab Lothar schon so weich geklopft!

Liz kommt alleine und geht in die Don-Carlos-Aufführung. Sie wird dir gefallen!

Mondsee, 17. August

Liebste Alex,
komme gerade von einer gigantisch schönen Fahrradtour zurück
und tue so, als hätte ich keine Sorgen. Mark Daniel hat unten im
Dorf bei diesem Rad- und Sportgeschäft zwei Kindersitze aufge-
trieben und auf die Fahrräder in der Garage montiert; wir haben
je ein Mädchen hinten draufgesetzt und sind um den ganzen
Attersee geradelt! Ich glaube, so fünfundsiebzig Kilometer.
Natürlich hat der aufmerksame, fürsorgliche Mann auch zwei
Helme besorgt.

Zuerst schlotterten mir die Knie vor Angst. Ich muss dir was
gestehen, Alex: Seit ich mit Lothar verheiratet bin, bin ich NIE
wieder Fahrrad gefahren!

Dementsprechend unsicher fühlte ich mich, als ich in Unterach
auf dem Parkplatz meine ersten wackeligen Runden drehte. Ich
schämte mich schrecklich vor Mark.

Mark Daniel lachte: »Aber Darling! Radfahren verlernt man
doch nicht!«

Ich finde das zauberhaft, dass er mich Darling nennt! Manchmal sagt er auch »Love« oder »Honey«. Ich strampelte jedenfalls
zwischen den Altpapiercontainern und dem blauen Touristenklo
hin und her. Und dann ging es plötzlich ganz leicht!

In solchen Momenten ergreift mich panische Angst, dass er
plötzlich weg sein könnte. Dass er nicht wiederkommt. Dass er
nur ein Traum war.

Das hab ich in letzter Zeit immer öfter, Alex. Dieses bange Gefühl, eines Morgens wieder in Plattstadt in meiner Ehebetthälfte
aufzuwachen. Mit Blick auf die Vorderfront des grauen Reihenhauses, mit dem VW Passat im Carport.

Und fühle mich um viele Kilo leichter dabei. Und die Kinder sind stark und mutig!

Später hat Mark Daniel mit beiden schwimmen geübt. OHNE Schwimmflügelchen sind sie vom Beckenrand in seine Arme gesprungen – voller Vertrauen.

Für sie ist die Welt plötzlich so in Ordnung: Sie haben ihren Papa wieder, aber einen, den sie verdient haben. Manchmal entfährt ihnen noch ein »Vati!«, aber dann verbessern sie sich: »Mark!«

Nach einer Jause auf der Wolldecke luden wir die Mädchen wieder auf die Räder und nach wenigen schaukelnden Bewegungen schliefen sie bereits tief.

Übrigens war nie die Rede davon, dass Lothar adoptiert ist.

Das glaube ich auch nicht. Dazu ist er seinem Vater Karl-Heinz viel zu ähnlich.

Aber ihr scheint euch ja ganz gut zu verstehen. Du lässt dir eben einfach nichts gefallen, und ich glaube, das imponiert ihm. Versuch was aus ihm rauszukriegen! Die Kinder liegen todmüde in ihren Betten, und soll ich dir was sagen? Sie haben tatsächlich ein bisschen FARBE im Gesicht!! UND wir haben am Abend einen Hamburger mit Ketchup gegessen! Meinst du, jetzt komm ich in die Hölle?

Mark Daniel hat Vorstellung »Don Carlos« und ich werde mich jetzt ins Auto setzen und nach Salzburg fetzen! Werde mich noch zum dritten Akt ins Festspielhaus mogeln, durch den Bühneneingang! Kenne inzwischen die Schleichwege. Neben dem Getränkeautomaten im Hof gibt es eine Tür, die öffnet sich, wenn man seine Mitgliedskarte reinsteckt. Ich bin vielleicht ein gerissenes Weiberl, was? Dann schleiche ich mich in die Intendantenloge, die ist fast immer frei. Und wenn nicht, stelle ich mich einfach hinten rein. Ich LIEBE den »Don Carlos« und ich MUSS zum dritten Akt da sein, wenn er singt: »Ella giammai m'amo!« Sie hat mich nie geliebt! Dann möchte ich mich übers Geländer beugen und durchs ganze Festspielhaus schreien: DOCH! Vom ersten Moment an!! Er schaut auch immer rauf zu der besagten Loge. Und wenn er mich sieht, dann fasst er sich ganz unauffällig an an die Lippen und schickt mir einen Kuss rauf.

Alex, ist das wirklich mein LEBEN? Oder wache ich irgendwann in Plattstadt wieder auf?

Ich danke dir so von Herzen, dass du mich in diese Zauberwelt geholt hast! Und frage mich, was ich die ersten sechsunddreißig Jahre meines Lebens gemacht habe. Und warum.

Sei ganz lieb gegrüßt und umarmt und geküsst
von deiner glücklichen Anne

PS: Büffele in jeder freien Minute meine »Norma«- Noten! Guerra Guerra le galiche selve! Morgen bin ich zum ersten Mal bei der Bühnenprobe dabei!!

Plattstadt, im Hotelzimmer – übrigens jetzt im besten des Hauses.
Nennt sich »Suite« und ist immerhin »nach hinten raus«.
Aussicht auf einen Parkplatz mit Müllcontainern – echt geil!
18. August

Liebste Anne,
ist es bei euch auch so heiß? Hier in Plattstadt wabert die Heißluft zwischen den Betonwänden, dass man sie sehen kann. Habe heute einige Minuten im klimatisierten »Kaufglück« verbracht und mir die runtergesetzten Sommerschlussverkauffähnchen angesehen – aber tunlichst nichts gekauft! Das sind alles Klamotten, Anne, damit kannst du weder mich noch einen Mann, der halbwegs modischen Geschmack hat, hinter dem Ofen hervorlocken. Deine Kollegen hingen alle wie ein Schluck Wasser begeisterungslos über ihren Kleiderständern und zwischendurch kamen immer diese nervtötenden Durchsagen:
»Fünf, bitte die drei!« und »Sieben, bitte die neun!«
Lass mich bitte bei der nächsten Mail wissen, was das bedeutet. Du ARME, dass du deine schönsten Jahre in diesem trostlosen Laden verbracht hast! Jeden Tag ACHT Stunden! Wie müssen die zäh und klebrig rumgeschlichen sein!
Längst hätte ich diesem heimeligen Ort den Rücken gekehrt, wenn es nicht täglich spannende Neuigkeiten gäbe!
Mein Abendessen mit deinem früheren Gemahl verlief, abgesehen von dem schrecklichen Essen in der abgedunkelten gutbürgerlichen Stube, in der wieder stachelige Kaktus-Penisse die Fensterbänke zierten, überraschend kurzweilig!
Lothar genehmigte sich zu meiner Freude zuerst ein Bier und dann ließ er sich sogar zum gemeinsamen Konsum einer Flasche feurigen Pusztaweines überreden!

Wir aßen Paprikareis mit gehackten Fleischröllchen und Krautsalat. Mein Traumessen, sag ich dir. Nächste Woche wird es mir wieder leicht fallen zu fasten.

Ich hatte mich in mein schwarzes schlichtes Jil-Sander-Kleid geschmissen, dazu ein orangefarbenes Seidentuch locker über die Schulter gelegt, und weil Lothar meine Beine anscheinend so gut gefallen, meine neuen Prada-Schuhe, die vorne ganz spitz zulaufen und einen schmalen Fuß machen, angezogen. Nun, liebste Freundin, ich schreibe dir das alles so ausführlich, weil dein sexuell völlig lahm gelegter Gatte durchaus noch einen Sinn für alles Schöne, Weibliche hat, wie ich einfach den Drang hatte auszukundschaften. Seine Augen hinter seinen kleinen runden Brillengläsern ruhten jedenfalls sehr gefällig auf mir. Wahrscheinlich bist DU zu Hause nur in Cordhosen und weiten Pullovern rumgelaufen. Mit Nicky-Tüchlein Marke brave Mutti und flachen Schuhen.

Gib's zu, Anne. Du hast dem Mann nicht ein bisschen was gegönnt. Und nachts hattest du vermutlich groß karierte Flanellschlafanzüge an, die morgens total lappig an einem runterhängen! Oder diese unglaublich sexy rosa Nachthemden, die ich bei »Kaufglück« am Drehständer gesehen habe, für acht Euro dreiundzwanzig, die einem bis zu den Waden reichen.

Der steht total auf Seidenstrümpfe und kurze Röcke, weißt du das eigentlich?

Anne, ich muss dir was gestehen: Ich FLIRTE mit deinem Mann! Weiß auch nicht, warum. Wahrscheinlich, weil ich gerade nichts Besseres zu tun habe.

Während wir dasaßen, rief mich völlig überraschend Alwin Znob über Handy an.

Du erinnerst dich, der Chefredakteur von Panorama, der mich mit dieser Kaviarmaske so schmählich blamiert hat und den ich mit all meiner überflüssigen Energie gehasst habe. Muss aber zugeben, ich hatte lange keinen Gedanken mehr an ihn verschwendet und meine Energie gewinnbringender angelegt.

»Frau von Merz, mir ist zu Ohren gekommen, dass Sie sich in Deutschland befinden (sülz, sülz!). Und da habe ich mir gedacht, ich frage Sie mal nach Ihrem werten Befinden (schleim, schleim!). Der Erfolg Ihrer Eigenkreation Jane Blond ist ja bis über den großen Teich zu uns vorgedrungen (hechel, hechel!). Aber Sie nachtragendes Mädchen arbeiten ja nur noch mit der Bunten! Das habe ich nicht verdient, bei aller Selbstkritik (Speichel leck, Füße küss!).«

Ich hab es, ehrlich gesagt, genossen, den falschen Widerling vor den Ohren von Lothar so abzukanzeln, dass er wohl immer noch winselnd in der Ecke liegt.

»Sie stören mich gerade bei einem privaten Abendessen, Herr Znob!«

Ich warf Lothar einen verschwörerischen Blick zu und der wurde rot.

»Oh, nichts läge mir ferner, gnädige Frau! Verzeihen Sie bitte meine Kühnheit (winsel, jaul!).«

»Was kann ich für Sie tun, Herr Znob? Machen Sie's kurz!«

»Ein kleines, klitzekleines Exklusivinterview, Frau von Merz, weil wir alte Freunde sind!«

»Wir sind keine alten Freunde, Znob. Und ein Exklusivinterview kostet Geld!«

Ich zwinkerte Lothar zu und er sprang auf und holte ein Feuerzeug, um mir meine Zigarette anzuzünden, die ich mir in den Mundwinkel gesteckt hatte. Tja, Anne. Ich rauche wieder. Dein Lothar macht mich nervös.

»Ich würde Sie und Ihren Begleiter natürlich nach Hamburg einfliegen lassen und eine Nacht im Vier Jahreszeiten wäre auch noch drin…«

»Danke, ich bevorzuge das Élysée!« Lothar gab mir inzwischen Feuer.

»Selbstverständlich, das auch, ganz wie Sie wünschen…«

»Wie viel?«, fragte ich eisig und blies den Rauch aus.

»Liebe gnädige Frau, wie Sie sich denken können, befinden wir uns im Sommerloch. Wir plagen unsere Leser seit Wochen mit breit gewalzten Trennungsgeschichten von B- und C-Prominenten, die Auflagen gehen rapide zurück und Sie glauben gar nicht, wie dankbar ich Ihnen wäre, wenn Sie es irgendwie möglich machen könnten... Ein paar kleine Szenen aus dem neuen Leben von Nackedei, Ihre ganz persönlichen Eindrücke von ihrem neuen Lover, und vielleicht verraten Sie uns auch ihren Aufenthaltsort...«

»Sie heißt nicht mehr Nackedei. Sie heißt Jane Blond.«

»Ja, natürlich (Speichel leck, Füße küss), Jane Blond. Das war ein genialer Schachzug von Ihnen, wenn ich mir die Bemerkung erlauben darf...«

»Ich denke drüber nach«, sagte ich kühl und drückte das Handy aus.

Lothar guckte mich an. »Dem hast du's aber gegeben«, meinte er anerkennend. »Alles, was recht ist!«

»Der braucht das«, sagte ich und drückte meine Zigarette in den Hackbällchen aus. »Geld stinkt nicht! Was ist, hast du Lust auf eine Spritztour nach Hamburg?«

»Ich denke drüber nach«, sagte Lothar und kippte seinen Sliwowitz herunter.

Tja, Anne, stell dir vor! Dein Gatte ist zu den kühnsten Schandtaten bereit!

Melde mich, wenn es Neues von der Front gibt.

Ich muss den Kerl erst mal etwas auftauen. Schätze, ich werde ihn in Hamburg mal in einige Boutiquen schleifen. Und dann muss der Bart ab. Gib mir etwas Zeit, Anne, ich arbeite dran.

Wenn er auf siebenunddreißig Grad ist, werde ich mir mal den Opa Karl-Heinz vorknöpfen und die Oma Helga. Schätze, die haben auch noch so einiges zu erzählen. Wir werden schon rausfinden, warum unsere Männer Zwillinge sind.

Deine Privatdetektivin
Alex

PS: Wenn er die Brille abnimmt, sieht er eigentlich schon ganz menschlich aus!

Liebe Alex,
zwei wundervolle Neuigkeiten (außer der, dass ich über beide Ohren verliebt bin):

Heute ein Anruf von Kyllikki: Sie hat alles für die Scheidung vorbereitet und alle Unterlagen eingereicht, und da Lothar überhaupt keine Zicken macht, hat der Richter das Trennungsjahr akzeptiert! Wenn alles gut geht, bin ich nächste Woche geschieden!

Der Blick in meine letzten Kontoauszüge hat mich zum Jubeln gebracht: Die ersten Raten von meiner Provision an den Jane-Blond-Artikeln sind da! Auf einmal habe ich sechsstellige Summen auf dem Konto!

Was ist, Alex, verkaufst du mir dein Haus? Ich kann es immerhin schon anzahlen!!

Gestern und vorgestern waren intensive szenische und musikalische Proben. Am Samstag ist bereits Premiere! Überall in der Stadt Salzburg hängen die riesigen Plakate: »Norma« von Vincenco Bellini! Und dann die Namen der Solisten, fett gedruckt. Über den Gassen haben sie riesige Spruchbänder gespannt, von Fenster zu Fenster, damit auch jeder Tourist es sehen kann. Dabei ist die Premiere schon lange ausverkauft. Du hast natürlich zwei Karten. Kommst du denn nun? Womöglich mit Lothar? Dann wären die beiden an ihrem Geburtstag zusammen. Ich sterbe vor Spannung.

Wird sich das alles ändern, wenn wir plötzlich zu viert bei Kaffee und Kuchen auf der Terrasse sitzen?

Halb freue ich mich wie ein kleines Mädchen auf Weihnachten, halb fürchte ich, der ganze Zauber unserer spannenden Geschichte könnte mit einem Mal zu Ende sein.

Mark Daniel singt auch den ganzen Tag vor sich hin. Unser Haus – Entschuldigung, Alex! – DEIN Haus ist erfüllt von Singen und Lachen, von Kindergeschrei und Hundegebell, von Töpfeklappern und Vogelgezwitscher – und du hattest Angst, dass dein Haus langsam verfällt.

Nicht solange wir hier sind. Sogar die Blumen im Wintergarten drehen ihre Köpfe dahin, wo das Leben ist!

Ich wage nicht, darüber nachzudenken, was sein wird, wenn du wiederkommst.

Deine Anne

PS: Ich bin eine reiche, geschiedene Diva!! Wenn ich das in meinem Club erzähle!

PPS: Wirst du deinem Zahnarzt treu bleiben oder ihn etwa mit meinem Exmann betrügen?

Hamburg, Hotel Élysée, Suite 664–668, auf der Dachterrasse
mit Blick auf die Alster, 19. August

Puh, Anne,
ich bin auch hin- und hergerissen. Nach Salzburg kommen? Man traut sich ja gar nicht, in eure Idylle einzudringen! Nein, ich hab mich mal wieder für das Geld entschieden. Komme gerade von meinem »Interview«. Das hat mir 20 000 Euro eingebracht. Das Geld liegt auf der Straße. Das kann man doch nicht einfach da so rumliegen lassen!

Deinen Lothar hab ich erst mal ins Fitnesscenter und auf die Sonnenbank geschickt.

»Na, Alwin Znob«, hab ich zuckersüß gelächelt, als er und seine Klatschkolumnistin Katinka Kess Händchen hielten, »hat Amor bei Ihnen auch eingeschlagen?«

»Zum Glück werde ich jetzt nicht von der Boulevardpresse verrissen«, hat er grinsend geantwortet, »denn Katinka und ich SIND die Boulevardpresse. Und nur Rumpelstilzchen zerreißt sich selbst.«

Witziger Bursche, was? Ich hätte ihn auspeitschen können. Lothar hat unserer Unterhaltung mit großer Spannung beigewohnt. Er scheint's zu genießen.

Natürlich wollte Alwin Znob wissen, ob was zwischen uns ist, aber ich hab ihn als meinen »Finanzberater« vorgestellt. Alwin Znob hat gemurmelt: »Ach, so nennt man das heute«, und ich hab gesagt, er soll sich seiner vorlauten Kommentare enthalten, sonst gibt's kein Interview über Nackedei.

Ich hab dann einiges über Jane Blond erzählt, besonders natürlich die Szene, wie sie von der Golden Gate Bridge gesprungen ist. Alwin Znob sagt, er hat zwar Bildmaterial über die dpa bekommen, aber er braucht private Infos. Also hab ich etwas geplaudert über ihre neue Liebe, diesen Schweizer Regieassistenten. Einen kleinen Tipp hab ich ihm auch noch gegeben: dass sie in Maui sind, auf Hawaii. Die Information hat natürlich was gekostet und nicht zu knapp. Jetzt ist er begeistert, noch heute fliegen zwei seiner besten Fotografen hin, er hat die Titelseite für die nächste Ausgabe und fragt, ob er die Geschichte auch an verschiedene Yellow-Blätter verkaufen darf oder ob ich ihn dann gleich wieder verklage.

»Wenn ich selbst was dran verdiene, verklage ich Sie nicht.«

»Von jeder Transaktion bekommt Frau von Merz zwanzig Prozent«, mischte sich da plötzlich dein Lothar ein. Ups! Alle Köpfe drehten sich beeindruckt zu ihm herum.

»Kla… klar«, sagte Alwin Znob schnell. Er warf mir einen anerkennenden Blick zu.

Jetzt hab ich für ein Mittagessen 20 000 Euro verdient, Anne, sag mal, wie hätte ich da nach Salzburg fliegen können zu eurer »Norma«-Premiere?

Wir sind jedenfalls ein bisschen shoppen gegangen, Lothar und ich. Wir schlenderten am Gänsemarkt vorbei und flanierten durch die vollklimatisierten Einkaufspassagen. Für den Abend kauften wir Kaviar ein, der war im Sonderangebot. Tja, und dann habe ich Lothar überreden können, sich a) den Bart abnehmen zu lassen und b) mal ein paar angesagte Designerklamotten an den Leib zu hängen. Ich saß rauchend im Sessel und nippte an meinem Champagner, während er sich von meinen schwulen Freunden, die auch meine Schauspieler immer einkleiden, einige Armani-Anzüge und ein paar Kleinigkeiten von Yves Saint Laurent aufschwatzen ließ.

»Ich will keinen Finanzberater, der in karierten Kombinationen von der Stange rumläuft«, hab ich gesagt. Er hat sich erst ein bisschen geschämt, besonders als er die Preise sah, aber ich hab gesagt, das geht auf die Firma. Hab natürlich die üblichen Prozente gekriegt und Sommerschlussverkauf ist ja schließlich auch in diesen Edelboutiquen. Dann hab ich ihn noch zu Unger geschleift, wo man ihm ein paar schöne Wäscheutensilien und

Badeklamotten und so was vermachte. Ja, wie läuft der Mann denn rum!

Anne, Anne, da muss ich dich wirklich ein bisschen tadeln. Aber jetzt sieht er schon ganz manierlich aus!

Er war noch nie in einem Fünfsternehotel, stell dir vor! Wusstest du das?

Ja, wahrscheinlich wusstest du das. Schließlich hast du ja zwölf Jahre mit ihm gelebt.

Er ist ein ganz netter Kerl übrigens. Habe ich das schon erwähnt? Ich meine, wenn er entspannt ist, dann entwickelt er einen richtig süßen, jungenhaften Humor. Der muss nur erst wieder ausgebuddelt werden!

Er genießt unsere gemeinsame Dachterrasse im Élysée, aber wir haben natürlich getrennte Suiten. Was denkst du denn! Ich liebe Steve W. Vanderbilt.

Von deinem Lothar will ich nur eines: Geld. Wie oft soll ich dir noch predigen, dass man nicht mit Männern schläft, die für einen Geld vermehren?!

Muss jetzt Schluss machen, die Sonne ist so weit hinter den Häusern verschwunden, dass wir jetzt in der Abendluft ganz gemächlich noch ein bisschen um die Alster joggen können.

Lothar sagt, er ist ein leidenschaftlicher Jogger. Eigentlich. Er hat bloß nie Zeit dazu.

Wusste nicht, dass er überhaupt etwas leidenschaftlich macht. Es ist schon sehr merkwürdig, mit Mark Daniels Ebenbild zusammen zu sein.

Grüße Leo und Olga von mir! Und natürlich das Ebenbild. Sag ihm, der erste Scheck aus Salzburg ist da! Werde ihn gleich Lothar übergeben, zwecks steuersparender Geldanlage!!

Wenn der wüsste, dass er die Gagen seines Zwillings verwaltet! Könnte mich kaputtlachen...
deine Alex

PS: Wovon genau handelt noch mal »Norma«? Wer schläft mit wem und warum muss ausgerechnet sie nachher ins Feuer? Wo sie doch zwei Kinder hat.

Ach Alex,

mir geht's so gut! Wir kommen gerade von der Orchesterhauptprobe »Norma« im Festspielhaus. Das ist so eine geile Musik!! Inzwischen kann ich jeden Ton auswendig. Aber ich stehe ja nur im Chor und leiste nichts Besonderes, während Mark wirklich tolle schwere Arien singt. Ich warte immer drauf, dass der doppelte Lothar mir sagt, wie viele Stunden er nun PRÄZISE gearbeitet hat und wie lange er sich jetzt ausruhen muss. Aber der Mann ist unverwüstlich. Dein – mein – unser aller Traum-Mark Daniel werkelt singend und pfeifend in deinem Wintergarten rum. Wusstest du, was er für ein begabter Innenarchitekt ist? Er hat im Bühnenfundus die Kulisse einer alten spanischen Kneipe entdeckt, aus »Carmen«, und hat sie dem Bühnenbildner für 'n Appel und 'n Ei abgeschwatzt. Eben hat er mit Hilfe einiger Bühnenarbeiter die ganze Kulisse hier angeschleppt und im Wintergarten aufgebaut. Jetzt ist es eine original spanische Tapa-Bar unter Palmen und Hibiskusblüten! Die Krönung ist ein riesiger gelb-roter Sonnenschirm, der in »Carmen« bei der Stierkampfszene seine Dienste geleistet hat. Hoffentlich hast du nichts dagegen, aber Mark sagt, ihr hättet euch schon damals darüber unterhalten, dass man aus dem Wintergarten noch was Tolles machen könnte. Und mir hast du ja auch grünes Licht gegeben. Er macht das einfach. Ohne viel Worte darum zu machen. Von wegen, der Vati dübelt jetzt mal eine Mutter rein. Der Mann ist wirklich in jeder Hinsicht ein Hauptgewinn. Eben wispert eine dicke Rothaarige aus dem Sopran: »Moanst, dös der scho vergeben is?«

»Du, dös konn i dir net sogn«, raunt ihre Nachbarin. »Hob ihn noch nie mit an Weiberl g'seng!«

»A geh, glaub eh net, dös der net schwul is, so wie der aus-schaut!«, mischt sich die Dritte ein.

»Alle guatn Männa san schwul!«

So tuscheln sie rum, die Weiber auf der Bühne. Während zwei Meter vor uns Norma vor meinem Mark Daniel in die Knie sinkt und ihn um Vergebung anfleht, weil sie heimlich von einem Rö-mer zwei Kinder hat. Dieser Kerl wiederum, Pollione, Tenor, treibt es gleichzeitig heimlich mit der blutjungen Adalgisa, einer Novizin, die unter Normas Obhut steht. Beide, sowohl Norma, die Priesterin, als auch Adalgisa, die junge Nonne, haben das Keuschheitsgelübde abgelegt. Pollione, erstens Mann und per se schon mal verboten, zweitens auch noch Römer und damit Feind, schläft mit beiden!! Die Kleine vertraut sich ahnungslos ihrer Meisterin an – und Norma begreift, was Pollione ihr ange-tan hat.

Unwahrscheinlich, wie sie reagiert! Sie will Pollione strafen, indem sie ihre gemeinsamen Kinder im Schlaf erstitcht! Wie sie da ankommt als riesiger Schatten hinter der Kulisse, mit diesem Krummdolch, da bleibt einem schon das Herz stehen.

Adalgisa kann sie schließlich davon abhalten und Norma nimmt ihr den Schwur ab, sich fortan um die Kleinen zu küm-mern. Dann geht Norma heldenhaft ins Feuer und Pollione, überwältigt von ihrer Stärke, folgt ihr in die Flammen.

Ich stehe da und mein anderes Leben, das im Kaufglück in Plattstadt, ist weit, weit weg. So als wäre es nie gewesen.

Das verdanke ich alles dir, Alex! Ohne deinen beharrlichen Zuspruch hätte ich mich nie getraut, mein Leben zu ändern! Und jetzt begreife ich nicht, wieso ich so lange damit gewartet habe. Ob es vielen Leuten so geht? Die genau spüren, dass ihr Leben so nicht in Ordnung ist, aber sich einfach nicht dazu aufraffen kön-nen, es zu ändern? Muss man Mitleid mit diesen Leuten haben, Alex? Oder nur sagen: selber schuld?

Morgen ist spielfreier Tag. Wir sind bei deinem Exmann und Olga zum Abendessen eingeladen, alle Mann hoch! Ich bete je-den Tag, dass Gott die Zeit stillstehen lässt.

Das Leben ist ein Traum, Alex. Danke, dass du mich noch ein

bisschen träumen lässt. Ich werde dein Haus hüten wie meinen Augapfel und dir das alles nie vergessen.

Mit lieben sonnigen Grüßen
aus unserem Paradies
deine Anne

PS: Wie ist es dir inzwischen mit Lothar in Hamburg ergangen??

Hamburg, immer noch im Élysée-Hotel, am Swimmingpool,
20. August

Liebe Anne,
bedank dich nicht dauernd. Auch ich hab dir viel zu verdanken.
Deine Begeisterung für die großen und kleinen Schönheiten der
Natur hat mich angesteckt und deine Freude an körperlicher Bewegung hat mich mitgerissen. Ich bin schlank und fühl mich so
jung wie damals, als wir die Tage zusammen verbrachten. Du
hast mir auch viel gegeben in letzter Zeit. Allein deine Freude am
Leben! Das ist die wirksamste Droge, die Gott uns Menschen geschenkt hat!

Bin gestern Abend noch mit Lothar um die Alster gejoggt, bei
herrlichem Sonnenuntergang und anschließendem Abendrot, das
in ein immer zarteres Rosa überging. Die Kulisse von Hamburgs
Stadtkern malte sich ganz friedlich über dem stillen Wasser ab
und wirkte irgendwann unwirklich – wie aus einem Bilderbuch.

Ich hatte gestern beim Laufen ein ganz merkwürdiges Glücks-
gefühl – so was kannte ich bisher nicht. So eine Zufriedenheit,
ein stilles Genießen. Komisch, Anne. Früher hab ich auf so was
nie geachtet, aber seit du so von Landschaften, Gerüchen, Son-
nenuntergängen und so was schwärmst, bemerke ich das alles
überhaupt erst! Soll ich dir was gestehen? Ich hab gestern minutenlang (!) nicht über Geld nachgedacht! Und das soll was
heißen, bei mir.

Übrigens: Wir trafen erst Ulrich Wickert und später Johannes
B. Kerner, die mich beide im Vorbeirennen erfreut grüßten.
Lothar war völlig perplex, was für Leute ich kenne! Es scheint
ihm wahnsinnig zu imponieren, dass ich mich in den so genann-
ten prominenten Kreisen ganz normal bewege. Er hat irgendwie

eine völlig unangebrachte Ehrfurcht vor diesen Fernsehnasen, so als sei er selber nichts wert.

»Warum bist du immer so unterwürfig?«, habe ich ihn gefragt, als er schier den Boden küssen wollte, nachdem Kerner und Wickert über ihn gelaufen sind.

»Das ist die absolute deutsche Topprominenz…«

»Na und?«

»Ich kann es gar nicht fassen, dass ich auf einmal die Crème de la Crème treffe, in einem Fünfsternehotel übernachte, mit dem Chefredakteur der Panorama speise, erster Klasse fliege und in Designerklamotten rumlaufe…«

»Nun mach dich mal locker, Mann! Du bist fast vierzig! Warum fühlst du dich denn so mickrig?«

»Ich BIN doch mickrig!«

»Spinnst du? Wer sagt das?«

»Weiß ich nicht. Alle. Nein, sagen tut das eigentlich keiner. Aber ich fühle mich so.«

»Das ist der Punkt«, sagte ich. »Dann wirkst du auch so. Aber das ändern wir jetzt. Los. Leg mal einen Zahn zu.«

Anne, was hat man euch angetan? Auch DU hast dich zu Beginn unseres Mail-Kontaktes mickrig gefühlt, nix wert, nicht berechtigt, auf dieser Welt zu sein! Nach euch würden sich alle Psychoanalytiker dieses Landes alle zehn Finger lecken!

»Du bist überhaupt nicht mickrig!«, hab ich gerufen, nachdem er mich locker abgehängt hatte. »Du hast nur, gelinde gesagt, 'ne Meise!«

Da hat er total beleidigt die Nase hochgezogen und präzise geschlagene dreiundzwanzig Minuten nicht mehr mit mir geredet.

»Was ist?«, hab ich gesagt, als wir schließlich in der Abenddämmerung vor dem Élysée unsere Stretchübungen machten.

»Willst du für den Rest des Abends schmollen?« Er zog die Nase hoch. »Ich hab noch zu arbeiten.«

Damit verschwand er im Aufzug. Eine einzige beleidigte schweißnasse Rückenfront mit aufgestellten Nackenhaaren. Außerdem hat er sich die Waden verbrannt, auf der Sonnenbank. Auf den muss man einfach aufpassen, auf den Kerl.

Kaum war ich in meiner Suite, klingelte das Telefon. »Oder was hättest du noch vorgehabt heute Abend?«

»Aha, ist der Herr Finanzberater wieder zu Gesprächen bereit?« Ich konnte mir ein triumphales Kichern nicht verkneifen.

Er schwieg. Ich dachte schon, er legt auf, aber schließlich sagte er: »Wir sind PRÄZISE einundfünfzig Minuten gelaufen. Ich brauch jetzt ein Bier.«

»Hast du keine Minibar?«, fragte ich grausam.

Pause, Schweigen, Nasehochziehen. Dann: »Wir können aber auch irgendwohin gehen.«

Kurz drauf saßen wir bei jenem Edel-Luxusitaliener, bei dem ich schon mit Mark Daniel und seinen Eltern gewesen war, nach der Premiere von »La Bohème« letztes Jahr. Ich hatte mir ein hellgrünes Seidenkleid übergeworfen, das an den Schulterblättern interessante Löcher hat. Sogar Lothar schien das zu bemerken. Erst knabberte er so an seinem gemischten Salat herum, dann sagte er: »In deiner Gegenwart bin ich meistens ziemlich entspannt.«

Er hatte etwas Dressing am Kinn, das tupfte ich ihm mit meiner Serviette ab.

»Du ... bist wirklich sehr interessant«, brachte er schließlich heraus.

»Du auch.«

Er hob sein Glas: »Schön, dich zu kennen.«

»Gleichfalls. Die neuen Klamotten stehen dir gut.«

»Ähm«, sagte er. »Ich hab mir noch nie etwas so Teures gekauft.«

Ich ließ ihn zappeln. Er schob seinen Teller von sich, knibbelte an seiner Unterlippe.

»Wann gehst du wieder in die Staaten?«, fragte er schließlich.

»Jane Blond muss übermorgen wieder drehen. Meine Zeit in Deutschland ist fast um.«

»Ich ... also ich hab meinen Jahresurlaub noch nicht genommen. Und ich hab präzise ... zweihundertsiebzehneinhalb Überstunden abzufeiern.«

»Warum rechnest du aller Welt eigentlich immer in Minuten und Stunden deinen Arbeitseinsatz vor?«

Er zögerte, hörte kurzfristig mit dem Knibbeln auf: »Weiß ich auch nicht. So ein innerer Zwang.«

»Du meinst, wenn du dir und der Welt bewiesen hast, wie fleißig du warst, dann haben dich alle lieb? Gönn dir doch mal 'ne Pause!«

»Es wäre kein ungünstiger Zeitpunkt … jetzt, wo ich zum ersten Mal im Leben richtig frei bin …« Er zögerte. »… nach meinen Informationen bin ich in exakt einer Woche geschieden.«

»Also, warum kommst du nicht mit nach Los Angeles? Ich hätte nämlich ein Attentat auf dich vor!«

»Inwiefern?«

»Du bist doch ein abgewichster Finanzberater. Und genau den braucht Jane Blond.«

»Meinst du, ich darf mich so einfach … unter die Weltprominenz mischen …?«

»Die ›Weltprominenz‹ kommt aus Mörsenbroich und ist Metzgergesellin. Und du könntest dich freundlicherweise mal ein bisschen um ihre Finanzen kümmern. Dann quatschst du nicht mehr so dummes Zeug.«

Er wollte schon wieder beleidigt die Nase hochziehen, aber in Anbetracht meines spöttischen Grinsens ließ er es doch sein.

»Ich muss aber vorher nach Plattstadt und meine Eltern fragen.«

»Lothar«, sagte ich und griff nach seiner Hand, »ich will deine Eltern kennen lernen.«

Er saß da, ziemlich glühend unter seiner Sonnenbank-Röte, mit seinem ungewohnt nackten Kinn, knibbelte an seiner Unterlippe, zuckte schließlich die Achseln und sagte knapp: »Klar. Warum nicht. Wir haben ja nichts zu verbergen.«

Setze große Hoffnungen in deinen Schwiegervater Karl-Heinz. Den werde ich zum Reden bringen, verlass dich drauf!

Beste Grüße ins Festspielhaus und ich drücke alle Daumen für die Premiere »Norma«!

Deine Alex

Alex, Mensch!!
Ich weiß gar nicht, wo ich anfangen soll! Wir waren gestern bei deinem Exmann!

Wie im »Troubadour« die Zigeuner, so hockten wir am Feuer. Olga Schellongova war die Azucena. Sie lehnte auf ihrer Bank, nur der Schein der Flammen züngelte in ihrem Gesicht, ihre langen Haare umhüllten sie wie ein schwarzer Umhang, ihre Konturen verschwammen in der Dunkelheit. Ab und zu schrie einer von den Pfauen so herzzerreißend durch die Stille, dass mir eine Gänsehaut kam. Leo hatte sich etwas in den Hintergrund verzogen, sog nachdenklich an seiner Pfeife, die einen herben Duft verströmte. Mark Daniel, Jaime, Rico und ich, wir saßen auf unseren Holzbänken, betrachteten die schmale Mondsichel am sternklaren Nachthimmel, und die Silhouette der scharfzackigen Berge ringsum schloss uns ein, als säßen wir in einer riesigen schwarzen Höhle. Die Märchenerzählerin hatte uns schon bald in ihren Bann gezogen.

Anfang der sechziger Jahre sang Olga die Norma zum ersten Mal im Westen. Wien, Staatsoper. Sie war vierundzwanzig Jahre alt, eine viel umjubelte Neuentdeckung. Der Dirigent war kein Geringerer als Leonard Bernstein. Er war begeistert von ihr, wollte sie wieder engagieren. Aber Olga Schellongova dachte nicht an Abhauen, war stolz auf ihr Land. Also kehrte sie zurück nach Ostberlin, um dort ihren Verpflichtungen nachzukommen. Ein verheerender Fehler! Nicht ahnend, dass sie beschattet wurde, meldete sie sich bei dem parteivorsitzenden Gewerkschaftsführer zurück. Man durchsuchte heimlich ihre Taschen – und fand Westgeld. Viel Westgeld.

»Nie werde ich diese zwei Stunden vergessen, die mein Leben verändert haben«, sagte Olga. »Um zehn Uhr morgens meldete ich mich in der Oper unter den Linden zurück und um halb elf saß ich im Gefängnis.«

Wir hockten alle starr und stumm auf unseren Bänken. Außer dem Knistern des Feuers war nicht der leiseste Laut zu hören. Ich wagte nicht zu atmen.

»Wie lange?«, fragte Jaime schließlich.

»Lange«, sagte Olga mit belegter Stimme. »Fast sieben Jahre.«

Sieben Jahre, wenn man jung ist! Sieben Jahre, wenn man gerade beginnt, Karriere zu machen! Sieben Jahre, wenn man gerade anfängt zu blühen!

»Die erste Zeit war die schlimmste«, fuhr Olga fort. »Ich war in Einzel- und Dunkelhaft.«

Ich musste nach Luft schnappen. Mark legte mir den Arm um die Schultern.

»Sie wollten wissen, wem ich welche Informationen über mein Land gegeben habe, für so viel Geld. Sie wollten mir nicht glauben, dass es meine Gage war. Sie haben mich immer und immer wieder gefragt. Bis ich fast gestorben bin. Ich habe nichts mehr gegessen und nichts mehr getrunken. Das Einzige, was ich haben wollte, war meine kleine blaue Nivea-Creme-Dose für meine trockenen Lippen. Sie haben mir die Dose unter die Nase gehalten, aber ich hatte die Hände auf dem Rücken festgebunden. Stellt euch vor, dieses unstillbare Verlangen nach einem Hauch Nivea-Creme!«

Ich konnte es kaum ertragen, ihr weiter zuzuhören.

»Nach einigen Monaten schienen sie nicht mehr ganz so sicher zu sein, dass ich ihr Land verraten habe. Sie hatten wohl Angst, ich würde sterben. Und das hatte ich auch beschlossen. Eigentlich fühlte ich mich schon lange tot. Da ließen sie mich in eine Doppelzelle. Meine Mitgefangene hatte ein ganz ähnliches Schicksal wie ich: Sie hat eine Tournee gemacht mit ihrer Band und zwei von den Jungs sind in Berlin durch die Spree geschwommen oder haben es zumindest versucht. Der eine wurde erwischt, sie haben ihn noch an der Mauer erschossen. Der andere ist wahrscheinlich ertrunken. Er ist jedenfalls nie wieder aufgetaucht. Und Erna war die Dritte im Bunde. Sie war gerade in den Fluss gesprungen, als ein Schäferhund sie mit den Zähnen packte und zurück ans Ostufer zerrte. Die Zollbeamten haben sie erkannt und deshalb nicht erschossen. Sie war damals Everybody's Darling! Einer von den jungen Kerls wollte sogar noch ein Autogramm von ihr! Sie kam in den Knast, saß ebenfalls lange in Einzelhaft. Man hat damals irgendetwas mit ihr gemacht. Was, konnte sie mir bis zum Schluss nicht sagen. Sie sagte, sie hat mehrmals Betäubungsspritzen erhalten und sei erst am nächsten Tag wie aus einer Ohnmacht aufgewacht. Dann kam sie in meine Zelle. Erna Liebenow hieß sie. Ich kann mich noch ganz genau an sie erinnern. Am Anfang war ihr dauernd schlecht, sie musste sich übergeben, hatte Krämpfe. Aber dann ging es ihr plötzlich besser. Wir haben eine intensive und – ja, ihr werdet lachen, ich möchte fast sagen, eine schöne Zeit miteinander verbracht, geredet, Gedichte gemacht und viel zusammen gesungen. Man behandelte uns gut – ich meine, im Vergleich zu früher. Einige Aufseher waren sogar richtig nett zu uns. Wir durften täglich eine Stunde an die frische Luft. Ich fühlte mich für sie verantwortlich wie für eine kleine Schwester.«

Olga lachte ein kurzes, trockenes Lachen.

»Verrückt, was? Ihr werdet es vielleicht nicht glauben, aber wir haben sogar zusammen gelacht. Ich glaube, ich habe ihretwegen überlebt. Und sie vielleicht meinetwegen. Als ihr Bauch immer dicker wurde, haben wir uns gewundert, was mit ihr los sein könnte, denn zu essen gab es nun wirklich nichts Besonderes. Aber sie wurde runder und runder und dann war sie eines Tages ganz plötzlich weg.

Ich habe sie nie wiedergesehen, aber heute bin ich ganz sicher, dass sie schwanger war.

Vielleicht wurde sie von einem Gefängniswärter vergewaltigt oder sie hatte sogar ein Verhältnis mit einem. Aber daran kann ich nicht so richtig glauben, denn davon hätte sie mir bestimmt erzählt. Wir hatten überhaupt keine Geheimnisse voreinander.

Sie war noch so jung – ein Kind! Ich denke jeden Tag an Erna Liebenow. Und frage mich, ob sie noch lebt.«

Wir hatten ihr so unbeweglich gelauscht, dass ich glaubte, ich wäre auf meiner Holzbank festgewachsen. Leo legte ein paar Holzscheite nach, aber sonst rührte sich niemand.

»Als ich nach sieben Jahren rauskam, war ich gerade zweiunddreißig, aber ich hatte schon graue Haare. Sie haben mich sofort ausgewiesen und 1970 stand ich mit einer kleinen Reisetasche in Braunschweig auf dem Bahnsteig. Den Rest kennt ihr. Ich hab im Theater vorgesungen und konnte sofort wieder anfangen.«

Sie zog sich ihre Jacke enger um die Schultern. »Ich gäbe was drum, wenn ich Erna noch einmal sehen könnte. Was wohl aus dem Mädel geworden ist.«

Wie gut, dass WIR uns wiedergefunden haben. Wo wir doch auch so lange zusammen in Haft gesessen haben, in der Gesamtschule Plattstadt.

Jetzt müssen wir los, in zwei Stunden beginnt die Premiere!

Schrecklich nervös, vor Lampenfieber schier vergehen wollend…

Deine Anne

Plattstadt, wieder im hassgeliebten Stadtringhotel,
nachts um drei – ich kann nicht schlafen. 23. August oder so

Mensch, Anne!

Halt dich fest!! Hab sensationelle Neuigkeiten!

Wie ein Puzzlespiel scheinen sich hier die Kleinteile zusammenzufügen!! Deine Geschichte könnte der Deckel zu meiner Geschichte sein!

Wir haben den Abend bei den Pistrullas verbracht – und auch ich habe etwas Hochinteressantes aus den frühen sechziger Jahren erfahren.

Aber der Reihe nach.

UM PUNKT sieben, aber bitte, Herrschaften, PUNKT sieben, fuhr Lothar in Opa Karl-Heinz' Opel Vectra im Adalbert-Stifter-Weg 14a vor. Ein trostloses, graues Reihenhaus hinter einem jämmerlichen Stückchen Vorgarten, auf dem Köter Erwins Haufen wie Tretminen liegen. Du kennst das ja alles. Ach Anne, was hast du jahrelang ertragen!

Eine Mülltonne »Bitte keine heiße Asche einfüllen!« stand einsam am Straßenrand.

Lothar küsste zuerst Oma Helga, dann Opa Karl-Heinz, dann stellte er mich vor: »Alexandra von Merz, eine … Klientin von mir.«

Die beiden alten Leutchen musterten mich erfreut – offenbar war ich die Neue in ihres Lothars Leben und für die untreue abtrünnige Anne allemal ein würdiger Ersatz.

Er hatte eine beige Strickjoppe an, aber ein weißes Oberhemd drunter, MIT Krawatte, jawoll!, und sie ein lila geblümtes Kleid unter ihrem grün-braun gemusterten Küchenkittel.

Erwin, der Köter, umkläffte meine Waden und wurde darauf-

hin hinter ein hölzernes Kindergitter die Kellertreppe hinunter-
geschickt, wo er weiterbellte.

»Häözlösch willgomm in unserem Hause!«

»Gell, Jungele, schön, dass du uns mal wieder eine junge
Dame vorställst.« Sie reichte jedem von uns ein Glas Sekt.

»Trinken Sie nicht mit?« Ich wich einen Schritt zurück.

»Nein, die Muddi verträgt keinen Aelgohoel«, lachte der
Alte. »Sonst forrgisst sie wiedor, die Häordpladde auszumachen.
Sie ist schon so tüddelig. Gell, Muddi.« Er tätschelte Muddi auch
die Wange, woraufhin diese sich ärgerlich abwandte und in die
Küche ging.

Wir stießen also zu dritt an, ohne Muddi, und dann bat uns
der Hausherr zu Tisch.

»Zum Essen gibt es Apfelsaft«, sagte Vadi. »So ist das bei uns
Brauch.«

Ich quetschte mich auf die Hundedecke, die auf der Sitzbank
lag und voller Hundehaare war. Erwin, der aus ungeklärten
Gründen hinter seinem Gitter hervorgekommen war, umknurrte
meine Knöchel.

Der Vadi trug das Essen auf, thüringische Knödel mit einem
zähen Stück Braten, Sauce und Rotkohl. Ich erinnere mich vage,
dass du dieses Gericht zu Weihnachten genießen durftest.

»Du hast die Vorlägegobel forgässen!«, herrschte er die Muddi an, und diese machte sich gleich am Schrank zu schaffen.
»Ach, geh weg, du gonnst das nischt!«, schimpfte der Alte, schob
ihr Hinterteil rüde zur Seite und kramte dann mit zitternden Fingern noch eine veraltete Silbergabel zutage. »Die Muddi gonn
das ainfach nicht. Wenn isch nicht alles sälbor mache, dann
funktionieort hieor gor nischt«, sagte der Vadi zu mir. »Sehen Sie
ja selbst.«

Die Augen der Muddi füllten sich mit Tränen, aber sie setzte
sich tapfer an den Tisch.

»Die Särviäddn!«, herrschte der Vadi sie an.

Sie stand mühsam wieder auf, wankte in die Küche zurück.

»Ohne mich wäre sie aufgeschmissen«, sagte Vadi. »Wenn ich
nicht wäre, wäre sie gar nicht läbensfähisch.« Er lachte selbst-

herrlich. »Gestern hat sie aus Versehen eine Tasse in den Müll geschmissen! Nur weil sie einen Sprung hatte! Da hob ich die Tasse wiedor rausgefischt…«

Er lachte wieder so selbstgefällig. »Ja, ja, das Aldor! Den einen ärwischt es und den anderen nicht. ICH bin ja noch topfit, Frau von Merz, TOPfit!! Ich fahre jeden Dog Fohrrod, bis in die Stadt, zu »Kaufglück«, da kauf ich ein, jeden Dog! Früher hab ich da meine Schwiegortochdor besucht, ich hab sie ein bisschen bei ihrer Arbeit beaufsichtigt, das hat die gar nicht gemäörgd. Aber es ist wichtig, dass man die Frauen immer unauffällig im Auge behält. Gell, Muddi!! Frauen haben nämlich nicht von Nadur aus die drei wichtigsten Tugndn: Bünktlischkeit, Zuvorlässischgeit und Flaiß.« Er schwieg nachdenklich.

»Nein«, sagte ich. »So was haben wir Frauen einfach nicht.« Obwohl Lothar sich vor Peinlichkeit bog, verstand der Alte meine Ironie nicht.

»Aber greifen Sie doch düschtisch zu! Ist ein altes thüringisches Rezept!«

»Wie lange wohnen Sie eigentlich schon in Plattstadt?«, fragte ich beiläufig.

»Im einundvierzigsten Jaor«, sagte »Vadi« stolz. »Präzise vierzig Jahre und sechs Wochen. Gell, Muddi?«

»Das wissen Sie aber wirklich sehr präzise und exakt.«

»Ja, ich bin ein wahrheitsliebender Mensch. Gell, Muddi!« Er tätschelte Muddi die Wange. Ich muss sagen, Anne, ich war auf Anhieb begeistert von diesem Mann. So einen Schwiegervater wünscht man sich doch schon in Kindertagen. Wenn man dann hoffen darf, dass der eigene Mann so wird – da möchte man in Plattstadt nicht tot überm Zaun hängen.

Lothar saß die ganze Zeit schweigend dabei und trank in kleinen Schlucken seinen Apfelsaft.

»Wissen Sie, wir gomm von drüben. Mit NICHTS habe ich hier angefangen, im Westen, mit NICHTS!! Gell, Muddi. Eines Tages standen wir in Plattstadt am Busbahnhof, damals gab es die Straßenbahnverbindung noch nicht und keine S-Bahn und so was, und für die Eisenbahn hätten wir sowieso kein Geld gehabt.«

»Wieso ausgerechnet Plattstadt?«

»Hier sind viele aus dem Osten gelandet. Und wir kommen ursprünglich aus Lutzkow«, sagte der Alte. »Ich war Inspektor und viel unterwegs. Kindchen, was ich Ihnen erzählen könnte. Ich war sogar in Sibirien...«

»Vati, lass das doch jetzt«, sagte Lothar.

»Die Helga hat als Helferin in einem Kinderhort gearbeitet, damals unter Ulbricht, da hatten alle noch einen Arbeitsplatz, auch die ungelernten Hilfskräfte. Na ja, und ich, ich war Inspektor. Ich habe eine Menge Menschenkenntnis, das kann ich Ihnen sagen!«

»Ich weiß«, sagte ich.

»Wir sind dann rübergegomm und haben gleich einen Antrag gestellt auf dieses schöne nagelneue Reihenhäuschen im Adalbert-Stifter-Weg und ich habe mich beworben bei der Stadt, als Inspektor, und die Muddi ist schön zu Hause geblieben bei unserem Jungele. Die hätte hier sowieso keine Arbeit gekriegt. Weil sie keine Ausbildung hat. Gell, Lothar.« Nun wurde Lothar an der Wange getätschelt.

»Ja«, sagte Lothar.

»Ohne Bart siehst du viel besser aus, Jungele. Nur deine schöne adrette Fliege, die hättest du ruhig heute Abend umbinden können.«

»Und dann?«, drängte ich.

»Und dann habe ich gearbeitet, Tag und Nacht, damit ich meine kleine Familie ernähren kann und das Häuschen abbezahlen kann und damit wir eine schöne, sorglose Zukunft haben.«

Er faltete die Hände über seinem Teller und kaute zufrieden auf seinem zähen Fleisch herum.

»Und jetzt bin ich schon lange bönsioniort und unser Jungele ist genauso fleißig und pünktlich, wie ich es immer war.«

Der alte Pistrulla redete dann noch den ganzen Abend von seinen eigenen guten Eigenschaften. Ich erfuhr von seinen Pfadfinderheldentaten, und den erwähnten Sprung von der Brücke in den Fluss vergaß er ebenso wenig wie seine fünfundsechzig Jahre unfallfreies Fahren.

»Ich hatte als einer der Ersten einen Wartburg!«, schwärmte er. »Den hatten nur die ganz zuverlässigen Männer des Landes! Zehn Jahre habe ich auf den gewartet, Frau von Merz. Zehn Jahre! Heute kann keiner mehr warten. Heute wollen immer alle alles sofort haben.«

Endlich gestattete »Vati« uns, die Tafel aufzuheben.

»Ich helf Ihnen schnell in der Küche«, sagte ich eilfertig zu »Mutti«, und das gefiel Vati. Aber ich hätte lieber die ganze Küche renoviert, als ihm weiter bei seiner Selbstbeweihräucherung zuzuhören.

Und es HAT sich gelohnt! Ich habe etwas Hochinteressantes erfahren!

»Vati« und Lothar blieben im inzwischen sehr muffig riechenden Esszimmer zurück, um ein Männergespräch zu führen. Obwohl es draußen noch hell war, ließ Vati die Rollläden herunter. Wahrscheinlich tut er das pünktlich immer um dieselbe Stunde, sommers wie winters, weil er ja so zuverlässig ist.

Jedenfalls beugten »Mutti« und ich uns über das alte, schäbige Spülbecken an den eitergelben Kacheln mit Sprüngen, die aussahen wie lange schwarze Haare, und entsorgten die kalten Essensreste heimlich in den Napf von Erwin, der hinter einem faserigen Vorhang stand und in Pawlow'scher Gier auf den schmuddeligen Linoleumfußboden seiberte.

»Wie war Lothar eigentlich als Kind?«, fragte ich, während ich zu einem feucht-schmutzigen Lappen griff, der Gerüche freisetzte, die ich hier nicht näher beschreiben will.

»Er war ein ganz lieber, artiger Junge«, sagte die Frau. »Meine ganze Freude.«

»Ja, ich mag ihn auch sehr«, sagte ich. Das stimmte die Alte froh. Ihre Augen schwammen schon wieder in Tränen: »Dabei hat er so ein Bäsch gehabt mit seiner Frau!«

»Wieso?«, fragte ich scheinbar ahnungslos.

»Sie ist ihm einfach davongelaufen!«

»Warum denn das?!« Ich gab mich erstaunt und entrüstet.

Die Oma seufzte über ihrer Spülbrühe. »Wissen Sie was? Ich kann sie sogar verstehen. Sie hat sich viel zu viel gefallen lassen, genau wie ich. Wie oft habe ich darüber nachgedacht, einfach abzuhauen… Sie sehen ja, wie er mich behandelt!« Bei »er« machte sie eine ruckartige Bewegung mit dem Kopf in Richtung verdunkeltes Esszimmer.

»Sie wollten ABHAUEN?«

»Ja, wenn ich gegonnt hädde. Aber wie denn? Wohin denn? Mit wälschm Geld? Damals konnten wir Frauen nicht einfach gehen, wenn uns was nicht passte. Was hätte ich mit dem Kind machen sollen? Wir waren unseren Männern ausgeliefert, auf Gedeih und Verderb. Wenn Sie wüssten, wie viel ich heimlich geweint habe!«

Und das tat sie dann auch und die Spülbürste tropfte mit ihren Augen um die Wette.

Ich hatte richtig Mitleid mit ihr, legte ihr die Hand auf den Kittelärmel: »Sie sind Lothar zuliebe geblieben. Sie waren eine gute Mutter.«

»Vielleicht wäre der Junge viel selbstbewusster geworden, wenn er nicht immer unter der Fuchtel seines Vaters gestanden hätte … ich habe oft darüber nachgedacht. Aber jetzt ist es ja nicht mehr zu ändern.« Die arme alte Frau weinte jetzt bitterlich und sie musste sich setzen.

Sie erzählte mir schluchzend und schniefend viele Dinge, die Vati Karl-Heinz ihr und Lothar angetan hatte, und dann ließ sie die Bombe platzen: »Dabei ist er gor nischt unsor laibliches Gind!«

ANNE!! DAS HABE ICH DIE GANZE ZEIT GEWUSST!!!

»Weiß er das gar nicht?«, fragte ich entsetzt.

»Nein. Der Vadi hat beschlossen, dass wir es ihm nie sagen, damit er seine Audoridät nicht verliert.«

»Aber ein Adoptivkind hat mit achtzehn Jahren das RECHT, es zu erfahren!«

»Er ist kein Adoptivkind.«

»Nein?? Sondern?? Ich meine, was ist er dann?«

»Ach, ich sollte gar nicht darüber sprechen. Der Vati wird schrecklich mit mir schimpfen!«

Ich kniete mich neben Oma Helga, die nun hemmungslos in

ihre Kittelschürze weinte. Erwin in seiner Ecke weinte auch schon. Wahrscheinlich, weil ihm der Braten so schwer im Magen lag.

»Mir können Sie alles anvertrauen. Ich verrate Sie nicht. Ehrenwort, unter Frauen.«

Sie lächelte schwach. »Einmal war ich versucht, es Anne zu sagen, aber das hätte das arme Mädel sicher völlig aus der Fassung gebracht. Außerdem stellt der Vati mich immer als vertrottelte alte Idiotin hin und Anne hätte mir gar nicht geglaubt.«

»Aber ich glaube Ihnen«, drängte ich sanft. Ich griff mir die lauwarme Flasche Rotkäppchen-Sekt, die auf der angeschmuddelten Anrichte stand, und goss ihr davon ein. »Hier. Das tut Ihnen gut.«

»Dass das bloß nicht der Vadi sieht«, kicherte die Alte unter Tränen, und dann kippte sie das ganze Glas in einem Zug herunter.

»Also«, sagte sie, nachdem sie sich gefangen hatte. »Der Vadi war Inspektor.«

»Ich weiß«, stöhnte ich und verdrehte die Augen zum Himmel. »Menschenkenntnis, Held der DDR, erster Wartburg, Sprung von der Brücke in den Fluss. Tapferkeitsmedaille.«

Sie kicherte wieder und hielt mir das Glas hin. Ich schüttete nach, dass es nur so schäumte.

»Und er gondrollierte staatliche Einrichtungen drüben. Unseren Kinderhott zum Beispiel. Da hab ich ihn auch genn gelernt. Er sah flott aus in seiner Uniform, das gönn Se mior glauben.«

»Glaub ich Ihnen«, sagte ich und schüttete ihr Sekt nach. »So flott, wie der heute noch aussieht!« Sie guckte mich fragend an und stürzte das lauwarme Gebräu herunter.

»Er beaufsichtigte das Personal, also auch mich. Er gab dem Geheimdienst Tipps, welcher Genosse zuverlässig und bünktlisch und fleißig ist und welschor nicht.«

»Okay«, sagte ich, »geschenkt.« Vor lauter Spannung setzte ich mir die Rotkäppchen-Flasche an den Hals.

»Das mache ich auch manchmal«, giggelte die Oma, und ich füllte ihr den Rest ins Glas.

Wir mochten uns richtig gern, du! Prima Schwiegermutter hast du da gehabt!

»Vati«, half ich ihr auf die Sprünge. »Inspektor. Staatliche Einrichtungen.«

»Ach ja, der Vadi«, seufzte sie. »Im Gefängnis war er auch Inspektor. In Lutzkow. War ein großor, schönor Gnost. Schöner, massiver roter Backstein. Mit dickn Giddorn. Qualitätsarbeit, hat Opa Karl-Heinz immer gesagt. Da kriegte er immer aus der Gondine die besten Würschtschn. Düringische Bratwürstchen, die griegtn nur die Genossen von der Stasi.«

Sie haute sich tadelnd auf den Mund: »Das Wort DURFTE ich doch nicht mehr sagen!«

»Schon gut. Also. Würstchen.«

»Der Garl-Heinz brachte so manches Mal was mit. Was sie den Gefangenen abgenommen hatten, was die da drinnen nicht haben durften.«

»Was zum Beispiel?«

Oma Helga schüttelte nachdenklich den Kopf: »Ich weiß noch, wie er mir einmal eine Dose Nivea mitgebracht hat. Da waren wir jungen Frauen ja ganz verrückt nach. So was gab es ja bei uns nicht.«

ANNE! Ich musste den Rotkäppchen-Sekt auf den Linoleumfußboden spucken!!

»Und … sonst? Was brachte er sonst mit??«

»Ein anderes Mal hatte er zwei Zwanzigmarkscheine dabei«, flüsterte die Oma ehrfürchtig.

»Rischtsche grüne westdeutsche Zwanzischmoggscheine. Weil er so pünktlich und fleißig und zuverl…«

»Und dann hat er Lothar mitgebracht!«, fiel ich ihr ins Wort.

Sie hob erstaunt den Kopf, sah mich mit leeren Augen an: »Woher wissen Sie das?«

»Weil ich eins und eins zusammenrechnen kann«, sagte ich.

»Ja, aber keiner darf von Loodars Härkunft wissen!«, flüsterte die Alte.

»Wie meinen Sie das? Ich denke, man kriegt das schon mit, wenn man schwanger ist und Kinder kriegt…«

»Das Mädel war noch ganz jung und noiv«, flüsterte Frau Pistrulla. »Un se ham se ja undor Nargose gesetzt… also gewusst hat die Kleine die ganze Wahrheit nicht!«

Ich starrte die Alte entsetzt an. Ich meine, man hört ja 'ne Menge von Versuchen, die mit weiblichen Gefangenen gemacht worden sind, aber irgendwie konnte ich das alles nicht fassen. Oma Helga schaute ins Leere und sagte dann: »Ich weiß se ja sälbor nicht! Mein Mann ist ein Staatsgeheimnis-Träger und er sagt immer, das Geheimnis nimmt er mit ins Grab…«

Anne! Ich glaube, wir haben beide ein Puzzleteil in der Hand. Wir müssen es nur noch zusammenstecken.

Verdammt, warum kann ich jetzt nicht nach Salzburg kommen!! Muss morgen unbedingt zurück nach L. A.!! Jane hat übermorgen Drehtag. Da beißt die Maus keinen Faden ab. Aber wir mailen.

Melde dich schnell. Bleibe die ganze Nacht wach.

Alex

PS: Habe mich heute den ganzen Abend zwischen den Fingorn gegrotzt und mir die Libbe blutig gebissen!

Liebste Alex,
stöhn!! Das ist ein Wahnsinn! Heute Abend, also gestern Abend
hat dein Mark Daniel – oder ist es mein Mark Daniel? – eine
Traumpremiere hingelegt, das Salzburger-Festspiel-Publikum lag
ihm zu Füßen! Sie haben Standing Ovations gegeben für alle
Solisten, aber für Mark haben sie zusätzlich mit den Füßen
getrampelt! Die Intendantin sagte, so was sei in Salzburg seit Karajan mit den Wiener Philharmonikern und Beethovens Fünfter
nicht wieder vorgekommen. Die Premierenfeier war wunderbar!
Alle waren da, alle!

Thomas Gottschalk, Christian Quadflieg, Senta Berger, Christiane Hörbiger! Dietrich Genscher, Helmut Kohl! Und ALLE
haben uns die Hand geschüttelt, Mark Daniel und mir!

Diesmal stand ich nicht schüchtern mit Kyllikki in der Ecke,
diesmal bin ich nicht weggelaufen, weil ich dachte, ich gehöre
hier nicht hin, sondern ich war die Frau an Mark Daniels Seite!
Im gold-schwarzen bodenlangen Festspieldirndl. Alex! Es ist wie
im Märchen!! Meine Kollegen vom Chor freuen sich und sind
sogar ein bisschen stolz auf mich! Wenn ich da an meine grauenhafte Affäre mit Siegwulf Mennecken im Kaufglück denke und
den Neid, den das bei den Kollegen hervorgerufen hat! Wir haben gefeiert und gelacht und getanzt, bis wir fast umfielen. Noch
vier weitere Vorstellungen Norma liegen vor uns! Ich kann es gar
nicht erwarten vor Freude!

Um halb drei fuhr uns ein Chauffeur nach Hause, wir nahmen
ein heißes Bad in deiner ovalen riesigen Badewanne, leerten noch
eine ganze Flasche Champagner und taten überhaupt noch so ei-

nige Dinge, die zum vollkommenen Glück zweier Menschen beitragen, und jetzt schläft mein Schatz und ich bin noch mal zum PC geschlichen, weil ich vor lauter Aufregung und dem ständigen Gefühl zu schweben nicht schlafen kann, und da fand ich gerade deine Mail.

Alex! Ich hab zwar einiges getrunken, aber so viel kann ich doch noch zusammenreimen: Mark Daniel und Lothar sind Zwillinge, stammen von einem Gen-Versuch mit künstlicher Befruchtung im Herbst 1961 im Gefängnis von Lutzkow, und ihre leibliche Mutter heißt Erna Liebenow!

Ist das alles gut gombiniort?

Melde dich, Alex! Ich bleibe die ganze Nacht am PC!

Mit rasendem Herzklopfen

Anne

PS: Los, hol dir Champagner an den PC und dann knacken wir das Rätsel gemeinsam! Ich warte! Mach schon!

Plattstadt, Hotel am Stadtring, die schäbige Suite,
aber immerhin mit PC-Anschluss

Liebste Anne,
da bin ich. Hab versucht zu schlafen, aber es geht nicht. Als der Compi endlich »Plong!« machte, »Sie haben Post«, saß ich auch schon senkrecht.

Champagner gibt's in diesem trostlosen Bau nicht, aber Rotkäppschnsäggt.

Hab mir Eiswürfel reingetan aus der Bar unten. Da ist zwar niemand mehr, aber ich hab mich selbst bedient. In vier Stunden geht der Flieger. Von Frankfurt nach L. A.

Für Lothar und mich. Aber vorher knacken wir die Nuss. Warte. Kriege ich das alles auf die Reihe? Seit wann gibt es künstliche Befruchtungen offiziell?

Noch nicht in den frühen Sechzigern. Damals hat man vermutlich herumexperimentiert. An Ratten. Warum nicht auch an weiblichen Gefangenen?? An ahnungslosen, blutjungen? Vielleicht brauchte man Versuchskaninchen? Vielleicht hat man Erna Liebenow die Freiheit versprochen, wenn sie einwilligt? Oder man hat sie erst gar nicht gefragt!

Sag bloß nicht, dass dir das abwegig erscheint. So was hat es alles gegeben. Immer. Zu jeder Zeit. In jedem Regime. Und erst recht in der DDR in den frühen Sechzigern. O Gott! Ich muss einen klaren Kopf behalten. Du Champagner, ich Rotkäppchen-Sekt!

Was denkst du?? Mach schon!! Ich warte!
Alex

Mensch, Alex,
du bringst mich auf was.

Wie das bei künstlichen Befruchtungen ja öfter passiert – ich weiß das aus eigener Erfahrung! –, sind, mehr oder weniger geplant und gewollt, Zwillinge entstanden! Du weißt schon, Hormone und so. Erna Liebenow war blutjung und völlig unerfahren – gibt es so was, dass man sie ohne ihr Wissen von den beiden Knaben entbunden hat? Unter Vollnarkose vielleicht? Die Schellongova hat gesagt, Erna war bestimmt schwanger, ohne es zu merken.

Oma Helga sagt, man hat das Mädchen betäubt und sie war jung und naiv.

Aber später muss sie es doch gemerkt haben! Was hat man mit ihr gemacht?

Wenn sie bloß nicht dabei draufgegangen ist! Meinst du, sie lebt noch? Wenn ja, weiß sie davon, dass sie Mutter zweier Söhne ist? Wo steckt sie? Was ist aus ihr geworden? Hat man ihr je von Mark und Lothar erzählt? Vermutlich nicht. In wessen Interesse hätte das sein sollen?

Antworte!! Glaubst du, ich spinne? Ich platze!!
Anne

PS: Mach schon, mach schon, antworte!

Na endlich! »Plong!« – Sie haben Post!!

Warte, Anne,
das kommt hin. Das könnte genau aufgehen – ein Puzzleteilchen nach dem anderen.

Nehmen wir an, deine Theorie stimmt. Versuchen wir also, uns das alles bildlich vorzustellen. 31. August 1962. Kurz vor Mitternacht kommt der Erste, kurz nach Mitternacht der Zweite. Jetzt hatten sie zwei winzige Neugeborene im Knast. Bei Mehrlingen handelt es sich oft um Frühgeburten – und die werden auf jeden Fall mit Kaiserschnitt geholt. Also Vollnarkose. Könnte tatsächlich sein, dass Erna Liebenow das alles gar nicht richtig mitbekommen hat. Man musste die Winzlinge entsorgen. Töten wollte man sie nicht. Warum nicht? Vielleicht sollten sie für eine Langzeitstudie beobachtet werden??

Nehmen wir mal an ... warte mal. Wie findest du das? Man gab sie zwei verschiedenen kinderlosen Paaren zur Adoption.

Aber sie SIND ja nicht adoptiert. Nicht amtlich jedenfalls.

Warum hat man sie nicht zusammengelassen? Vielleicht, um Studien an ihnen zu machen. Unterschiedliche Erziehung, unterschiedliche Entwicklung. Das übliche interessante Thema. Was ist Veranlagung, was lernt der Mensch durch seine Umwelt?

Man nahm zwei sehr verschiedene Familien. Die eine linientreu, politisch korrekt, die andere freigeistig, mit viel weiterem Horizont. Aber warum kam Mark zu den Martinis?

Lothar kam jedenfalls zu den Pistrullas. Das liegt auf der Hand. Opa Karl-Heinz war in dem Gefängnis Inspektor, hatte einen Draht zur Regierung, galt als zuverlässig und gesinnungstreu. Oma Helga war schon Mitte vierzig und konnte keine eigenen Kinder mehr bekommen. Das perfekte Versuchsobjekt.

Wollte man testen, wie sich die Knaben in unterschiedlichen Familien entwickeln? In unterschiedlichen politischen Verhältnissen?? Macht das Sinn? Oder liege ich jetzt total daneben?

He, bist du noch da? Oder schläfst du?

Alex

PS: Ich geh jetzt runter in die Bar und hole mir irgendwas Genießbares. Wenn ich wiederkomme, möchte ich ein »Plong!« – Sie haben Post!!

Liebste Alex,

ich war nie wacher!! Wenn deine Theorie stimmt: Warum hat man keinen der beiden im Osten gelassen? Lass mich nachdenken.

Brauchte man Verbindungsleute? Ist Opa Karl-Heinz ein Spitzel für die DDR gewesen? Hat man ihn als solchen in den Westen geschickt?

Das passt sogar haargenau zu ihm! Er hielt das für eine Riesenauszeichnung und war immer wahnsinnig stolz darauf! Leider konnte er es nie jemandem erzählen! Besonders nicht, nachdem die Mauer gefallen war! Seinen Lohn konnte er sich nie abholen. Seine Ehrenansteckadel für besondere Verdienste an der Deutschen Demokratischen Republik.

Aber noch mal einen Schritt zurück: Wo hätte er sich mit dem gestohlenen Baby unauffälliger ansiedeln können als in Plattstadt? Wo keiner keinen kannte. Wo alle neu waren und damit beschäftigt, ihr eigenes kleines Leben aufzubauen. Wo es Tausende von jungen mittellosen Familien gab, die alle irgendwie versuchten, im Westen Fuß zu fassen.

Ich wette, man hat die Familie Pistrulla Tag und Nacht beobachtet. Das erklärt viele dieser sonderbaren Verhaltensweisen! Der Opa wusste, dass er im Big-Brother-Container sitzt mit seinem vorbildlichen Vorgarten, seinem Schneefegen in der Auffahrt und seiner absoluten Nachtruhe ab zehn! Dieses »Präzise« und »Punkt«! Er war die ganze Zeit im Räderwerk einer riesigen Uhr! Die Oma Helga wusste es auch. Und er hat ihr ein Schloss vor den Mund gehängt. Und sie einfach für doof erklärt. Damit ihr keiner peinliche Fragen stellt.

Also, das Lothar-Kartenspiel geht auf. Aber was ist mit Mark?? Warum kam Mark nach Amerika?? Mark Daniels Vater!

Walter – du kennst ihn besser als ich. Meinst du, ER könnte ebenfalls ein Spitzel für die DDR gewesen sein?? Meinst du, er sollte in den Staaten spionieren? Meinst du, man gab ihm Mark Daniel als so eine Art lebendiges Pfand?

Jetzt bist du wieder dran, Alex!!

Anne

Fünf Uhr sechzehn, präzise. Es dämmert schon

Liebste Anne,
Muss mich beeilen! Hab noch nicht mal Koffer gepackt! Lothar
hat eben angerufen, er will mich exakt und präzise um zehn vor
sechs am Hotel abholen. Ich soll fix und fertig angezogen mit
Gepäck in der Einfahrt stehen und eine Sonnenmütze aufhaben.
Und schon Pipi gemacht.

Ich find den Kerl zum Brüllen komisch. Also los. Schnell.
Noch präzise vierunddreißig Minuten.

Walter Martini – ein Spitzel für die DDR? Nein – das erscheint
mir unlogisch. Für Walter lege ich meine Hand ins Feuer. Aber
lass mich mal nachdenken. So wie Liz und Walter das Ganze
schildern, habe ich den Eindruck, als habe man aus Not gehan-
delt. Eine Blitzaktion. Bei Nacht und Nebel. Vielleicht wollte
man Mark ganz anderen Leuten geben. Einer Familie im Osten
vielleicht. Und das Ding drohte aufzufliegen. Ich stelle mir vor,
dass man in großer Eile war. Man musste handeln! Jede Minute
zählte! Man kann zwei Frühgeborene nicht tagelang irgendwo
verstecken.

Vielleicht hat man Mark deshalb in dieser Nacht-und-Nebel-
Aktion an Walter und Liz verkauft, weil man ihn blitzschnell
loswerden wollte. Erstaunlich, dass sie ihn nicht verscharrt haben.

Walter und Liz haben erzählt, dass zwei Männer in Lederjacken den Kleinen brachten. In einem Wagen mit ausländischem
Kennzeichen.

Es wurden auf beiden Seiten keine Fragen gestellt. Nur 50 000
Mark wechselten den Besitzer. Das war damals sehr, sehr viel
Geld. Besonders für ein Ostblockland.

Schätze, Mark verdankt sein Leben einer Panne. Sonst wäre er in der DDR aufgewachsen. Bei ganz anderen Leuten. Jetzt kommt der nächste Schritt: Wie viele Erna Liebenows gibt's in Deutschland? Das muss doch rauszukriegen sein!

Also los, Anne. Begib dich ins Internet.

Muss zum Flughafen. Der strenge Lothar beliebt nicht zu scherzen, wenn man nicht exakt und präzise, wie ausgemacht, mit Sonnenschutzfaktor sechzig eingecremt in der Einfahrt steht!

Muss packen. Hicks. Scheiß-Rotkäppschnsäggt.

Melde mich aus der Lounge.

Alex

PS: Das wird lustig, wenn Lothar neben mir sitzt und ich forsche unauffällig im Internet nach seiner Mutter. Schätze, er wird mir lautstark erklären wollen, wie so was funktioniert.

Ach Alex,

gerade eben kommt ein Glückwunschtelegramm von Kyllikki: »Hallo, meine Liebe! Sie sind geschieden! Rechnung geht aufs Haus!! Ihre Kyllikki!!«

Ich könnte schreien vor Glück.

Wenn ich mir vorstelle, dass du jetzt über Plattstadts Zubringerstraße zum Flughafen fährst! Mit Lothar! Der wahrscheinlich beleidigt die Nase hochzieht, weil du exakt zwei Minuten zu spät in seinen Opel Vectra gestiegen bist! Und jetzt hektisch am Radio rumdreht, um den Verkehrsbericht zu hören – von wegen Berufsverkehr und Stau!

Knallt er dir gerade den »Großraum Frankfurt«-Stadtplan auf den Schoss und herrscht dich an, dass du präzise und exakt die günstigste Umleitungsstrecke herausfinden sollst, FALLS irgendwo Stau ist? Ach Alex, ich SCHENK ihn dir! Von Herzen! Mit 'ner roten Schleife drum!!

MEINER – also Mark Daniel – würde lachen und singen und sagen: Darling, wenn Stau ist, dann fliegen wir drüber. Wahrscheinlich sind das die Worte, die DU gerade zu Lothar sagst.

Ach Alex! Ist das nicht wahnsinnig komisch? Wir haben einfach die Kerls getauscht – und wie es scheint, ist jede von uns mit dem Zwilling sehr glücklich!

Ich mach mir vor Spannung in die Hose! Ich halt das nicht mehr aus!

Meinst du, wir können die beiden an ihrem vierzigsten Geburtstag mit der Wahrheit überraschen? Noch eine Woche! Schaffst du es, bis dahin wieder hier zu sein?? Sollen wir sie zusammenbringen?

Sollen wir ein großes Fest machen? Beiden die Augen verbinden und um PUNKT Mitternacht, wenn der August vor-

bei ist und der September beginnt, »ÜBERRASCHUNG!!«
rufen?

Dann stehen sie da und glotzen sich an und wir fotografieren
sie und bewerfen sie mit Konfetti! Komisch. Passt alles nicht.
Sind nur so Spinnereien.

Bin viel zu aufgeregt, jetzt am Computer rumzufummeln.
Muss erst wieder einen klaren Kopf bekommen.

Alex! Kannst du nicht versuchen, vor deinem Abflug noch ein
paar Erna Liebenows zu finden? Dann telefoniere ich sie alle der
Reihe nach durch. Das nenn ich Teamwork.

Was wollen wir eigentlich erreichen? Ist Klarheit immer
gut??

Flieg vorsichtig!
Deine Anne – total erschöpft

PS: Danke, dass ich mich nie mehr langweile!

Frankfurt, Flughafen, First-Class-Eincheckschalter,
in der Lounge

Liebste Anne,
sorry, ich hatte vergessen, dass du kein Computerfreak bist. Lothar checkt für mich mit ein.

Der ist doch ganz passabel, der Mann! Man muss ihn nur ein bisschen in die richtige Richtung schubsen. Von selbst kommt er nämlich nicht darauf. Aber er ist lernfähig.

Ich war in der Hauptpost, die zum Glück um sieben Uhr öffnete, und habe mir sämtliche Disketten ausgeliehen, auf denen alle Telefonbücher Deutschlands gespeichert sind. Jetzt sitze ich in der Senator-Lounge bei einem frühen Glas Champagner (muss den Rotgäbbschnsäggt zuschütten) und lasse den PC für mich arbeiten…

Na bitte. Da ist es schon. Es gibt in Deutschland dreiundzwanzig Erna Liebenows. Ich würde sagen, du telefonierst sie alle durch. Ich maile sie dir rüber. Die Adressen findest du im Anhang.

Nur, was wirst du sagen am Telefon? Grüß Gott, mein Name ist Anne Pistrulla, ich hätte nur eine Frage: Waren Sie 1961 in Lutzkow im Knast?

Nee, das geht nicht. Oder, warte, was ist damit? Kennen Sie eine Olga Schellongova?

Das ist doch unverfänglich! Und trotzdem eindeutig! Hast du eine bessere Idee?

Tut mir Leid, ich hab einen Konzentrationsknick. Die ganze Nacht nicht geschlafen…

Lothar kommt. Kann jetzt nicht … muss auch los. Versuche noch ein Upgrading in die First Class für Lothar zu kriegen.

Dann mach ich dem Jungen auch mal 'ne Freude.
Melde mich, wenn ich angekommen bin.
Viel Glück!!
Alex

Liebste Alex,

während du mit Lothar über den Wolken schwebst, telefoniere ich mir hier die Finger wund: Von den dreiundzwanzig Erna Liebenows hab ich immerhin siebzehn erreicht, aber keine kennt Olga Schellongova und keine war jemals in Lutzkow. Zumindest gibt es keine zu. Vom Alter her kamen nur drei in Frage – nach meinen Berechnungen müsste besagte Erna Liebenow siebenundfünfzig Jahre alt sein –, die anderen waren deutlich älter oder jünger. Eine ist vor kurzem verstorben. Von den fünf Fehlenden sind drei nicht da, bei einer geht der Anrufbeantworter und bei einer ist immer besetzt.

Jetzt geb ich erst mal auf.

Mark Daniel ist zur Probe nach Salzburg gefahren, er singt doch noch den Schubert-Abend im Mozarteum. Die »Winterreise«. Fremd bin ich eingezogen, fremd zieh ich wieder aus.

Ach Alex, ich hab so Angst, dass er bald wieder geht! Dass bald alles vorbei ist! Dass dieser Traumsommer irgendwann ein Ende hat!

Was ist, wenn wir sein Geheimnis rauskriegen? Ist dann unser wunderschönes sorgloses Leben vorbei?

Jetzt muss ich zum Kindergarten. Heute ist Sommerfest. Sie haben unten am See ein Zelt aufgebaut, und alle Kinder, die demnächst in die Schule kommen, dürfen heute Nacht dort schlafen! Greta und Carla haben schon ihre Schlafsäcke dorthin geschleppt. Ich habe sie einfach für Mitte September in der Schule angemeldet. Ich weiß nur eins: Wir gehen nicht wieder nach Plattstadt. Sag mal, was passiert eigentlich mit unserem hoch verschuldeten Reihenhaus?

Früher habe ich noch darüber nachgedacht, ob und wann ich mal mit einem Möbelwagen dort auftauche, um mir wenigstens einen Teil meiner persönlichen Sachen zu holen. Aber soll ich dir was sagen? Ich will NICHTS. Noch nicht einmal eine Gabel oder einen Kopfkissenbezug. Ich bin mit dieser Episode meines Lebens einfach fertig.

Dir und Lothar viel Glück und Erfolg in Amerika.

Warte weiter mit Spannung auf deine nächste Mail!

Deine Anne

PS: Mark Daniel hat Post! Von einem Gericht in Ohio! Er soll der Vater von Kims Kind sein und muss Alimente zahlen!! Er ist völlig niedergeschlagen, dass er mit dieser Frau ein Kind hat, und überlegt, ob er nicht vor seinem Liederabend noch rüberfliegen soll!

Hotel Bel Air, Hollywood, Suite 413–417, 26. August

Liebste Anne,
bevor ich auch zu dem Thema ein Bömbchen platzen lasse, noch mal die eindringliche Aufforderung: Finde Erna Liebenow. Gib nicht auf!

Wir können die beiden vielleicht in fünf Tagen überraschen! Geil! Ich werde die Presse bestellen und ProSieben und RTL Exklusiv! Was meinst du, was das schon wieder für Knete bringt!!

Also, jetzt kommt's: zum Thema Alimente. Lothar und ich sind gleich gestern Abend mit Jane auf eine Party in Beverly Hills gegangen. Zwischen all den Schönen und Reichen trafen wir ausgerechnet den dicken Danny-de-Vito-Verschnitt, der John Travolta und Arnold Schwarzenegger managt und nicht weiß, wohin mit seiner ganzen Knete! Rate, wen der im Schlepptau hatte: das dürre Model, Kim, mitsamt Kinderwagen! Er hat so laut geprotzt mit seiner väterlichen Potenz, dass du dir keine Sorgen zu machen brauchst. Sie versucht es halt, das gerissene Biest. Zwei Alimentezahler sind besser als einer.

Als sie Lothar sah, riss sie sich vom kleinen dicken Danny los und blieb wie versteinert stehen.

Lothar fuhr völlig unbeeindruckt mit seinem Vortrag fort.

»Also«, hörte ich ihn sagen. »Was ich versuche, Ihnen zu erklären, ist, dass es in Ihrem Fall verschiedene planungsbedürftige Einflussfaktoren gibt: Zum einen sind da die Aktiva, Immobilien, Wertpapiere, Versicherungen, Beteiligungen, persönliches Einkommen und so weiter. Zum Zweiten sind da die Passiva: Hypotheken, Lombard-Kredite, sonstige Kredite, Garantien, persönliche Ausgaben. Dann ist in Ihrem Fall die Lebensmittelpunktfrage. Wo haben Sie – rein steuerlich betrachtet – Ihren Hauptwohnsitz?«

»Mörsenbroich«, sagte Jane.

»Man müsste hingehen und prüfen, ob Mörsenbroich zur Erstellung einer optimierten Vermögensbilanz, einer Cashflow-Planung und Projektion, als Standortbestimmung…«

Lothars Präsenz sprach sich herum wie ein Lauffeuer. Als ich sagte, er sei der genialste Finanzberater Europas und verfüge über sensationelle Verbindungen zur Privatbank des Fürstentums Liechtenstein, wo man seine Schwarzgelder geradezu säckeweise eingraben könne, suchten alle seine Nähe. Der arme Lothar wusste gar nicht, wie ihm geschah! Von überall reichte man ihm Visitenkärtchen und lud ihn ein!

Man konnte Lothar förmlich wachsen sehen. Ich war richtig stolz auf meine Neuentdeckung. Eines musst du mir lassen, Anne: Ich hab einen untrüglichen Riecher für viel versprechende Talente.

Ich werde ihm helfen, hier in den Staaten eine Firma zu gründen. Ich denke, seine Zeit in Plattstadt ist vorbei. Da fällt mir ein: Euer Reihenhaus steht zum Verkauf! Lothar hat auch keine Lust mehr, darin zu wohnen.

Ich habe in seinem Auftrag eine Maklerfirma damit beauftragt. Du kannst gar nicht mehr zurück nach Plattstadt, meine Liebe. Selbst wenn du wolltest.

Also, melde deine Mädchen in der gelben Volksschule oben auf dem Hügel von Mondsee an.

Wir werden eine Lösung für alle finden. Ich verspreche es dir.

So, inzwischen wirst du weiter telefoniert haben. Hast du Erna Liebenow gefunden? Ich bin soo gespannt!! Noch vier Tage bis zu ihrem Vierzigsten. Schaffen wir es, sie an diesem Tag zusammenzubringen?

Anne, ich umarm dich. Hab ich dir schon mal gesagt, wie stolz ich auf dich bin??
Deine Alex

PS: In mir reift der Gedanke, unsere E-Mails an einen Verlag zu verkaufen. Der Erste, dem ich die Story anbieten werde, ist Walter. Wir brauchen nur noch ein Happy End.

Liebste Alex,

während du schon wieder ausschließlich an Geld denkst, tut sich hier auf Erden Unfassbares: Also, ich habe alle dreiundzwanzig Erna Liebenows angerufen und keine war die Richtige.

Aber jetzt kommt's: Heute früh, ich hänge am Computer, in der Küche macht sich Rico an der Kaffeemaschine zu schaffen.

Ich erzähle ihm von meinen vielen Telefonaten und dass die besagte Erna Liebenow ungefähr siebenundfünfzig Jahre alt sein muss.

»Die Putzfrau der Mutter von meinem Exfreund hieß Erna Liebenow«, sagt er wie selbstverständlich. Ich schnelle mit dem Kopf hoch, dass ich fast mit Ricos Kopf zusammenstoße:

»Die PUTZFRAU deiner Mutter heißt Erna Liebenow?«

»Die Putzfrau der Mutter meines Exfreundes. Was regst du dich denn gleich so auf!«

»Wann hast du dich von dem Kerl getrennt?«

»Vor einem Jahr und zwei Monaten. Warum?«

»Wie alt ist die Putzfrau?«

»Keine Ahnung. Zwischen vierzig und siebzig, wenn du mich fragst.«

Ich schüttelte den armen Rico am Hemdkragen. »Wie sah sie aus?«

»Keine Ahnung! Ich hab sie nur ein paarmal kurz gesehen und da war sie am Putzen...«

»Versuch dich zu erinnern!!«

»Na, so 'ne Alte halt.«

»Ruf sie an! Los!!«

Ich zerre den Hörer von der Gabel und halte ihn ihm vor die Brust.

»Ja sach mal! Es ist gerade mal kurz nach sieben!«

»Egal. Ruf die Mutter deines Exfreundes an.«

»Und was soll ich ihr sagen?«

»Frag sie, wo sie 1961 war.«

»Wer, Olafs Mutter?«

»Nein, verdammt! Die Putzfrau! Erna Liebenow!«

»Wo soll sie schon gewesen sein? Warte mal, so wie sie spricht, kommt die aus Sachsen.«

»WIE spricht sie?«, schreie ich ihn an.

»Anne, wieso zickst 'n du so rum! Hast du deine Tage oder was!«

»Die Putzfrau deiner Exschwiegermutter ist zwischen vierzig und siebzig und spricht sächsisch?!« Ich stellte das Telefon auf »Mithören«.

Und jetzt halt dich fest, Alex: Die Mutter von Olaf sagt, Erna Liebenow, siebenundfünfzig Jahre alt, stamme aus der ehemaligen DDR, sei sehr pünktlich, fleißig und zuverlässig (!!!), putze bei ihr seit zwanzig Jahren und habe EINEN SOHN!!!

Ich riss Rico den Hörer aus der Hand: »Wie sieht der aus?«

»Wer? Der Sohn?«

»Ja! Wie alt ist er? Wann hat er Geburtstag?«

»Keine Ahnung. Sie bringt ihn ja nicht mit, wenn sie putzen kommt.«

Ich schnaufte ein paarmal durch die Nase, dann sprang ich auf: »Kann ich Sie besuchen kommen?«

»Wie – mich? Oder Frau Liebenow?«

»Beide. Sie beide. Bitte. Es ist schrecklich wichtig.«

»Wenn Sie Rico mitbringen … da wird Olaf sich aber freuen.«

»Kann ich nicht machen«, sagte Rico. »Dann krieg ich Ärger mit Jaime.«

»Hören Sie? Ich komme allein. Morgen Mittag. Sind Sie dann zu Hause? Ich danke Ihnen. Bis dann.«

Tja, Alex. So ist das. Privatdetektivin Anne Pistrulla meldet sich ab. Fliege morgen nach Berlin. Ich melde mich
Anne

PS: Ich sterbe vor Aufregung!!

Liebe Anne,

du bist unglaublich! Na, hättest du das vor einem Jahr gedacht, als du in Plattstadt im Kaufglück mit Persönlichkeiten wie Jürgen Böhser und Siegwulf Mennecken Umgang hattest? Und abends mit Erwin im Stadtpark spazieren gingst, nur um Oma Margot nicht in die Fänge zu laufen?

Ich könnte vor Spannung in meinen PC beißen, wenn ich mir überlege, dass du gerade in Berlin die Mutter unserer beiden Männer triffst! Und von welchem Sohn mag die Rede sein??

Jane Blond dreht wieder und heute Abend treffe ich endlich meinen heiß geliebten Zahnarzt Steve W. Vanderbilt. Natürlich werde ich auch ihn mit Lothar bekannt machen, denn das Geld liegt ja bekanntlich auf der Straße und da wollen wir es nicht liegen lassen. Das mit der Lebensversicherung fand ich jedenfalls wahnsinnig interessant.

Nun bin ich gespannt auf das, was du in Berlin erlebt hast. Glaube mir, ich arbeite wie ein Tier daran, dass wir am vierzigsten Geburtstag unserer beiden Männer in Salzburg zusammen feiern können. Noch drei Tage!

Ich organisiere alles, vom Catering bis zum Champagner, wenn du nur die Wahrheit herausfindest! Beeil dich!!

Vor Spannung platzend,

deine Alex

PS: Was ich völlig vergessen habe zu erwähnen: Mark Daniel möchte mein Haus am Mondsee kaufen. Ich habe ihm einen echten Freundschaftspreis geboten. Hat er es dir schon gesagt?? Oder möchtest du es lieber kaufen? Teilt euch doch den Spaß!

Liebste Alex,
und das erwähnst du unter PS? Das heißt, dass Mark Daniel sich hier niederlassen will!! Das heißt, dass DU nicht mehr in dein Haus am Mondsee zurückkehren wirst? Das heißt, dass die Kinder und ich hier wohnen bleiben dürfen? Zusammen mit Mark Daniel?

Das bedeutet, dass die Kinder und ich ... dass wir hier Wurzeln schlagen dürfen?

Meine Güte, ich fasse es nicht! Kann mich vor lauter Freude kaum auf unser Finale konzentrieren!

Mach dich bereit, Alex: vierter Akt, drittes Bild! Vorhang auf!

Deine schüchterne Anne Klein aus Plattstadt fliegt nach Berlin, ab Salzburg um sechs Uhr fünfzehn und weiter um acht Uhr fünfunddreißig ab Frankfurt. Natürlich hockt sie in der dreiundzwanzigsten Reihe, kriegt kein Upgrade, kein Brötchen und keinen Champagner, dafür Tomatensaft aus dem Plastikbecher... ABER: Ich habe den richtigen Flieger genommen und landete um zehn Uhr zwanzig in Berlin. Mit dem Flughafen-Zubringer-Bus schaffte ich es bis Bahnhof Zoo und ab dort fuhr ich tapfer mit der S-Bahn nach Wilmersdorf. Ich hab die Adresse gefunden.

Olafs Mutter, eine gepflegte Dame Mitte sechzig, mit auffallend onduliertem brünetten Haarturm, öffnete und bat mich herein in die schöne, gediegene gute Stube. Sie hat einen Friseursalon am Ku'damm betrieben und betreut inzwischen nur noch gut zahlende Privatkundinnen bei sich zu Hause. Eine Dame saß auch gerade unter der Haube.

Wir tranken Kaffee aus feinstem Porzellan und Olafs Mutter versicherte mir, dass sie es auch viel lieber sähe, wenn Olaf eine nette junge Frau wie mich mit nach Hause brächte statt dieser homosexuellen Burschen, aber dass sie sich inzwischen mit der Veranlagung ihres Jungen abgefunden hätte. Und Berlin sei ja das Eldorado der Homosexuellen, da könne man nichts machen.

Ich versicherte ihr wiederum, dass mich Olaf nicht für fünf Pfennig interessiert, dass ich aber wohl am Sohn ihrer Putzfrau hochgradig interessiert sei!

Da ließ die Mutter von Olaf eine weitere Bombe platzen.

»An wem sind Sie interessiert? Am schwachsinnigen Sven?«

»Wie – schwachsinnig.«

»Na ja, Frau Liebenow sagt, er wäre eine Frühgeburt gewesen und hätte nie lesen und schreiben gelernt.«

»Eine Frühgeburt…« Ich musste mich setzen.

»Ja. Eine Frühgeburt.«

»Wie alt ist er denn, der Sven?«

»Der Sven wird nie richtig erwachsen, sagt seine Mutter. Obwohl er vierzig wird.«

Ich sprang auf, dass der Kaffee überschwappte.

»Sven wird vierzig?? Wann genau??«

»Keine Ahnung. Frau Liebenow kommt heute nicht, sie putzt bei mir nur montags und donnerstags, aber sie wohnt in Marzahn – hier ist ihre Adresse. Telefon hat sie nicht.«

Deswegen war sie auch nicht im Telefonbuch auf deiner Diskette, Alex!

Ich warf mich in ein Taxi, Olafs Mutter verstand gar nichts mehr.

»Frau Liebenow kommt sonst immer mit der S-Bahn und dem Bus, das dauert anderthalb Stunden!«, rief sie noch hinter mir her.

Das Taxi fuhr lange über eine immer trostloser werdende sechsspurige Schnellstraße und auf einmal empfand ich eine nie gekannte Liebe für Plattstadt. Gegen diese hässlichen, gesichtslosen Plattenbauten, die sich unzählig aneinander reihen, mit ihren scheußlich angestrichenen Balkonen, ist Plattstadt ein hübsches heimeliges Kleinstädtchen, das Gemütlichkeit und Geborgenheit ausströmt!

Der Taxifahrer brauchte lange, bis er endlich den Blaskowitzer Damm 148 d gefunden hatte.

»Det macht zwoundachtzig Euro, die Dame.«

Einer inneren Eingebung folgend, gab ich ihm hundert Euro, damit er mich noch bis zur Wohnungstür der Frau Liebenow begleitet. Irgendwie hatte ich plötzlich Angst.

Wir latschten über einen riesigen Schrottplatz, auf dem einige Punks mit ausgemergelten Hunden herumlungerten, und ich muss sagen, ich war ganz froh, dass ich den Fahrer dabeihatte, obwohl der auch nicht gerade vertrauenerweckend aussah.

Viele Jugendliche, aber auch Kinder von elf, zwölf Jahren, saßen dort auf verwahrlosten Sandkastenrändern, tranken Dosenbier und rauchten. Unter einer verkommenen Rutsche, deren Sitzfläche schon völlig verrostet war, lagen Scherben von Schnapsflaschen. Wir umrundeten unzählige Müllcontainer, die überquollen und in der spätsommerlichen Glut schrecklich stanken, und stiegen über Hundekot, herumliegende Kondome und Spritzen, die, wie der Taxifahrer mir versicherte, von den drogensüchtigen Junkies hier stammen.

Das vierte Hochhaus in einer Reihe von abgewohnten Klinkerbauten war dann das, was wir suchten. Die meisten Klingelschilder waren unleserlich beziehungsweise es war überhaupt kein Name dran, aber am vorletzten von oben stand in krakeliger Handschrift geschrieben: »Liebenow«.

Ich hatte sie gefunden! Meine Hand zitterte und ich musste schlucken.

Ich klingelte. Nach kurzer Zeit knackte es in der Sprechanlage, aber es war kein Wort zu verstehen. Ich war vor Aufregung ganz schwach. Der Taxifahrer zündete sich eine Zigarette an und hockte sich auf einen alten Autoreifen: »Soll ick warten, junge Frau?«

»Ja, bitte. Fahren Sie bloß nicht ohne mich weg.«

Ich kramte noch einmal zwanzig Euro hervor und drückte sie ihm die Hand.

»Ab halbe Stunde kostet extra.« Ich nickte ihm dankbar zu.

Die Tür stand offen. Das Treppenhaus war dunkel und stank entsetzlich. Der Lift war kaputt, die grün getünchten Wände, von denen der Putz abbröckelte, mit Graffiti übersprüht. Ich hätte mich ohnehin nicht in den Fahrstuhl getraut, machte mich also auf den Weg, die Treppen hinauf, insgesamt dreizehn Stockwerke. In jedem Stockwerk waren die Wohnungstüren anders grellbunt verschmiert. Im dreizehnten Stock vier Wohnungstüren, alle in Dunkellila.

»Liebenow«. Ich fasste mir ein Herz und klopfte. Die Klingel war eh kaputt.

Drinnen hörte ich ein Poltern, dann schwere Schritte. Ich schluckte und biss mir auf die Lippen. Mir schlotterten die Knie in meinem adretten Reisekostüm.

Jetzt schnall dich an, Alex!

Dann ging die Tür auf. Langsam, knarrend. Ich blickte zuerst nur ins Dunkle, musste die Augen zusammenkneifen, um überhaupt Konturen auszumachen.

Und da war er, Alex.

Der Dritte. ES SIND DREI!!

Ein großer, bulliger Kerl, in einem ausgebeulten Trainingsanzug. Die Haare waren abgeschoren, er hatte mehrere Ringe im Ohrläppchen und war an beiden Unterarmen tätowiert. Seine Augen lagen tief in ihren Höhlen. Ich starrte ihn schweigend an und er starrte mich auch an. Wenn er ein Messer gezogen hätte, hätte ich nicht mal mehr schreien können.

»Wer iss'n det, Sven?« Aus dem Hintergrund kam die rauchige Stimme einer älteren Frau, begleitet von Husten.

»Weess ick nich, Mama.«

»Ich komme von … ich bin … ich würde gern…«

»Wat iss'n los, Svenni?«

»Weess ick nich!«

Nun kam die Alte näher. Sie war ziemlich dick und hatte einen dieser neonfarbenen Jogginganzüge an, mit denen Frau von Unterwelt in den Massa-Markt zu gehen pflegt. Ihre Haare waren militärisch kurz geschnitten, in undefinierbarem Grau. Ihr Gesicht war aufgedunsen. Sie hielt eine Zigarette in der Hand und stierte mich aus teilnahmslosen Augen an:

»Se wünschen…?«

Ich starrte immer noch den Kerl an, der aussah, als hätte man

Lothar und Mark in einen Sack gesteckt und so lange draufgehauen, bis beide sich in ein bulliges Monster verwandelt hätten.

»Darf ich Sie einen Moment sprechen?«

»Worum jeht et? Mein Sven is auf Bewährung frei und det könnt ihr nich ändern! Oda hatta wieda wat anjestellt? Ick hau ihn jrün und blau!«

»Ich habe nur einige Fragen.« Obwohl ich vor Angst fast gestorben wäre, Alex, wollte ich in diesem Moment nicht aufgeben.

»Sind Se vom Sozialamt?«

»Nein. Ich schreibe eine Diplomarbeit über die Geschichte Deutschlands und untersuche speziell die Schicksale von politischen Gefangenen in den frühen sechziger Jahren in der damaligen DDR...« Was Besseres fiel mir im Moment nicht ein.

»Da happ ick nüscht zu zu sagen...«

Die Alte wollte mir schon die Tür vor der Nase zuschlagen, aber ich stellte todesmutig meinen Fuß dazwischen: »Kennen Sie Olga Schellongova?!«

Erna Liebenow stutzte. »Wer soll'n det sein?«

Für den Bruchteil einer Sekunde erhellte sich ihr Gesicht, dann guckte sie mich wieder finster und abweisend an. Ich wollte aber jetzt nicht mehr aufgeben. Da stand das Abbild von Lothar und Mark! Also Abbild ist falsch. Zerrbild. Verwahrlost, fett, alkoholverseucht. Tätowiert, mit Piercings in beiden Ohren, ungepflegten Zähnen, stotternd und stammelnd...

So hätten Mark und Lothar auch werden können! Wenn das Schicksal es anders gewollt hätte!

»Olga Schellongova ist eine alte Freundin von mir und sie hat mir von Ihnen erzählt.«

»Det gloob ick nich...«

»Sie waren zusammen im Knast, in Lutzkow, Anfang der Sechziger, stimmt's?

Frau Liebenow regte sich nicht. Ich hörte mein Herz klopfen, oder war es ihres?

Ich summte die Arie, die Olga mit Erna zweistimmig gesungen

hatte. Vor Heiserkeit konnte ich es fast nicht rausbringen. Auf einmal wurde die Alte ganz weich, wich zurück, knurrte: »Det is nüscht für dich, Sven, hau ab in dein Zimmer!«

Und der bullige, furchterregende Sven in seinen Springerstiefeln verzog sich wie ein kleiner Junge, schlurfenden Schrittes zog er ab. Erst jetzt konnte ich sehen, dass er die ganze Zeit einen zerrupften alten Teddy in den Händen gehalten hatte.

»Der hatt'se nich alle auf'm Kasten«, murmelte Erna Liebenow und wies mir den Weg ins Wohnzimmer. Es roch penetrant nach Katzenpisse, Alkohol und altem Essen.

Ich bin noch nie im Leben in so einem Loch von Wohnung gewesen, Alex!

Wir setzten uns auf ein abgewetztes Sofa, zwei fette alte Katzen sprangen auf und verzogen sich unwillig hinter der Tür. Ich musste noch einige angeknabberte Hühnerknochen beiseite räumen, mit spitzen Fingern schob ich sie weg, sie fielen auf den Fußboden, wo sich die Katzen fauchend um sie stritten.

Erna Liebenow schob mir eine rosafarbene Kanne Kaffee mit Sprung hin und stellte zwei Tassen auf den Tisch.

»Wie jeht's Olja?«

»Danke, gut. Sie denkt immer an Sie und fragt sich, wie es Ihnen geht!«

»Is 'ne janze Weile her, die Zeit mit Olja…« Sie schüttete mir Kaffee ein. Der Kaffee war kalt.

»Hat Olja Se jeschickt?«

»Ja. Nein. Nicht direkt.« Ich stellte meine Tasse hin und meine Finger zitterten.

»Wat woll'n Se wissen?« Sie fingerte nach einer Zigarette und steckte sie sich an. Auch ihre Finger zitterten. Drinnen im Kinderzimmer hörte ich Sven rumoren.

Ich wagte den Vorstoß: »Wie war das mit der Geburt von Sven?«

»Det happ ick auf'm Sozialamt allet schon erklärt«, sagte Frau Liebenow unwillig. »Will mir ja eh keener gloob'n.«

»Ich glaube Ihnen, Frau Liebenow. Bitte erzählen Sie mir, wie es war.«

»Det Ei hamse mir im Knast jeleecht«, raunzte die Alte heiser. »Ick weess nich, wie set jemacht ham, ick bin zu dem jekomm wie de Jungfrau zum Kind, det war'n reinet Frauenjefängnis und zum Bumsen jab's da keene Jelejenheit.«

»Olga sagt, Sie haben nicht gemerkt, dass Sie schwanger waren?«

»Nee. Hab ja nüscht jewusst vom Leben, war jrad ma siebzehn, hab meine Liedchen jeträllert und war blöd wie Bohnenstroh.« Sie zeigte auf einige vergilbte Schwarzweißfotografien, die an den Wänden hingen.

Ein nettes junges Mädchen mit kastanienbraunen Locken. Darunter in geschwungenen weißen Buchstaben die Titel ihrer damaligen Schlager. »Wünsch mir Glück, Genosse!« und »Wir packen's an, junger Mann!« und solche Propagandalieder.

»Und dann?«

»Hamse mich jeschnappt und einjebuchtet. Am Anfang wollt ick sterben, aber denn hamse mir 'n Anjebot jemacht.«

»Was für ein Angebot?«

»Ick krich 'n Kind für die Deutsche Demokratische Republik. Hamse jesacht. Und det wird 'n juhter Parteijenosse.«

»Und damit waren Sie einverstanden?«

»Na, wat hätt ick sonst machen sollen? Krepiern? In Einzelhaft?«

»Das war die Zeit, wo sie mit Olga zusammen waren?«

»Ja. Aber nur 'n paar Monate. Denn is Olja verschwunden. Und icke, ick kam ins Lazarett. Und denn… hamse mich von ein' Knaben entbund'n. Unter Narkose, ick hab det jaanich mitjekricht. War tagelang bewusstlos. Se hatten wohl nich de richt'jen Instrumente für so wat.«

Sie sagte: »Von EINEM Knaben«, Alex.

»Wann war das genau?« Ich konnte vor Spannung nicht mehr auf diesem Sofa sitzen.

»Am ersten September 1962. Denn hatter Jeburtstach, der Sven. Denn wirter vierzich, wa! Obwohl: Im Koppe isser nich älter als wie sechse.«

»Und dann?«

»Ick hab denn offenen Vollzuch jekricht, weil se mich mit 'm frühjebornen Wurm nich länger einbuchten wollten, ick sollte ihm de Brust jebm, der wollt aber nich trinken. Der war so winzich, der Wurm, wie meine Hand, nich jrößer. Da hamse mich im Lazarett jelass'n und den Wurm irjendwie künstlich ernährt, ick weess nich, war selbst so schwach. Als ick wieder uff'm Damm war, hab ick da als Putze anjefang'n. Den Kleen hamse mit durchjebracht. Am Anfang hamse sich noch drum jekümmert, aber denn … hat sich keine Sau mehr für uns interessiert.«

»Wann sind Sie rausgekommen?«

»Se werd'n lachen. Als de Mauer fiel. Da war ick plötzlich frei wie ein Vogel. Und hatte einen siebenundzwanzigjährigen Schwachsinn'jen anner Backe. Wat sollste da noch anfangen mit'm Leben?«

»Sie waren dreißig Jahre lang im Knast?«

»Da bin ick nich die Einzige, wa! Als de Mauer fiel, kamse alle aus ihren Löchern jekrochen, mit mehr oder wen'jer jute Laune, wenn ick ma so sagen daaf.«

»Haben Sie jemals Einblick in die Stasiakten beantragt?«

»Wat soll 'n det bringen? Wat se mit mir jemacht ham, det will ick jaanich so jenau wissen. Welcher Kerl da auf mir jelegen hat, spielt ja jetzt keene Rolle mehr, wa!«

Sie grinste zynisch und sog hektisch an ihrem Zigarettenstummel.

»Die dreißig Jahre könnse mir nich' wiederjeben. Is ja jeloof'n, mein Leben.« Sie hustete und drückte ihre Zigarette aus. Ihre Finger zitterten.

»Außerdem hamse alle Beweise vernichtet, die se noch in die Finger jekricht haben. Meine Chancen auf Wiederjuhtmachung oder wie se det nennen woll'n, sind bei null. Für den Jungen krieg ick Sozialhilfe und ansonsten jeh ick putzen. Det is det Einzige, wat ich jelernt hab!«

Ich bin dann gegangen, Alex. Sven hab ich nicht mehr gesehen.

Ich weiß nicht, wie du darüber denkst, Alex. Aber ich glaube eines: Erna Liebenow hat keine Ahnung, dass sie vor vierzig Jahren Drillinge geboren hat.

Irgendetwas ist damals gründlich schief gelaufen. Aber was?

Jetzt bist du wieder dran. Ich schätze, du musst dir Opa Karl-Heinz noch mal zur Brust nehmen. Der ist der Einzige, der noch was wissen könnte. Ruf ihn an, Alex. Quetsch ihn aus.

Bin wieder zu Hause, erwarte dringendst deine Mail!
Deine Anne

PS: Es klingt profan, aber das Leben geht weiter: Heute Abend singt Mark Daniel im Mozarteum seinen Liederabend. Ich gehe jetzt unter die Dusche und schmeiße mich in mein Festspiel-dirndl!

Liebste Anne,
habe eben ein langes Telefonat mit Opa Karl-Heinz geführt.
Oma Helga lässt sich scheiden! Mit sechsundachtzig Jahren!!

Sie besteht auf Hausratsteilung und Zugewinn und so einen
Blödsinn, sagt er, und er hat Tage gebraucht, um herauszufinden,
wo sie steckt: in eurem ehemaligen Reihenhaus! Und den Hund
hat sie auch noch mitgenommen!

Er hat sie natürlich polizeilich suchen lassen, weil sie ja seiner
Meinung nach verwirrt im Kopf ist, aber ich sage dir, Anne, die
Frau sieht klarer als viele Frauen unseres Alters: Sie hatte noch
einen Schlüssel von eurem Haus, also, was lag näher, als dorthin
zu übersiedeln? Opa Karl-Heinz ist stinksauer. Diese Weiber, hat
er gesagt. Alles Weiber. Sogar die Anwältin. Früher hätte es so
was nicht gegeben. Früher konnten nur Männer Anwälte werden. Und das war auch gut so.

»Wissen Sie, wie die Anwältin Ihrer Frau heißt?«, hab ich da-
zwischengefragt.

»So ähnlich wie Hamburg. Ist aber 'ne Ausländerin. Kann
man ja nicht aussprechen als solider deutscher Bürger.«

»Kyllikki von Homburg?«

»So was in der Art. Klingt wie ein Kanarienvogel.«

Hahaha!!!

Ja sag mal, Anne, hast DU deiner Exschwiegermutter unsere
Anwältin empfohlen?

»Herr Pistrulla, ich rufe Sie an, weil ich eine ganz bestimmte
Frage an Sie habe.«

»Ja, bitte? Sprechen Sie, Kindchen, ist ja teuer, so ein Gespräch
aus Amerika.«

Ich holte tief Luft und fasste mir dann ein Herz: »Sagt Ihnen der Name Erna Liebenow etwas?«

»Erna ... wer?«

»Erna Liebenow.«

»Was soll mit der sein?«

»Ich will nur wissen, ob Sie sie kennen.«

Pause in der Leitung. Es rauschte ziemlich lange. Dann: »Nein. Sagt mir nichts, der Name.«

»Sie war Insassin des Gefängnisses in Lutzkow. Anfang der Sechziger.«

Wieder lange Pause. Ich hörte ihn atmen. Dann wieder: »Nein. Nie gehört.«

»Herr Pistrulla, es wäre wirklich wichtig! Mir können Sie es doch sagen!«

»Kindchen«, schnaufte er entrüstet. »Wenn ich mich an etwas NICHT erinnere, dann hat das nichts mit Altersschwäche zu tun! Ich habe ein glasklares Gedächtnis!« Er lachte wieder sein selbstgefälliges Lachen. »Heutzutage brauchen alle Menschen einen Computer. ICH nicht! Ich habe alles ... hier oben ... auf meiner Festplatte gespeichert. Eine Erna Liebenow ist mir nie begegnet.«

»Sie haben auch nichts von ihr gehört?«

»Nein. Nie.«

»Über sie gelesen? In den Akten?«

»Liebes Kind, ich kenne alle Akten, die ich jemals gelesen habe, heute noch auswendig. Sie können mich nachts um drei aus dem Schlaf wecken und mich fragen, was auf Seite sechsundneunzig der Akte X steht, und ich werde Ihnen das sagen. Wort für Wort. Auf mich können Sie sich verlassen.«

Ich überlegte, ob ich weiterbohren sollte. Aber dieses selbstherrliche Geschwafel erzeugte Brechreiz in mir!

Es tut mir Leid, Anne, ich konnte einfach nicht. Ich bedankte mich für das Gespräch und wünschte ihm alles Gute.

Vielleicht nimmt er sein Geheimnis mit ins Grab. Vielleicht hat er aber auch keins! Vielleicht ist er nur ein kleiner unwissender Handlanger der großen Drahtzieher gewesen, der ohne Fragen zu stellen ihre Forderungen erfüllt hat!

Soll ich dir was sagen, Anne? Genauso schätze ich ihn ein. Er war kein Entscheidungsträger. Er war ein schwanzwedelnder Speichellecker.

Anne, ich glaube, den haken wir ab.

Gehe jetzt schlafen. Morgen früh werde ich Lothar mit Steve bekannt machen! Erstens, damit Lothar sich um Stevens Knete kümmert. Und zweitens, damit er aufhört, sich auf mich Hoffnungen zu machen. Ich glaub, er hat sich in mich verknallt.

Aber wie würde Adrian sagen? »Das ist doch nicht mein Problem!!«

Grüße dich in alter Liebe
deine Alex

PS: Was sollen wir denn jetzt mit unseren Geburtstagskindern machen? Noch zwei Tage!

Der Countdown läuft! Ich müsste mich um Tickets kümmern…

Liebste Alex,
komme gerade aus dem Mozarteum, bin noch ganz benommen.

Der Liederabend war ein ganz besonderes Erlebnis. Mark Daniel sang vor sechshundert Zuhörern im ausverkauften Saal. Ganz leise Töne. Schmerzliche, karge Lieder, die von Winter und Öde handeln, von einem jungen Mann, der seine Liebste verloren hat und nun auf dem Weg ins Nichts ist. Die Leute haben kaum geatmet, so innig hat Mark Daniel gesungen. Du erinnerst dich? Es sind vierundzwanzig Lieder am Stück, eines trauriger als das andere. Nach seinem Vortrag war bestimmt eine Minute lang Stille im Saal. Ich fürchtete mich vor dem Moment, in dem der Beifall losprasseln würde. Die Klänge der Pianistin schwebten noch im Raum, von dem alten Leierkastenmann, der barfuß auf dem Eise hin und her wankt.

»Wunderlicher Alter, willst du mit mir gehn? Willst zu meinen Liedern deine Leier drehn?«

Die ganze Spannung wäre mit einem Mal zerstört gewesen. Aber dann, Alex. Ich kann dir gar nicht sagen, wie sehr mich das berührt hat: Keiner klatschte. Keiner. Die Leute standen nur schweigend auf! Sie standen auf, alle sechshundert Zuhörer in ihrem feinen Zwirn, mit ihren kunstvollen Frisuren, ihren Diamantengehängen und Orden am Revers, und verharrten minutenlang stehend in ihren Reihen, während Mark Daniel ihnen schweißgebadet und erschöpft gegenüberstand. Es war eine Ehrerbietung, von der jeder Sänger nur träumen kann. Kein lautes Gejubel, kein Getrampel und Bravorufen. Nur ein schlichtes Aufstehen. Dann zogen sie ganz langsam ab. Reihe für Reihe. Und keiner sagte ein Wort.

Ich musste weinen, Alex. Ich war noch nie in meinem Leben so ergriffen.

Was dieser Mann für einen Tiefgang hat! Und was er anderen davon mitgeben kann! Er ist kein Show-Typ, der immer die Hauptrolle spielen muss. Er kann auch ganz leise, ganz schlicht sein. Plötzlich wurde mir klar, wie sehr ich ihn liebe. Und dass er mich auch liebt.

So kann nur jemand singen, der wirklich liebt.

Seine Angst, mich zu verlieren, ist genauso groß wie meine, ihn zu verlieren. Besser hätte er mir das nicht mitteilen können.

Tja, Alex. Und da wären wir beim Thema. Wir wollen dein Haus kaufen. Und gehen auf dein Angebot ein. Wir werden dir immer das blaue Gästezimmer freihalten und Adrian soll auch immer seine Heimat hier behalten. Ihr gehört zu unserem Leben, ihr seid unsere besten Freunde.

Natürlich wäre es toll gewesen, die beiden an ihrem vierzigsten Geburtstag miteinander bekannt zu machen. Aber eigentlich ist so was nur im Film toll.

Im wahren Leben wäre dieses Zusammentreffen nur peinlich und sinnlos gewesen.

Niemand zwingt uns, diese beiden viel versprechenden Männer, die in unserem Leben eine so große Rolle spielen, mit ihrer Vergangenheit zu konfrontieren. Ich komme immer mehr zu dem Schluss, dass es das Beste für alle wäre, wenn wir keinen Staub aufwirbeln würden.

Überleg doch mal: Wem nützt es, wenn wir die Wahrheit ausplappern? Wem könnten wir damit einen Gefallen tun? Niemandem.

Wir würden in ihrer aller Leben nur Verwirrung und Unfrieden stiften. Und was hätten wir davon? Nichts.

Was soll's, Alex. Wir haben es bis jetzt für uns behalten, wir können es auch weiter tun.

Sei lieb gegrüßt von deiner Anne

PS: Ich HABE Oma Helga Kyllikki nicht empfohlen! Keine Ahnung, wie sie auf die gekommen ist!!

Los Angeles…

Liebe Anne,
wie klug du bist. Jetzt bist du wieder meine alte Anne.

Du hast Recht. Wir können Schicksal spielen. Wir bestimmen, wie diese Geschichte zu Ende geht. Wir verkaufen sie. An Walter.

Wir veröffentlichen alle unsere E-Mails von A bis Z.

Und damit niemand zu Schaden kommt, greifen wir zu einer völlig legalen List: Wir ändern die Namen aller beteiligten Personen. Wir ändern die Namen aller Orte und Straßen. Wir ändern unsere eigenen Namen. Wir ändern einige Daten und Jahreszahlen. Den Gewinn teilen wir uns schwesterlich. Fifty-fifty, Ehrenwort!

Sollte unsere Geschichte verfilmt werden, geht der Erlös ebenfalls zu gleichen Teilen auf unsere Konten.

Außerdem fließt monatlich ein bestimmter Betrag für Grabpflege an den Waldfriedhof Plattstadt. Denn ohne Heinrich Seelig wäre dieses Buch nicht zustande gekommen.

Den Entwurf eines Vertrages – übrigens ausgearbeitet von dem Allround-Talent Lothar, der vom Inhalt des Manuskriptes nicht die leiseste Ahnung hat – maile ich dir im Anhang.

Erwarte in gespannter Vorfreude deine Antwort.
Deine Alex

PS: Du glaubst es nicht: Lothar hat seiner Mutter deine Anwältin Kyllikki selbst empfohlen! Er sagt, sie sei genial. Also, Geschmack hat er, der Junge!

Liebe Alex,
ich bin froh, dass wir uns so einig sind.

Mit deinem Vorvertrag bin ich einverstanden. Besonders mit deinem Vorschlag, Heinrich Seeligs Grab nun regelmäßig mit Blumen zu versorgen. Sollten wir nicht allerdings auch Erna Liebenow und dem schwachsinnigen Sven ein Konto einrichten?

Vielleicht muss Erna Liebenow dann nicht mehr putzen gehen. Und Sven könnte vielleicht in ein Heim.

Lothar hat wirklich gute Arbeit geleistet. Ich bin im Nachhinein noch stolz auf ihn.

Die Tatsache, dass Lothar seiner Mutter Kyllikki als Anwältin empfohlen hat, lässt tief blicken. Anscheinend ist er selbst froh, dass er aus seinem früheren Leben rausgekommen ist.

Mark Daniel hatte einen herrlichen Geburtstag. Nachdem nun gestern die Festspiele endgültig vorbei waren, habe ich Mark Daniel auf einen Flug ins Blaue eingeladen. Er war sehr erfreut und sagte, er fliegt mit mir überallhin, ob Hawaii oder Timbuktu. Wir nahmen die sechs Uhr fünfzehn nach Frankfurt. Die Kinder waren auch dabei.

»Und jetzt?«, fragte Mark Daniel, als wir durch das Flughafengebäude liefen. »Die Transitflüge sind im anderen Terminal!«

»Kein Transit«, sagte ich. »Wir sind am Ziel.«

Ich schleppte meine Lieben zum Sixt-Schalter, wo Mark Daniel ja schon in deiner Kartei unter Super-VIP vermerkt ist, und bekamen einen schnittigen Rang Rover angeboten, zum Testen, zum Nulltarif. Mit freundlicher Empfehlung an Frau Alexandra von Merz …

Ich wollte aber unbedingt einen alten Opel.

»Fahr du«, sagte ich und reichte Mark die Schlüssel.

»Hübsch ist es hier«, sagte Mark ratlos, als wir an der Gesamtschule parkten.

Es war gerade acht Uhr und die Schüler rannten die breite Freitreppe hinauf. Zwei Mädchen wie du und ich waren auch dabei.

»Lasst uns einen Spaziergang machen«, schlug ich vor.

Wir gingen durch die Plattstädter Straßen, die schnurgeraden Wege, vorbei an den unzähligen, gleich aussehenden Reihenhäusern, am Spar-Markt, am evangelischen Gemeindehaus, in dem wir immer unsere Chorproben hatten, vorbei an der Hochhaussiedlung, den Sportplätzen, der Einkaufszone und vorbei an dem Friedhof, auf dem Heinrich Seelig liegt.

»Was willst du mir zeigen, Anne?«, fragte Mark.

»Hier haben wir mal gewohnt«, sagte ich. »Du, die Kinder und ich.«

»Ja, jetzt erinnere ich mich!«, rief Greta.

»Ich erinnere mich auch!«, rief Carla.

»Das ist ein lustiges Spiel«, sagte Mark. »Ja, jetzt erinnere ich mich auch wieder!«

Wir begegneten all den Leuten, Alex, die ich kenne, seit ich bis drei zählen kann. Den Nachbarn und den Kollegen, den Plattstädter Bürgern, die bei Lothar ihre Konten hatten, den Bekannten von Oma Margot und allen, die bei mir im Kaufglück eingekauft haben.

Wir grüßten nach rechts und wir grüßten nach links und alle Leute drehten sich nach uns um und tuschelten und stießen sich in die Rippen.

Mark und ich gingen Arm in Arm und jeder von uns hatte ein Mädchen an der Hand.

»Ich wusste nicht, wie berühmt du bist«, sagte Mark.

»Ah, da sind Sie ja wieder«, sagten die Leute. »Guten Tag, Herr Pistrulla, guten Tag, Frau Pistrulla!«

»Spiel mit«, flüsterte ich übermütig. »Wir stehen auf der Bühne!«

Das ließ Mark sich nicht zweimal sagen. Er grüßte freundlich und charmant nach allen Seiten. Ich zischte ihm die Namen der Passanten zu und er plauderte weltmännisch mit diesem und jenem.

»Von wegen Ehekrise«, tuschelten sie. »Sie sind doch eine Bilderbuchfamilie!«

Dann stiegen wir wieder in den Opel und fuhren durch die ganze Stadt.

Unser Besuch in Plattstadt hatte sich schneller rumgesprochen, als unser Opel fahren konnte.

Dann fuhren wir zum Kaufglück bis in die oberste Parkgarage und ließen den Opel direkt neben Siegwulf Menneckens Cabriolet stehen. Er arbeitet jetzt wieder bei Kaufglück und Jürgen Böhser auch. Ich finde, es ist ihre gerechte Strafe.

Wir wanderten durch alle Etagen, Hand in Hand, prüften die Angebote und kauften den Kindern jede Menge Klamotten aus dem Sommerschlussverkauf. Ich bezahlte mit meiner früheren Mitarbeiterkarte und bekam vierzig Prozent Rabatt. Mark Daniel hat mit sicherer Hand die Sachen für die Kinder ausgesucht. Er hat modisch einfach den besseren Geschmack.

Dann haben wir noch ein paar Sachen aus der Bettenabteilung eingekauft. Nur so. Ich wollte mal schauen, wer dort Dienst hat. Ziemlich viele neue Gesichter unter den Mitarbeitern, aber auch viele bekannte. Die Frau, die behauptet hat, morgens seien die Kissen immer zerwühlt gewesen, hat Mark geradezu untertänigst bedient. Wir haben uns Laura-Ashley-Bettwäsche gekauft, zum Mitarbeiterrabatt.

Alle früheren Kollegen haben uns gesehen. Auch Siegwulf Mennecken und Jürgen Böhser, die dicke Frau Fischer-Wollenweber und die missgünstige Frau Schnatzke aus der Fleischabteilung. Sie stießen sich in die Rippen und tuschelten.

Wir grüßten freundlich nach allen Seiten.

»Ich wusste nicht, wie berühmt du in diesem Kaufhaus bist«, sagte Mark.

»Tja«, sagte ich. »Jeder hat seine Bühne.«

Der Geschäftsführer, der mich entlassen hat, bat uns auf eine Tasse Kaffee in sein Büro.

»Wie geht's denn immer so?«, fragte er erfreut. »Sie sehen alle vier blendend aus! Wie schön, dass sich für Sie alles zum Guten gewendet hat.«

»Ja, das hat es«, sagte Mark Daniel. »Wir werden bald heiraten.«

»Es geht uns auch allen vieren blendend«, strahlte ich und stupste ihn in die Rippen.

»Dann ist bei Ihnen alles wieder in Ordnung?«

»Bei uns war nie etwas in Unordnung«, sagte Mark liebenswürdig. »Gut Ding will Weile haben!«

»So wie Sie alle aussehen, muss man es Ihnen einfach glauben«, sagte der Geschäftsführer. Er schenkte den Mädchen noch zwei kleine Schlauchboote aus der Sommerschluss-Aktion aus der Spiel- und Freizeitabteilung, und dann mussten wir uns beeilen, um die Nachmittagsmaschine nach Salzburg zu erwischen.

Schließlich möchte ich keinen einzigen Tag mehr woanders verbringen als in unserem Paradies.

Sehr glücklich,
deine Anne

Los Angeles, in der Villa der Martinis, 31. August

Liebste Anne,
lass dir gratulieren. Erstens bist du die Besitzerin einer Landhausvilla, zweitens konnte ich dir die zweite Rate deiner Einnahmen an der Beteiligung von Jane Blonds Produkten überweisen (die genauen Zahlen findest du im Anhang, sie sind
herrlich sechsstellig!) und drittens hat Walter unsere E-Mails
gekauft! Er macht einen Roman daraus – Hardcover, vierhundert Seiten!!

Habe soeben den Vertrag mit seinem Justiziar unterzeichnet –
natürlich nach eingehender Beratung mit meinem persönlichen
Consultant, Mister Lothar Pistrulla.

Mädchen, wir sind reich!

So, wie wir das immer erträumt haben. Damals, bei unseren
Wanderungen um den Plattstädter Baggersee!

Walter hat alle unsere E-Mails bis hierher persönlich gelesen.
Normalerweise gibt er neue Stoffe zuerst immer seiner Lektorin,
aber in diesem Fall haben er und Liz sich gegenseitig die Seiten
aus der Hand gerissen. Du kannst dir ja denken, dass sie diese
Geschichte sehr interessiert hat.

Lass uns ehrlich sein, Anne Klein: Die Geschichte ist deshalb
so gut, weil sie WAHR ist!

Nun lass dich herzlich umarmen und ganz feste drücken –
von deiner alten Freundin Alex

PS: Vanderbilt und ich werden wohl heiraten. Lothar meint, das
kommt auf jeden Fall steuerlich günstiger, nicht zuletzt wegen
der hochinteressanten Lebensversicherung.
PPS: In absehbarer Zeit werden wir nach Las Vegas fliegen, um

die Angelegenheit schnell und diskret hinter uns zu bringen.
Frage: Dürfen wir mit euch als Trauzeugen rechnen?

Mondsee, Landhaus Klein Martini,
in meiner Arbeitsgalerie, 4. September

Unten im Dorf klingelt gerade die Pausenglocke: Meine Zwillinge sind heute eingeschult worden! Aber nicht nur das: Heute vor einem Jahr habe ich dir die erste Mail geschickt!

Liebste Alex,
wenn man bedenkt, wie ich früher jeden Euro zweimal umgedreht habe – und jetzt bin ich so reich, dass ich dich um deinen Finanzberater beneide! Aber habe ich dich nicht von Anfang an um irgendetwas beneidet?

Das muss nun ein Ende haben: Ich bin der glücklichste Mensch der Welt.

Mark Daniel und ich haben übrigens auch vor zu heiraten. Was hältst du davon, wenn wir, da wir doch sowieso nach Las Vegas kommen, das Nützliche mit dem Angenehmen verbinden?

Natürlich bitten wir Steve W. Vanderbilt und dich, UNSERE Trauzeugen zu sein. Man könnte das Ganze vermutlich von der Steuer absetzen. Frag mal Lothar.

Ich muss dir ganz ehrlich gestehen, Alex: Ich hätte inzwischen wirklich Lust, dich endlich wiederzusehen.

Herzlich
deine Anne Klein

ENDE

Ich danke allen Menschen in Mondsee und Umgebung für die Inspiration zu dieser Geschichte, speziell meinen Freunden Günther und Ingrid, Antonia von der Erlachmühle und der Fürstin zu Sayn-Wittgenstein-Sayn, dass ich sie ins der Reich der Fantasie entführen durfte.

Leinen los!

Die »MS Blaublut« ist eine
perfekte Bühne für Sängerin
Burkharda Meier, die auf dem
Traumschiff für gute Laune
sorgen soll. Hocherfreut läßt
sie für die Dauer einer
Weltreise Vorstadt und
Ehemann hinter sich.
Letzteren vergißt sie fast
vollständig, als sie Fred Hahn
begegnet, dem unglaublich
attraktiven Kreuzfahrtdirektor.
Doch eines Tages zerstören ein
anonymer Brief und das
Gerücht über ein Foto, das
Burkharda in einer recht
pikanten Situation zeigen soll,
die Idylle. Burkharda kämpft
um ihren Ruf – auch wenn im
Eifer des Gefechts so mancher
über Bord geht ...

»Die erfolgreichste Autorin
Deutschlands.«
Welt am Sonntag

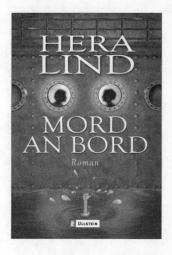

Hera Lind
Mord an Bord
Roman
Originalausgabe

ULLSTEIN TASCHENBUCH

UB93

Wilma von der Senne schreibt
für das Hochglanzmagazin
Elite. Wieder einmal hat die
Grande Dame der deutschen
Presse ein hochkarätiges Opfer
gefunden: Die ach so biedere,
verheiratete Familien-
ministerin Mechthild
Gutermann wurde bei einem
Schäferstündchen mit einem
amerikanischen Beau
gesichtet. Und das sechs
Wochen vor der Hessenwahl!
Der Absturz der Politikerin ist
vorprogrammiert. Doch dann
gerät Wilma selbst in die
Mühlen der Medien: Man stellt
sie als Kindsmörderin und
Rabenmutter hin. Und als auch
noch ihr Mann mit den beiden
Töchtern verschwindet, steht
Wilma plötzlich ganz
alleine da ...

Hera Lind

Hochglanzweiber

Roman

Originalausgabe

ULLSTEIN TASCHENBUCH

»Eine Schurkengeschichte
von großem Amüsement.«
Der Spiegel

Eine menschliche Komödie –
mal heiter, mal melancholisch
– der Beziehung zwischen den
Geschlechtern: Was als Spiel
mit dem Feuer begann, wird
für Robert zum Desaster.
Betrug an seinem besten
Freund, zu dessen Frau er in
leidenschaftlicher Liebe
entbrennt, Verrat an seiner
Ehefrau, die er keineswegs
verlieren will, Lügen und feige
Ausflüchte gegenüber der
Geliebten bringen
sein Koordinatensystem
ausweglos durcheinander …

»Ein unterhaltsamer, aber
auch nachdenklicher, bisweilen
trauriger Gesellschaftsroman
über die Liebe in Zeiten der
Orientierungslosigkeit.«
Frankfurter Neue Presse

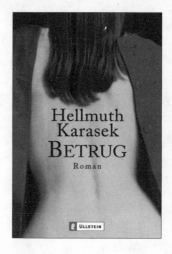

Hellmuth Karasek

Betrug

Roman

ULLSTEIN TASCHENBUCH

UB55